Le premier miracle

DU MÊME AUTEUR

L'Exil des anges, Fleuve Éditions, 2009 ; Pocket, 2010.

Nous étions les hommes, Fleuve Éditions, 2011 ; Pocket, 2014.

Demain j'arrête ! Fleuve Éditions, 2011 ; Pocket, 2012.

Complètement cramé ! Fleuve Éditions, 2012 ; Pocket, 2014.

Et soudain tout change, Fleuve Éditions, 2013 ; Pocket, 2014.

Ça peut pas rater ! Fleuve Éditions, 2014 ; Pocket, 2016.

Quelqu'un pour qui trembler, Fleuve Éditions, 2015 ; Pocket, 2017.

Vaut-il mieux être toute petite ou abandonné à la naissance ? avec Mimi Mathy, Belfond, 2017.

GILLES LEGARDINIER

Le premier miracle

ROMAN

© FLAMMARION, 2016.

1

Il faisait nuit, un peu froid. D'ordinaire, M. Kuolong n'aimait pas attendre. Pourtant, ce soir-là, patienter le rendait presque heureux. Voilà bien longtemps que ce quinquagénaire mince au regard d'adolescent n'avait pas éprouvé cela. Surtout vis-à-vis de quelqu'un.

Au premier étage de sa résidence américaine, devant la baie du salon dominant son immense propriété, il scrutait le ciel. Ce dîner s'annonçait important. Essentiel même. Pour une fois, cela n'aurait rien de professionnel, bien au contraire. Il y voyait cependant davantage d'enjeux que lors de ses récentes prises de contrôle de compagnies électroniques. Ce soir, c'était sa part la plus intime qui espérait trouver un écho.

Tout avait commencé avec une rencontre – et malgré son épais carnet d'adresses, peu lui avaient fait cet effet-là. Il en avait été tellement troublé qu'il en avait parlé à sa femme.

La première fois qu'il avait remarqué Nathan Derings, c'était à Londres, quelques mois auparavant, lors d'une présentation à la National Gallery. Le musée célébrait la restauration d'une toile exceptionnelle de John Constable, *Le Champ de blé*, grâce au don d'un milliardaire américain, propriétaire de casinos à Las Vegas et grand collectionneur. Tout ce que l'Europe de l'art et du mécénat comptait d'incontournable s'était donné rendez-vous ce soir-là sous les ors de la prestigieuse institution de Trafalgar Square.

Les convives se pressaient devant l'œuvre bucolique en y prêtant une attention de principe, plus occupés à flatter le généreux donateur qu'à jouir de cette merveille. L'événement n'était qu'un prétexte à se pavaner. Tous n'avaient qu'une idée en tête : se faire remarquer, puis, une flûte de champagne à la main, aller faire fructifier leur réseau de relations devant le luxueux buffet auquel ils toucheraient à peine. Le lendemain, sur tous les médias possibles, ils passeraient des heures à raconter qu'ils y étaient.

À l'écart, Wang Kuolong observait les invités. D'après ses estimations, il était plus riche qu'environ 97 % d'entre eux. Beaucoup plus riche. Mais lui ne cherchait pas à le montrer. Il n'en avait ni le besoin ni l'envie. Il était venu pour le tableau et patientait donc pour le contempler. M. Kuolong savait qu'en affaires comme dans la vie, il faut savoir se positionner et attendre le bon moment. Alors, se tenant éloigné de l'effervescence mondaine, il avait rongé son frein jusqu'à ce que la horde finisse par se déplacer vers le passage obligé suivant de cette réception : le *photocall* installé dans un salon voisin. Lorsque les derniers barbares en tenue de soirée quittèrent enfin la salle, Kuolong savoura la petite victoire que son attente venait de lui offrir d'un sourire satisfait.

Le silence, enfin, et le recul nécessaire pour apprécier la toile sans aucun parasite. Remarquable composition des volumes, et un mouvement de lecture aux antipodes des canons habituels.

Inimitable traitement des feuillages. Magnifique élan du chien saisi dans sa poursuite des moutons sur le chemin qui ouvrait vers l'horizon. Chaque détail semblait prêt à s'animer à la moindre brise. Kuolong s'immergea dans l'œuvre avec délectation.

Soudain, sur le côté de la salle, un mouvement attira son attention. Il crut d'abord qu'il s'agissait d'un agent de sécurité du musée, mais il se trompait.

Il n'était pas le seul à avoir attendu ce moment. Un autre homme se tenait encore davantage en retrait. Plus jeune, cheveux courts, beaucoup d'allure, habillé avec élégance mais sans ostentation. Lui aussi observait le tableau, d'un peu plus loin. M. Kuolong pensa qu'il avait sans doute une meilleure vue étant donné son âge. Les deux hommes restèrent ainsi, perdus dans leur fascination.

Lorsque l'inconnu s'avança vers l'œuvre, il eut le tact de marcher en faisant le moins de bruit possible sur le vénérable parquet. Kuolong le remarqua et avança à son tour. Certainement pas pour l'imiter, mais parce que leurs rythmes d'approche de la toile étaient en phase. Après la perception de l'ensemble, venait l'étude de la technique. Capter l'œuvre en réduisant progressivement la distance, jusqu'à distinguer la trace du pinceau. Approcher le miracle qui transforme une touche de couleur parfaitement placée en une émotion véritable, jusqu'à sublimer une réalité matérielle en un souffle de sentiment. Ce soir-là, Kuolong fut aussi ému du génie de Constable que de se découvrir un alter ego d'observation.

L'inconnu fit un ultime pas vers la toile et murmura :

— Tout est dans la lumière... N'est-ce pas ?

Kuolong acquiesça, heureux.

Après avoir achevé ensemble leur expérience de l'œuvre, les deux hommes entamèrent une très longue conversation.

Ils se revirent à Shanghai, pour un Magritte, par hasard, puis se donnèrent rendez-vous à Los Angeles au pied d'un Rembrandt. C'est là, devant le sombre *Portrait d'un homme* qui semblait les observer, que M. Kuolong eut l'idée d'engager Nathan Derings. C'était pour lui faire cette proposition qu'il l'avait invité ce soir. Le magnat était captivé par le charisme et l'intellect de cet homme au sujet duquel il avait demandé à ses services de se renseigner. L'individu donnait des conférences sur l'histoire de la peinture dans de nombreuses universités, mais Kuolong sentait en lui un autre potentiel, une puissance et une capacité d'analyse rares dont il avait besoin.

À travers la baie vitrée, dans le clair de lune, l'immense forêt se confondait avec les collines du Montana qui se profilaient à l'ouest. Une voix douce tira Kuolong de ses songes.

— Tout est prêt, monsieur. Vous ne souhaitez vraiment pas que j'assure le service ?

— Non, merci, Donna. Profitez de votre soirée.

— Gardez au moins Ralph, je n'aime pas que vous restiez seul. Madame n'approuverait pas...

— Ne vous souciez de rien. En cas de besoin, l'équipe du poste de garde est là.

— Comme vous voudrez.

— Bonne soirée, Donna. Inutile de faire monter Ralph, je le verrai demain matin.

Lorsque l'employée de maison et le garde du corps quittèrent la résidence, Kuolong réalisa que c'était sans doute la première fois qu'il s'y trouvait seul. Cela lui convenait. Il ne quitta son poste d'observation que lorsqu'un minuscule point lumineux fit son apparition dans le ciel. L'hélicoptère approchait.

Il descendit rapidement l'escalier et sortit accueillir son invité sans même prendre le temps d'enfiler un manteau. D'un pas volontaire, il longea la façade de son imposante maison d'architecte pour rallier les jardins de derrière. Décidément, ce soir, il se surprenait lui-même : lui qui n'aspirait qu'au silence se réjouissait du vacarme de son hélico.

En soulevant une tempête de feuilles mortes, l'engin effectua un dernier virage d'approche avant de se poser. Kuolong se protégea le visage mais ne recula pas. À peine les patins eurent-ils touché le sol que Nathan Derings ouvrit la portière et descendit. Pour un professeur d'histoire de l'art, il semblait très à l'aise en bondissant de l'appareil.

Kuolong lui tendit la main avec chaleur. Cherchant à se faire entendre malgré le bruit du rotor, il hurla :

— Bienvenue, monsieur Derings ! Merci d'avoir accepté mon invitation !

— C'est à moi de vous remercier. Vous êtes forcément très occupé. Et en plus, vous m'envoyez votre hélico !

Rapidement, les deux hommes gagnèrent la résidence. Derings rectifia sa coiffure d'un geste en découvrant le grand hall. Il remarqua immédiatement les antiquités et les tableaux.

— Vous avez réussi à faire de l'architecture l'écrin de votre goût pour l'art… C'est très impressionnant.

— Merci, monsieur Derings.

— Nathan, si vous le voulez bien.

— À condition que vous m'appeliez Wang. Je vous sers un verre ?

Le visiteur regardait avec attention une lunette astronomique ancienne exposée dans une niche spécialement aménagée. Le maître des lieux s'approcha.

— J'ai également un faible pour les outils scientifiques historiques. Je possède quelques pièces assez remarquables, dont cette lunette. C'est sans doute grâce à elle que nous connaissons aujourd'hui notre système solaire. Savoir que Johannes Kepler a peut-être compris le déplacement des planètes autour du soleil en regardant à travers elle me bouleverse. Pas vous ?

— Effectivement...

Les deux hommes montèrent au salon. Derings fut attiré par des dessins originaux de Vinci et deux sanguines de Picasso.

— Vous vivez au milieu d'œuvres aussi éclectiques qu'inestimables.

— J'en profite quelque temps, puis je les confie à des musées. J'en conserve certaines, cependant.

Kuolong passa derrière le bar et jaugea l'alignement de bouteilles qui recouvrait deux étagères. Il se retourna vers son invité, désemparé.

— J'avoue que je n'ai pas l'habitude de faire le service... J'ai donné congé à tout le monde pour que nous soyons tranquilles. Un simple bourbon vous conviendrait-il ?

— Ne vous en faites pas. Épargnons-nous les conventions inutiles. De quoi vouliez-vous donc discuter ?

Kuolong apprécia d'éviter les manœuvres d'approche. Face à son interlocuteur, il sentait qu'il pouvait – et qu'il devait – être direct, agir comme avec un homme d'affaires et non un universitaire.

— J'ai fait préparer un repas léger. Désirez-vous passer à table ?

— À vous de décider. Je suis impatient de vous entendre, monsieur Kuolong.

— Wang, s'il vous plaît.

Ils prirent place, mais aucun des deux ne souleva la cloche qui recouvrait son assiette.

— Vous l'avez compris, je consacre une bonne partie de mon temps et de mes moyens à la sauvegarde des œuvres les plus variées. À travers ma fondation, j'achète, j'expose, je prête et je finance. Je ne me considère pas comme le propriétaire de ces manifestations du génie humain, mais comme un spectateur privilégié.

— Votre collection est assurément très belle...

— Vous n'en voyez ici qu'une infime partie.

— Qu'attendez-vous de moi ?

— Je souhaiterais que nous puissions travailler ensemble. J'aimerais vous confier la direction opérationnelle de ma fondation. Nous pourrions choisir les acquisitions et organiser les expositions. J'ai les moyens de vous rémunérer à la hauteur de l'estime que je vous porte. Qu'en dites-vous ?

Alors que Kuolong s'attendait à déclencher l'enthousiasme chez son interlocuteur, il eut la désagréable surprise de ne détecter aucune réaction. Sans ciller, Derings posait simplement sur lui ce regard intense et calme qui l'avait impressionné dès le premier soir.

— C'est une très belle offre. J'en suis honoré.

— Elle ne semble cependant pas vous tenter autant que je l'espérais...

— Soyez assuré que votre proposition me touche. J'en mesure toute la générosité mais...

— Je peux vous convaincre.

— Je ne sais pas. L'argent n'a jamais été...

— Il n'est pas question d'argent. Suivez-moi.

La soirée prenait un tour inattendu, mais Kuolong savait s'adapter. Il entraîna son invité jusque dans son bureau, un beau volume à la décoration nettement plus asiatique agrémentée de peintures sur soie anciennes. Ému mais déterminé, il déclara :

— Seuls ma femme et mes enfants ont déjà vu ce que je vais vous montrer. Personne ne sait, et personne ne doit savoir. Quelle que soit votre décision, promettez-moi de garder le secret.

— Vous avez ma parole.

— J'ai confiance en vous, Nathan, et je suis convaincu que nous finirons par travailler ensemble. Si je n'en étais pas certain, je ne prendrais pas le risque de vous dévoiler cela.

Il s'approcha d'une statuette de jade représentant un dragon. Il s'inclina devant en joignant les mains puis, comme s'il lui confiait un secret, récita quelques phrases en taïwanais. Tout proche, un pan de mur s'écarta dans un glissement feutré. Un ascenseur apparut, et Kuolong invita son visiteur à y entrer avec lui. La porte se referma sur eux et la cabine se mit en mouvement.

— Je ne suis pas un amateur, Nathan, et je devine que vous non plus.

Derings ne disait pas un mot.

— Ce que vous avez vu de ma collection n'est que la partie émergée de l'iceberg. J'ai conçu l'endroit vers lequel nous descendons pour abriter ma passion. Ma réussite m'a donné les moyens d'être libre. Mais rien de ce que j'ai pu accomplir ou amasser n'approche la valeur d'un seul des prodiges que j'ai la chance de détenir. Certains hommes dépassent les autres, et ce qu'ils offrent à ce monde nous élève tous.

L'ascenseur s'immobilisa et la porte s'ouvrit sur un large couloir taillé dans la roche.

— J'ai choisi d'installer ma résidence dans cette région parce que c'est l'une des zones sismiques les plus stables du monde, et la seule située dans un pays libre. Ici, mes trésors sont à l'abri de la folie des hommes comme des colères de la nature.

Kuolong remonta le couloir jusqu'à une porte métallique massive à côté de laquelle se trouvaient un clavier et un scanner biométrique. Il composa un code d'au moins huit chiffres et posa sa main sur la surface plane.

Lentement, lourdement, le battant pivota, révélant une salle de béton brut basse de plafond qui s'étendait si loin qu'il était difficile d'en distinguer le fond. De chaque côté, sur les murs, s'étiraient des alignements de toiles dont chacune était mise en valeur par un éclairage précis.

Cette fois, Kuolong nota avec satisfaction que la maîtrise dont faisait preuve son invité ne lui avait pas suffi pour rester impassible face au spectacle qui s'étendait devant eux. D'un geste, il l'incita à pénétrer dans son sanctuaire.

Derings avança sans savoir où porter son regard. L'endroit contenait des dizaines d'œuvres, certaines réputées disparues ou détruites, d'autres prétendument possédées par des fortunes du Golfe. Devant chacune, un canapé en cuir brun, toujours le même, à deux places.

— C'est dans ce temple dédié au génie de notre espèce que je viens me demander qui je suis et à quoi rime ce monde.

— Avez-vous trouvé les réponses, Wang ?

— À vrai dire, je ne suis pas pressé de les découvrir. J'ai peur qu'en les connaissant, la vie perde à la fois son mystère et son intérêt.

Derings passa devant une toile de Van Gogh.

— Le *Portrait du docteur Gachet* a donc survécu à la mort de Ryoei Saito...

— Sa famille avait besoin d'argent, j'ai pu le racheter. Imaginez la perte que cela aurait représenté si la toute dernière toile du maître avait été détruite par mégalomanie...

Le visiteur s'avança jusqu'à une toile du Caravage.

— J'ai toujours admiré son sens dramatique, glissa Kuolong. Au-delà d'une technique inégalée, il sait restituer l'instant où les destins basculent. Il est le seul à révéler les âmes qui se brisent avec cette intensité.

Nathan reprit sa visite, découvrant classiques et modernes mêlés, Watteau, Soutine, Turner, Dalí...

— Puis-je vous demander selon quels critères vous avez décidé de leur place ?

— La pertinence de votre question me prouve à quel point j'ai vu juste vous concernant... Chacune de ces œuvres déclenche en moi des émotions, comme les notes d'une symphonie silencieuse. Je me suis composé ma mélodie, et lorsque je parcours cette salle, c'est un concert absolu qui se joue au plus profond de mon être.

Délaissant sa réserve, Kuolong osa poser la main sur le bras de son invité.

— Travaillez avec moi, Nathan, et vous aurez tout le temps d'admirer ces merveilles. Vous pourriez écrire sur celles qui vous touchent le plus des articles, une nouvelle thèse...

Kuolong sentait que, malgré l'effet produit, la révélation du lieu n'avait pas encore complètement rallié son visiteur à sa cause. Il décida d'abattre sa dernière carte.

— J'ai autre chose à vous confier. Je n'ai pas pour habitude d'en parler. C'est un peu mon secret.

Comment vous expliquer ? La prise de conscience provoquée par les talents exceptionnels de ces peintres m'a conduit encore plus loin. Les artistes sont les génies les plus accessibles au commun des mortels, mais ce ne sont pas les plus puissants. Je vous l'ai dit, je me demande souvent quel sens donner à ce monde, et je tente modestement de suivre les pas de ceux qui se sont aventurés à la poursuite de ce qui nous dépasse. Venez.

Au fond de la salle, derrière un rideau de velours noir, une autre porte blindée, plus étroite. Un nouveau code, et un scanner oculaire. Une fois l'identification réussie, une petite salle apparut, voûtée, entièrement ronde, dont le mur et le sol étaient faits de pierres usées par le temps. De quoi se croire transporté dans une crypte européenne moyenâgeuse. Des pièces datant de différentes époques étaient réparties sur des présentoirs, mais ce qui se remarquait le plus trônait au centre : une vitrine circulaire, renfermant un étrange objet. À la vue de celui-ci, le regard de Derings se durcit imperceptiblement.

Kuolong en fit le tour avec gourmandise. Un disque d'or d'un poli sans défaut, de la taille d'une assiette à dessert, dont le bord en bronze était gravé de symboles oxydés par le vert-de-gris. Un miroir doré d'un autre temps. L'effet réfléchissant était d'une telle pureté que Derings s'y voyait parfaitement.

— Je suis fier de vous présenter le miroir d'Arrapha, un trésor sumérien datant de presque cinq millénaires. Il est unique en son genre, et son histoire est extraordinaire. Il a été créé sous la troisième dynastie d'Ur, aux alentours de 2 500 ans avant notre ère, probablement sous le règne du roi Ur-Nammu. Admirez la perfection du poli et l'exploit que constitue l'agrégation de l'or sur la base de bronze. Par quel miracle un artisan a-t-il réussi de ses mains ce que nos technologies ultrasophistiquées auraient du mal à reproduire de nos jours ? Plus étonnant encore, si vous observez attentivement les signes sur son pourtour, vous pourrez distinguer ce qui ressemble à de l'écriture cunéiforme associée à d'autres symboles, et même une sorte de svastika. J'ai fait appel aux plus grands spécialistes et dépensé des fortunes pour essayer de découvrir leur signification, mais cela n'a rien donné. Du roi Ur-Nammu lui-même, à qui ce miroir appartenait certainement, nous savons peu de chose, hormis que ce souverain visionnaire qui régnait à l'époque sur la puissante cité-État d'Ur, en Mésopotamie, favorisa les recherches dans tous les domaines scientifiques alors connus. Nous ignorons à quel emploi ce miroir était destiné, mais il ne pouvait pas être dévolu à une utilisation domestique, d'autant qu'il a été depuis transmis et protégé comme une relique.

« Le miroir d'Arrapha a été découvert par hasard, au XIXᵉ siècle, dans un tombeau situé près de Kirkouk, au nord de l'actuel Irak, et vendu à des antiquaires qui n'ont jamais soupçonné sa véritable valeur. Ce n'est qu'au début du XXᵉ siècle que l'objet a pu être rapproché de récits trouvés sur des tablettes d'argile évoquant les travaux et les expériences pratiqués par des savants de l'époque. Nous nous sommes plus tard aperçus que le miroir est légèrement radioactif, sans parvenir à expliquer pourquoi. »

Kuolong continua avec exaltation :

— Songez que, voilà près de cinquante siècles, des mains ont manipulé ce miroir en espérant percer les secrets de notre univers ! Comme j'aimerais connaître ses créateurs et apprendre d'eux... Je donnerais beaucoup pour savoir ce qui a poussé les puissants de ces temps si reculés à exiger sa fabrication au prix de tels exploits techniques. Et je serais prêt à bien plus encore pour découvrir en quelles circonstances il était utilisé.

— Donneriez-vous votre vie pour l'apprendre ?

Le ton de Derings attira l'attention de Kuolong, qui releva les yeux vers lui. Chacun d'un côté de la vitrine, les deux hommes se faisaient face.

— Quelle étrange question, Nathan...

— Vous évoquiez les arcanes du monde qui nous échappent.

— Ce mystérieux miroir nous en approche, n'est-ce pas ? Quel savoir ces hommes poursuivaient-ils ? L'ont-ils atteint ? L'avons-nous perdu depuis ? Tellement d'énigmes fascinantes se posent. Nous pourrions en chercher les clés ensemble.

— Vous avez raison. Certains hommes dépassent les autres. Mais ils ne sont pas éternels. Et si les descendants de ceux qui savent ne sont pas dignes de leurs aînés, alors les progrès se perdent et la civilisation recule. Que croyez-vous que les savants protégés par Ur-Nammu auraient pensé de ce que notre science produit aujourd'hui ?

— Intéressante question...

— Alors que notre monde court à sa perte, trouvez-vous qu'il soit digne de consacrer le génie de nos civilisations à la création de vernis à ongles fluo ou d'applications pour gâcher son temps avec un téléphone ?

— Le raccourci est abrupt, mais je le trouve assez pertinent.

— Par quelle malédiction les mécréants ont-ils asservi l'intelligence au commerce plutôt qu'à la progression et à la survie de notre espèce ? Pourquoi les rêves ont-ils été confisqués au service de pitoyables petits intérêts ? Pourquoi faudrait-il accepter ce monde inféodé à l'argent, à l'immédiat et au vulgaire ?

Loin de sa réserve habituelle, le visiteur dévoilait un visage inédit. Il fit une pause avant de reprendre :

— Quelle puissance faut-il pour nous délivrer avant que la vacuité de nos vies ne détruise tout avenir ?

— Votre fougue me surprend mais ne me déplaît pas...

Derings fixa Kuolong.

— Wang, seriez-vous prêt à donner votre vie pour entrevoir le secret de cet ancestral miroir ? Moi oui.

Lentement, comme un félin qui approche sa proie, Nathan contourna la vitrine. Il semblait soudain plus grand et plus puissant.

— Monsieur Derings, qu'avez-vous tout à coup ? Vous m'impressionnez...

— Vous avez raison sur un point, Wang : l'histoire du miroir d'Arrapha est extraordinaire. Mais elle ne s'achève pas dans une vitrine... Il appartenait effectivement au roi Ur-Nammu qui le transmit à son fils Shulgi afin qu'il poursuive son œuvre. Cet objet ne participait à aucune expérience mais permettait au monarque d'observer ses savants tout en se tenant à l'abri d'un angle de mur fait de granit. C'est en regardant sa surface que Ur-Nammu fut témoin du « Premier Miracle ». C'est en le tenant entre ses mains qu'il prit conscience des pouvoirs qui façonnent les mondes. C'est sans doute grâce à lui que son fils a décidé de mettre leur découverte à l'abri de la faiblesse des hommes.

— Comment savez-vous tout cela ?

— Vous souvenez-vous de mes premières paroles lorsque nous nous sommes rencontrés ?

— Pourquoi cette question ?

— Vous les rappelez-vous ? Oui ou non ?

M. Kuolong n'arrivait plus à réfléchir. Il fit un effort pour se concentrer et, comme un enfant à l'école, s'exclama soudain :

— Je sais ! Vous m'avez dit : « Tout est dans la lumière »...

— C'est exactement ce que se sont dit les savants de l'époque, mais leurs premières expériences ont coûté la vie à tous ceux qui en avaient été acteurs et témoins. Tous souffraient de brûlures invisibles et mouraient lentement dans d'épouvantables souffrances.

— D'où tenez-vous ces informations ?

L'expression de Wang Kuolong s'assombrit. Il articula :

— Vous m'avez trompé, Nathan. Vous n'êtes venu que pour le miroir. Vous connaissez sa valeur et vous m'avez manipulé.

— Le miroir n'est pas le but. Il n'est rien en lui-même. Ce qui nous intéresse, c'est ce qu'il a vu.

— Ce qu'il a vu ?

— Les instruments d'aujourd'hui nous permettent d'analyser le rayonnement qu'il a reçu lorsque Ur-Nammu et Shulgi observaient leurs chercheurs. Les résultats nous aideront à reconstituer l'expérience.

À mesure que Derings s'approchait, Kuolong reculait.

— De qui parlez-vous en disant « nous » ? Nathan, vous me faites peur. D'où tenez-vous ce savoir ?

— Les réponses à ces questions ne vous seront d'aucune utilité.

— Qu'allez-vous faire ?

— Croyez-moi cher monsieur, j'ai mal et je regrette. Mais je n'ai pas le choix, car rien ne nous arrête.

L'attitude de Derings n'était pas la seule à avoir changé. Sa voix était devenue grave, sa diction elle-même s'était modifiée. Le rythme de ses paroles, hypnotique, évoquait une sorte de poème. Kuolong frissonna.

— Pourquoi parlez-vous ainsi ?

Il buta contre le mur derrière lui. Il était acculé.

— Par pitié ! paniqua-t-il. Qu'est-ce que vous voulez ?

— J'ai tout ce que je veux et laissez-moi vous dire, que s'il était possible de vous laisser partir, je le ferais sans doute mais il n'en est plus temps. Votre route s'achève, ici et maintenant.

— Vous êtes fou ! Je suis terrifié et vous déclamez. Donnez-moi votre prix, c'est moi qui travaillerai pour vous ! Révélez-moi les clés du miroir, je vous en supplie !

— C'est donc le prix de votre vie ?

— Vous êtes un démon !

— Et quand bien même, Wang, voyez le monde tel qu'il est. Si Dieu a échoué, c'est désormais au diable de tenter sa chance.

D'un geste vif, l'homme empoigna son hôte. Kuolong se débattit, mais il n'avait aucune chance. Son agresseur l'entraîna vers le sol en le maintenant fermement contre sa poitrine. Un genou à terre, il le bloquait en étau entre ses bras, froidement, dans une posture à laquelle il ne manquait que la grâce pour ressembler à la *Pietà* de Michel-Ange. L'imposteur se replia sur son prisonnier et, d'une voix anormalement calme, murmura à son oreille. Il lui confia ce qu'il savait du « Premier

Miracle », sans rien lui cacher, comme convenu. Le prix d'une vie. Malgré sa situation, l'industriel écoutait sans en perdre un mot.

Lorsque l'homme acheva son récit, les yeux de Kuolong s'écarquillèrent. Il connaissait désormais le secret du miroir. Le flot d'idées engendré par cette révélation dans son esprit était tel qu'il en oublia toute douleur et toute peur. La plus puissante émotion de son existence fut aussi la dernière, juste avant que son bourreau ne le brise. Le Caravage aurait certainement aimé peindre la scène.

2

Assis au bord d'un canal en Bourgogne, un homme pêchait, seul, adossé à un platane – curieux décalage entre son âge et son occupation. Quand on approche le milieu de la trentaine, on a théoriquement autre chose à faire que taquiner la truite. Au premier coup d'œil, n'importe quel adepte de la discipline se serait en plus rendu compte que l'individu n'avait ni le bon matériel ni la bonne technique. Pourtant, cela n'influerait pas sur le résultat de sa prise. Car de toute façon, même avec un équipement adapté et une longue expérience, personne, nulle part, n'a jamais rien attrapé à une heure si matinale. Les poissons aussi ont le droit de dormir.

À juste titre, les environs étaient très réputés et lors de leurs sacro-saints dimanches, les Français du coin envahissaient le chemin de halage. Les plus matinaux couraient, puis arrivaient les cyclistes, et tous laissaient progressivement place aux familles qui promenaient soit leurs enfants, soit leurs satanés clébards, parfois même les deux. Au moindre rayon de soleil, on pouvait aussi croiser ceux qui se baladaient en couple, se tenant par la main avec le sourire béat des gens heureux. C'est pour être certain d'éviter cette dernière catégorie – la pire selon lui – que l'homme était venu si tôt.

Dans le petit matin humide, la brume flottait sur les eaux, et le soleil n'était encore qu'un disque pâle dépassant à peine la ligne d'horizon. Sur la berge opposée, un ragondin musardait dans les hautes herbes à la recherche de son petit déjeuner. Lorsque, à la faveur d'un mouvement de sa canne, le gros rongeur repéra l'homme, celui-ci lui adressa un petit signe de la main pour le saluer. Il se trouva immédiatement ridicule. C'est fou ce que les gens qui se sentent seuls sont capables de faire pour nouer un contact.

L'homme était déjà venu ici, à vélo et accompagné. Bien que ce ne soit pas si vieux, cela lui paraissait quand même dater d'un autre temps. Une époque révolue. Il avait alors réussi l'exploit de pédaler tout en conservant ce sourire ravi si caractéristique. La vie s'était chargée de le lui effacer.

— Bonjour !

La voix surgie de nulle part le fit bondir. Un bref instant, l'homme crut que le ragondin lui avait répondu. Mais non. Il se retourna et sursauta une nouvelle fois en découvrant la très belle jeune femme qui se tenait sur le chemin. Une silhouette d'une élégance incongrue en la circonstance. Un visage fin qu'une mèche de cheveux châtains mi-longs barrait dans un effet des plus troublants. Un jean ajusté, et un manteau qui soulignait l'allure.

— Bonjour…, répondit-il sans savoir quel ton adopter.

— Qu'espérez-vous attraper ?

— Une bonne crève.

Elle s'approcha.

— Vous êtes Benjamin Horwood ?

L'homme ferma les yeux en plissant les paupières de toutes ses forces, puis les rouvrit immédiatement afin de vérifier s'il ne rêvait pas. Dans ce décor de début du monde où il saluait les ragondins, une sublime créature apparue comme par enchantement venait de l'appeler par son nom alors que personne ne pouvait savoir qu'il se trouvait là.

— Il n'y a que ma mère pour m'appeler Benjamin. Tout le monde m'appelle Ben. J'ai quand même un pote qui m'appelle « mon fougueux biquet », mais je préfère que ça ne s'ébruite pas.

— Nous avons eu du mal à vous trouver.

Ben posa sa canne à pêche pour se relever. Au premier mouvement, il s'aperçut que l'humidité lui avait rouillé les articulations. Il essaya de faire bonne figure mais n'y parvint pas. Comme un pantin désarticulé, il dut s'appuyer contre l'arbre pour se retrouver maladroitement sur ses deux jambes. En quelques secondes, il offrit un parfait condensé de l'évolution de la larve primaire jusqu'à l'*Homo erectus*. La jeune femme l'observait sans broncher. Lorsqu'il se retrouva face à elle, il ne réussit même pas à soutenir son regard tant il était éblouissant.

— Votre canne est en train de glisser. Elle va tomber dans le canal.

— M'en fous. Elle n'est pas à moi et il n'y a même pas d'hameçon.

Un léger « plouf » résonna dans le matin cotonneux.

— Qui êtes-vous ? demanda Ben.

— Je m'appelle Karen Holt.

— Comment avez-vous réussi à me débusquer ?

— Votre employeur nous a dit que vous étiez en vacances, puis votre carte de crédit nous a révélé dans quelle région vous vous trouviez, puis votre téléphone nous a indiqué où vous étiez précisément.

— C'est d'un romantisme...

— J'ai fait un long chemin pour arriver jusqu'à vous, monsieur Horwood. J'ai besoin de vous.

Ben dévisagea l'inconnue en inclinant la tête comme un chien étonné.

— Vraiment étrange... J'ai rêvé d'entendre cette phrase-là, ici même, mais prononcée par une autre. Quel dommage... Vous êtes si jolie. Mais vous savez ce que ça donne quand l'amour s'en mêle : on reste sourd même aux plus séduisantes propositions.

— Je travaille pour notre gouvernement et mes supérieurs souhaitent vous rencontrer de toute urgence, à Londres.

— Si c'est au sujet de ma voiture sur la place de parking de l'autre crétin, dites-leur que je m'engage à la déplacer dès que je rentrerai, d'ici une semaine ou deux.

— Vous ne prenez jamais rien au sérieux ?

— Dites-moi ce qui mérite de l'être...

— Je vous prie de bien vouloir me suivre, monsieur Horwood. Un hélicoptère nous attend là-bas, dans le champ près de l'écluse.

— C'était donc ça tout à l'heure ! J'ai pris ce bruit infernal pour celui d'une moissonneuse-batteuse.

— Des moissons ? En avril ?

— Les Français ne font rien comme tout le monde.

— Monsieur Horwood, je ne plaisante pas. Nous sommes attendus.

— Mais je suis très sérieux moi aussi, miss Holt. Je suis en vacances en France. Vous le voyez, je m'éclate comme un fou avec mon pote le rongeur, et rien ne m'oblige à vous suivre. Prenez donc rendez-vous chez mon employeur, que vous connaissez déjà, et dès que je serai de retour je me ferai une joie de vous revoir.

— Ne me forcez pas à employer d'autres moyens que la courtoisie...

— Si vous tentez quoi que ce soit, mon avocat vous en fera baver. C'est un dur. Un pote d'enfance. C'est lui qui m'appelle « mon biquet fougueux ».

La jeune femme passa la main dans son manteau et fit apparaître un pistolet qu'elle pointa sur Ben.

— Assez perdu de temps.

Effaré, Horwood leva les mains très haut, comme un enfant qui joue aux gendarmes et aux voleurs.

— Votre geste est une pure tuerie ! Sans jeu de mots... Franchement. Votre façon de dégainer votre flingue était parfaite. Fluide, élégante. Une vraie magicienne. Pouvez-vous faire s'envoler une colombe de votre manche ?

Holt agita son arme.

— Ça m'ennuierait beaucoup de vous coller une balle dans la cuisse dès notre premier rendez-vous.

— Pas autant que moi, Karen. D'autant qu'en commençant si fort, que pourriez-vous m'infliger de pire lors des rendez-vous suivants ? Ce serait l'escalade...

— Vous n'en avez donc rien à faire de rien, c'est ça ?

— C'est le drame de mon existence, surtout depuis quelque temps. Je devrais peut-être suivre une thérapie... Qu'en pensez-vous ?

— On peut commencer tout de suite, si vous voulez.

Sans hésiter, la jeune femme tira à moins d'un centimètre du pied de Ben, qui paniqua sans aucune dignité. La détonation résonna à des kilomètres.

— Vous êtes complètement folle !

— À la bonne heure, je sens que vous reprenez déjà goût à la vie. C'est merveilleux. Je suis bouleversée. J'ai hâte d'être à notre prochaine séance. Et maintenant, on y va.

3

Avant la fin de la matinée, Horwood se retrouva dans les étages sécurisés d'un bâtiment officiel de la capitale britannique. Après une série de contrôles que Karen Holt passa sans même avoir besoin de produire un quelconque document, elle l'invita à entrer dans une salle de réunion au fond de laquelle un homme d'âge mûr les attendait. Il n'avait pas l'air très grand mais ses larges épaules lui donnaient des allures de pilier de rugby. Malgré sa carrure, il faisait preuve d'une surprenante souplesse dans chacun de ses gestes. Avec un sourire affable mais mécanique, il invita Ben à prendre place face à lui.

— Monsieur Horwood, enfin. Merci d'avoir répondu à notre invitation.

— Ce n'était pas une invitation, mais un kidnapping ! Je n'ai pas eu le choix. Je proteste ! Cette femme m'a tiré dessus.

— Ne vous formalisez pas. Dans notre métier, tout le monde fait ça sans arrêt. Ne jugez pas Karen sur un malheureux coup de feu. En apprenant à la connaître, vous vous rendrez compte que c'est une jeune femme remarquable.

— Foutez-vous de moi... Elle aurait pu me tuer.

— Si elle l'avait voulu, c'est certain. Et de nombreuses façons.

— Charmant. Quant à vous, si je ne vous obéis pas, vous allez aussi me tirer dessus ?

— C'est dans le domaine du possible mais pour ma part, je préfère les injections de produits chimiques. Nous n'en sommes heureusement pas encore là et j'espère arriver à vous convaincre avant d'avoir à vous forcer.

— Vous êtes de Scotland Yard ?

— Ils sont installés plus à l'est et au pied de leur immeuble, il y a un gros panneau qui vous prévient que vous y êtes.

— Du MI6 ?

— Pas exactement. Mais comme eux, nous sommes issus du Secret Intelligence Service.

— Alors vous êtes qui ?

— D'habitude, on est les gars payés à rien foutre, mais depuis quelque temps on a énormément de travail. Du coup, on embauche. Je vais tenter de vous expliquer. Mais attention, rien de ce que nous allons évoquer ici ne devra sortir de cette pièce. C'est hautement confidentiel. Ne vous avisez pas d'en parler, vous vous exposeriez à des problèmes... Ai-je été assez clair ?

— Une bastos et une piqûre, c'est ça ?

— Heureux que nous nous comprenions. Voilà donc le topo. Nous avons besoin de vos compétences d'historien des sciences. Très rapidement. Vous avez bien été l'élève du professeur Ron Wheelan, n'est-ce pas ?

— Effectivement.

— À quand remonte votre dernière entrevue ?

— Environ deux ans, lors d'une sauterie donnée pour mon embauche au British Museum avec un autre de ses anciens étudiants.

— Deux ans... Vous n'étiez donc pas si proches que ça.

— Je n'ai jamais prétendu que nous l'étions.

— Lui parlait pourtant beaucoup de vous et de votre thèse de fin d'études.

— Sans blague.

— Excellent sujet : « La fascination des dictateurs pour les reliques ésotériques ». Un travail passionnant. Une approche à la fois historique, sociologique et archéologique.

— Vous l'avez lue ?

— Bien sûr, comme de nombreuses personnes. Dans le service, tout le monde connaît votre mémoire par cœur. Vous êtes notre best-seller de référence.

— Je n'en étais pas le seul auteur.

— Vous aviez travaillé en tandem avec une étudiante française, Mlle Chevalier.

— C'est ça.

— Si mes fiches sont à jour, elle s'occupe à présent des acquisitions pour le musée du Moyen Âge de Cluny à Paris, n'est-ce pas ?

— Peut-être. Je ne sais pas trop... Comment va le professeur ?

— Il n'est pas au mieux. En fait, il est mort. Un accident de la route, voilà trois semaines, pendant ses vacances.

Ben prit le temps d'encaisser la nouvelle, puis demanda :

— Est-ce aussi une spécificité de votre métier d'annoncer le décès des proches comme s'il s'agissait d'un banal bulletin météo ?

— Vous venez vous-même d'admettre que vous n'étiez pas familier du professeur. J'espère que vous n'êtes pas du genre à nous faire un épisode dépressif chaque fois qu'une vague connaissance meurt sur la planète. On ne s'en sortirait pas. Il va falloir vous aguerrir un peu, mon garçon. Quoi qu'il en soit, le professeur Wheelan travaillait pour nous. Il nous aidait sur des enquêtes que nous menions autour d'événements étranges et peut-être liés entre eux.

— C'est-à-dire ?

— Je ne peux rien vous révéler avant d'avoir la certitude que vous comptez coopérer. Sachez cependant que le British Museum a déjà accepté de vous détacher auprès de nos services pour la durée que nous jugerons utile. Nous sommes donc vos nouveaux employeurs. C'est votre premier jour. Félicitations et bienvenue à bord !

— Est-ce que quelqu'un vous a déjà dit « non » ? Parce que je crois qu'à votre âge avancé, il devient important que vous fassiez enfin l'expérience de la frustration. Il va falloir vous aguerrir un peu, mon garçon...

Surpris, l'homme haussa un sourcil amusé et s'adressa à miss Holt :

— Karen, vous aurez la permission de le frapper.

Elle acquiesça avec un sourire radieux. Ben réagit aussitôt :

— Hello ! Je suis là ! Nous ne sommes pas en dictature. Je suis un adulte libre de penser et d'agir ! Je n'ai rien à me reprocher. Si vous jouez à ce petit jeu, je peux me lever et partir.

Ses deux interlocuteurs éclatèrent de rire en même temps. Karen commenta :

— « Un adulte libre de penser et d'agir » !

Son supérieur renchérit :

— Il veut « se lever et partir » ! Elle est bien bonne, celle-là !

— Vous foutez les jetons, vraiment.

L'homme redevint soudain sérieux.

— La peur constitue souvent une excellente base pour le développement d'une relation saine.

Pouvons-nous espérer votre pleine et entière coopération ?

— Est-ce que j'ai le choix ?

— La modestie m'interdit de répondre, monsieur Horwood.

— Que voulez-vous de moi ?

— Que vous repreniez le travail du regretté professeur Wheelan là où sa mort l'a prématurément interrompu. Aidez-nous à comprendre ce qui se trame.

— Et si je n'en suis pas capable ?

— Alors nous serons tous dedans jusqu'au cou. Autant vous le dire tout de suite, nous avons un peu plus à perdre que nos primes de fin d'année et nos jours de vacances bonus. Voyez-vous, monsieur Horwood, j'aimais beaucoup l'idée de nous savoir inutiles. Pas uniquement pour rentrer à l'heure à la maison, mais aussi et surtout parce que cela signifiait que les problèmes que nous pouvons avoir à gérer n'existaient pas, ce qui était une excellente nouvelle pour tout le monde.

— Expliquez-vous.

— Notre bureau a été créé pendant la Seconde Guerre mondiale, à la demande directe de Churchill, au moment où Hitler et Himmler tentaient de mettre la main sur bon nombre de reliques et d'objets sacrés. À l'époque, les Alliés étaient convaincus que le Führer courait après de supposés pouvoirs divins qui auraient pu le renforcer et assurer sa suprématie. Notre job consistait alors à garder un œil sur ce qu'il pouvait découvrir dans ce domaine et à nous en emparer le cas échéant. Par chance – ou par la volonté du Très-Haut suivant les convictions de chacun – il n'a rien découvert. Peut-être parce qu'aucune de ces fabuleuses reliques n'existe, ou peut-être parce que qu'il s'y est pris comme un manche et tant mieux pour nous.

— Je comprends que mon mémoire vous ait passionné.

— C'est peu de le dire. Évidemment, après la guerre, à mesure que l'économie mondiale s'est développée, l'affrontement s'est déplacé des champs de bataille vers des concurrences essentiellement technologiques et commerciales. On nous a donc peu à peu retiré nos moyens pour les réaffecter à l'intelligence industrielle. En l'absence de maniaque totalitaire ayant jeté son dévolu sur le Saint Graal, notre service s'est retrouvé à gérer tout ce qui n'entrait dans aucune autre case. Nous en sommes là. Disons pudiquement qu'aujourd'hui, si un ovni survole un site sensible, si un homme joue du piano comme Chopin alors qu'il n'a jamais appris, ou si un détraqué dessine un pentacle satanique dans la nef de Westminster un soir d'orage, le dossier tombe chez nous.

— Pour l'ovni je ne peux rien vous promettre, mais si ça peut vous éviter le chômage, je dois pouvoir vous gribouiller un signe d'apocalypse dans les toilettes de la cathédrale Saint-Paul...

La boutade ne parut pas amuser l'homme.

— Avez-vous la foi, monsieur Horwood ?

— Tout dépend en quoi.

— Croyez-vous au pouvoir des objets sacrés que les puissants ont convoités à travers les âges et dont vous parlez dans vos travaux ?

— Je ne traitais pas de la nature de ces arté-facts, dont l'existence n'est d'ailleurs quasiment jamais avérée. J'étudiais d'abord la fascination qu'ils provoquent et les moyens souvent énormes déployés pour les retrouver. Au sujet de leurs pré-tendus pouvoirs, personnellement, je suis plutôt sceptique, mais les années passées à les étudier m'ont permis de prendre toute la mesure de ce que ces antiquités symboliques déclenchent chez ceux qui les traquent. De nos jours, les progrès de la science ont fait reculer les superstitions. Les nouveaux savoirs ont souvent rendu obsolètes les théories ésotériques. Les temps ont changé. Aujourd'hui, pour asseoir sa puissance, un tyran ne chercherait sans doute plus la lance de Longinus ou le sceptre de Salomon. Il envahirait une zone pétrolifère et investirait sur des actifs stratégiques en Bourse depuis des paradis fiscaux. Je trouve d'ailleurs cela assez triste parce que j'aimais bien l'idée que des pouvoirs inconnus restent à découvrir.

— Et si c'était le cas ? Si certains pouvoirs se cachaient encore derrière les mystères que notre science n'arrive toujours pas à percer ? Et si un type assez riche ou une organisation assez puissante était en train de reprendre les recherches ?

— Sérieusement ? Dans notre monde si matérialiste, coincé entre les soldes et des compétitions de dopés ? Il faudrait qu'il soit sacrément illuminé…

— … ou qu'il sache quelque chose que nous ignorons.

— Des candidats potentiels ?

— J'aimerais bien vous présenter une liste, mais je n'ai personne à mettre dessus. En attendant, nous avons déjà plus d'une trentaine d'affaires et presque autant de morts suspectes qui nous obligent à nous poser certaines questions. Depuis quelque temps, nos collègues ne se moquent plus de nous en nous répétant que « la vérité est ailleurs ». Il se passe des choses surprenantes qui ne répondent pas aux logiques crapuleuses ou criminelles de notre époque. Personne n'y comprend rien. Leurs drones, leurs experts chauves, leurs écoutes et leur rationalisme prétentieux ne parviennent pas à expliquer ces cas-là. Pour ma part, monsieur Horwood, je ne crois ni aux pouvoirs que Dieu aurait laissés sur terre, ni au hasard. Je vois des faits, de plus en plus nombreux, qui esquissent un dessein dont je préférerais ne pas avoir à saisir le sens lorsque je devrai en gérer les effets dévastateurs. J'ai le sentiment que quelqu'un, quelque part, bouge ses pions pour jouer une partie dont je n'évalue absolument pas la limite. Dans nos métiers, il n'y a pas pire situation. Nous avons déjà plusieurs coups de retard. Et comme le disait le grand Winston, c'est le meilleur moyen de l'avoir dans l'os.

— Cela explique pourquoi vous ne pouviez pas attendre la fin de mes vacances pour m'en parler..., ironisa Ben.

— Nous étions sur vos traces depuis la disparition de Wheelan. Nous comptions vous contacter à votre retour, mais hier soir, dans une ville sans histoires, dans une église sans histoires, un vol comme personne n'en a jamais vu a été commis. Nous avons besoin de votre expertise. Vous allez immédiatement vous rendre sur place avec miss Holt. Un dernier point, Horwood : ne vous souciez pas du mort, concentrez-vous uniquement sur ce qui a été dérobé.

4

— Je n'aime pas l'hélicoptère.

— Pourtant, ce matin, en revenant de France, ça n'avait pas l'air de vous gêner.

— J'avais peur de vous, ça m'occupait l'esprit.

— Je ne vous effraie plus ?

— Probablement le syndrome de Stockholm...

— Vous vous attachez drôlement vite à votre ravisseuse. J'espère que vous n'êtes pas un garçon facile. Si ça vous arrange, je connais un truc pour vous terrifier à nouveau...

Ben se tassa de son côté de l'engin.

— Non merci. Sans façon.

Il s'efforça de se concentrer sur les paysages de moins en moins urbains qui défilaient sous l'appareil, puis décida de fermer les yeux avant d'avoir mal au cœur. Incapable de se détendre, il finit par les rouvrir discrètement pour observer celle qui l'escortait. Cette jeune femme constituait une énigme, un mélange atypique de charme naturel et de ce que Ben analysait comme une détermination peu commune. Et toujours cette mèche de cheveux qui, malgré le maintien dont elle faisait preuve, donnait l'impression de la surprendre dans l'intimité d'un réveil.

— Si j'ose vous demander où nous allons, vous allez me casser le bras ?

— Pourquoi ferais-je une chose pareille ? Nous volons vers York. Nous devrions y arriver d'ici moins d'une heure.

Surpris, Ben dévisagea miss Holt.

— Vous répondez donc si je vous pose des questions ?

— Votre remarque est stupide. Évidemment que je réponds.

— Pourtant ce matin, lorsque j'ai voulu savoir ce que vous me vouliez...

— C'était différent. J'avais pour mission de vous amener à mon supérieur. À présent nous sommes collègues.

— Collègues ?

— Parfaitement. On est en tandem, à la vie à la mort, je couvre vos arrières !

Pour appuyer son propos, Karen lui décocha une bonne bourrade « virile » sur l'épaule. Ben en fut stupéfait. Pour deux raisons : comment pouvait-elle se permettre ce genre d'humour après lui avoir tiré dessus ? Et comment une jeune femme aussi fine pouvait-elle taper aussi fort ?

Elle sourit et proposa :

— Voulez-vous savoir ce qui s'est passé à York ?

— Que dois-je répondre pour ne pas souffrir ?

— Cette nuit, la petite église de la Holy Trinity a été forcée. La police pense que les cambrioleurs étaient au moins deux. Un des bénévoles qui veillent sur le lieu les a surpris. Ils l'ont tué sans hésiter.

— Pauvre bougre. Mais hormis cette mort tragique, je ne vois pas en quoi cela en fait un cambriolage à part. Chaque jour, en Europe, quelques-unes des milliers d'églises et de chapelles sont malheureusement victimes du pillage de leur patrimoine.

— Les voleurs cherchaient quelque chose dont même ceux qui ont la charge de ce lieu de culte très ancien ignoraient l'existence. Les intrus savaient parfaitement où le trouver, alors que personne n'avait la moindre idée que c'était là.

— Comment ça ?

— Ils sont entrés et ont creusé à un endroit précis, jusqu'à découvrir ce pour quoi ils étaient venus. Or aucun historien du lieu n'avait connaissance de la présence de ces biens enfouis. Encore moins de leur nature. Aucune archive ne les mentionne.

— Des reliques, de l'art sacré ?

— Nous l'ignorons encore. La police scientifique est sur place depuis ce matin pour effectuer des analyses du sol dans lequel les objets étaient enterrés. On espère que leur contact aura laissé des traces.

— Quelle étrange histoire...

— Mais il y a plus surprenant encore. L'endroit n'est pas équipé en électricité. Il ne l'a jamais été. Aucune alimentation de courant n'y est tolérée. Bien qu'encore en fonction et visitée, cette église est sans doute l'une des seules au monde à avoir échappé aux évolutions techniques de notre époque. Ceux qui gèrent le culte continuent à préserver le lieu de toute influence extérieure sans que l'on sache exactement pourquoi. Les messes y sont célébrées à la bougie. Aucune antenne relais n'est autorisée dans son périmètre.

— Un havre à l'abri du temps...

— Vous pourrez en discuter avec l'un des experts que la police nous tient au chaud. Là où ça devient carrément bizarre, c'est que nos voleurs ont scrupuleusement respecté cette caractéristique, quitte à se compliquer la vie. Ils se sont éclairés à la chandelle et ont creusé à la seule force des bras. Ils n'ont utilisé aucun outil électrique.

— Cela veut non seulement dire qu'ils connaissaient cette particularité, mais qu'ils en ont tenu compte.

— Clairement.

— Pourquoi ceux qui n'ont pas épargné la vie du veilleur se sont-ils donné la peine de se soumettre à cela ?

Pensif, Ben fronça les sourcils et regarda à l'extérieur.

— Il semble que vous n'ayez plus peur de l'hélico..., nota Karen. À croire que vous commencez à prendre autre chose que vos peurs au sérieux.

5

La voiture de police venue récupérer les deux visiteurs contourna la majestueuse cathédrale d'York pour descendre Goodramgate. Le véhicule s'arrêta devant une haute grille surmontée d'une arche de pierre coincée entre deux alignements de petites maisons anciennes. Un policier en gardait l'accès.

En cette saison, le cœur de la ville historique n'était pas encore envahi par les touristes. Ben sortit le premier, et Karen présenta sa carte à l'agent. Celui-ci autorisa aussitôt le passage.

— L'inspecteur Ashbury vous attend.

La modeste église était invisible depuis la rue, posée dans un jardin encerclé d'habitations mitoyennes qui formaient une véritable enceinte autour d'elle. Aux abords du bâtiment aux origines romanes, entre les quelques arbres aux dimensions limitées, de vieilles stèles funéraires moussues aux inscriptions usées par le temps jalonnaient la pelouse parfaitement tondue.

Sur le seuil de l'édifice, deux hommes discutaient. Le plus jeune d'entre eux accueillit les nouveaux venus :

— Inspecteur Ashbury, North Yorkshire Police. Vous arrivez de Londres ?

— Désolée pour l'attente, s'excusa miss Holt, nous avons fait aussi vite que possible.

— Le corps a été emmené ce matin, mais je ne crois pas que ce soit ce qui vous intéresse le plus. Vos collègues de la scientifique sont encore au travail.

L'inspecteur présenta l'homme avec qui il conversait jusque-là :

— Malcolm Drew, représentant du Church Conservation Trust et spécialiste du lieu.

L'homme était visiblement sous le choc du drame survenu la nuit précédente.

— C'est épouvantable, commença-t-il. John se dédiait corps et âme à cette église. Il habitait là, juste derrière.

Il désigna l'endroit et reprit :

— Il a certainement aperçu leurs lumières. Le crime est impardonnable. J'espère que vous allez arrêter les coupables.

— Nous sommes ici pour cela, répondit Holt.

En pénétrant à l'intérieur de l'église, Ben fit instantanément un bond dans le temps. Le seul éclairage provenait de bougeoirs suspendus ou posés aux angles des travées. Ben identifia des vitraux d'un certain intérêt, sans doute du XVe siècle, mais il remarqua surtout un agencement et un mobilier tout à fait inhabituels. Face à l'autel d'une grande sobriété, la nef était entièrement divisée en petits enclos rectangulaires délimités par des panneaux de bois arrivant à la taille, dans lesquels chaque famille ou chaque groupe devait prendre place lors des célébrations. Pas d'alignements de chaises, pas de bancs, mais des box remarquablement conservés. En avançant, Ben nota que les allées quadrillant l'église étaient toutes dallées de pierres tombales. À l'angle de celle qui partait vers la droite, une silhouette était grossièrement tracée sur le sol, avec de la sciure rougie au niveau de la tête.

— On a découvert son corps ici, indiqua leur guide, bouleversé.

L'allée centrale était encombrée d'un tas de terre. Au pied d'un pilier, dans un box au portillon ouvert, deux hommes en combinaison blanche étaient agenouillés. Ils s'affairaient eux aussi à la lueur de bougies près d'une ouverture dans le sol.

— C'est une petite cave habituellement recouverte d'une trappe verrouillée, expliqua Malcolm Drew. Ils l'ont forcée, se sont glissés dedans et ont creusé.

— Ils n'ont touché à rien d'autre ? demanda Ben.

— Ni au mobilier, ni aux coffres liturgiques, ni au reliquaire, qui pourraient pourtant valoir une belle somme.

— Cette cave est inattendue à cet endroit. À quoi servait-elle ?

— Elle date sans doute des origines du lieu. À vrai dire, nous n'avons aucune certitude quant à son utilité. Elle est citée dans des registres datant de 1316, époque à laquelle William de Langetoft reçut la permission de faire construire les onze maisons de la rue. Nous avons même pensé qu'elle pouvait marquer l'entrée d'un souterrain. Peut-être servait-elle de rangement à l'époque où la sacristie n'était pas encore construite. Ou de cache. Toujours est-il qu'elle n'a jamais été comblée et a même été conservée contre toute logique lorsque le plancher et les box ont été mis en place au XVIIIe siècle.

— Vous ignoriez ce qu'elle contenait ?

— Complètement. Je connais cette église depuis plus de quarante ans et je n'ai vu la trappe ouverte qu'une seule fois. Je ne savais même pas qui en avait la clé. Pour nous, c'était un vieil espace vide.

La Holy Trinity date du XIe siècle. C'est un lieu très spécial. Les maisons qui la protègent ont été construites pour que leur loyer finance son entretien et son culte.

— « Les maisons qui la protègent », dites-vous ? Mais contre quoi ?

— En général, les églises sont construites en vue. Celle-ci a délibérément été enfermée derrière des bâtiments, à l'abri. Plus surprenant encore, lors des différents travaux d'aménagement du quartier à travers les siècles, cette église, contrairement à beaucoup d'autres dans le secteur, n'a jamais été supprimée.

— Une explication ?

— On dit que l'endroit était sacré avant même que les Romains ne fondent la ville.

— Jamais de fouilles, ni de travaux de fondations qui auraient pu mettre au jour ce que cherchaient les voleurs ?

— Non. En mille ans d'existence, l'endroit a été agrandi, renforcé, mais rien n'a jamais été détruit de son emplacement d'origine. Maintenant que j'y pense, c'est d'ailleurs étrange, mais la fosse se situe exactement au centre du petit bâtiment qui occupait originellement le site... Toutes les constructions qui ont suivi au fil des siècles ont été édifiées autour.

Un troisième homme en combinaison blanche émergea de la cave. Il écarta son masque anti-poussière et déclara :

— J'ai un indice sur la forme d'un des objets ensevelis.

— C'est-à-dire ? questionna Ben.

— L'empreinte partielle laissée dans la terre révèle un objet pyramidal d'environ quinze centimètres de haut.

— Une idée de la matière ?

— Aucune à ce stade. Il faudra des analyses poussées pour espérer le préciser. Pour le moment, on cartographie et on prélève des échantillons. L'interdiction d'utiliser l'électricité complique tout...

— D'autres éléments ?

— Nous savons que les objets déterrés étaient au nombre de deux. La petite pyramide était enveloppée dans du cuir ou du tissu dont nous avons pu prélever des fibres dans le remblai. Le second objet était certainement un coffret, sans doute en bois, avec des ferrures. À première vue, il est probable que la terre n'avait pas été décompactée autour d'eux depuis plusieurs siècles...

Ben se pencha sur la fosse pour tenter de voir.

— Comment savaient-ils où chercher, et pourquoi sont-ils venus récupérer ces objets maintenant ?

Karen lui murmura à l'oreille :

— Jamais de raisonnements ou de commentaires devant des personnes étrangères au service, s'il vous plaît.

Ben se tourna vers elle, son visage tout proche du sien. Étrange sensation.

— Qu'allez-vous faire ? Me tirer dessus, encore, avec tous ces témoins dont la plupart sont des flics ?

Miss Holt recula sans autre réaction et s'adressa à l'équipe de la police scientifique :

— Merci messieurs, nous attendons vos conclusions dès que possible.

6

Pour poser sa question, Karen attendait le moment précis où l'hélicoptère quitterait le sol. Le ton spontané avec lequel elle comptait s'exprimer ne devait surtout pas refléter ses intentions. Cette interrogation anodine avait en effet pour double ambition de distraire Ben de ses angoisses au décollage autant que de nouer le dialogue alors qu'il n'en avait visiblement pas envie.

— Bien dormi ? demanda-t-elle.

Comme s'il n'avait attendu que cette question pour lâcher ce qu'il avait sur le cœur, Horwood réagit aussitôt :

— Dormi ? Impossible de fermer l'œil. Hier, à cette même heure, j'étais encore en vacances et mes problèmes se résumaient au choix du petit resto où j'allais déjeuner. Tout allait bien. Jusqu'à ce que je me retrouve plongé dans votre histoire à dormir debout.

— Dormir debout, c'est déjà dormir...

— Très drôle. Vous ne prenez donc pas mes soucis au sérieux ?

— Dites-moi lesquels méritent de l'être...

Ben plissa les paupières et fit face à sa voisine. Cette fois, il était prêt à en découdre avec les superbes yeux de miss Holt, à coups de regards noirs si nécessaire. Mais elle parut insensible à sa mine prétendument courroucée. Pire, il se sentait désarmé par celle qu'il était supposé affronter. Lui qui avait toujours eu un faible pour l'esprit de repartie ne faisait pas le poids s'il devait en plus affronter le charme. Ses velléités de noirceur se dissipèrent dans un sourire incontrôlé.

— Vous attendiez le bon moment pour me la renvoyer dans les gencives, fit-il.

— L'embuscade est une de mes spécialités.

— Vous n'êtes pas du genre à oublier.

— C'est mon drame.

Espérant éviter que la jeune femme ne s'aperçoive qu'il était impressionné, Ben se détourna et reprit :

— Blague à part, il y a de quoi être perturbé. Toute cette affaire me secoue tellement que ce matin, lorsque je me suis réveillé, j'ai d'abord espéré qu'elle ne soit qu'un rêve – un cauchemar, devrais-je dire ! Ce crime, ces objets enfouis dans cette église bizarre depuis on ne sait combien de temps et soudain volés... Vous savez, je ne suis qu'un petit chercheur. J'ai une vie tranquille, aucune embrouille, je commence à l'heure, je fais mon travail, je termine à l'heure. Je paie mes taxes, j'essaie de manger équilibré. À part ma mère qui s'acharne à tenter de me marier à la première venue par les procédés les plus honteux, mes relations les plus proches sont une plante verte qui n'en finit pas de crever au bureau et un chat qui, bien que je le caresse chaque fois que je le croise dans le couloir de mon immeuble, s'obstine à pisser sur mon paillasson...

— Et on prétend que ce sont les femmes qui racontent leur vie à la première occasion...

— Allez-y, moquez-vous, ne vous gênez pas. Ce genre de tueries ésotériques est peut-être votre lot quotidien mais pour moi, c'est tout nouveau et plutôt déstabilisant.

— Si nous étions tellement habitués à « ce genre de tueries ésotériques », comme vous dites, nous ne serions pas obligés de vous demander de l'aide. Mais rassurez-vous, dès que nous nous serons posés à Londres, une voiture vous raccompagnera à votre appartement et vous pourrez vous reposer.

Ben attendit un instant avant d'oser demander :

— En fait, si vous n'y voyez pas d'inconvénient, j'aimerais bien vous accompagner à la British Library. Vous avez rendez-vous avec Robert Folker, un des conservateurs, c'est ça ?

— Ne vous sentez pas obligé. Ce n'est pas une entrevue en lien direct avec les priorités qui nous occupent. C'est surtout pour ne pas vexer M. Folker que je m'y rends. Le professeur Wheelan et lui étaient proches.

— Je suis bien placé pour savoir à quel point. Robert était son assistant de recherche au moment où je suivais son cursus. Un type adorable qui s'est toujours montré bienveillant envers nous. Il nous a souvent sauvé la mise dans des négociations quand le professeur se montrait trop rigide. Pourquoi devez-vous le voir ?

— Voilà quelques mois, Ron Wheelan avait demandé une enquête au sujet d'un manuscrit dont une partie avait, selon lui, disparu. Je n'ai suivi l'affaire que de loin. Ce n'était pas un cas essentiel en comparaison des événements qui commençaient alors à se multiplier.

— Un manuscrit disparu ? À la British Library ?

— Pas un volume complet, mais quelques pages appartenant au *Splendor Solis*.

Ben s'étrangla :

— Le traité sur l'alchimie ?

— Exactement.

— Pas étonnant que Wheelan s'y soit intéressé de près. Cette discipline était sa passion. Il avait une culture encyclopédique sur ce sujet et la moitié de sa bibliothèque personnelle devait y être consacrée. Il passait sa vie à étudier et à acquérir des documents là-dessus.

Ben fit une courte pause et réfléchit.

— Mais je n'ai jamais entendu parler d'une dégradation ou d'un vol concernant le *Splendor Solis*, s'étonna-t-il. Pourtant, lorsque des documents de cette importance sont victimes de collectionneurs ou de fanatiques, cela fait du bruit dans le métier.

— Vous connaissez ce manuscrit ?

— Une référence absolue dans le domaine de l'alchimie. Le professeur nous en avait énormément parlé lorsque nous avions abordé l'histoire des sciences. Un document énigmatique par bien des aspects.

— Apparemment, ce qui lui est arrivé l'est aussi.

7

Le hall de la British Library, la bibliothèque nationale britannique, évoque une ville futuriste dont les matériaux classiques servent parfaitement les lignes épurées qui s'élancent sous les verrières. Les escaliers reliant les différents niveaux et les passerelles sur plusieurs étages qui traversent l'espace d'un bâtiment à l'autre forment un enchevêtrement dans lequel, suivant la distance, glissent des silhouettes de toutes tailles. Les voix murmurées et les pas tranquilles ne reflètent pas la frénésie des recherches que tous les visiteurs mènent parmi les millions de documents de ce temple de la connaissance.

Après s'être annoncée au comptoir d'accueil, Karen gagna la mezzanine pour prendre place sur une des banquettes au pied de l'imposante tour de verre contenant la bibliothèque du roi George III. Plus que les six étages d'alignements de livres anciens, Ben remarqua surtout la grâce avec laquelle la jeune femme s'installa. Au moment de s'asseoir, la courbe de son corps défia l'apesanteur dans un mouvement improbable qui aurait provoqué la chute de la plupart de ses congénères. Comment une créature capable de tirer froidement sur un pauvre pêcheur pouvait-elle se mouvoir avec une telle élégance ? Lui ne tenait pas en place. Il faisait les cent pas dans l'allée séparant l'espace d'étude du palier.

Tout à coup, il s'immobilisa. Même à l'autre bout de la coursive, il avait immédiatement reconnu la démarche syncopée de l'homme aux cheveux blancs qui se dirigeait vers eux. Il avait oublié à quel point Robert Folker semblait prêt à perdre l'équilibre vers l'avant à chacun de ses pas, comme emporté par son propre élan.

Le conservateur leva les bras avec un large sourire.

— Benjamin Horwood ? Quelle surprise !

Les deux hommes se serrèrent la main.

— Heureux de vous revoir, monsieur Folker. Toujours en grande forme.

— Puissiez-vous dire vrai ! Vous, par contre, c'est en vaillant gaillard que je vous retrouve. Profitez-en ! Je n'en suis plus là.

Puis sur un ton soudain plus sérieux, il demanda :

— Votre présence signifie-t-elle que c'est vous qui reprenez l'enquête sur le *Splendor Solis* ?

— M. Horwood reprend tous les dossiers du professeur, intervint Karen Holt en le saluant à son tour.

— Excellent choix, ce garçon est brillant. Si mes souvenirs sont exacts, il faisait aussi preuve d'une fâcheuse faculté à s'amuser lorsque ce n'était pas le moment, mais je suis certain que la maturité a corrigé ce défaut de jeunesse.

Ben se garda bien de réagir, d'autant que Karen l'épiait à la lueur de cette révélation.

— Je regrette d'autant plus que Ronald ne soit plus des nôtres, reprit Folker, car nous avons enfin du neuf. Une fois encore, il avait vu juste.

Pour le moment, heureusement, l'affaire est tenue secrète. Elle risque d'ailleurs de le rester étant donné sa gravité. Les archéologues ne disent-ils pas que tout ce qui est important est enterré ?

Le conservateur vérifia que personne ne pouvait capter ses propos et expliqua à voix basse :

— Suite à sa demande, nous avons mené des investigations et ce que nous venons de découvrir est pour le moins déconcertant. Je vous ai aussitôt alertés. Si vous le voulez bien, montons. Nous avons rendez-vous au département de recherche et de restauration.

Folker entraîna ses visiteurs jusqu'à une batterie d'ascenseurs tout en fouillant méthodiquement la totalité des poches de sa veste défraîchie. Avec une exclamation de soulagement, il finit par extirper un badge qu'il présenta à la borne. La porte de la cabine s'ouvrit.

— Ici, il faut « badger », comme ils disent. Partout, tout le temps. Je ne m'y fais pas...

Une fois le trio à l'intérieur, l'homme pianota sur la console de contrôle. Karen en profita pour se pencher discrètement vers Ben.

— M. Folker est donc votre maman...

— Pourquoi dites-vous un truc pareil ?

— Il vous a appelé « Benjamin », or selon vos propres dires, il n'y a qu'elle pour le faire.

— Affligeant. S'il vous plaît, effacez ce sourire outrageant de votre joli visage.

Karen n'obéit pas. Folker s'adressa à Ben :

— Vous n'étiez pas aux obsèques de Ronald...

— Je n'ai appris sa disparition qu'hier.

— Une perte immense. Je n'arrive toujours pas à réaliser qu'il n'est plus là. Il vous appréciait énormément.

— J'en suis touché. Vous étiez restés proches ?

— Nous avions conservé nos rituels, le déjeuner du jeudi les semaines paires et le pot du lundi soir les semaines impaires, sauf lorsqu'il était en voyage. Nos conversations me manquent beaucoup. J'ai la faiblesse de penser que nous étions amis. Il ne m'a jamais laissé tomber. C'est à lui que je dois cet emploi. Il avait pris soin de me l'obtenir lorsqu'il avait été appelé à d'autres fonctions. Même si je regrette la joyeuse énergie des étudiants, je ne peux pas me plaindre. La place est bonne, à part ces maudits badges...

L'ascenseur s'immobilisa. De son pas caractéristique, l'homme guida ses visiteurs dans le dédale des couloirs.

— Cette section n'est pas accessible au public. Elle abrite le service de conservation de la bibliothèque du Royaume. On y répare aussi les volumes endommagés. L'année dernière, l'unité de numérisation est également venue s'y installer.

Au détour d'un corridor, l'homme longea une baie vitrée derrière laquelle s'étendait une vaste salle qui avait tout d'un laboratoire. Une série de plans de travail puissamment éclairés étaient séparés par des étagères remplies d'outils et de flacons de produits. Des opérateurs en blouse blanche s'affairaient autour de manuscrits anciens et d'appareils sophistiqués. À travers la vitre, Folker désigna une jeune femme en fond de salle :

— Nancy est déjà sur notre affaire.

Le conservateur se présenta devant la porte sécurisée et – non sans une pointe d'agacement – fouilla à nouveau ses poches les unes après les autres pour dénicher le badge qu'il venait à peine de ranger.

— Quel que soit l'ordre dans lequel je cherche, ce satané sésame est toujours caché dans la dernière...

Une fois à l'intérieur, Folker fit les présentations, en prenant bien soin de préciser à chaque interlocuteur que Benjamin avait été l'un de ses étudiants. En remontant vers le poste de Nancy, il commenta :

— J'espère que ce que nous avons découvert vous aidera à résoudre le mystère de ce vol qui scandalisait Ronald. Nous devons bien cela à sa mémoire.

— Je prends le train en marche, Robert. Il va falloir m'expliquer un peu…

— L'affaire est simple. En étudiant une numérisation de notre *Splendor Solis*, Ron a été surpris de ne pas y trouver une page dont il gardait le souvenir. Il a donc demandé pourquoi elle n'y figurait pas. Cela arrive parfois.

— On aurait oublié de la numériser ? s'étonna Karen.

— Pas forcément, cela peut aussi être intentionnel. Il arrive que des collectionneurs, ou même des institutions, empêchent que certains passages de codex ou de documents historiques figurent dans ce qui peut être rendu public. Parfois pour ne pas embarrasser les descendants, mais le plus souvent pour éviter de partager un savoir ou une clé. La recherche universitaire s'apparente souvent à une partie d'échecs et les nouvelles pièces qui entrent dans le jeu sont rares. Chacun libère les informations à condition qu'elles ne puissent pas avantager la concurrence.

— La page recherchée par Wheelan avait-elle été occultée pour ces raisons ?

— Non. En l'occurrence, toutes les pages avaient été reproduites. Mais vous connaissiez Ron, cela ne l'a pas apaisé, bien au contraire. Il a voulu en avoir le cœur net. À la fin de l'année dernière, lors d'un dîner, Ronald m'a demandé s'il était possible d'obtenir l'autorisation d'étudier l'exemplaire original du *Splendor Solis*. Étant donné sa réputation, cela n'a posé aucun problème. Lorsqu'il a enfin eu accès au manuscrit, il ne retrouva pas sa fameuse page, pas plus que les textes s'y rapportant... Il a alors contacté les autres institutions qui détiennent des copies d'époque du document, mais l'illustration ne s'y trouvait pas non plus. Je me suis dit qu'il avait sans doute confondu et aperçu cette image dans un autre codex médiéval. Vu le nombre de documents qu'il a pu consulter dans sa carrière, ce n'était pas faire injure à ses facultés ! Mais lui n'en démordait pas. Il était certain que cette page enluminée et la section s'y rattachant avaient été dérobées.

— Quand avait-il vu ces éléments pour la dernière fois ?

— Il n'en était pas certain lui-même, et je crois me souvenir qu'il n'en avait étudié que des reproductions photographiques.

— Savez-vous ce que l'illustration représentait ?

— Il m'a parlé d'un soleil dont sortirait un diable, « beau comme un dieu » selon sa propre expression. Le démon marchait sur un chemin recouvert de dalles aux formes géométriques particulières et tenait entre ses mains une pyramide irradiant de la lumière.

— A-t-il expliqué pourquoi il s'intéressait à cette page précise ?

— Il a vaguement évoqué le chemin dallé, mais je pense que ce détail ne pouvait pas expliquer à lui seul sa curiosité acharnée et son extrême excitation. Le fait est qu'il était très contrarié de ne trouver aucune trace de l'illustration, à la fois pour le préjudice porté à ce document majeur, mais aussi parce que cela bloquait une thèse qu'il était en train de développer. Il ne comprenait pas pourquoi quelqu'un s'était donné autant de mal à faire croire que cette image n'avait jamais existé. Et vous savez ce que le fait de ne pas comprendre déclenchait chez lui : il ne pensait plus à rien d'autre !

Dans une allée parallèle, Karen remarqua deux chercheurs, portant lunettes et gants, se comportant comme de véritables chirurgiens au chevet de fragments de papyrus. Devant elle, Ben et Folker étaient déjà arrivés à destination.

— Nancy, je vous présente miss Holt, ainsi que M. Horwood, que j'ai eu la chance d'avoir comme étudiant voilà quelques années. Ils sont chargés de l'enquête sur les pages manquantes du *Splendor Solis*.

Après les avoir salués, Nancy s'écarta et révéla la présence du précieux volume posé sur sa table d'étude. L'ouvrage était en assez bon état, relié de cuir rouge rehaussé de dorures. Folker prit une paire de gants de coton dans une boîte distributrice et l'enfila.

— Je vous présente le célébrissime *Splendor Solis* – la « splendeur du soleil », référencé chez nous comme le manuscrit Harley MS. 3469. Sans doute l'un des plus importants traités d'alchimie jamais créé. Réalisé sur plusieurs années et puisant ses références dans les textes les plus anciens, il est ce qu'il convient d'appeler un florilège. Il fut achevé en 1582. La Library l'a acquis auprès d'une famille d'aristocrates, les Harley, au XVIIIe siècle. Il est inhabituel tant par son format – réservé à l'époque aux cartographes et aux naturalistes – que par son contenu. Chaque chapitre s'articule autour d'une illustration symbolique mettant en scène des entités emblématiques expérimentant une phase de l'« Art Royal » qu'est l'alchimie. Ronald vous en aurait certainement parlé mieux que moi.

Il demanda à Nancy la permission d'ouvrir l'inestimable document. La jeune femme l'invita à officier en commentant :

— Robert est trop modeste, c'est un véritable spécialiste...

Il présenta une première illustration réalisée dans la plus pure tradition de la Renaissance. Karen et Benjamin s'approchèrent. Sur fond de campagne, un homme en toge rouge et bleu tenait une haute fiole dont s'échappait un ruban semblable à une fumée sur lequel quelques mots étaient écrits en doré.

— Voici le « Philosophe alchimiste », expliqua Folker. La citation sur le ruban est extraite du *Traité d'Or* d'Hermès Trismégiste, qui invite à découvrir propriétés et secrets des quatre éléments.

Très concentré, le conservateur précisa :

— Ce manuscrit n'est ni un livre de recettes magiques, ni un manuel d'apprenti sorcier. Il évoque l'alchimie dans sa pratique mais précise surtout l'esprit dans lequel ceux qui veulent s'approcher de sa Vérité doivent le faire.

Avec une infinie douceur, il tourna les pages de parchemin suivantes, recouvertes de textes écrits en caractères gothiques d'assez grande taille. Voyant que Karen était fascinée, le conservateur fit un pas en arrière pour lui laisser la place de se pencher.

— Venez plus près. Ce n'est pas tous les jours que l'on peut admirer une pièce aussi exceptionnelle de ses propres yeux.

Miss Holt s'inclina et tenta de décrypter les écrits sans y parvenir.

— C'est du haut allemand, intervint Ben. Le professeur Wheelan nous avait fait étudier certains passages de la traduction. Les textes sont rédigés dans un style assez clair. Par contre, nombreux sont ceux qui pensent que les illustrations extrêmement fouillées renferment des indices codés et des significations secrètes. Dans chacune, on trouve des éléments incongrus, aussi bien géographiques qu'historiques et parfois même scientifiques, qui ne peuvent pas avoir été choisis au hasard. Wheelan en était convaincu. Lui-même passait une bonne part de son temps libre à tenter de percer les mystères de ces œuvres cryptées. Je me souviens qu'il nous a fait étudier l'image de « La mine et le monde souterrain » pendant au moins deux sessions de cours.

Robert Folker tourna les pages jusqu'à celle qu'évoquait Horwood. Karen demanda :

— C'est donc une image de cette taille qui aurait disparu ?

— Le conditionnel n'est plus de mise, précisa Nancy. Elle a bel et bien disparu. Lorsque nous avons reçu la demande de vérification, honnêtement, et malgré les références professionnelles du professeur Wheelan, nous étions vraiment dubitatifs. Ce manuscrit est l'un des mieux protégés de nos collections et les autorisations de l'approcher sont accordées au compte-gouttes. De plus, en tête d'ouvrage, de la main même de Harley qui en fut le dernier propriétaire privé, il est écrit que le volume contient vingt-deux illustrations. La possibilité qu'un retrait ait pu être effectué paraissait objectivement inenvisageable.

Pour appuyer ses dires, Nancy indiqua de son doigt ganté l'annotation tracée à l'encre brunie avant de reprendre :

— Pourtant, lors de mon examen, à l'endroit même de cette mention, une très légère variation de brillance du support m'a poussée à approfondir. C'est alors que j'ai fait une première découverte. En employant les plus récentes techniques d'imagerie, je me suis aperçue que la note manuscrite de Harley avait été maquillée. Le « 2 » n'en avait pas toujours été un. À l'origine figurait un « 3 ». La modification a été réalisée avec un soin extrême, sans doute par un faussaire de grand talent. La composition de l'encre et son vieillissement ont été parfaitement reproduits. Il n'y avait en principe aucune chance que la manipulation puisse être découverte. Perturbée par cette falsification, j'ai alors passé le volume au peigne fin. Et j'ai finalement trouvé la confirmation de ce que le professeur pressentait. Quatre feuillets manquent. De légers écarts dans la reliure trahissent leur ancienne présence. En comparant aux autres sections qui le composent, il pourrait effectivement s'agir d'une illustration et du texte s'y rapportant.

— Où étaient situées ces pages ? demanda Ben.

— Entre le segment de « L'Arbre philosophique » et celui du « Vieux Roi et du jeune Roi ».

— Un diable sortant d'un soleil pourrait-il avoir un sens à cet endroit-là ? interrogea Karen.

— Tout à fait, répondit Folker. Ce serait d'ailleurs très cohérent dans une présentation de l'alchimie. L'importance de la lumière est essentielle, même si l'on peut s'interroger sur son association avec le démon alors qu'elle est le plus souvent considérée comme étant d'origine divine. Dans l'imagerie classique, le diable est lié aux ténèbres.

Ben s'adressa à Nancy :

— Cette page ne figure dans aucune des autres copies qui existent à travers le monde ?

— Nous identifions précisément six versions plus ou moins semblables réalisées aux alentours du xvie siècle, la nôtre étant réputée la plus aboutie. Nous avons discrètement adressé des demandes à chacun des propriétaires, pour vérifier si leurs exemplaires pourraient receler des pages ne figurant pas dans le nôtre. À l'exception d'un collectionneur qui refuse tout contact, tous ont répondu par la négative. Les pages n'y figurent pas non plus.

— Avez-vous pu déterminer quand ces pages ont été volées ? interrogea Karen.

— Certains examens pourraient peut-être nous apporter des éléments de réponse, mais pour effectuer les analyses, il faudrait recourir à un démontage de la reliure et à l'emploi de réactifs chimiques qui risqueraient de détériorer le manuscrit. Nous nous y refusons.

Folker commenta :

— Alors nous devons nous contenter de déductions. Une modification aussi précise de la mention manuscrite de Harley demande du temps et un savoir-faire hors norme. Cela n'a pas pu être fait à la va-vite. Subtiliser les pages manquantes a sans doute également demandé plusieurs jours. Fort de ce constat, deux cas de figure se dessinent : soit les voleurs ont bénéficié de complicités au sein même de l'institution, ce qui paraît peu probable, soit ils ont profité d'un laps de temps pendant lequel le manuscrit a été, pour des raisons historiques ou techniques, moins surveillé. Deux périodes apparaissent alors. En 1997, lors du déménagement de la British Library dans ces nouveaux locaux, ou pendant la Seconde Guerre mondiale, lorsque les pièces les plus importantes des collections ont été mises à l'abri pour échapper aux bombardements allemands.

Nancy intervint :

— Une étude même sommaire des éléments de reliure et de l'encre nous incite à privilégier une des deux hypothèses. Le vol remonterait à la période de la guerre... Aussi étrange que cette possibilité puisse paraître, un autre fait plaide en sa faveur : en 1997, le document était déjà assez connu et de nombreuses copies photographiques circulaient. Si une page avait manqué ensuite, nous en aurions eu la trace et beaucoup de personnes auraient pu en témoigner. Alors qu'à l'époque de la Seconde Guerre mondiale, seule une poignée d'érudits et de spécialistes connaissait l'existence du *Splendor Solis* et très peu d'entre eux l'avaient vu de leurs yeux. Les voleurs avaient toutes les chances que leur forfait ne soit jamais découvert...

Ben et Karen échangèrent un regard. Cette fois, Horwood ne fit aucun commentaire.

8

En suivant Ben dans l'escalier de son immeuble, Karen observait tout autour d'elle. C'était donc là qu'il vivait. Elle était curieuse de découvrir à quoi ressemblait l'antre de cet homme étonnant. Sur le palier du deuxième étage, alors qu'il se dirigeait vers son appartement en passant son courrier en revue, elle aperçut un chat qui s'éloignait en trottinant, la queue bien droite.

Dès qu'il tourna la clé dans sa serrure, Ben sentit qu'elle ne fonctionnait pas comme d'habitude. Quelque chose clochait. En ouvrant la porte, il en eut la confirmation. Son appartement avait été retourné de fond en comble. Le désordre était indescriptible. Ce qui aurait pu provoquer du bruit en tombant avait été déposé n'importe où, et le reste des tiroirs et des placards avait été renversé sur le sol. Aucun recoin n'avait été épargné. Certains éléments de meubles avaient même été démontés.

— Je vous jure que d'habitude, c'est mieux rangé...

D'un geste calme mais sans appel, Karen plaqua Ben sur le côté de la porte tout en dégainant son arme.

— Vous ne bougez pas d'ici..., murmura-t-elle.

Quelque chose avait tout à coup changé dans son attitude. En un éclair, elle avait troqué sa panoplie de jeune femme piquante contre une armure de tueuse qui lui allait comme un gant. Ben ne songea même pas à lui désobéir et se colla au mur.

Miss Holt pénétra dans le logement, pointant son arme dont elle avait retiré le cran de sûreté. Malgré tout ce qui jonchait le sol, elle progressait sans le moindre bruit, comme le chat du palier. Elle inspecta le salon, la cuisine, puis disparut dans la chambre. Ben passa furtivement la tête pour évaluer l'ampleur des dégâts.

Lorsque Karen réapparut, elle rengaina son pistolet et lui fit signe d'entrer.

— Ils n'ont pas fait les choses à moitié. Je suis désolée...

— Vous n'y êtes pour rien. Voyons l'aspect positif de la situation : quand je vais raconter à ma mère qu'une jeune femme, surtout aussi mignonne que vous, est venue chez moi, elle va être folle de joie. Par contre, quand je vais lui avouer que c'était avec un flingue et que je suis resté à la porte, elle va déprimer... Est-ce que je peux au moins lui décrire le moment où vous me faites ce petit geste charmant pour que je vous rejoigne dans ma chambre ?

Observant papiers et affaires éparpillés sur le sol, Karen commenta :

— Pour plaisanter dans un moment pareil, soit vous êtes extrêmement maître de vous, soit vous êtes complètement inconscient.

— Je connais la réponse mais à ce stade de notre relation, ça ne m'arrange pas de vous la confier...

— Je commence à saisir ce que M. Folker voulait dire en parlant de votre fâcheuse faculté à vous amuser lorsque ce n'est pas le moment... Le pauvre homme sera très déçu d'apprendre que ni l'âge ni la maturité n'ont rien arrangé.

Au pied du bureau, sur plusieurs photos échappées d'une pochette, une jeune femme blonde souriait. Elle semblait être l'unique sujet de cette collection qui la présentait dans toutes sortes de circonstances de la vie courante. Dans une robe longue lors d'un dîner officiel, à la neige se protégeant le visage, dans l'eau appuyée sur le rebord d'une piscine, faisant une grimace à demi cachée par la couverture d'un grand livre ancien. Karen enregistra mentalement chaque détail. Son intérêt dépassait clairement la stricte nécessité de son investigation. Vis-à-vis de Ben, Karen était d'abord un agent du gouvernement en mission, ce qui lui interdisait toute allusion à sa propre vie privée, mais cela ne l'empêchait pas d'être curieuse au sujet d'une femme qui semblait avoir beaucoup d'importance pour l'homme qui commençait à faire plus que l'intriguer.

Ben se baissa pour rassembler les clichés qu'il s'empressa de faire disparaître dans un tiroir disloqué.

— Vous ne devriez toucher à rien, conseilla-t-elle. Une équipe passera pour relever d'éventuels indices, remettre de l'ordre et sécuriser.

Tentant de rester léger, Ben déclara :

— Les voleurs ont dû confondre mon appart avec celui du locataire du dessous. Lui est riche. Ici, il n'y a rien qui vaille le coup.

Il ramassa un trophée d'athlétisme dont l'anse était tordue.

— Ils ont abîmé votre seule récompense sportive...

— Elle n'est même pas à moi. C'est mon filleul qui, pour mes trente ans, m'a offert une des siennes parce qu'il trouvait navrant que je n'en aie aucune. J'aurais préféré qu'elle m'appartienne. La voir dans cet état m'aurait fait moins de peine.

— Ils ne se sont pas trompés d'appartement, Benjamin. À l'évidence, ils cherchaient quelque chose. Avez-vous une idée de ce que cela pouvait être ?

— Pas la moindre. Quoique à la réflexion, il y a bien la recette secrète du Christmas pudding de ma tante Jane qui fait figure de trésor familial...

— Lorsque le professeur Wheelan a rejoint notre équipe, il a lui aussi été cambriolé. Le résultat était assez comparable.

— Est-ce une coutume de vos services ? Un genre de bizutage ?

— Vous ne devriez pas prendre cette effraction à la légère, monsieur Horwood. Ceux qui agissent ainsi sont réellement dangereux.

— Rassurez-vous. Même sous la torture, je ne leur lâcherai jamais la recette de tante Jane.

— Pourquoi vous moquez-vous toujours de tout ? Surtout de ce qui pourrait légitimement vous toucher...

Ben fut désarçonné par la question. L'espace d'un instant, ses yeux quittèrent le champ de bataille de son appartement pour se fixer sur Karen.

— Je ne sais pas. Sans doute parce que dès que ça devient trop sérieux, j'ai peur... La dérision peut-elle servir de bouclier contre la vie ? Qu'en dites-vous, miss Holt ?

Cette fois, ce fut Karen qui ne soutint pas son regard et changea de sujet.

— Vous ne pouvez pas rester ici. Je suis navrée, mais votre vie va encore être bouleversée. Nous devons vous mettre à l'abri.

— Êtes-vous certaine que ce foutoir a un lien avec nos enquêtes ?

— Croyez-vous à ce point au hasard, ou êtes-vous complètement stupide ?

— Cette fois c'est vous qui connaissez la réponse – et s'il vous plaît, gardez-la pour vous.

— Allez, venez, je vous conduis dans un endroit sûr.

— Laissez-moi le temps de prendre quelques affaires.

— Vous parlez des jolis caleçons répandus dans votre chambre ?

— Entre autres.

— N'y touchez pas. J'ai déjà vu des cas où les types avaient empoisonné ce qu'ils avaient laissé.

— Vous rigolez ? On aurait empoisonné mes caleçons ?

— Ainsi peut-être que votre dentifrice et les aliments de votre frigo...

— Mon Dieu, dans quel monde vit-on ?

— M. Folker vous l'a dit : nous opérons dans des domaines qui ressemblent souvent à une partie d'échecs. Je me demande encore si vous êtes un fou, un cavalier ou une tour, mais si vous êtes aussi doué que tout le monde le prétend, nos adversaires ont sans doute intérêt à vous tuer.

— Vous êtes paranoïaque.

— Je suis payée pour ça. Mais réjouissez-vous, il y a quand même une bonne nouvelle : Sa Gracieuse Majesté va vous offrir des caleçons neufs. Profitez-en pour changer un peu. Vous n'êtes pas obligé de tous les prendre noirs... Mettez un peu de couleur dans votre pantalon.

Jamais personne n'avait parlé ainsi à Benjamin Horwood.

9

Après avoir inspiré bien à fond et bloqué sa respiration, Ben souffla lentement par la bouche jusqu'à vider complètement ses poumons. L'eau tiède ruisselait sur sa tête baissée et sa nuque, l'enveloppant d'une chaleur réconfortante. Il s'étonna de constater à quel point une simple sensation physique parvenait à lui procurer une impression de sécurité. Là, sous la douche, l'espace d'un instant, il pouvait encore avoir l'illusion que sa vie était aussi simple qu'avant.

Pourtant, les idées, les visions et – plus perturbantes encore – les questions, martelaient son esprit, faisant voler en éclats son fragile sentiment de bien-être. Des images se succédaient : son appartement retourné, Karen lui intimant l'ordre de ne pas bouger, le « Philosophe alchimiste » et son étrange maxime, l'écriture ronde et déliée de Harley, le contour du corps sur le sol de l'église cachée au cœur d'York... Étrangement, rien de tout cela ne l'effrayait, à part peut-être Karen. Malgré tout ce qu'il avait vécu depuis deux jours, Ben était bien plus intrigué qu'inquiet.

Il coupa l'eau et hasarda un bras hors de la douche. Elle était si vaste que la cuisine de son modeste appartement aurait presque pu y tenir.

Il enfila un peignoir suspendu. L'éponge en était épaisse et moelleuse, comme à l'hôtel où il avait séjourné pour un colloque à Rome. Il se dirigea vers le miroir du double lavabo. Il attrapa une serviette et se frictionna la tête, mais lorsqu'il voulut se regarder dans la glace, la buée l'empêcha de voir autre chose qu'une forme floue.

Perdu dans ses pensées, il traversa la chambre pour gagner le salon. Une voix surgie de nulle part le fit sursauter, au point qu'il heurta le mur.

— Je vous félicite, monsieur Horwood. Vous au moins, vous fermez votre peignoir en sortant de la salle de bains. Ce n'est pas le cas de tout le monde, croyez-moi.

Le patron de Karen était nonchalamment affalé dans un des fauteuils en sirotant un verre.

— Vous avez failli me faire crever..., protesta Ben en se frottant l'épaule.

— Pardonnez-moi. J'ai la détestable habitude de croire que dans mon service, je peux aller là où bon me semble.

Ben tenta de se donner une contenance en passant la main dans ses cheveux mouillés.

— Miss Holt m'avait promis un endroit sûr, pas un hall de gare où je risque la crise cardiaque en sortant de la douche...

— Je souhaitais vous voir le plus rapidement possible. Nous devons parler.

— Je ne connais même pas votre nom.

— Vous pouvez m'appeler Mickey, Princesse Magique ou Gengis Khan, cela n'a aucune importance. J'aime à penser que si j'avais des amis, ils m'appelleraient Jack. J'ai toujours trouvé que ça claquait. Pas vous ? Mais dans mon métier, les amis sont un luxe interdit.

Ben dévisagea l'homme en se demandant si, pour la première fois de son existence, il n'avait pas trouvé plus désinvolte que lui.

— Voulez-vous boire quelque chose ? reprit celui-ci. Je comptais vous attendre pour trinquer, mais vous êtes resté vingt-trois minutes sous la douche… Je n'attends jamais aussi longtemps lorsque je veux parler à quelqu'un. Pas même pour le Premier ministre.

— Excusez-moi de me détendre. Je débute dans le métier et c'est un peu dur nerveusement. D'autre part, administrativement parlant, je suis encore en vacances…

— Vous avez bien raison de décompresser, puisque vous en avez la possibilité. Moi, je n'y arrive qu'avec mes amis, et vous savez à quel point ils sont nombreux…

— De quoi souhaitez-vous me parler ?

— Je veux connaître votre opinion sur les affaires que vous suivez et vérifier si vous êtes bien installé.

— Vous vous souciez de mon confort ?

— Parfaitement. Votre nouvel appartement vous convient-il ?

— Si vous connaissiez l'ancien, vous ne poseriez même pas la question.

— Ici, vous ne risquez rien. Évitez quand même de séjourner trop longtemps devant les fenêtres. La vue est belle mais par une cruelle ironie du sort, la technologie des balles perforantes progresse toujours plus vite que celle du blindage des vitres.

— Merci pour ce réconfort.

— Je plaisante, monsieur Horwood. Histoire de détendre l'atmosphère.

— Je vous le disais, je suis novice dans le métier. Votre humour me surprend encore.

— Soyez tranquille. Vous êtes dans un bâtiment infesté d'agents au service de la Couronne. Ce logement nous permet d'héberger les réfugiés politiques, les invités de marque discrets et les témoins menacés...

— À quelle catégorie suis-je censé appartenir ?

— Aucune, sans doute parce que ce à quoi nous faisons face ne ressemble à rien de connu.

— Tout ça me semble assez irréaliste. Ces vols impossibles, ce meurtre... Pour moi ce n'est pas la vraie vie. J'ai l'impression d'être dans un film.

— Peu importe où vous vous croyez, monsieur Horwood, tant qu'il n'y a pas de coups de feu, ce n'est pas grave. Car dans notre film à nous, les balles sont réelles.

Ben sourit.

— Franchement, mettez-vous à ma place deux secondes. Que penseriez-vous d'un type qui vous sortirait ce genre de choses aussi sérieusement que vous venez de le faire ?

— Je n'en ai aucune idée, monsieur Horwood. Il y a trop longtemps que je ne pratique plus une vie comme la vôtre. Je n'ai même plus la moindre idée de ce que cela peut représenter. Tout à fait entre nous, je dois vous avouer que parfois, cette belle innocence me manque.

— Dans votre monde à vous, chaque jour, on tue, on vole et on saccage les appartements ?

— Uniquement les jours tranquilles, parce que sinon, on met aussi en péril les équilibres géopolitiques, on complote, on génocide, et pour les grandes occasions, certains arrivent même à hypothéquer l'existence de millions d'individus au nom d'intérêts douteux.

— Qui voit le monde ainsi ?

— Très peu de gens, monsieur Horwood, et tant mieux. Parce que si chacun avait la moindre idée de ce qui se joue tous les jours, partout sur le globe, plus personne ne dormirait. D'ailleurs, plus personne ne vivrait ! Il faut des individus qui voient le monde comme nous pour que des gens comme vous le voient comme ils veulent. Il faut des hommes qui gèrent le pire pour que les autres puissent exister paisiblement, s'inquiéter – mais pas trop – en attendant d'aller danser, s'acheter des vêtements ou promener leurs enfants au parc. C'est ainsi. Savoir est toujours un privilège. Dans notre cas, c'est aussi une malédiction. Vous n'étiez pas destiné à passer de l'autre côté du décor, monsieur Horwood, mais le besoin que nous avons de vos compétences nous oblige à vous retirer momentanément de cet univers où le prix du carburant et le prochain vainqueur des élections semblent être les vrais problèmes.

Ben resta un instant silencieux puis lâcha :

— Ni Mickey, ni Princesse Magique ne sont capables de ce genre de propos. Quant à Gengis Khan, il aurait déjà mis le feu partout... Il va falloir que je vous trouve un autre nom. J'hésite entre Mon Petit Poney et Pinocchio.

— Karen m'a prévenu que vous vous foutiez de tout.

— Vous a-t-elle parlé du sens de la dérision qui me sert de bouclier ? Et de ma plante verte et du chat qui pisse sur mon paillasson ? Ils me manquent terriblement.

L'homme ne put s'empêcher d'esquisser un authentique sourire.

— Votre bouclier est très au point, mais si vous voulez survivre, vous aurez besoin d'un glaive dans l'autre main.

Il se retourna pour désigner quatre énormes boîtes d'archives posées sur la table.

— J'ai apporté ceci pour vous : les dossiers et les notes du professeur Wheelan. J'espère que vous pourrez vous y plonger rapidement. Le professeur avait accumulé beaucoup d'éléments de recherche et de nombreux commentaires pour nourrir sa réflexion, mais ils n'étaient pas destinés à être lus par d'autres que lui-même. En bref, nous n'y comprenons pas grand-chose. Vous y verrez sans doute plus clair. Vous trouverez également les comptes rendus des récentes affaires qui ont conduit à la réactivation en fanfare de notre service.

— Je vais m'y atteler. Je suis curieux de lire ce qu'il a pu écrire sur les pages disparues du *Splendor Solis*. J'avoue que l'idée d'un vol aussi discret et aussi précis sur un document de cette importance m'interpelle.

— Tant mieux. C'est pour cela que nous vous avons recruté.

— Miss Holt vous a-t-elle annoncé que les pages avaient sans doute été dérobées pendant la Seconde Guerre mondiale ?

— Elle m'en a parlé.

— Cela ne semble pas vous surprendre plus que ça.

— Vous savez, cette unité a été créée pour courir après des reliques sacrées dont Hitler espérait tirer des pouvoirs qui dépassent la science. Fort de ce constat, il en faut beaucoup pour m'étonner.

— Évidemment, vu sous cet angle...

— Monsieur Horwood, nous nous aventurons dans des contrées où le rationnel et les acquis scientifiques ne sont pas suffisants pour y voir clair. Jouez-vous au football ?

— La question peut surprendre étant donné le postulat qui la précède. Mais pour vous répondre : non, je ne pratique pas.

— Je vais quand même utiliser une image sportive simple. Nous jouons en défense, monsieur Horwood. À notre niveau, nous sommes condamnés à attendre que nos adversaires passent à l'action pour tenter de réagir. Ils ont l'initiative. Ils décident de l'heure du coup d'envoi, du terrain d'affrontement, des règles, et même du type de joueurs impliqués. De notre côté, nous essayons de comprendre leur tactique, de parer leurs offensives dont nous ignorons le but final. Comprenez-vous ?

— Vous pensez qu'une grosse partie est en train de se jouer ?

— J'en ai bien peur.

— Je suis historien, pas avant-centre. Mon job consiste surtout à expliquer le passé.

— Cette fois, il vaudrait mieux que vous nous aidiez à comprendre le présent. Car n'oubliez jamais que ce que vous étudiez dans vos grimoires, ces faits spectaculaires et dramatiques qui ont forgé la destinée de nos civilisations, ne sont pas uniquement des abstractions intellectuelles destinées à affoler l'imagination de quidams en mal de frissons devant des téléfilms. Depuis le commencement des temps, au nom d'idéaux, des hommes ont donné leur vie pour que nous puissions finalement regarder 150 chaînes en nous demandant si nous allons manger indien ou japonais. Le jeu en valait-il la chandelle ? Il ne nous appartient pas de juger, mais de permettre qu'advienne le futur dans les meilleures conditions possibles. Les peuples oublient trop souvent que nos sociétés sont le fruit de combats remportés ou perdus. Voilà bien longtemps qu'il n'y a pas eu de vrai match.

L'histoire ne s'écrit pas seulement dans les livres, monsieur Horwood, et je redoute que si nous ne décryptons pas ce qui s'écrit en ce moment, la présentation qu'en feront les manuels scolaires de nos descendants ne soit pas à notre gloire.

10

L'annonce d'une découverte sur le site de la cité de Teotihuacán retient toute mon attention et mérite d'être recoupée. Contacter Eduardo à l'Universidad Nacional Autónoma de México pour assurer suivi et précisions.

Bâtie voilà plus de deux millénaires près de Mexico, cette ville comptait près de 100 000 habitants au commencement de notre ère mais fut inexplicablement abandonnée au VIIe siècle. Peut-être les chercheurs ont-ils enfin trouvé des éléments de réponse à propos de ce déclin ? Là-bas, sous la grande pyramide de Quetzalcóatl, dite du Serpent à plumes, une équipe de l'Instituto Nacional de Antropología e Historia a mis au jour par hasard, lors d'une fouille de stabilisation, un long tunnel souterrain qui s'enfonce sous l'édifice à plus de quinze mètres de profondeur. Après avoir été gardée discrète, cette trouvaille livre ses premiers résultats. L'exploration de la galerie a été compliquée par la nécessité de franchir plus de vingt murs épais de trois mètres régulièrement répartis afin de protéger l'endroit auquel elle semble conduire. Ayant d'abord envisagé qu'il pouvait s'agir d'un accès secret vers une sépulture, les scientifiques s'interrogent sur la présence dans les premières salles atteintes *d'instruments de mesure, de poteries et de verreries qui ne sont destinées ni à un usage culinaire, ni au stockage. En accédant aux salles plus profondes encore, parmi des objets rituels classiques dédiés au culte du soleil et aux divinités de l'époque, l'équipe a également détecté des quantités importantes de mercure et retrouvé six masques couverts de pierres précieuses (majoritairement des émeraudes) qui pourraient être mortuaires mais dont la présence s'explique mal étant donné l'absence de corps à proximité.*

— C'est intéressant ?

Ben sursauta en portant la main à son cœur.

— Bon sang ! Est-ce que vous pourriez tous arrêter de me faire peur en surgissant dans cet appartement ?

Miss Holt se défendit :

— Je n'ai pas surgi. J'ai même frappé.

— Je n'ai rien entendu et quand bien même, je ne crois pas vous avoir permis d'entrer.

— J'ai supposé que vous dormiez. Je passais simplement vous déposer de quoi vous changer.

Elle lui tendit des habits neufs.

— Je les ai moi-même choisis pour vous. Si ça vous fait plaisir, vous pourrez le raconter à votre maman.

Il se radoucit.

— Comment connaissez-vous ma taille ?

Elle fit tourner sa main comme si elle lui jetait un sort.

— Les femmes savent ce genre de choses.

Ben prit les vêtements.

— Merci. Pas vraiment mon style, mais c'est sympa.

D'un mouvement du menton, Karen désigna les nombreuses piles de feuilles de hauteur variable qui couvraient la table.

— Vous lisez les notes du professeur ?

— Je n'en suis qu'au tri. La masse est énorme. J'y ai passé une bonne partie de la nuit. Il me faudra des jours et des jours simplement pour tout ordonner. D'autant que l'on y trouve de tout. Pas évident de se repérer dans ce fatras et de saisir pourquoi il a choisi de relever certains faits. Me voilà devant un puzzle de milliers de pièces et je n'ai pas la moindre idée de ce qu'il dessine au final.

— Le professeur n'en savait rien non plus.

— Vous en parliez avec lui ?

— Parfois, mais il n'était pas très bavard. Il me considérait surtout comme son garde du corps.

Ben posa la main sur un tas de dossiers empilés à part.

— J'ai aussi commencé à jeter un œil aux rapports concernant les autres affaires. Je suis loin d'avoir tout lu, mais c'est déjà assez gratiné. Vous pensez sérieusement qu'il peut exister un lien entre des événements aussi différents survenus un peu partout dans le monde ?

— Nous n'avons pas de preuve formelle, mais beaucoup d'éléments nous poussent à les relier. Avez-vous remarqué que malgré leur nombre, jamais deux de ces exactions ne se sont produites en même temps ? Comme si ceux qui les commettent passaient méthodiquement de l'une à l'autre.

— On ne joue qu'un seul coup à la fois aux échecs... Mais quelle relation établissez-vous entre un vol d'antiquité et de toile de maître chez cet industriel taïwanais assassiné et la disparition de plans ultrasecrets dans un laboratoire de recherche sur un laser expérimental à Paris ?

— Nous comptons un peu sur vous pour nous éclairer sur le fond. Sur la forme, des similitudes troublantes dans la façon de procéder et l'importance des moyens mis en œuvre nous incitent à y voir un plan global. On observe aussi de nombreux points communs dans les techniques d'usurpation d'identité qui ont permis aux voleurs de pénétrer dans des lieux ultrasécurisés. Les coupables prennent leur temps pour s'approcher de leur but et ne laissent rien au hasard. Jusque-là, le crime n'était jamais leur objectif, mais ils n'ont pas hésité à y recourir si cela s'avérait nécessaire. Ils se servent des gens et suppriment les témoins sans hésiter. Une seule fois, ils ont ciblé un individu, un archéologue espagnol, qui a été enlevé.

— A-t-il été retrouvé ?

— Pas pour le moment. Plus le temps passe, plus nous craignons pour sa vie.

— Dans le cas de Wheelan, avez-vous envisagé qu'il ait pu être victime d'autre chose qu'un accident ? Il a peut-être été éliminé...

— Vous seriez épouvanté si vous aviez idée de tout ce que nous avons la capacité d'envisager... Nous avons bien évidemment soupçonné un assassinat déguisé. C'est pourquoi une unité de la police scientifique a planché sur sa voiture pendant plus d'une semaine pendant que les légistes autopsiaient sa dépouille. Mais les expertises n'ont rien révélé de suspect. Comme quoi même les gens menacés peuvent aussi mourir bêtement...

Karen avait achevé sa phrase sur une intonation triste. Ben le remarqua.

— La mort du professeur vous affecte, n'est-ce pas ?

— J'ai passé plus d'une année à ses côtés. J'étais responsable de sa sécurité. Je ne le lâchais jamais d'une semelle.

— Vous vous sentez coupable de ce qui lui est arrivé...

— Non. J'avais demandé à l'escorter mais il a refusé. Il voulait être tranquille pour rendre visite à sa sœur dans le nord-ouest de l'Angleterre. Il disait que personne n'était au courant de son déplacement et qu'il ne courait aucun risque. Ma présence n'aurait d'ailleurs sans doute rien changé. Sauf si j'avais conduit, nous serions certainement même morts tous les deux dans la chute de son véhicule. Mais le fait est que s'il avait été tué d'une balle dans la tête, je ne me le serais jamais pardonné.

Pour la première fois, Ben détecta une fragilité dans la voix de la jeune femme. Elle laissait entrevoir une sensibilité inédite. Il aurait voulu trouver les mots pour la réconforter, mais tout ce qui lui vint à l'esprit était inapproprié. Un sens de la dérision surdéveloppé n'est pas toujours un atout.

Le portable de Karen vibra et lui offrit une diversion bienvenue. Elle décrocha :

— Holt, j'écoute.

Elle resta un moment à prêter l'oreille sans rien dire, puis, calmement, raccrocha et demanda à Ben :

— Vous n'avez pas peur de l'avion ?

— Quelle question...

— Vous connaissez le Japon ?

— C'est un quiz ? Qu'est-ce que je vais encore gagner ? Une balle dans le pied ?

— Dépêchez-vous de vous habiller, on vous réclame au chevet d'un empereur.

11

Lorsque Benjamin émergea enfin, il lui fallut quelques instants pour savoir où il se trouvait.

— Ça va mieux ? On a fait son gros dodo ?

Karen était lovée dans le large fauteuil face au sien et son regard exprimait clairement l'ironie. Tout était calme dans la cabine du jet où ils voyageaient seuls, et l'engin filait avec une parfaite stabilité. Pour ne pas se laisser hypnotiser par les jolis yeux noisette, Ben s'étira en se tournant vers le hublot. Il ne vit rien d'autre que la nuit noire ponctuée par le flash de position situé à la pointe de l'aile.

— J'ai dormi longtemps ?

— On se pose à Osaka dans moins d'une heure, j'espère que vous avez honte.

— Ce serait logique, mais j'ai trop faim.

La jeune femme, agacée, attrapa un petit sandwich sur la table voisine et le lui jeta.

— Vous attendiez mon réveil ?

— Fin psychologue avec ça... Voilà des heures que j'épie le moindre signe de reprise de conscience sur votre petite gueule d'ange. Effectivement, j'attendais. À force, je connais par cœur le tressautement saccadé de vos paupières lorsque vous rêvez. Vous m'avez rappelé le chien de mon grand-père.

Quant au rythme de vibration quasi bestial de votre lèvre quand vous ronflez...

— Petite chanceuse, vous avez donc eu le privilège d'assister à ce merveilleux spectacle. Au lieu de me reluquer, vous auriez dû me réveiller.

— J'avoue que l'idée m'a effleurée. Au moins une bonne centaine de fois. J'ai adoré imaginer que je vous bouchais le nez et que vous sortiez brutalement de votre léthargie en paniquant. J'ai même songé à enfourner un de ces délicieux chocolats dans votre bouche restée constamment ouverte entre le survol de la Suisse et celui de l'Indonésie.

— Voilà donc pourquoi j'ai si soif. Mais j'y pense, vous avez donc vu ma glotte. Elle vous plaît ? Personne ne m'en parle jamais. Ça m'inquiète.

Karen secoua la tête de dépit.

— Pourquoi n'avez-vous pas dormi, vous aussi ? ajouta Ben.

— Qui aurait étudié les données du site où nous sommes attendus ? Vous ? Quelques minutes avant l'atterrissage ?

— Pour certains examens – et non des moindres, il m'est arrivé de réviser à la dernière minute, et vous seriez surprise de savoir à quel point j'ai tout de même été brillant.

— Prétentieux.

— Insomniaque.

Ben déballa son sandwich en riant et l'entama à belles dents. Karen déplia un ordinateur portable qu'elle orienta vers Horwood. En voyant les photos s'afficher, il se frictionna les yeux.

— C'est là que nous nous rendons ? Mais c'est gigantesque !

— La tombe de l'empereur Nintoku est une des plus grandes sépultures du monde. Plus étendue que quarante terrains de foot.

— Vu du dessus, ça ressemble à un trou de serrure posé au milieu d'un lac...

— Évitez de leur faire ce genre de remarque. Inutile d'ajouter un incident diplomatique à ce que nous avons à gérer.

— C'est bien une île ?

— Deux fossés concentriques inondés encadrent un lac au milieu duquel se trouve ce que les Japonais appellent un *kofun*. Au milieu du plan d'eau, le tertre émergé – celui qui ressemble à un trou de serrure – mesure en fait plus de 700 mètres de long et se compose d'une très grande butte ronde, le tumulus, qui contient la chambre mortuaire, prolongé dans son axe par une vaste partie triangulaire.

— Surprenant qu'un lieu aussi impressionnant ne soit pas plus connu.

— Sans doute parce qu'il ne se visite pas et que rien n'en est visible depuis les abords. Le site est couvert de forêts et l'on n'en comprend la forme géométrique particulière que grâce à des vues aériennes. Si l'on passe à côté, rien ne le distingue d'une simple réserve naturelle. Aucun tourisme n'y est toléré. Et les fouilles, même officielles, y sont interdites. L'Agence impériale, qui gère le site, s'y oppose par respect pour le repos et la mémoire du défunt.

— Que s'est-il passé ?

— Apparemment, la chambre funéraire a été profanée. On ne nous a rien communiqué de plus pour le moment.

— Ça n'arrête donc jamais, vos histoires...

— Surtout depuis quelque temps.

— Sérieux, vous trouvez que j'ai une gueule d'ange ?

12

— Bienvenue au Japon, déclara l'homme dans un anglais marqué d'un fort accent asiatique. Je m'appelle Takeshi Senzui et je travaille pour l'Agence d'investigation de sécurité publique. Vous avez fait un bon vol ?

— Certains plus que d'autres... ironisa miss Holt en lui serrant la main.

L'homme n'était visiblement pas habitué à porter le costume qu'il avait enfilé pour l'occasion. Sa façon de bouger suggérait qu'il était davantage coutumier des jeans, baskets et sans doute blousons de sport.

— Vous êtes l'historienne, et vous l'agent dépêché par le gouvernement britannique ?

— C'est l'inverse, précisa Ben en le saluant à son tour.

— Ce sont les services secrets qui s'occupent de cette affaire ? s'étonna Karen.

— Personne ne tient à ce que ce qui s'est produit ne s'ébruite. La police a trop de connexions avec la presse et le sujet est extrêmement sensible...

À cette heure tardive, l'aéroport d'Osaka était quasiment désert.

— En espérant que vous n'êtes pas trop fatigués, nous allons directement nous rendre au *kofun*. Ce rendez-vous nocturne arrange tout le monde. Masato Nishimura, de l'Agence impériale, vous y attend.

— En route, répondit Karen.

En roulant à gauche, la voiture s'engagea sur la voie qui reliait l'îlot artificiel de l'aéroport à la terre, puis bifurqua vers le nord en longeant la côte.

— Le *kofun* n'est qu'à une trentaine de kilomètres, précisa Senzui. Nous y serons rapidement. Avez-vous reçu les documents ?

En faisant un clin d'œil à Karen, Ben répondit le premier :

— Tout à fait. Leur lecture s'est avérée passionnante. Que s'est-il passé exactement ?

— Je ne suis pas en mesure de vous répondre. Nous n'avons que très peu d'informations. Nos services ne sont là que pour assurer la sécurité du lieu tant que la tombe est vulnérable. Le représentant de l'Agence impériale vous en dira plus. Eux seuls ont la haute main sur ce qui se passe à l'intérieur. Ils doivent être sacrément dans le brouillard pour vous autoriser à y pénétrer. Personne de chez nous n'y a jamais mis les pieds, et encore moins des étrangers.

Karen et Senzui se mirent très vite à parler boutique, comparant les types de missions et les moyens mis à leur disposition par leurs gouvernements. Ben s'amusait de constater que bien qu'appartenant à des services étrangers, les agents se comprenaient à demi-mot, échangeant rires complices et sous-entendus qu'eux seuls saisissaient. Il nota aussi que ni l'un ni l'autre ne lâchaient d'informations sensibles. Ils discutaient cordialement, mais sans rien dévoiler de stratégique. À vrai dire, cela se passait exactement de la même façon lorsqu'un universitaire en rencontrait un autre.

Ne comprenant plus rien au jargon des deux spécialistes du renseignement, Ben préféra regarder défiler les paysages à travers la vitre du véhicule. D'un côté, une banlieue dense et constellée de milliers de points de lumière, et de l'autre, l'obscurité de la baie. C'était la première fois qu'il mettait les pieds au Japon, et il n'allait même pas faire dix mètres dans une rue...

Après une vingtaine de minutes, le véhicule finit par s'arrêter sur un minuscule parking, près d'une autre voiture aux vitres teintées dont un homme en manteau long descendit aussitôt. Senzui annonça :

— Voici Masato Nishimura. C'est avec lui que vous allez continuer.

Pour accueillir les visiteurs, Nishimura inclina son buste en maintenant ses bras parfaitement raides le long du corps. Karen lui répondit avec une maîtrise impeccable alors que Ben s'efforçait de l'imiter avec un résultat très approximatif.

— Nous vous sommes reconnaissants d'être arrivés si rapidement, fit l'envoyé de l'Agence impériale d'une voix tout juste polie. Nous avons reçu l'ordre de ne refermer le tombeau qu'une fois votre visite achevée. Le rituel ne pourra commencer qu'après votre départ.

L'homme évitait les regards et limitait ses gestes au strict minimum. Il pivota en direction de ce qui apparaissait comme une forêt obscure, vers laquelle s'avançait un étroit chemin encadré de barrières et surmonté d'un *torii*, un portique de bois laqué rouge aux extrémités relevées, symbole traditionnel du passage vers le monde spirituel.

— Il nous faudra marcher un peu, ne perdons pas de temps. Mais avant, je vous serais reconnaissant de bien vouloir laisser ici vos éventuelles armes ainsi que tous les appareils de prise de vues ou de communication. Vous entrez sur un site sacré.

Quelque chose dans son attitude indiquait qu'il n'était pas ravi d'associer des *oubei jin* à ses investigations. Karen récupéra le téléphone de Ben et le plaça avec le sien et son pistolet dans le coffre du véhicule.

— Qu'espérez-vous de nous ? demanda Horwood.

— C'est un cas épineux qui pose de graves problèmes. L'intrusion porte atteinte autant à notre spiritualité qu'à notre histoire. Il paraît qu'en ce moment, vous enquêtez sur d'autres événements du même genre. Votre patron, que je ne connais pas, a convaincu le mien, à qui j'obéis, que vous pouviez nous aider. J'ignore comment, mais nos supérieurs ont pensé que votre venue pourrait contribuer à élucider le mystère de cette effroyable agression contre la mémoire impériale.

L'homme tendit une lampe électrique à chacun et se mit en route. En empruntant le pont, le trio passa au-dessus du premier fossé, peu large, puis dépassa le second, bien plus étendu. En pleine nuit, loin des lumières du parking, le lieu devenait aussi sombre et oppressant que s'il s'était trouvé hors de toute agglomération.

Dans un rythme lancinant, la cime des grands arbres ondoyait sous le vent. Karen et Ben suivaient leur guide, qui seul avait allumé sa lampe.

— Nous allons emprunter les berges du lac principal jusqu'à l'embarcation qui nous attend. Prenez garde où vous mettez les pieds.

Alors qu'ils suivaient le bord, Karen repéra un homme posté en embuscade, entièrement habillé de noir, armé d'un fusil-mitrailleur et équipé d'une lunette de vision nocturne. Ben, qui n'avait rien vu, rompit le silence :

— Pouvez-vous nous expliquer ce qui s'est passé ?

— Des lumières aperçues hier soir dans les bois qui recouvrent le *kofun* ont attiré l'attention. Il est déjà arrivé que des irresponsables s'aventurent sur ces terres interdites. La police a donc envoyé un drone avec l'idée d'effrayer les voyous. Mais les images transmises par l'appareil ont révélé une excavation au pied du tumulus. On nous a tout de suite prévenus. L'équipe aussitôt dépêchée a découvert que la chambre funéraire avait été forcée. Ce ne sont pas des amateurs qui ont opéré. On a retrouvé du matériel très sophistiqué.

— Des pillards ? demanda Karen.

— Nous ne le pensons pas. Ils n'ont pas touché à des objets de grande valeur qui auraient à coup sûr trouvé preneur sur le marché clandestin de l'art.

— Certains voleurs agissent parfois sur commande pour le compte de collectionneurs fortunés qui cherchent des pièces particulières pour satisfaire leur passion, intervint Ben.

— Nous n'écartons pas cette hypothèse. Le fait est que ceux qui ont troublé l'éternel repos de l'empereur Nintoku n'ont pas fouillé. Ils n'ont rien déplacé. Ils savaient précisément ce qu'ils cherchaient. Ils s'en sont emparés et sont repartis en abandonnant sur place d'inestimables artéfacts.

— Je crois savoir qu'aucune fouille n'a jamais été effectuée sur le site. Dans ce cas, comment pouvez-vous précisément identifier ce qu'ils ont pris ? s'étonna Ben. Et plus surprenant encore, comment les voleurs savaient-ils ce que la chambre funéraire contenait ?

Nishimura s'arrêta pour se retourner vers Ben. À la lueur de sa lampe, il considéra l'étranger avec un regard un peu moins dédaigneux.

— Excellente question. Ce tombeau bâti à la fin du IVe siècle n'a effectivement jamais été ouvert et encore moins fouillé. Mais en 1872, l'effondrement de la voûte d'une des salles construites sous le tumulus a obligé mes prédécesseurs à y pénétrer. Avant de réparer et de consolider, des moines shintoïstes ont été appelés. Ils ont prié, purifié, mais aussi réalisé des croquis, des plans et un inventaire du lieu. Par miracle, l'effondrement n'avait endommagé ni le sarcophage de pierre renfermant le corps de l'empereur, ni l'inestimable collection d'objets l'entourant. Ils ont décrit et répertorié les trésors contenus, dont une exceptionnelle armure de bronze doré, des chefs-d'œuvre d'artisanat et même plusieurs vases perses. Nintoku fut un empereur d'exception. Il a joué un grand rôle dans l'unification des terres détenues par les seigneurs de la région. Il était aussi très curieux des sciences. Il fut l'un des premiers dignitaires de l'Empire à entretenir un collège de savants. Cela explique pourquoi les moines parcourant le site effondré ont aussi noté la présence d'objets dont je ne pourrai vous parler qu'une fois à l'abri du *kofun*.

Le trio reprit son cheminement sur les berges, dans un environnement naturel de plus en plus dense. Nishimura arriva bientôt à la hauteur d'un imposant canot pneumatique dans lequel deux hommes, eux aussi équipés d'armes et de lunettes de vision nocturne, attendaient. Il éteignit sa lampe.

— Pour des raisons de sécurité, la dernière partie du trajet se fera dans l'obscurité. Nous sommes peut-être observés. Ces soldats vont vous aider à prendre place dans l'embarcation. Nous accosterons au plus près de l'entrée de la tombe.

Karen embarqua sans problème et se retourna pour aider Ben, qui ne se débrouilla pas trop mal. Elle nota immédiatement que le bateau n'était pas équipé de moteur. Ben attendit d'être assis pour s'en apercevoir.

— Vos hommes utilisent des rames ?

— L'étendue que nous allons traverser symbolise la frontière qui sépare le monde des vivants de celui des morts. Si les circonstances nous obligent malheureusement à tolérer une protection armée du site, il est inenvisageable d'accepter le bruit et la violence d'une machine mécanique dans un tel lieu.

Les deux militaires commencèrent à ramer, entraînant les visiteurs sur un océan d'encre qu'aucune vague ne venait perturber.

13

En posant le pied sur l'île du *kofun*, Karen frissonna. Peut-être en raison de la fraîcheur de la nuit ou de l'humidité ambiante, mais plus certainement à cause de l'atmosphère étrange immédiatement palpable.

Déjà débarqué, Ben lui tendit la main pour l'aider à gravir la berge instable. La jeune femme hésita une fraction de seconde puis la saisit. D'un peu plus haut, Masato Nishimura les observait en éclairant leurs pas. Lorsqu'ils l'eurent rejoint, celui-ci déclara à voix basse :

— Nous voici hors du monde et du temps. Nous sommes seuls, excepté les deux moines qui se relaient à l'intérieur de la sépulture pour prier.

Sur le terrain en pente, l'officiel japonais se fraya un chemin à travers la végétation et les bois avant de déboucher sur une clairière. De sa lampe, il balaya les abords. Le faisceau révéla un trou béant pratiqué à la base du tumulus. À côté, un imposant tas de terre et du matériel recouvert d'une bâche plastique. Nishimura désigna les cordes et les poulies encore suspendues aux troncs et aux branches.

— Ils se sont servis des arbres pour confectionner un palan qui leur a permis de soulever les dalles bloquant l'accès aux souterrains. Ils n'ont eu aucune hésitation sur l'endroit où creuser.

Karen désigna l'équipement sous la bâche.

— Grâce à ceci ?

— Probablement.

— M'autorisez-vous à y jeter un œil ?

— Si cela peut nous aider à démasquer les coupables.

Miss Holt alluma sa lampe et souleva la toile de plastique. Au premier coup d'œil, elle identifia un détecteur de métaux, des vérins à compression lente, du matériel d'éclairage, et un modèle de scanner qui attira immédiatement son attention. Elle s'en approcha.

— J'imagine que vous avez déjà effectué les relevés d'empreintes, fit-elle.

— Ils n'ont rien donné. Les seuls indices exploitables sont des traces de pas dans les accès qui nous ont appris que les profanateurs étaient au nombre de trois. Cependant, un seul d'entre eux a pénétré dans la chambre du sarcophage. C'est lui qui s'est emparé de ce qui a disparu. Nous savons qu'il chausse l'équivalent de votre pointure 44.

Karen relâcha la bâche et se redressa.

— Ils ont effectivement utilisé des équipements haut de gamme en se payant le luxe de les abandonner derrière eux.

La jeune femme semblait perturbée. Ben profita de ce que Nishimura était occupé à s'engager dans le trou pour lui glisser :

— Tout va bien ?

— Aucun problème, je flaire la piste.

Horwood sentit qu'elle ne lui disait pas tout, mais il n'insista pas. La jeune femme se coula dans l'ouverture et disparut.

Avant de suivre miss Holt, l'historien prit une profonde inspiration en jetant un coup d'œil aux bois obscurs qui l'entouraient. Depuis son plus jeune âge, se retrouver dans la forêt en pleine nuit lui avait toujours donné la chair de poule. Beaucoup d'adultes prétendent que ces peurs disparaissent en grandissant. La plupart mentent. Horwood ne se mentait jamais, enfin pas sur ce point. Il ne s'attarda pas.

14

Une fois à l'intérieur, la première sensation de Ben fut olfactive. L'étroit couloir constitué d'énormes blocs de pierre parfaitement ajustés sentait la terre. Un parfum sec qui contrastait avec l'odeur d'humus qui flottait à l'extérieur.

Le long du passage qui s'enfonçait dans les entrailles du tumulus, des lampes à huile rudimentaires avaient été disposées. Les flammes répandaient leurs chaudes lueurs, impeccablement dressées, sans le moindre courant d'air pour les troubler. Au loin, on percevait l'écho léger d'une voix chuchotant.

Ben demanda doucement :

— Ce sont les moines que nous entendons ?

Nishimura hocha la tête en silence.

— Nous est-il permis de parler dans cette enceinte ? s'inquiéta l'Anglais.

— Étant donné la situation particulière, personne ne vous en tiendra rigueur.

Nishimura se mit en marche. Les lampes à huile projetaient les ombres des trois visiteurs sur les murs séculaires. Ils progressèrent jusqu'à un escalier au pied duquel l'officiel japonais fit une courte halte dans une attitude pleine de déférence. L'ayant gravi, ils débouchèrent plus haut sous l'immense butte, au cœur d'une salle circulaire, elle aussi éclairée par des lampes à huile. Un couloir s'en échappait à l'opposé et plusieurs ouvertures sans porte avaient été ménagées sur les côtés.

— Des salles annexes ? demanda Ben.

— Des réserves et des espaces dédiés aux rituels d'ensevelissement.

— Puis-je regarder ?

— On m'a demandé de vous laisser libres... Faites donc.

L'homme appréciait modérément la curiosité dont faisait preuve l'historien, mais Ben alluma sa lampe électrique et pénétra dans la première salle. Il y trouva des empilements de coffres, des jarres scellées, des tuniques traditionnelles étendues sur des barres de bois enfilées dans les manches. Tout était recouvert d'une fine couche de poussière. Personne n'y avait touché depuis plus de quinze siècles. Empilés contre un mur, parfaitement ordonnés, des sacs de toile étaient alignés. Certains s'étaient percés au fil du temps. Des graines et des fibres végétales sèches s'en échappaient. Horwood aurait bien aimé prendre le temps d'étudier tout cela de plus près, mais il sentait sur lui le regard de son hôte. Il ne s'éternisa pas et le trio reprit sa progression dans le monument.

Au gré des passages, les voix qui chuchotaient paraissaient parfois plus proches, mais ce n'était souvent qu'une illusion. Le jeu des échos laissait croire que les moines qui psalmodiaient sur un ton monocorde allaient apparaître à la prochaine salle, pourtant la bifurcation suivante ne révélait qu'un tunnel qui s'étirait de plus belle.

En suivant Nishimura à travers le dédale, les visiteurs montèrent de deux étages dans le monument funéraire, jusqu'à atteindre un escalier encore plus étroit au pied duquel trois grilles forgées successives avaient été renversées sans ménagement. Ben les étudia avant de s'intéresser aux traces de scellement dans les murs.

— Ces ferronneries ne comportaient aucune serrure…, commenta-t-il.

— Cet accès n'avait plus vocation à être ouvert après l'inhumation. Personne ne devait troubler le repos de l'empereur.

Adoptant un air solennel, Nishimura gravit les marches. Parvenu au sommet, il marqua une pause et prononça quelques mots à voix basse, tête baissée. L'escalier ne débouchait pas directement dans la chambre du sarcophage, mais derrière un mur disposé en barbacane qu'il fallait contourner. Cette fois, les voix des religieux étaient clairement audibles.

Passé le mur qui faisait écran, Ben découvrit la salle dans son ensemble. Le caveau était circulaire, et ses murs peints montaient pour former une voûte à la forme pure. Il se tenait au cœur du gigantesque *kofun*, à l'endroit le plus sacré constituant à lui seul sa raison d'être. Devant le spectacle de ce lieu interdit depuis plus d'un millénaire, il éprouva une émotion que ni le chercheur ni l'homme qu'il était n'avait jamais connue. Dans la douce lumière des innombrables lampes, il embrassa du regard les trésors répartis autour de l'imposant sarcophage de l'empereur Nintoku. Devant le réceptacle de la dépouille qui y reposait toujours, les deux moines s'inclinaient régulièrement en récitant. Autour d'eux, tout était disposé comme aux derniers instants de la vie terrestre du dignitaire. Des collections entières d'objets précieux, de bijoux, trophées, armes de fer, statues de bronze et œuvres d'art. Des vases de jade sculptés, des ornements ciselés exposés sur des présentoirs comme si le défunt devait pouvoir les choisir pour s'en parer. Aucun visiteur n'était attendu dans ce lieu, ni même souhaité, mais tout y était mis en place pour que l'empereur puisse profiter de chaque bien depuis sa couche. S'y accumulaient des objets minuscules comme des bagues, et d'autres plus grands comme une paire d'épées gravées, ou même des boiseries peintes avec une incroyable finesse. La logique de mise en place n'était pas évidente, mais Ben finit par comprendre que chaque élément trouvait sa position en fonction du domaine d'activité dont il relevait – la guerre, l'intimité, le savoir, les honneurs. Leur seul point commun était une réelle perfection de réalisation.

Fasciné, Horwood s'avança sans que les moines lui prêtent la moindre attention. Il étudia l'armure de bronze doré évoquée par Nishimura. Jamais de sa carrière, même dans les plus grands musées du monde, il n'avait vu pareille pièce. La maîtrise des arrondis, la précision de l'assemblage ainsi que sa finition en faisaient un chef-d'œuvre aussi bien de conception que de réalisation.

Karen s'approcha de leur guide et souffla :

— Ce ne sont pas de simples voleurs qui ont forcé votre sanctuaire. Des pillards n'auraient jamais laissé de telles merveilles derrière eux.

— C'est également ce que je pense, lâcha l'homme. Mais quels qu'ils soient, tôt ou tard, ils paieront pour leur sacrilège.

— Connaître les raisons de leur acte ne vous intéresse pas ?

— Bien moins que de les châtier comme ils le méritent.

À chaque pas qu'il faisait dans la salle, Ben regrettait un peu plus de ne pas pouvoir prendre de photos pour son collègue en charge du Japon au British Museum. Sans être un spécialiste de l'art asiatique, il identifiait la nature de la plupart des objets exposés. Soudain, sur l'un des présentoirs, il remarqua trois empreintes laissées dans la poussière, attestant de la présence d'objets retirés. Une forme triangulaire et deux autres, fines et longues.

— C'est ici que se trouvaient les artéfacts dérobés ?

— Une structure pyramidale de bronze enserrant une sphère de quartz poli, et deux rouleaux liés à l'empereur.

À l'évocation du souverain, l'homme s'inclina en direction du sarcophage en signe de respect.

— Une boule de cristal maintenue dans une pyramide ?

— D'environ quinze centimètres d'arête. Ce cristal enserré n'était pas le bien le plus précieux qu'ait recelé ce lieu, mais il était sans nul doute le plus énigmatique. Les moines ayant réalisé l'inventaire en 1872 n'ont pas réussi à lui attribuer d'usage ou même de provenance. C'est le seul objet dans ce cas. Ils l'ont décrit comme d'une grande pureté et pouvant être admiré sous des angles différents. Ils ont également signalé l'extrême finesse des motifs ornant le support de métal, les présentant comme un étonnant mélange de symboles venus de différents horizons.

Karen observa l'empreinte laissée dans la poussière.

— En ont-ils réalisé un croquis lors de l'inventaire ? demanda-t-elle.

Nishimura réfléchit un instant avant de répondre d'une voix peu assurée :

— Pas à ma connaissance.

— Concernant les rouleaux, enchaîna Ben, les moines les ont-ils lus ?

Le représentant de l'Agence impériale semblait en proie à un conflit intérieur. Karen comprit qu'il hésitait à parler et se fit plus persuasive. Elle se redressa imperceptiblement, inclina légèrement la tête et releva les yeux pour les river à son adversaire, comme si elle se préparait à charger.

— Nous sommes ici pour vous aider, monsieur Nishimura. Nous avons fait un long chemin pour cela. Nous poursuivons le même but. Comme vous, sur tous les continents, nous sommes confrontés à des vols du même type. Si vous refusez de nous faire confiance, nous ne pourrons pas vous apporter notre concours et cela ne profitera qu'à ceux qui ont profané ce lieu.

Malgré la douceur de la voix, le ton était ferme. Ben approuva le propos d'un mouvement de tête. Il ne quittait pas Karen des yeux. Nishimura fut sans doute touché par l'argumentation, mais surtout séduit par la conviction de la jeune femme. Il hésita, puis, en se tordant les mains – un geste bien peu maîtrisé pour lui qui ne laissait paraître aucune émotion –, commença :

— Ce que je vais vous confier est de la plus haute confidentialité. Personne ne sait au juste ce que cette sépulture renferme, et cela ne doit jamais changer. C'est l'unique moyen d'éviter que ces trésors ne soient convoités.

Cette fois, Nishimura regarda chacun de ses interlocuteurs droit dans les yeux avant de poursuivre :

— Personne n'a jamais étudié les rouleaux, à part un moine lors de l'effondrement. Son commentaire est consigné dans les relevés de l'époque et se résume à peu de chose. Le premier des documents était en fait une carte représentant les contours

« d'un monde qui s'étendait bien au-delà des limites de l'Empire », sur laquelle des lieux souvent étrangers à notre culture étaient matérialisés, symbolisés par de minuscules dessins figuratifs lorsqu'ils n'étaient pas nommés. La présentation qu'il en a faite fut d'abord considérée comme extravagante, mais quelques années plus tard, au tout début du XXe siècle, ce moine devenu vieux commença à montrer des troubles qui furent d'abord perçus comme des symptômes de démence. De plus en plus fréquemment, il évoquait cette carte en affirmant qu'elle situait et décrivait avec beaucoup de détails des monuments qui n'avaient pas encore été officiellement découverts sous le règne de Nintoku.

Karen et Ben se regardèrent. Nishimura ajouta :

— Autre fait troublant, ce moine s'est éteint le 11 avril 1904, le jour même où l'Américain Theodore Monroe Davis annonçait avoir découvert la tombe du seul savant qui ait jamais été inhumé avec les honneurs habituellement réservés aux pharaons, dans la vallée des Rois, en Égypte. Quelques jours plus tard, l'explorateur y a trouvé un cristal sphérique contenu dans une structure pyramidale ressemblant exactement à celui qui se trouvait ici.

Karen réagit :

— Cet objet était exposé au musée du Caire, il a été dérobé l'année dernière !

— Je l'ignorais. Les deux artéfacts jumeaux ont donc été volés.

— Nous avons des photos de celui découvert dans la vallée des Rois, nous vous les fournirons. Vous pourrez comparer avec vos croquis.

Nishimura marqua un temps avant de répondre :

— Je vous ai assuré qu'à ma connaissance, aucun n'en a été réalisé.

Karen se contenta de le fixer en souriant. Sans ambiguïté, elle lui faisait comprendre qu'elle n'était pas dupe. Ben était heureux que le regard de la jeune femme ne lui soit pas destiné. Pour mettre fin au malaise qui s'installait, il changea de sujet :

— Que savez-vous à propos de l'autre document ?

— Il ne va pas être simple de vous l'expliquer. Je vous l'ai dit, l'empereur Nintoku – l'homme s'inclina respectueusement en direction de la dépouille – était curieux des sciences. Il s'intéressa au fonctionnement du corps, aux rythmes et aux forces animant les créatures vivantes, aux limites de notre monde... Il ne concevait le savoir que dans l'harmonie avec la nature et ses règles. Son ambition était de progresser sans transgresser. Cela se perçoit dans tous les récits qui ont été faits de sa vie. Ce second document était apparemment une synthèse de ses travaux et de ses conclusions. Il y était notamment question de la lumière sous toutes ses formes et de son influence sur la vie.

— Vos moines ont-ils réalisé une copie de ce texte durant l'inventaire ? voulut savoir Karen.

La question gêna Nishimura, mais il décida cette fois de jouer franc-jeu.

— Je ne vais pas vous mentir : il existe un duplicata. Mais, sans vouloir vous offenser, personne n'acceptera de vous laisser l'étudier.

Karen émit une sorte de grognement.

— Ceux qui ont profané votre sanctuaire possèdent désormais l'original. Ils vont se faire un plaisir de l'analyser et d'en tirer parti. En nous privant de cette source d'information première, vous leur garantissez de garder l'avantage.

— C'est un document exceptionnel, très sensible. Je n'ai moi-même jamais pu l'approcher.

— Hormis cette carte et ce compte rendu, intervint Ben, vous conservez sans doute des archives au sujet des recherches menées par votre empereur – il s'inclina maladroitement en direction du sarcophage. Tout son savoir n'était pas voué à être enfermé avec lui, ici.

— Il a transmis ce qu'il jugeait utile à ses descendants, qui ont fait de même vis-à-vis des leurs, l'érudition de chaque génération se confondant dans les progrès de la suivante. Dans la philosophie des dynasties, l'attribution de la découverte à un individu était sans importance, seul comptait le savoir obtenu. C'était une autre façon d'envisager la connaissance, non comme un témoignage de puissance ou de grandeur d'un individu, mais comme un moyen au service d'une lignée et de son peuple. L'approche était commune à beaucoup de nos dignitaires, au nom d'une quête qui unissait le spirituel et l'intellectuel sans jamais les dissocier. Je sais que chez vous, en Occident, cette façon de pratiquer la science a existé aussi et qu'elle porte un nom.

— Quel est-il ?

— L'alchimie.

15

Sur le vol de retour, Ben n'avait aucune envie de dormir.

— Vous vous rendez compte ?

Karen n'ouvrit même pas les yeux pour répondre :

— Plutôt bien.

Elle s'enroula un peu plus dans sa couverture avec l'espoir de pouvoir enfin s'assoupir. Horwood ne tenait pas en place et arpentait la cabine sans arriver à se poser.

— Ces types sont capables de frapper n'importe où dans le monde pour s'emparer de documents ou d'objets dont nous ignorons le plus souvent l'existence ! Pourquoi les veulent-ils ? Que comptent-ils en faire ? Qui a les moyens de telles opérations commando ? Et pour l'amour du ciel, comment arrivez-vous à somnoler alors qu'aucune de ces questions ne trouve de réponse ?

D'une voix à peine articulée, miss Holt marmonna :

— Voilà deux ans que je baigne nuit et jour dans ces histoires. Vous, ça fait à peine une semaine. J'espère que vous allez vous calmer parce que sinon, je vais encore être obligée de vous tirer dessus...

Ben se laissa tomber dans le fauteuil d'en face.

— Parlez-moi de la pyramide au cristal volée au Caire.

— Tout est dans le compte rendu qui vous attend sur votre table avec les autres. Bonne nuit.

— Vous n'allez quand même pas dormir maintenant ! C'est la fin de l'après-midi à Londres !

— Il est deux heures du matin au Japon. Foutez-moi la paix.

Ben grommela avant d'enchaîner :

— Karen, aidez-moi à y voir plus clair et promis, ensuite, je vous laisse tranquille pendant tout le reste du vol.

Espérant lui envoyer un signal évident, Karen remonta la couverture jusqu'au-dessus de sa tête, découvrant du même coup ses pieds. Ben ne s'arrêta pas pour autant.

— Notre gouvernement peut-il nous obtenir un accès au document sur les recherches de Nintoku auprès de l'Agence impériale ?

— On va faire la demande. On verra, lâcha-t-elle d'une voix étouffée par le molleton.

— Imaginez tout ce que l'on pourrait tirer de ce texte… Ma parole, on dirait que vous vous en moquez !

Miss Holt émergea de son cocon. Ses yeux étaient cette fois bien ouverts et fixaient Ben. L'historien recula au fond de son siège. Il redoutait soudain qu'elle ne lui décoche le même genre de regard qu'à Nishimura. Karen se redressa lentement, comme un cobra avant l'attaque.

— Vous ne me laisserez pas dormir, c'est ça ?

Ben fit une grimace, comme un môme coincé devant le pétard dont il a allumé la mèche et qui va lui exploser à la tête.

— Je suis désolé, ces enquêtes m'obsèdent... Je déteste ne pas comprendre.

— Cela vous fait un point commun avec le professeur Wheelan, mais lui ne m'empêchait pas de dormir pour autant.

— L'âge, sans doute.

— Le sien ou le mien ?

— Le sien bien sûr !

— Lui avait besoin de beaucoup réfléchir, seul, au calme.

— Moi, je ne suis jamais aussi efficace qu'en tandem... Mon institutrice l'avait déjà remarqué dès mes premières années d'école. Seul, je n'arrive pas à grand-chose.

Karen rejeta sa couverture en soupirant. Elle venait de se faire avoir par la mine de chien battu d'Horwood.

— Soit, je vous écoute.

— À quel propos ? Voulez-vous que je vous raconte mon enfance ? OK. Le truc qu'il faut savoir, c'est que tout petit déjà j'avais l'habitude de...

— Ben, je ne suis pas psy. Parlons plutôt de l'enquête puisque cela vous empêche de dormir – et moi aussi par la même occasion.

— Je me demande comment ces types réussissent à échapper aux services de renseignement. Vous êtes bien rattachés au Secret Intelligence Service... Sans rire, avec tous vos moyens de surveillance des données, les caméras, les contrôles, les traçages, ils arrivent quand même à passer les frontières, à s'introduire où ils veulent pour voler ce qui les intéresse et à repartir tranquillement pour aller se planquer on ne sait où préparer on ne sait quoi.

— Vous avez vu trop de films d'espionnage. Les services secrets n'ont pas la moitié des pouvoirs qu'on leur prête. Mais ça les arrange bien que tout le monde le croie.

— On ne sait vraiment rien de ceux qui organisent ces coups ? Vous devez bien avoir une idée...

— Quelques faits, tout au plus. Nous savons que pour les opérations les plus complexes, ils ont été six au maximum. Le plus souvent pourtant, les vols ne sont l'œuvre que d'un seul individu. Il est, semble-t-il, capable de convaincre et de séduire les esprits les plus affûtés. Il s'est toujours débrouillé pour que l'on ne puisse pas retrouver d'images de lui, encore moins d'empreintes digitales. Nous n'avons même pas idée de ce à quoi il peut ressembler. Petit, grand, de type caucasien ou autre, blond, brun... Nous n'en savons rien. Personne n'a survécu pour nous le décrire. On sait seulement que tous ses noms d'emprunt ont pour initiales « ND ». Nikolaï Drenko, Nathan Derings, Niels Debner, Nino Daelli... Cette nuit, nous avons fait un grand pas supplémentaire – sans jeu de mots – puisque l'on connaît désormais sa pointure.

— C'est ça l'avis de recherche ? Un fétichiste cramponné à ses initiales qui chausse du 44 ? Qui vous dit que ce n'est pas une femme ?

— Certains des crimes demandaient une puissance physique dont seul un homme est capable.

— Donc, en plus il est musclé ?

— Sportif, sans aucun doute.

— L'avis de recherche commence à ressembler à une annonce matrimoniale... « Recherche homme sportif, n'ayant pas froid aux yeux, très riche, pointure 44 et amateur de trésors historiques. Assassins bienvenus. »

Karen fronça les sourcils.

— Vous ne m'avez pas réveillée pour m'infliger ce genre de blague puérile ?

— Vous avez raison. Pardon. C'est tout moi. Je n'arrive pas à bosser seul et quand je fais enfin équipe avec quelqu'un, je suis tellement content que je fais l'idiot.

Malgré elle, miss Holt eut un sourire.

— Sur ce point, vous êtes bien différent du professeur. Puis-je me permettre une question personnelle ?

— Vous achetez mes caleçons, vous savez qui pisse sur mon paillasson... Au point où nous en sommes, je ne vois pas ce que je pourrais vous cacher !

— Vous êtes un homme étrange, monsieur Horwood. Vous n'avez pas peur de parler de vos faiblesses, vous ironisez même dessus. C'est plutôt rare.

— Ce n'est pas une question.

— Vous êtes aussi capable de faire des compliments que même les pires dragueurs n'oseraient pas se permettre et pourtant, j'ai l'impression que vous n'avez aucune arrière-pensée.

— Vous croyez que je vous drague ?

— Je connais un peu les garçons...

— Vous faites référence aux fois où j'ai fait allusion à votre beauté ?

— Il ne s'agissait pas d'allusions.

— Si vous m'avez entendu siffler lorsque j'ai vu vos jambes, je vous présente mes excuses. J'ai pourtant essayé de le faire discrètement...

— C'est exactement de ce genre de remarque dont je vous parle.

— Vous n'êtes pas sans savoir que vos jambes sont superbes.

— Peut-être, mais ceux qui me le disent veulent en général y toucher.

— Je vous jure que je n'en ai aucunement l'intention. C'est sans doute à force de fréquenter les musées que je me comporte ainsi. Je commente, j'apprécie. Mais je vous rassure, je ne me jette pas sur tout ce que je trouve sublime ! Quoique, une fois, je me souviens d'une statue scandaleusement callipyge au Victoria and Albert Museum...

— Aucune intention donc.

— La main sur le cœur, je vous l'assure.

— Quel étrange détachement. Vous voyez donc la vie comme un musée ? Comme si vous n'étiez qu'un simple observateur – des femmes notamment.

— Je sens que vous allez me demander si je suis intéressé par autre chose que les filles.

— L'idée m'a effleurée, mais différents indices m'incitent à penser que non.

— Pourtant, une fois, en camping, je suis tombé raide dingue d'un mâle. C'était un chien, un border collie. Un vrai coup de foudre. Malheureusement, après quatre minutes de vie commune sur l'aire de jeux, il m'a quitté pour un os ou un frisbee, je ne sais plus... Aujourd'hui encore, je n'arrive pas à l'effacer de ma mémoire.

Karen leva la main pour l'arrêter.

— Benjamin, est-il possible d'avoir une conversation sérieuse avec vous ? Êtes-vous capable d'aligner plus de cinq phrases de suite sans caser ni plaisanterie ni dérision ?

— Cinq ? C'est mon meilleur score ?

— En ma présence, oui.

— C'est pitoyable. Je vais faire un effort.

Il se racla la gorge et s'étira le cou comme un athlète avant sa performance.

— Pour vous, je vais tenter de pulvériser mon record dès maintenant.

— Hâte d'assister à cet exploit.

— Pourquoi étiez-vous troublée après avoir inspecté le matériel des voleurs sur le *kofun* ?

— J'avais donc vu juste.

— À quel propos ?

— Vous. Vous passez votre temps à faire l'abruti pour distraire la galerie, mais derrière ça turbine sec.

— Je n'aurais pas dit mieux. Maintenant, répondez-moi, s'il vous plaît. Ça fait déjà deux phrases que j'enchaîne sans vannes et je sens que j'approche de ma limite.

— Sous la bâche se trouvait un scanner d'un genre très spécial, un modèle coréen extrêmement sophistiqué et très prisé chez les archéologues. J'en ai déjà vu un exemplaire sur une autre affaire. Il y a un an à peine, à Jérusalem, des individus ont creusé un tunnel en partant de la cave d'une des maisons de la vieille ville située en contrebas de l'esplanade des Mosquées, tout près du mur des Lamentations. Les vibrations de leurs travaux ont été repérées par le système de surveillance sismique de la ville, mais les services de sécurité israéliens n'ont réussi à capturer personne. Le Mossad a d'abord estimé qu'ils préparaient un attentat, mais ils ont rapidement abandonné cette piste. Le matériel employé, dont ce scanner très rare, orientait plutôt les soupçons vers des fouilles clandestines.

— Les autorités ont-elles découvert d'autres indices sur le site ?

— Nous n'en avons pas été informés.

— Vous pensez que ce scanner relie les deux événements ?

— S'en servir n'est pas à la portée du premier venu. Il faut une véritable expertise scientifique. Très peu de gens en sont capables.

— Donc, Pointure 44 serait en plus d'un niveau scientifique élevé ?

— Lui ou ceux qui travaillent avec lui.

D'une ondulation des hanches, Karen se lova dans l'angle de son fauteuil.

— À votre tour de m'aider à réfléchir, monsieur Horwood. Vous qui avez étudié reliques sacrées et objets ésotériques en tous genres, avez-vous une idée de ce que pourraient être ces cristaux dans leur support pyramidal ? Même si vous n'en avez rien dit devant Nishimura, le fait qu'ils aient la même forme que ce qui a été déterré dans l'église de la Holy Trinity à York ne vous a pas échappé, j'en suis certaine...

— « Jamais de raisonnements ou de commentaires devant des personnes étrangères au service. » Je ne suis pas malin, mais j'essaie d'apprendre. Par contre, je n'ai pas de réponse à vous offrir. J'ignore ce que sont ces artéfacts.

— Aucune idée de ce qui peut attirer nos voleurs ?

— J'en suis encore au stade des interrogations. Et j'en ai beaucoup. Le plus dur est de ne pas laisser l'imagination prendre le pas sur la rigueur d'analyse. Je ne possède ni l'expérience ni les connaissances que pouvait avoir le professeur Wheelan, mais j'espère que ses notes et l'étude des cas précédents m'aideront à dissiper le brouillard.

— Votre thèse était un véritable travail de spécialiste.

— Ce mémoire de fin d'études, comme le service où vous travaillez d'ailleurs, sont nés d'un même constat : aucune puissance n'a consacré plus de volonté et de moyens à la recherche de ces objets que le Troisième Reich. L'immonde Heinrich Himmler, bras droit d'Hitler, était fanatique d'ésotérisme, et dans son acharnement à crédibiliser l'aryanisme en s'appropriant tous les symboles possibles, il a ordonné davantage de fouilles que Napoléon et Alexandre le Grand réunis. Pendant la Seconde Guerre mondiale, Churchill a jugé utile de surveiller où cela pouvait conduire, et bien plus modestement, nous avons en notre temps pensé qu'il y avait là matière à une étude inédite. Mais je n'étais pas seul pour élaborer ce mémoire. Je m'occupais surtout de la partie historique, de la remise en contexte et de toute la documentation concernant les moyens que les despotes ont engagés au service de leur quête. Pour ce qui est des objets en eux-mêmes, c'est plutôt ma collègue et coauteure qui s'en est chargée.

— Fanny Chevalier, précisa Karen en le regardant droit dans les yeux.

— Chevalier, un nom prédestiné pour la quête du Graal, n'est-ce pas ?

— Nous devrions peut-être la contacter et, pourquoi pas, l'associer à notre enquête ?

— Je ne suis pas certain que ce soit une bonne idée, répondit Ben d'une voix mal assurée.

— Elle n'est pas compétente ?

— Si, au plus haut point.

— Elle n'est pas digne de confiance ?

— Difficile de trouver plus loyal.

— Alors pourquoi se priver d'elle ?

Il hésita avant de répondre :

— Je n'ai aucun moyen de la joindre.

Karen eut un sourire qui pétrifia instantanément Benjamin. Cette fois, il était bel et bien dans la même situation que Nishimura, consumé par un affreux malaise. Un petit lapin pris dans les phares d'une Formule 1. Miss Holt savait. Elle savait tout.

— Vous me faites peur, dit-il en fuyant son regard.

— Je crois que j'aime ça. Félicitations, Benjamin, vous avez explosé votre record. Treize répliques sérieuses de suite.

— J'en avais compté quatorze.

— Je n'homologue pas la dernière, qui est un mensonge. Vous savez parfaitement comment joindre Mlle Chevalier. Vous savez même précisément où.

Horwood blêmit. Tel le félin qui a assez joué avec sa proie, Karen porta l'estocade.

— Durant vos deux derniers séjours à Paris, vous êtes passé seize fois sous les fenêtres de son appartement, toujours à la tombée de la nuit, et vous avez rôdé six fois devant son lieu de travail. Si nos recoupements sont exacts, c'est d'ailleurs avec elle que vous aviez séjourné en Bourgogne à l'endroit même où nous nous sommes rencontrés. Nous savons aussi...

— Pitié ! J'avoue tout. Vous pouvez même me mettre la profanation du *kofun* sur le dos si ça vous arrange mais je vous en supplie, arrêtez de remuer le couteau dans la plaie.

— Alors répondez-moi objectivement, s'il vous plaît : pensez-vous qu'adjoindre Mlle Chevalier à nos recherches soit une bonne idée ?

Vaincu par K.-O., Ben inclina la tête et tenta de calmer la tempête de sentiments qui le dévastait.

— L'associer est une excellente idée, sans l'ombre d'un doute.

— Êtes-vous d'accord pour qu'ensemble, nous la contactions ?

— Vous n'imaginez pas ce que vous me demandez.

Karen ne répondit pas, mais elle le savait très exactement.

16

La richesse de la décoration de l'escalier d'honneur de l'université de Vienne contrastait avec la relative austérité de la façade du bâtiment dominant le Ring. Son opulence baroque suffisait à impressionner le plus blasé des visiteurs. Ses larges marches de marbre, ses colonnades étagées et ses lampadaires illuminant la voûte lui donnaient des allures d'opéra. Pourtant, l'Alma Mater Rudolphina avait beau déployer ses fastes pour quiconque y pénétrait, Neville Desmond savait que le luxe n'était que d'apparence, car dans les étages vers lesquels il montait, la prodigalité n'était plus de mise. Comme toutes les grandes universités d'Europe, la plus réputée d'Autriche devait s'accommoder de budgets sans cesse réduits.

Alors que d'un pas sûr, il se dirigeait vers l'aile où les enseignants-chercheurs se voyaient octroyer un bureau, personne ne semblait lui prêter attention. Cet anonymat l'arrangeait bien. Dans son costume gris, une sacoche de cuir noir sous le bras, il prenait soin de ne croiser le regard de personne.

Rapidement, corridors et escaliers se firent moins spacieux, et surtout moins fréquentés. Il aurait sans doute pu trouver un ascenseur pour s'épargner les nombreux changements de niveau, mais il ne voulait pas risquer de se retrouver dans une cabine, face à quelqu'un qui aurait le temps de l'observer et de se souvenir de lui, ou pire, dans le champ de vision d'une caméra de surveillance.

Lorsque Neville Desmond se présenta devant la porte du professeur Maximilien Köhn, il retoucha son nœud de cravate avant de frapper. L'universitaire ouvrit rapidement et accueillit son visiteur avec un enthousiasme bien plus juvénile que son âge.

— Quel bonheur de vous revoir, Herr Desmond ! Merci d'avoir fait le déplacement si vite. Vous êtes seul ? J'avoue avoir espéré que pour l'occasion, mon bienfaiteur aurait, lui aussi, fait le déplacement jusqu'à mon humble lieu d'étude…

— Le Prince vous prie de bien vouloir l'excuser, Herr Professor, mais ses œuvres caritatives le réclament loin d'ici. À l'heure où nous parlons, Son Altesse inaugure un hôpital en Afrique. Il faudra donc vous contenter de ma modeste personne et je m'efforcerai d'être auprès de lui votre très fidèle porte-parole.

— Ne voyez là aucun reproche. Tout au plus un regret. J'avais simplement rêvé de le rencontrer enfin en personne. Loin de moi l'idée de discuter sa grande générosité. J'en ai été le premier bénéficiaire, mais vous allez voir aujourd'hui que sa confiance – et la vôtre – aura porté ses fruits.

— Votre message laissait entendre que vous aviez bien progressé.

— Au-delà de tous mes espoirs. Prenez place, je vous prie.

Dans la minuscule pièce dont tous les murs étaient couverts de rayonnages débordant d'ouvrages, de dossiers et de quelques paquets de gâteaux, Neville Desmond prit place sur l'unique chaise – grinçante – qui faisait face au bureau encombré. Seule une lampe de banquier au pied de cuivre émergeait de la marée de papiers. Le chercheur s'installa face à lui, dans son fauteuil – qui grinçait aussi –, en ajustant ses lunettes. Il ouvrit un tiroir pour en extirper un classeur qu'il déposa cérémonieusement devant lui. Avant d'aller plus loin, il plaqua ses mains dessus avec un soupir de satisfaction et leva vers son interlocuteur un regard fébrile.

— C'est un grand jour, cher monsieur Desmond. Car j'ai trouvé.

— Excellent. En avez-vous parlé à quelqu'un ?

— Conformément à nos accords, je n'ai aussitôt averti que vous. J'étais tellement impatient de vous faire part de ma découverte que je n'ai pas encore pris le temps de mettre mes conclusions en forme.

— Vous en aurez tout le loisir plus tard.

— Je ne vous remercierai jamais assez d'avoir financé mes recherches, et vous direz bien à Son Altesse que son nom figurera en bonne place dans toutes les publications que ma trouvaille ne manquera pas de déclencher. La nouvelle risque de faire grand bruit. Le simple fait d'y penser me donne le vertige !

— Je suis impatient de vous entendre.

— Au cours de ces trois dernières années, comme convenu, je me suis consacré à l'étude de la fascination que les hommes éprouvent pour l'or depuis les temps les plus reculés. Comment ce métal a-t-il pu gagner cette place si particulière dans toutes les cultures, et la conserver jusqu'à notre époque pourtant si prompte à remplacer les icônes ancestrales ? Simple attrait esthétique ?

Aptitudes chimiques exceptionnelles ? Comment justifier cette fièvre ? Au départ, rappelez-vous, je souhaitais tenter d'expliquer pourquoi les hommes entretiennent ce rapport exceptionnel à ce métal dont ils ont fait leurs plus beaux trésors, leurs monnaies et pour lequel ils ont inventé les lieux les plus sûrs qui soient. Ils ne protègent même pas leurs propres enfants aussi bien !

— J'avais effectivement lu vos notes préliminaires en ce sens.

— J'ai étudié le rapport à son apparence, la séduction universelle qu'il exerce auprès de tous les peuples de la terre qui ont été en contact avec. Aucune autre matière, pas même notre propre sang, ne bénéficie d'une telle cote dans notre inconscient collectif ou dans notre quotidien. Je pensais pouvoir justifier cet état de fait à travers des usages culturels, des circonstances historiques ou des conjonctions techniques. J'étais presque convaincu que ses particularités physiques, son inaltérabilité, l'impossibilité de le synthétiser ou de l'imiter justifiaient à elles seules une suprématie provoquant une convoitise et une adoration qui ne se sont jamais démenties au cours des millénaires. L'or n'est en effet plus seulement une matière, mais un symbole, un idéal, un refuge, un étalon en comparaison duquel toute chose vaut forcément moins. Peu à peu, j'ai commencé à ne plus considérer l'or à travers sa réalité matérielle, mais comme une entité. Les Sumériens le qualifiaient d'ailleurs de « chair divine ». Mais là encore, je m'égarais loin de son essence. J'ai alors décidé de chercher ce qui aurait pu provoquer un tel engouement, chez les monarques d'abord, puis chez leurs sujets. J'ai traqué tout ce qui pouvait, dans l'histoire du monde, au-delà de sa nature propre, avoir forgé la réputation quasi mystique de l'or. Était-ce parce qu'il était l'attribut des puissants qu'il est devenu si convoité ? Où les rois l'ont-ils adopté parce qu'ils lui prêtaient un pouvoir dont ils auraient eu connaissance ?

« Plus j'ai cherché, plus je me suis aperçu que nous autres, historiens, étions certainement passés à côté d'un fait. J'ai acquis l'intime conviction qu'il s'était produit quelque chose dans l'histoire qui avait installé l'or sur son piédestal au point de marquer à jamais l'inconscient de notre espèce. Qu'est-ce qui a convaincu les Espagnols de se lancer corps et âme, avec toute la violence possible, à la conquête d'un continent pour découvrir l'Eldorado ? Pourquoi les alchimistes voyaient-ils dans l'or la matière ultime vers laquelle devait tendre toute transmutation ? La cupidité et l'appât du gain ne suffisent pas à justifier de telles motivations. Alors j'ai concentré mes recherches sur cet hypothétique moment dans l'histoire de l'humanité où l'or serait tout à coup devenu autre chose qu'un métal précieux. À quelle époque, à quelle occasion a-t-il gagné son statut de matière divine ?

« En tâtonnant, en recoupant, j'ai réussi à remonter aux alentours d'une période située plus de deux millénaires avant notre ère. Puis j'ai progressivement resserré, étudié les usages, les représentations picturales, les utilisations et les présentations qui étaient faites de l'or. Et j'ai isolé une période charnière. Sur quelques décennies, j'ai pu constater de très nettes évolutions, marquant une rupture, comme s'il y avait eu un avant et un après. Plusieurs indices m'y ont conduit, dont une augmentation significative des moyens alloués à la sécurité entourant les mines et les gisements, mais aussi la volonté souvent agressive des grands de l'époque qui ont soudain tous cherché à faire main basse sur la plus grande quantité possible d'or. Leur ambition n'était pas l'enrichissement, parce qu'ils n'en faisaient pas commerce. L'or était conservé jalousement, stocké, ou porté sur eux. Leur but était de le posséder.

« Le phénomène est d'abord marqué sur tout le pourtour méditerranéen, là où s'est répandu en premier l'usage de l'or, mais aussi, de façon plus surprenante, ailleurs dans le monde. En recroisant ces informations avec d'autres, en travaillant sous cet angle, mon intuition n'a fait que grandir et se confirmer. Il est devenu évident qu'un tournant s'était produit dans la considération portée au métal jaune. Peut-être une découverte, peut-être un secret révélé, peut-être les deux, mais de toute façon quelque chose d'assez puissant pour résonner par-delà les frontières. Peu à peu, on constate ensuite qu'en voyant leurs maîtres vouer un culte à l'or, les peuples l'ont eux aussi adopté comme bien davantage qu'un métal qui ne s'oxyde pas et qui reflète comme aucun autre la lumière du soleil. C'est d'ailleurs après cette période que les divinités solaires se multiplièrent, dans de nombreuses cultures, sur différents continents.

Les mains de Maximilien Köhn tremblaient tant il était possédé par son récit. Desmond avait déjà eu l'occasion de voir des hommes bouleversés à ce point par un savoir qui remettait en cause des versions établies de longue date.

Le professeur continua :

— J'ai analysé des centaines de textes antiques, étudié d'innombrables sculptures, plaquettes d'argile, rouleaux antiques, bas-reliefs, poteries, médailles et gravures de toutes sortes. Sumériens, babyloniens, égyptiens, grecs... J'étais désormais à la recherche d'un événement précis, d'une célébration ou même d'un cataclysme qui, entre 2300 et 2200 avant notre ère, aurait eu un tel retentissement qu'il aurait *auréolé* ce métal extraordinaire pour l'éternité.

— Avez-vous trouvé ?

Le professeur inspira profondément et lâcha :

— Je le crois. Tout correspond.

Köhn ouvrit son dossier et présenta une feuille sur laquelle était maladroitement tracée une ligne de chronologie.

— La date mérite encore d'être précisée, mais il n'y a plus de doute. Pour nommer ce jour, les Sumériens ont inventé le mot qui devait plus tard désigner la notion de miracle. Les Grecs l'ont appelé « la première aube », les Égyptiens « la foudre des Dieux », les Latins en tireront le mot « aurore ».

« Tout a commencé sous le règne du roi sumérien Ur-Nammu, en Mésopotamie. À cette époque, la science était l'apanage des prêtres, et les croyances faisaient partie intégrante du processus de recherche. Je ne sais pas exactement encore qui du roi ou de son fils, Shulgi, convia les puissants et les sages de son temps à assister à une expérience jugée suffisamment importante pour concerner chaque être vivant, au-delà des clivages politiques. Des études seront encore nécessaires, mais je suis en mesure d'avancer que devant cette assemblée, l'expérience impliquant sans doute beaucoup de lumière tourna mal. Les dégâts furent considérables sur l'instant, engendrant terreur et mort. Les effets ne s'arrêtèrent pas à ce funeste jour. Dans les mois qui suivirent, beaucoup des témoins de ce prodige succombèrent, comme frappés d'une terrible malédiction. Si j'en crois ce que j'ai pu comprendre, il s'avéra que seuls ceux qui étaient protégés par de l'or survécurent.

— Fascinant.

— Ce drame donna corps à la crainte ancestrale d'une colère divine qui pouvait prendre la forme d'une boule de feu ou d'un éclair mortel. L'événement crédibilisa aussi la capacité de l'or à protéger ceux qui en portaient. C'est ainsi que, même au prix de lourdes pertes, les princes de Haute-Égypte lancèrent leurs troupes sur les Hyksôs pour s'approprier leurs réserves, et du même coup leur pouvoir. C'est pourquoi Cortés mit l'Amérique à feu et à sang afin de localiser la mythique Cité d'or. C'est à cause de ses prétendues vertus que les reines s'abreuvaient de sirops contenant des paillettes comme élixir de jouvence. Cela explique aussi pourquoi les Germains enterraient leurs chefs avec une pièce d'or dans la bouche alors que déjà, des siècles plus tôt, les pharaons multipliaient les amulettes et les masques dans cette matière. En une tragédie, l'or se révéla comme le seul moyen d'échapper au courroux des dieux. Même si le secret du drame fut préservé, en quelques siècles, les leçons de ce spectaculaire accident se répandirent, adoubant l'or comme ultime bouclier. Plus qu'un bien, il devint un refuge, une matière que même les divinités respectent. Puis au fil des siècles, les découvertes des spécificités techniques sont venues renforcer cette *aura*. Il n'en fallait pas plus.

Maximilien Köhn acheva son exposé épuisé, comme sortant d'une transe.

— Remarquable, professeur, murmura finalement Desmond.

— Merci, monsieur. Vous êtes le premier avec qui je partage cela. Ne ressentez-vous pas vous aussi cette fièvre de l'or mystique ? J'espère que mon emballement n'a pas trop embrouillé mes propos.

— Pas le moins du monde.

Neville Desmond était réellement impressionné, mais il connaissait déjà la plus grande partie des faits évoqués par Köhn. Si l'universitaire autrichien avait brillamment triomphé du jeu de piste, il n'était pas le premier à le faire. Desmond devait maintenant lui poser la seule question qui importait.

— Dites-moi, cher professeur, avez-vous pu localiser le lieu de cette expérience, l'endroit de ce Premier Miracle ?

— Je le crois.

L'homme se retourna, saisit une carte du monde et la déplia sur son bureau.

— C'est ici, fit-il en désignant l'endroit. J'ai des coordonnées plus précises dans mon dossier. J'espère que Son Altesse acceptera de financer les fouilles que je compte y mener.

Neville Desmond se leva de sa chaise et avec une reconnaissance non feinte, il saisit la tête de l'universitaire pour l'embrasser sur le front.

— Merci, Maximilien, merci beaucoup. Vous n'imaginez pas ce que votre travail représente pour moi.

Un peu surpris par cette soudaine familiarité, le professeur finit par se réjouir avec son visiteur.

— Vous croyez donc à mon travail, monsieur Desmond ?

— Plus que jamais. Ni vous ni moi n'en mesurons la portée. Je regrette d'autant plus ce qui va suivre...

17

— Un cadeau ? Pour moi ?

Leur train fonçait en plein tunnel sous la Manche lorsque Karen déposa un petit paquet enrubanné devant Ben.

— Je peux l'ouvrir maintenant ?

— Vous pouvez attendre Paris si vous trouvez ça plus romantique, mais vous risquez d'être déçu...

Benjamin fit glisser le ruban puis retira le papier sans le déchirer. Il ne put cacher son étonnement en découvrant la boîte.

— Un téléphone ?

— Un modèle crypté intraçable. Vous pourrez appeler en toute sécurité. Ne donnez pas votre numéro à n'importe qui.

Adoptant aussitôt un regard de velours, Ben haussa un sourcil et se composa un sourire de séducteur.

— Voulez-vous mon numéro, miss Holt ?

— Votre numéro ? Vous ne l'avez même pas puisque c'est moi qui dois vous le donner !

Elle éclata d'un rire qui se répandit dans tout le wagon puis, tout à coup très sérieuse, ajouta :

— Avant la sortie du tunnel, j'aimerais que vous éteigniez votre ancien appareil en retirant la batterie et que vous me le remettiez.

En ronchonnant, Ben s'exécuta et lui tendit le tout.

— Ne le détruisez pas, lui demanda-t-il. Lorsque nous en aurons fini avec cette affaire, j'aimerais le récupérer.

— Croyez-vous que nous en aurons fini un jour ?

— Il contient des SMS auxquels je tiens.

— On vous en fera une copie.

Puis, amusée, elle ajouta :

— Je crois d'ailleurs que toutes vos conversations sont déjà dans votre dossier.

Ben réagit :

— C'est de l'humour d'espion ?

— Vous aimez ?

Benjamin se renfrogna et regarda par la fenêtre à travers laquelle il n'y avait strictement rien à voir.

— Pardonnez-moi si je vous ai choqué. Ce n'était pas mon intention.

— Il y a toute ma vie là-dedans.

— Vous n'allez pas me dire que votre plante verte et le chat vous envoient des messages...

— Je songeais plutôt à ceux de Fanny.

— Réjouissez-vous, je vous propose bien mieux que des SMS : vous allez la revoir.

— Je préfère ne pas y penser. Je commençais tout juste à guérir, et vous m'obligez à replonger.

Karen hésita à aborder le sujet, mais elle jugea qu'il valait mieux crever l'abcès.

— Une histoire malheureuse ?

— C'est bien plus triste que ça : pas d'histoire du tout. Elle n'a jamais accepté de me voir autrement que comme un bon copain. Alors que moi...

Il n'acheva pas sa phrase.

— Lui avez-vous confié vos sentiments ?

— Sans doute trop. C'est certainement même pour cela qu'à l'époque, elle est partie au bout du monde.

— Vous n'avez pas réussi à tourner la page ?

— Pire que ça : j'ai comparé avec ce que j'ai connu après et tout me ramenait à elle. Je la connais sur le bout des doigts. On a passé des jours et des nuits entières à travailler ensemble. Nous avons partagé beaucoup de choses. Elle m'a toujours impressionné. Même lorsqu'elle était épuisée, elle continuait à ne rien lâcher. C'est bien simple, pendant la rédaction de notre mémoire, sans le savoir, elle m'a porté. Plus encore que les documents et les bouquins, c'est elle que je regardais. J'aime tout ce qu'elle est. Mais la réciproque n'est pas vraie. Elle me trouve drôle, plutôt doué, surprenant aussi... Tout ce qui fait un excellent pote mais pas un compagnon.

— Vous parlez d'elle magnifiquement.

— Elle le mérite. Mais à quoi bon ? Maintenant, elle vit avec un Américain. Il est grand, baraqué, il a un sourire de pub pour un dentifrice. Lui n'a pas eu besoin de son neveu pour récupérer un malheureux trophée sportif. Il doit en avoir des caisses ! Toutes les filles se retournent sur lui. Quelque part, je les comprends parce qu'il est gaulé, le fumier ! Il pouvait toutes les avoir, mais il a fallu qu'il choisisse ma Fanny. Je le déteste.

— Dans le milieu de l'art, lui aussi ?

— Même pas. Un ex-militaire. Il assurait la protection du site sur lequel Fanny était partie faire des fouilles en Afrique. Vous imaginez la caricature : encerclée par des rebelles, elle tremble et il la prend dans ses bras. Et hop !

Benjamin soupira.

— Et vous, miss Holt, votre cœur bat-il pour quelqu'un ?

— J'ai vécu avec beaucoup de monde. Avec certains, j'aurais souhaité vivre autre chose, avoir le temps d'aimer. Mais notre métier nous l'interdit.

— Je suis désolé pour vous. Vous exercez une drôle de profession.

— Vous pensez que mon job tue les sentiments. Vu de notre place, ce sont les sentiments qui peuvent nous coûter la vie.

Elle détourna le visage et reprit :

— Depuis combien de temps vous et Mlle Chevalier ne vous êtes-vous pas vus ?

— Vous le savez déjà. C'est sans doute dans mon dossier avec tout le reste. Je l'ai aperçue à travers une fenêtre, voilà quelques mois. Par contre, elle ne m'a pas vu depuis plus d'un an. Je vous serais reconnaissant de ne pas lui balancer que j'ai rôdé autour d'elle.

— Comptez sur moi. Avez-vous déjà réfléchi à ce que vous allez lui dire quand vous vous retrouverez face à elle ?

— Aucune idée, je verrai quand j'y serai.

— Vous êtes bon en improvisation ?

— Catastrophique.

— J'essaierai de faire diversion pour vous sauver le coup.

— C'est ça, racontez-lui toutes ces opérations tordues, ces meurtres et ces vols. Cela devrait suffire à détourner son attention pendant que je la dévore des yeux.

18

— Pourquoi avoir demandé au taxi de nous déposer à Notre-Dame alors que le musée se situe près de la Sorbonne ?

— Parce que la conférence de Mlle Chevalier ne finit que dans vingt minutes et que j'aime bien flâner dans ce quartier.

Le temps était magnifique, mais un vent glacial balayait le parvis en rafales. Ben remonta son col et suivit Karen qui se frayait un chemin au milieu des troupeaux de touristes emmenés par leurs bergers brandissant des petits fanions. Par grappes, se mettant en scène dans des positions parfois insolites, les badauds se photographiaient devant la cathédrale en attendant de pouvoir y pénétrer.

Lorsque les deux Anglais s'engagèrent sur le pont en direction de Saint-Michel, la jeune femme promena ses doigts sur la balustrade de pierre et finit par ralentir le pas. Elle observait le fleuve avec ce que Ben perçut comme de la nostalgie.

— De bons souvenirs ? demanda-t-il.

— Quelques-uns.

— Vous n'avez donc pas toujours été un implacable agent ?

— Que voulez-vous dire ?

— Je vous imagine sur les quais de la Seine, lors d'une tendre promenade au clair de lune. Pourquoi pas après un dîner en amoureux dans l'une des petites rues du Quartier latin ?

— Ajoutez un petit air d'accordéon tant que vous y êtes, le cliché sera complet ! J'étais venue pour un stage de coopération avec les forces spéciales françaises. En fin de séjour, ils avaient organisé un dîner chez leurs collègues là-derrière, dans un stand de tir du quai des Orfèvres. Je ne sais plus exactement pourquoi, mais vers une heure du matin, ils ont été plusieurs à décider de sauter dans la Seine. D'ici même.

Incrédule, Benjamin dévisageait la jeune femme.

— Ce n'est pas le genre de souvenir que vous envisagiez pour moi ? fit-elle.

— Pas vraiment. Ils ont dû attraper froid.

— Même pas, et pourtant beaucoup étaient nus. Un grand moment. Mais vous avez quand même raison, je n'ai pas toujours été un agent implacable.

Karen se remit en marche, offrant son visage aux rayons bienfaisants du soleil. Horwood la rattrapa.

— Je peux vous poser une question personnelle ?

— Si vous voulez savoir si j'étais à poil en sautant avec eux, espèce de pervers, la réponse est non.

— Je me demandais plutôt pourquoi vous aviez choisi ce métier.

Miss Holt s'arrêta et lui désigna la chaussée.

— Vous voyez cette rue ?

Ben ne fut pas sûr de comprendre. Karen considéra son air ahuri comme une réponse positive.

— Elle va me permettre de vous répondre... Les gens l'empruntent en voiture, à vélo, à pied ; ils la traversent jour et nuit, dans tous les sens, chacun à leur façon. Certains y jettent des détritus, parfois par inadvertance, beaucoup par négligence, et d'autres volontairement. Vous me suivez jusque-là ?

— La rue, les gens, les détritus, j'entends, mais je ne suis pas certain de saisir...

— Il existe d'autres personnes qui ramassent ces détritus, une armée même, qui fait le ménage pour que cette rue reste vivable. Pour certains, c'est un métier mal payé qu'ils n'ont pas choisi mais pour d'autres, cela tient de la mission parce qu'ils se sentent concernés. Il ne s'agit pas d'ériger les uns en héros et les autres en monstres, mais de constater des comportements différents. Certains individus ne comprendront jamais pourquoi jeter des détritus est mauvais pour la collectivité. Ils ne se soucient que de leurs petits intérêts et se moquent de celui d'une société dont ils bénéficient pourtant. Rien ne compte, hormis eux-mêmes. Beaucoup d'entre eux se croient plus malins, supérieurs. En face, d'autres préfèrent passer leur vie à se taper la corvée plutôt que de voir la rue disparaître sous un chaos d'immondices. C'est une question de nature. Vous êtes volontaire pour assumer, ou simplement bon à profiter. Vous vous montrez responsable ou pas. Pour quelles causes sommes-nous prêts à nous baisser pour ramasser ? Pour quels enjeux sommes-nous décidés à nous lever pour nous battre ? Je vois cette rue comme une version miniature de notre monde. J'ai choisi mon camp.

— Vous n'aimez pas les papiers par terre ?

— J'adore aussi botter les fesses de ceux qui les balancent exprès.

— On vous enseigne ce genre de métaphore pendant votre formation ou c'est de vous ?

— Vous devenez vexant.

— Pardon. Dans ce cas, vous venez de m'enseigner une précieuse vérité.

— Laquelle ?

— Une femme qui se jette dans la Seine avec des hommes à poil peut aussi faire évoluer votre perspective sur la vie.

En voyant le musée du Moyen Âge se profiler derrière les jardins attenants, Ben se raidit.

— Comment vous sentez-vous ?

— Mal.

— Respirez à fond. Considérez cette rencontre comme un simple rendez-vous professionnel dans le cadre de notre enquête.

— J'aimerais bien vous y voir...

Abritant le musée, l'hôtel de Cluny était accoté aux anciens thermes gallo-romains datant de l'époque où Paris s'appelait encore Lutèce. Sur la rue arrière, le haut mur crénelé qui fermait la cour le dissimulait en grande partie. La porte cochère franchie, le bâtiment maintes fois modifié et reconstruit dans un style classique apparaissait dans toute son élégance ciselée. L'alliance de balustrades ouvragées, de fenêtres à meneaux, de toitures élancées et de la tour d'escalier conférait à ce joyau méconnu un éclat digne des châteaux de la Loire.

Traversant la cour pavée, Karen Holt pénétra dans le hall d'accueil du musée. Derrière, Ben traînait les pieds. Après avoir justifié de leur rendez-vous sous une fausse identité, ils furent autorisés à rejoindre l'étage où s'achevait la présentation des dernières acquisitions.

Empruntant les escaliers et traversant les pièces d'exposition en enfilade, Karen apprécia l'endroit bien qu'étant peu familière de ce genre de décor. Ben, qui en était coutumier, s'y sentait d'habitude parfaitement à l'aise. Mais pas cette fois.

Ils arrivèrent bientôt à la porte d'une salle dont des invités et la presse spécialisée commençaient à sortir. Profitant d'une accalmie, Karen se glissa à l'intérieur. Elle identifia aussitôt la jeune conférencière qui rassemblait ses notes pendant que des assistants emballaient les objets désormais intégrés aux collections.

Ben entra à son tour. En apercevant celle qui avait été sa partenaire d'études, il se figea au milieu du passage. Voilà bien longtemps que d'elle, il n'avait rien vu d'autre qu'une silhouette à la sauvette. Il était devant Fanny comme devant un paysage éblouissant et lointain, les poumons soudain capables de respirer enfin. Il pouvait tout à coup l'observer librement, impunément. Sa façon de ranger ses fiches, la grâce de ses mains, la sensualité de son mouvement pour rejeter ses cheveux clairs en arrière. Ben savourait tout. Il fut même ému lorsqu'il reconnut la minuscule fossette qui se creusait sur ses joues lorsqu'elle parlait à quelqu'un en souriant. Il se tenait trop loin et pourtant, rien qu'en la regardant, il lui semblait respirer son parfum. Il aurait pu rester ainsi des heures, à la dévorer du regard à son insu, insensible aux personnes qui le bousculaient parce qu'il gênait la sortie.

En se redressant, Mlle Chevalier remarqua aussitôt Benjamin. Passé une seconde d'étonnement, la joie se dessina sur son visage et elle abandonna ses documents pour se précipiter vers lui. Ben vivait un rêve éveillé : Fanny venait à sa rencontre, rayonnante, heureuse de le retrouver.

Malgré la solennité du lieu, elle lui sauta au cou.

— Benji ! Quelle surprise !

Personne d'autre qu'elle ne l'appelait « Benji », et il fallait qu'il l'aime vraiment pour tolérer ce surnom qu'il avait toujours trouvé ridicule.

— Salut, Fanny.

Il prit sur lui pour ne pas l'étreindre comme elle le faisait. Un véritable effort sur lui-même. Le moins démonstratif n'est pas nécessairement le moins attaché.

— Tu étais à la conférence ? Je ne t'ai pas vu.

— Non, je viens juste d'arriver.

Discrètement, Fanny désigna miss Holt qui se tenait en retrait. Elle prit les mains de Ben et lui souffla :

— Je suis tellement contente que tu te sois trouvé quelqu'un ! Ça me faisait de la peine de te savoir seul.

Il n'eut pas le temps de la détromper : Fanny était déjà partie saluer Karen.

— J'ai l'impression qu'on se connaît..., fit la jeune femme en regardant plus attentivement miss Holt. Avons-nous fait nos études ensemble ?

— Pas exactement. Mais nous nous sommes brièvement rencontrées aux obsèques du professeur Wheelan.

— Bien sûr ! Toutes mes excuses ! C'est donc avec vous que j'ai rendez-vous ?

— Tout à fait.

Fanny se mordit la lèvre et regarda Benjamin avec embarras.

— Alors vous n'êtes pas en couple... Quelle cruche ! Je suis navrée, j'ai cru que...

— Aucune importance.

— Il n'y a que toi pour arriver pile au même moment que la personne que j'attends, Benji ! Tu as le chic pour les hasards impossibles !

— Le hasard n'y est pour rien, Fanny. Je travaille pour miss Holt dans un service-dont-on-ne-peut-prononcer-le-nom-sans-être-pétrifié. Et j'ai l'honneur de t'informer que tu vas subir le même sort. Dans quelques secondes, Karen ici présente va t'annoncer que son patron s'est mis d'accord avec le tien pour que tu laisses tout tomber et que tu nous rejoignes. Inutile de protester, inutile d'expliquer que tu as ta vie. Tes projets, ils n'en ont rien à foutre. Puis, si tu es gentille, elle te donnera un téléphone – dont cette fois j'aurai le numéro – et tous ensemble, nous irons ramasser des détritus dans les rues qui sont comme notre monde.

Fanny le dévisageait avec une expression qu'il avait déjà malheureusement trop vue et qui lui avait coûté une bonne part de sa crédibilité. Le fait que Karen se mette à rire n'arrangeait pas les choses. Il pivota vers elle.

— Finalement, vous trouvez que mes improvisations ne sont pas si nulles ?

— Non, ce n'est pas ça. Quand j'étais petite, j'avais un hamster qui s'appelait Benji.

Ben ne se démonta pas pour autant.

— Dis-moi, Fanny, toi qui vis avec un commando, as-tu déjà sauté toute nue dans la Seine avec lui ?

19

Ben courait le plus vite possible, mais cela n'allait pas suffire. Il avait beau jeter ses dernières forces dans la bataille, ni ses jambes ni ses poumons ne suivaient. Le chemin défilait toujours devant lui mais il le voyait de plus en plus flou. Ses tempes battaient. D'un instant à l'autre, il risquait de s'effondrer. Considérant tous les dangers dont il avait pris conscience ces derniers temps, il ne se serait jamais imaginé crever aussi bêtement. Chienne de vie.

— Elle est géniale cette salle de sport, lança Fanny qui, pour sa part, tenait parfaitement le rythme sur le tapis de course voisin.

Sa foulée était longue, régulière. Sur l'écran géant installé devant les postes de running, elle jubilait de voir le parcours sélectionné défiler au rythme de ses pas.

— On a vraiment l'impression d'y être, tu ne trouves pas ? s'enthousiasma-t-elle. On en oublie l'effort !

Ben grimaça. Même devant le panorama enchanteur de ce petit sentier surfant sur la crête de collines verdoyantes, il ne risquait pas d'oublier ce qu'il endurait. Chaque contraction de muscle, chaque flexion de n'importe laquelle de ses articulations lui coûtait. L'idée même que des gens soient allés courir en filmant leur trajet pour que d'autres puissent s'y croire en galopant sans avancer le laissait perplexe.

Plus loin dans la salle, Karen s'entraînait également. Pas d'images devant elle, mais un casque sur les oreilles. Elle était déjà lancée lorsque Fanny et Horwood étaient entrés dans le centre d'entraînement des agents installé au deuxième sous-sol du quartier général londonien de l'agence.

Miss Holt courait avec l'efficacité d'une machine. Aucune variation de vitesse, pas de trace de sueur. Malgré le rebond de ses enjambées, sa tête restait parfaitement stable, exactement comme celle d'un guépard lancé aux trousses d'une gazelle. Aucun indice ne permettait de déduire si elle avait commencé son marathon depuis une demi-heure ou seulement quelques minutes. Le cas de Ben était bien différent : tout indiquait qu'il avait entamé sa séance depuis plus de trois heures alors qu'il venait à peine de s'y mettre.

L'espace d'un instant, Benjamin imagina Holt et Chevalier faisant la course. Dans son calvaire, l'idée lui arracha un sourire. Même si voir Fanny l'emporter lui aurait fait plaisir, objectivement, il aurait été plus raisonnable de tout miser sur Karen.

Fanny finit par atteindre le sommet du dernier relief et s'arrêta en expirant profondément.

— Demain, j'irai courir dans les Alpes. J'ai vu qu'il existait un programme sur les contreforts du mont Blanc. Tu viendras avec moi ?

Benjamin n'avait plus assez de souffle pour répondre. Il gambergeait déjà, essayant de s'inventer toutes les excuses possibles afin de ne plus jamais avoir à cavaler, même en compagnie de Fanny, devant ces images idylliques.

La jeune femme descendit de son tapis et attrapa une serviette pour s'éponger le visage. Elle se montrait très à l'aise dans cet environnement, détendue, et elle commença ses étirements à côté d'un type taillé comme un dieu grec portant un T-shirt de la Sandhurst Royal Military Academy.

Ben était surpris – pour ne pas dire bluffé – par la façon dont son ancienne partenaire d'études s'était adaptée à l'univers ultra sécurisé du bâtiment officiel.

Elle jeta une serviette à Benjamin qui, toujours appuyé à la rambarde de sa machine, l'observait.

— Rien de tel qu'une bonne course pour bien commencer la journée.

— Parle pour toi !

— Quand il fait beau, à Paris, je cours dans les jardins du Luxembourg.

Fanny passa en revue les différentes machines de musculation disponibles.

— Ils sont bichonnés ici. Je crois que je vais y prendre goût.

La remarque décontenança un peu plus Horwood. Depuis son arrivée, la jeune femme ne semblait impressionnée par rien, ni par la série de vols ahurissants, ni même par la rencontre avec le boss de Karen.

— Tu vas y prendre goût ? Vraiment ?

— Pourquoi bouder mon plaisir ? Être consultante sur ces affaires me change de la routine de Cluny. Franchement, j'adore mon poste. J'ai la chance de voyager, j'étudie des pièces de premier ordre et je rencontre des gens passionnants, mais prendre un peu le large me fait du bien.

Ben faillit lui répondre que lui regrettait la routine de son emploi. Il hésita même à lui confier que toutes ces histoires commençaient à l'inquiéter. Mais il préféra se taire pour ne pas ajouter une pierre de plus à sa statue de clown.

20

Ben ne s'éternisa pas sous la douche et prit bien soin de fermer son peignoir en quittant la salle de bains. Prudent, il passa la tête dans le salon avant d'aller s'habiller, afin de s'assurer que personne ne s'y était embusqué pour le surprendre.

Devant sa maigre réserve de vêtements propres, pour la première fois depuis bien longtemps, il prit le temps de s'interroger sur ce qu'il allait mettre. Cette fois, pas question d'attraper ce qui se présentait sur le haut de la pile sans réfléchir. Il opta pour une chemise apportée par Karen.

Coiffé, rasé de près, il vérifia son allure dans le miroir du salon. L'idée n'était pas de se rassurer, encore moins de s'admirer, mais plutôt d'éviter le pire, comme lorsqu'il s'était présenté à son premier rendez-vous avec le conseil de direction du British Museum, l'étiquette de sa veste neuve encore suspendue à sa manche. Personne n'avait retenu un seul de ses propos, mais chacun de ceux devenus depuis ses collègues se souvenait encore de sa dégaine et ils le charriaient régulièrement. Toujours retirer les étiquettes pour éviter de s'en faire coller une...

Ayant rectifié son col, Ben se consacra au pan de mur du salon dont il avait pris possession. Sur une immense carte du monde occupant presque toute la surface, il avait punaisé des petites fiches pour localiser et synthétiser chaque affaire d'un seul coup d'œil. Chacun des bristols consignait la nature du ou des objets dérobés, la date du forfait, le nombre éventuel des victimes et quelques annotations personnelles. La fiche concernant les pages manquantes du *Splendor Solis* ne comportait pas de date, mais un gros point d'interrogation.

Ce vaste assemblage avait le mérite d'offrir une vision globale de tous les cas recensés et de mettre en évidence l'étonnante diversité de ces opérations. Les auteurs de ces vols audacieux avaient frappé partout dans le monde, se jouant des frontières, y compris dans des pays réputés peu ouverts ou très protégés. C'est ainsi que même le Vatican avait vu sa bibliothèque délestée d'un incunable exceptionnel lors d'une séance de numérisation aussi fausse qu'ingénieuse.

Lorsqu'il entendit frapper à la porte, Ben fut tout à coup pris d'une panique digne d'un film muet. Avec de grands gestes désordonnés, il se laissa d'abord tomber dans le canapé, essayant de croiser les jambes avec désinvolture, mais les douloureuses courbatures dues à sa course l'en empêchèrent. Il se releva alors d'un bond et se précipita près d'une fenêtre dont il écarta un rideau, essayant de se composer une attitude d'homme pensif qui observe l'horizon. Insatisfait de sa mise en scène, il opta finalement pour la table encombrée par les notes de Wheelan, devant lesquelles il prit place en se plongeant dans la première feuille venue.

— Entrez.

Il s'était préparé à voir débarquer Fanny, mais c'est Karen qui s'avança vers lui, les yeux braqués vers le grand panneau mural.

— Waouh !

Ben feignit d'être absorbé par sa lecture au point de ne pas saisir la raison de l'exclamation. Il leva le nez, puis d'un ton faussement détaché, commenta :

— Ah oui... Vous avez remarqué ma présentation. Je me suis dit qu'il serait plus simple de travailler ainsi plutôt qu'avec une pile de dossiers. Qu'en pensez-vous ?

— J'imagine la tête que va faire le patron quand il verra que vous avez mis du scotch et fait des trous plein le mur.

Horwood ne broncha pas, mais il était déçu que son travail ne produise pas l'effet escompté. Miss Holt s'approcha de lui.

— Je plaisante, Benjamin. C'est très impressionnant. Et cette chemise vous va très bien. Vous voyez que je ne m'étais pas trompée sur la taille...

Devenant tout rouge, l'historien replongea dans ses papiers. D'un pas félin, Karen s'avança vers la présentation et commença à détailler les fiches. Tout en faisant semblant de s'intéresser à sa feuille, Ben épiait le moindre de ses gestes. Sans quitter la carte des yeux, Karen demanda :

— Pourquoi avez-vous confectionné cela ?

— Cela me semble évident. Pour nous offrir une vue d'ensemble plus claire.

— J'avais compris. Je ne vous parle pas de la finalité, je m'interroge sur votre motivation.

— Je ne suis pas certain de saisir...

— Avez-vous réalisé cette fresque dans l'intérêt de notre enquête, ou pour impressionner Mlle Chevalier ?

Logiquement, Benjamin aurait dû bafouiller, mais dans un étrange réflexe de sauvegarde, il réussit à limiter cette manifestation de perte de contrôle à une simple gesticulation sur sa chaise. La question le déstabilisait au plus haut point. Sans doute parce qu'elle touchait un sujet – voire plusieurs – extrêmement personnel. Il profita de ce que miss Holt lui tournait toujours le dos pour essayer de reprendre contenance, mais elle fit volte-face d'un seul coup, le prenant de court.

Elle souriait, charmante, ses cheveux libres encadrant son visage très légèrement maquillé. Cette expression théoriquement avenante le fascinait autant qu'elle l'effrayait. Il avait l'impression que Karen pouvait percer à jour ses pensées les plus intimes. Même son jury de thèse n'avait pas réussi à le mettre mal à l'aise à ce point.

— Je vous trouve touchant, monsieur Horwood. Peu importe la raison – consciente ou inconsciente – pour laquelle vous avez eu l'idée d'assembler ce panneau. Je commence à vous connaître et si vous êtes très pro dans le travail, disons, pudiquement, que concernant les rapports humains vous êtes moins... rigoureux. Pourtant, j'ai pu constater que lorsque Mlle Chevalier est dans les parages, vous arrivez à aligner bien plus que treize répliques sérieuses d'affilée. Avec elle, vous ne prenez plus rien à la légère.

Ben ne pouvait ni bafouiller ni même gesticuler. Karen Holt lui faisait face. Il pouvait toujours essayer de fuir en courant, mais le cyborg aux beaux yeux le rattraperait avant même qu'il ait atteint la porte. Alors il resta assis. Paradoxalement, devant cette seule femme, il se retrouvait cerné. Il était prêt à se rendre, lorsque de nouveaux coups frappés à la porte lui offrirent une échappatoire inespérée.

— Oui ! s'empressa-t-il de répondre.

Fanny ouvrit et entra. L'attitude de Ben et Karen indiquait clairement qu'elle venait d'interrompre un échange intense. Elle n'osa pas faire un pas de plus.

— Si vous préférez, je peux repasser plus tard...

— Pas du tout, rétorqua Ben. Viens !

Fanny les regarda l'un après l'autre et obtempéra.

— Joli ! fit-elle en découvrant le panneau mural. Chacune de ces fiches correspond à une affaire non résolue ?

— Tout juste.

Elle s'approcha et fronça les sourcils.

— Je comprends mieux votre inquiétude. À chaque fois, ce sont des antiquités liées à des pratiques occultes ou ésotériques qui ont disparu ?

— Pas uniquement. Certains artéfacts ont aussi une valeur scientifique.

— Vous comptez sur moi pour en étudier la portée religieuse ou spirituelle ?

Karen intervint :

— Ne vous cantonnez pas à cet angle si d'autres idées vous viennent. Toute information que votre expérience pourra nous apporter est la bienvenue.

— Il nous faudra donc avancer au cas par cas.

Horwood et Holt approuvèrent. Fanny resta songeuse un instant, puis elle posa la main sur l'épaule de Ben.

— Elle te va bien cette chemise, Benji. Avant, tu n'osais pas mettre ce genre de vêtement.

Karen eut un discret sourire en coin et se leva.

— Je vais vous laisser travailler entre universitaires. J'ai de la paperasse à faire.

21

Le 17 octobre 1945, en Égypte, sur le site antique d'Abousir, à une vingtaine de kilomètres au sud-ouest du Caire, une expédition d'archéologues anglo-américains a surpris un groupe composé d'une quinzaine de soldats de l'armée du Reich et de quatre chercheurs allemands qui pratiquaient des fouilles clandestines. Avec le concours des autorités françaises, tous ont été capturés et immédiatement placés en isolement pour être interrogés individuellement. De façon tout à fait incompréhensible, plus de cinq mois après la capitulation de l'Allemagne nazie, ce détachement, en uniforme mais sans aucun grade ni document officiel d'identification, protégeait des chercheurs effectuant des relevés et des sondages sur les ruines du temple solaire du roi Niouserrê. Ce monument, situé en limite nord du complexe funéraire, fut bâti sous la Ve dynastie. Son nom signifie « Celui qui réjouit le cœur de Rê », dieu du disque solaire et créateur de l'univers dans la mythologie égyptienne.

Le temple solaire était autrefois entouré d'une vaste enceinte rectangulaire. On y pénétrait par une haute porte dont il subsiste encore quelques fragments du linteau et des piliers. Une rampe d'accès longue d'une centaine de mètres conduisait à diverses constructions dont la tour carrée monumentale, surmontée d'une pointe pyramidale. Pour atteindre le centre de l'édifice, les visiteurs devaient traverser la Salle des saisons, ainsi nommée à cause des bas-reliefs réputés qui ornaient ses murs et qui furent, des années auparavant, déménagés à Berlin où ils furent ensuite officiellement détruits par les bombardements alliés.

La troupe allemande était lourdement armée et équipée, avec notamment du matériel permettant de creuser et de consolider des fouilles souterraines. Nul n'a pu déterminer depuis combien de temps cette expédition était sur place, ni si elle avait auparavant fouillé les pyramides et temples voisins. Il semble cependant que des percements conséquents aient été effectués dans les fondations du mastaba d'Ouserkaf-ânkh, qui bien que n'étant que le responsable des recherches et des travaux du roi Niouserrê, a bénéficié des mêmes honneurs funéraires que la famille régnante.

À titre officiel, aucun des captifs n'a expliqué sa présence, ni avoué le but de sa mission. Il n'a pas été possible de découvrir pour le compte de qui ce groupe opérait alors que l'état-major allemand était démantelé depuis des mois et la guerre perdue pour eux. Quatre des soldats appréhendés se sont suicidés dès les premiers jours de leur captivité, utilisant les mêmes poisons que les plus proches collaborateurs d'Hitler et Himmler.

Note : Demander une vérification via les archives du Special Operations Executive qui, selon les procès-verbaux français, a géré l'affaire jusqu'à sa dissolution en juin 1946. Que sont devenus les captifs survivants ? Qu'est-il advenu des documents et des biens saisis ?

Karen Holt reposa la feuille que Ben venait de lui soumettre.

— Qu'en dites-vous ? demanda celui-ci.

— Le professeur Wheelan n'a jamais fait mention de cet épisode pourtant troublant. Des soldats du Reich, libres, pratiquant des fouilles plusieurs mois après leur défaite...

— L'évocation d'un responsable de recherches inhumé avec tous les honneurs dus à ses maîtres ne vous fait penser à rien ?

— Si. Au savant auquel Masato Nishimura a fait allusion, celui dont la tombe digne d'un pharaon a été retrouvée dans la vallée des Rois. Qui étaient ces hommes pour se voir accorder de telles faveurs dans leur voyage vers l'au-delà ?

Ben récupéra la note de Wheelan et demanda :

— Karen, pendant la Seconde Guerre mondiale, lorsque votre service a été créé, il était rattaché au SOE, n'est-ce pas ?

— Exact.

— Vous avez sans doute un moyen d'accéder à leurs archives...

— Vous souhaitez que je cherche ce que sont devenus ces captifs allemands et leurs effets personnels ?

— S'il vous plaît. Mais avant, j'ai besoin que vous me répondiez sur un point. Soyez franche.

— Comptez sur moi.

— S'il vous arrivait de découvrir des éléments intéressants mais classés confidentiels, en parleriez-vous au modeste civil que je suis ?

— Vous avez un doute ?

— Pas à votre sujet, mais vis-à-vis de votre hiérarchie.

— Ne vous en faites pas, je décide seule de ce que je fais des informations dont je dispose.

Après une pause, elle reprit :

— Benjamin, puisque nous en sommes aux questions directes, je vous ai entendu discuter hier soir avec Fanny...

— Vous nous espionnez ?

— Je me contente d'écouter deux enquêteurs qui travaillent pour nous. Vous n'aviez pas l'air d'accord sur la façon de considérer les artéfacts volés.

— Il est naturel de ne pas toujours partager le même point de vue. Surtout face à des sujets aussi inhabituels que ceux-là. Mais comme nous, Fanny a noté que deux points étaient communs à la plupart des objets.

— Elle a en effet parlé de la lumière et de ce que vous appelez l'« Art Royal ». Mais j'ai cru comprendre que Mlle Chevalier ne prenait pas vraiment l'alchimie au sérieux...

— Ce n'est pas si simple. Durant nos travaux sur les reliques sacrées, Fanny a toujours pris soin de rester pragmatique. Elle a adopté un angle cartésien sans prendre en compte les croyances qui pouvaient y être rattachées.

— Et vous ?

— Je suis sans doute plus intuitif qu'elle. Étudier l'histoire m'a permis de prendre conscience d'un trait fondamental chez les humains : tout ce qu'ils ont accompli de plus grand, de plus fort, dans le positif comme dans le négatif, ils l'ont fait parce qu'ils croyaient en quelque chose. Je suis convaincu qu'il est impossible de tenter de comprendre l'histoire si nous ne tenons pas compte des rêves et des espoirs de ceux qui l'écrivent. On dit souvent que la foi soulève des montagnes. Je serais tenté d'ajouter qu'à mon sens, il n'y a qu'elle qui en soit capable. Qu'elle naisse pour un dieu, pour une idée ou une vision, la foi n'est pas une circonstance. Elle constitue le plus puissant des moteurs. L'approche de Fanny n'en est cependant pas moins bonne pour autant. Elle est complémentaire de la mienne. Sa façon d'appréhender les choses a souvent été un gage d'objectivité. Fidèle à cette logique, Fanny a toujours perçu l'alchimie au prisme des analyses officielles que la science moderne s'est efforcée d'imposer : une folie ésotérique, un bricolage chimico-mystique réduit à des images simplistes. Ses détracteurs avaient tout intérêt à dénigrer l'*Ars Magna* et ils ont réussi. Leurs descendants règnent aujourd'hui en maîtres.

— Vous y croyez donc ?

— En alchimie, croire ne sert à rien, car il s'agit d'abord de chercher. Dans sa grande vanité, l'homme se prétend capable de tout comprendre et rejette ce qui lui échappe. C'est ainsi que l'alchimie s'est vue reléguée au rang de délire occulte servi par des fous ou des charlatans qui ne rêvaient que de vie éternelle ou de fortune magique issue de plomb changé en or. J'ai pourtant du mal à croire qu'à travers les siècles, d'innombrables puissants et des visionnaires aient tant donné, tant sacrifié pour des chimères. Depuis qu'il est capable de penser, l'homme s'est toujours interrogé sur l'univers et la place qu'il y occupe. Les premières civilisations ont observé tout ce qui était à leur portée, puis expérimenté pour tenter de reproduire et de maîtriser. Leurs découvertes se sont toujours accompagnées de l'idée que ce monde ne pouvait être que l'œuvre d'un architecte supérieur. Chaque civilisation en son temps a tenté de personnifier ce créateur et de le nommer. La compréhension des arcanes de la vie ne pouvait alors se faire qu'en se soumettant aux règles imposées par celui ou ceux qui nous avaient créés, quels qu'ils soient.

« Depuis les toutes premières civilisations et pendant des millénaires, l'idée d'élever l'homme en lui donnant le pouvoir sur la nature s'envisageait dans le respect de l'Esprit qui nous a offert la vie. Le savoir et la spiritualité étaient alors indissociables. Le progrès devait naître dans l'harmonie. L'alchimie marque l'aboutissement de cette philosophie, de ces savoirs accumulés en Asie, au Moyen-Orient, au cours des siècles, par des penseurs et des chercheurs qui l'ont conduite à son apogée en Europe, où elle sera ensuite si décriée. L'alchimie ne pousse pas ses initiés à se prendre pour Dieu, mais à chercher de façon pure le moyen d'utiliser l'éventail des possibles pour repousser nos limites. Cela passe par la découverte de lois naturelles qui nous échappent. La pierre philosophale symbolise la quête d'une vie éternelle qui nous permettrait de conjurer notre condition de mortels en nous donnant le temps d'acquérir assez de savoir. Transmuter le plomb en or, c'est partir du « vulgaire » pour l'élever vers le meilleur. Seuls les médiocres qui ont voulu anéantir une approche qui les dépassait ont pris ces images au pied de la lettre. Ils ont méprisé l'alchimie, l'ont renvoyée au rang de folklore ésotérique – ils sont même parvenus un temps à la rendre suspecte et diabolique.

« Peu à peu, ces nouveaux adeptes de la science ont délaissé le spirituel pour ne plus se concentrer que sur le matériel. Certains hommes ont ainsi fini par se croire plus forts que la nature et par se prendre pour des dieux capables de commander aux éléments. Ces apprentis sorciers modernes ont traité ceux qui les remettaient en cause de magiciens sataniques. Le professeur Wheelan avait une théorie très intéressante sur ce point : il expliquait qu'après des décennies de dérives progressives, tout s'était joué lors de la révolution industrielle, lorsque la soif de profit avait pris le dessus sur tout autre idéal. Il nous répétait souvent : "La spiritualité et sa fille, la moralité, ont été assassinées par l'orgueil et son fils, l'appât du gain." »

— Vous le pensez aussi ?

— Comme tous ses étudiants, il m'a influencé, c'est certain. Mais comme vous, je m'efforce d'utiliser les informations que je détiens selon ce que je crois. L'alchimie est une voie séduisante vers la connaissance. La façon dont elle a été pratiquée porte en elle-même les limites des époques et de ceux qui s'en sont emparés. Pourtant, malgré toutes les formes qu'elle a pu prendre et ce que l'on a pu en dire, l'alchimie reste sans doute la forme d'élévation la plus exigeante pour celui qui prétend approcher les secrets de la matière. Ce n'est pas de la magie. Ce n'est pas une religion. Elle permet d'associer ce que nous avons appris depuis des millénaires au plus pur de notre conscience.

— Le sujet me fascine, murmura Karen. Ça me remue et je veux y croire.

— L'Art Royal fait souvent cet effet-là à ceux qui le découvrent.

— Je regrette d'autant plus que cette démarche ne puisse pas trouver sa place dans le monde d'aujourd'hui.

— Détrompez-vous, Karen. Vous touchez au cœur du problème. On nous matraque qu'aucun autre système que celui qui est en place ne serait bon pour nous. On nous fait croire que les vraies idées et les remises en cause mettent en péril notre petit confort quotidien. Partout, on nous abreuve de sujets futiles qui nous accaparent au point de nous faire oublier l'essentiel. On déforme notre nature jusqu'à menacer nos vies. La rue dont vous vous sentez responsable n'existe que parce que des femmes et des hommes ont su s'approprier les lois naturelles sans les trahir. Le savoir le plus simple, utilisé avec humanité, constituera toujours notre meilleure chance de survie. Aucune leçon n'est plus puissante que celle puisée dans la nature. Qu'on le veuille ou non, l'esprit de l'alchimie est partout et ses fruits sont éternels. Aucun des apprentis sorciers avides de nous vendre leurs prétendues prouesses ne pourra surpasser le plus humble des potiers, qui en mélangeant la glaise et l'eau, puis en exposant le tout au feu, obtient un résultat capable de résister à l'eau comme au feu.

22

Debout devant la grande carte murale, Fanny
désigna une fiche punaisée sur Paris, puis une
autre sur la Silicon Valley californienne.

— Le fait qu'ils s'attaquent aussi à des inventions scientifiques de pointe nous éloigne de la
piste des trafiquants d'antiquités.

Assis sur un coin de table, Ben commenta :

— Pourquoi ? Ils pourraient simplement avoir
besoin de ces innovations pour étudier leurs butins.
S'ils veulent en percer les secrets, la recherche de
technologies dernier cri est cohérente.

— Peut-être, mais imagine que leur ambition
ne soit pas de collectionner ces artéfacts, mais
de les rassembler comme un tout qui aurait été
dispersé au fil du temps.

— Possible pour certains, mais beaucoup proviennent d'époques, de civilisations et de lieux
très distincts...

— Mais tous sont liés à la lumière et à un savoir
qui transcende les siècles. D'autre part, d'après
ce que j'ai pu constater, beaucoup de ces objets
sont des outils nés de la science et non de cultes
religieux. Aucun d'eux n'est sacré comme pourrait
l'être le Saint Suaire ou ce genre de choses. Le
fétichisme semble donc à exclure. À mon avis,

ce n'est pas le divin qui est convoité à travers eux, mais une capacité matérielle.

— Pourquoi pas ? Considérons cette hypothèse. L'important ne serait donc pas ce que sont ces objets, mais ce qu'ils permettent de faire.

— Les pages du *Splendor Solis*, les rouleaux de l'empereur Nintoku, le codex dérobé au spécialiste espagnol, et même le bréviaire de Sylvestre II volé au Vatican s'intègrent parfaitement dans cette approche. Tous pourraient potentiellement contenir des données directes ou indirectes sur ces artéfacts. Leur description, leurs secrets de création, leur utilité... Ou même leur localisation, pour ceux que les voleurs n'auraient pas encore réussi à se procurer.

En contournant la table pour rejoindre le canapé, Fanny effleura Ben. Pendant un bref instant, il se trouva suffisamment proche pour sentir son parfum fleuri. Benjamin savait que la jeune femme ne l'avait pas frôlé par jeu. Fanny était incapable de ce genre de manœuvre. Par contre, il aurait bien voulu qu'elle sache ce que cela provoquait en lui et qu'elle le lui épargne – ou mieux encore, qu'elle le fasse volontairement.

Fanny s'installa dans le canapé et, s'étirant langoureusement, demanda :

— Te souviens-tu d'un soir, dans ta piaule, quand on préparait notre mémoire ?

— Il y en a eu plus d'un...

— Nous étions plongés dans nos recherches, stupéfaits de constater le nombre hallucinant de textes anciens qui mentionnent des objets, des matières ou des êtres capables d'accomplir des prodiges. Nous avions alors discuté de la définition des miracles à travers les âges.

Ben s'en souvenait parfaitement : c'était l'un des tout premiers moments où il avait réalisé que la relation de travail et de vie avec Fanny correspondait exactement à ce qu'il imaginait du bonheur. Il se remémorait tout, leur enthousiasme partagé, le fait qu'il y en avait toujours un pour finir la phrase de l'autre... Il se rappelait aussi très bien que sa chambre était minuscule et qu'ils étaient obligés de se tenir très près l'un de l'autre parmi les innombrables livres ouverts... Il fit un effort surhumain pour ne rien laisser paraître de ce que ce souvenir ravivait.

— Maintenant que tu m'en parles, ça me revient, dit-il d'un ton qui se voulait détaché. C'était sympa.

— Cela nous avait tellement impressionnés que nous avions même songé à changer le thème de notre thèse.

— C'est vrai, et le fait est que cela aurait aussi donné un excellent sujet.

Fanny secoua la tête en riant.

— C'est ce bougre de Wheelan qui a refusé. Paix à son âme, il pouvait quand même être incroyablement buté !

Puis sur un ton plus doux, elle ajouta :

— Tu sais, Benjamin, je suis allée à son enterrement parce que je l'aimais bien, mais surtout parce que j'espérais t'y revoir.

Chaque fois qu'elle parlait d'eux sérieusement, Fanny ne l'appelait plus Benji. Cela n'arrivait pas fréquemment. La dernière fois, c'était pour lui annoncer qu'elle vivait en couple et qu'ils se verraient désormais moins.

Il ne devait surtout pas se laisser entraîner sur un terrain qu'il ne maîtrisait pas. Horwood se redressa et s'éloigna de la table, à la fois pour tenter de se débarrasser des sentiments qui commençaient à l'entourer comme des lianes et pour remettre de la distance entre Fanny et lui, même si ce n'était que de quelques mètres. Parfois, on est à cela près. Ben avait toujours eu du mal à gérer ses réactions dès que les enjeux devenaient trop personnels. Surtout ne rien dire, et mieux encore, ne rien penser. Encore une fois, son salut résidait dans son aptitude à se cantonner à une relation strictement professionnelle.

Il se concentra sur les fiches, passant de l'une à l'autre. Il s'attarda sur celle concernant le casque babylonien du roi Meskalamdug, fine coiffe d'or magnifiquement ciselée englobant entièrement le crâne, dont l'original conservé au musée de Bagdad avait été remplacé par une copie démasquée un an plus tôt. Un casque que le roi portait y compris dans ses appartements privés, trop fin pour protéger d'un choc mais recouvrant même les oreilles.

Ben se frotta la tempe.

— Une série d'objets pouvant accomplir des prodiges... De quel miracle chacun de ces trésors est-il capable ?

Il tentait d'imaginer un lien entre différents artéfacts lorsque Karen entra sans frapper.

— Pardon pour cette intrusion, mais je crois que c'est important. Le service veille vient de me transmettre ceci.

Ben saisit les photos qu'elle lui tendait : sous différents angles, un globe de cristal poli enchâssé dans un socle de bronze pyramidal orné de nombreux symboles.

— Est-ce celui qui a été volé au Caire ?

— Non, et ce n'est pas non plus celui dérobé dans le *kofun*.

— Notre cambrioleur serait-il déjà vendeur de celui exhumé à l'église d'York ?

— Pas davantage.

— Alors d'où proviennent ces photos ?

— Du catalogue d'une vente aux enchères organisée cette semaine. Cette antiquité est dûment enregistrée comme étant la propriété d'un milliardaire sud-africain depuis plus de dix ans. Nous avons vérifié.

Ben étudia les photos avec plus d'attention.

— Il existe donc encore une autre version de ces étranges cristaux.

— Apparemment. Et c'est peut-être notre chance. Je suis prête à parier que notre voleur va tenter de s'en emparer, soit en l'achetant...

— ... soit en le subtilisant.

— Cet objet est un excellent appât auquel l'homme que nous poursuivons ne pourra pas résister.

— Vous espérez l'appréhender pendant qu'il s'en approchera ?

— C'est l'idée.

Fanny intervint :

— Et où se déroule cette vente ?

— À Johannesburg.

23

Assises côte à côte dans le jet qui filait vers l'Afrique du Sud, Fanny et Karen observaient Benjamin endormi, la bouche grande ouverte. Il ronflait légèrement.

— Quand j'étais petite, mon oncle québécois avait un raton laveur qui faisait exactement le même bruit, constata Fanny.

— Moi c'était un chauffe-eau, dans mon premier appartement. Il a fini par exploser.

— J'espère que Benji s'en sortira mieux...

— J'ai l'impression qu'il passe son temps à dormir en avion. Vous confirmez ?

— Pas seulement en avion. Il lui arrivait même de s'écrouler pendant les cours, au milieu de tout le monde, en plein amphi. Comme un gamin qui s'endort dès qu'il est fatigué. Ça me rendait folle !

— La première fois, j'ai eu envie de lui remplir la bouche avec des chocolats.

— Un jour, j'ai pensé le transformer en vase en lui mettant des fleurs dedans !

Les deux femmes éclatèrent de rire, ce qui, sans aller jusqu'à le réveiller, perturba le sommeil de Ben. Il changea de position sans pour autant refermer la bouche ou arrêter de ronfler.

Le trio ne voyageait pas seul. Quatre agents les escortaient pour assister à la vente aux enchères et parer à toute éventualité.

— Votre compagnon n'a pas trop mal réagi au fait que vous désertiez Paris si soudainement ? voulut savoir Holt.

— Il est lui-même très souvent en déplacement pour son travail. Même si ce n'est pas toujours simple à vivre, nous avons l'habitude d'être séparés.

Puis, sur un ton plus léger, Fanny demanda :

— Vous connaissez Benji depuis longtemps ?

— Dix-sept jours. Et vous ?

— Bientôt quinze ans. Nous sommes entrés à l'université la même année. Mais nous n'avons pas été proches immédiatement. Au début, je le trouvais bizarre. Au milieu de tous ces apprentis érudits qui se prenaient très au sérieux, il avait l'air d'un joyeux touriste. Il m'a fallu un peu de temps pour me rendre compte que sous ses faux airs de dilettante, il était doué. Cela ne l'empêche pas d'avoir un côté fou, très casse-cou.

— Vous parlez bien de Benjamin Horwood, ici présent ?

Comme s'il avait compris qu'il était question de lui, l'intéressé émit un grognement. Fanny baissa la voix pour répondre :

— Oui, oui, ce Benjamin-là. Il cache bien son jeu, vous savez.

— Je saurai m'en souvenir.

— Vous vous demandez peut-être si, pendant nos études, il y a eu quelque chose entre lui et moi...

— Selon la formule consacrée : « cette donnée n'entre pas dans le périmètre de la mission qui nous est confiée ». Il s'agit de votre vie privée et cela ne me regarde pas. Mais je dois quand même vous avouer que nos services m'ont préparé des fiches plutôt complètes sur chacun de vous. Je les ai lues avec beaucoup d'attention. En me concentrant, je dois pouvoir me rappeler à quel âge vous avez su faire du vélo ou le prénom de votre premier flirt.

— Charmant...

— Benjamin a réagi en utilisant exactement la même expression. N'ayez aucune crainte, je suis tenue à la plus stricte confidentialité. Je ne lui ai rien dit de ce que j'ai appris sur vous et je resterai muette sur ce que je sais de lui.

— Vous faites un peu peur.

— Ça aussi, il me l'a déjà dit. À titre tout à fait personnel, je profite que nous soyons seules pour vous dire que je souhaite sincèrement que vous et votre compagnon réussissiez à avoir l'enfant que vous espérez.

Fanny ouvrit de grands yeux.

— C'est hyper-désagréable de se retrouver face à une personne dont vous ne savez rien et qui vous déballe toute l'intimité de votre vie !

— Rien ne vous empêche de me poser des questions. Que voulez-vous savoir ?

Fanny resta interdite.

— Les interrogatoires ne sont pas mon truc.

— Moi si.

L'agent Holt désigna Ben du doigt et glissa à sa voisine :

— Il n'y a jamais rien eu entre nous et je ne veux pas d'enfant dans l'immédiat. Tiens, voilà Benji qui se réveille. Il va avoir faim.

24

Sous le ciel bleu de Johannesburg, environné de cyprès et de massifs de rhododendrons, le Four Seasons Westcliff avait des faux airs de palace de la Riviera méditerranéenne. Son porche à colonnades était typique de l'architecture coloniale de la capitale économique du pays.

Au premier étage de l'établissement, une petite foule se pressait déjà autour des vitrines présentant les lots destinés à la vente, tous issus de la prestigieuse collection Oppenheimer. Malgré la renommée du vendeur et l'importance des biens proposés, ce n'était ni Christie's ni Sotheby's qui organisait l'événement mais Bonhams, plus spécialisé dans les bijoux d'exception et les antiquités.

Bien qu'ayant lieu assez loin des places d'enchères traditionnelles, la vente avait attiré des acheteurs potentiels de tous horizons. Asiatiques, Européens, Américains et fortunes du Golfe admiraient les fabuleuses parures dont les plus belles pierres sortaient tout droit des mines de diamants autrefois contrôlées par la dynastie des vendeurs.

Pendant que les quatre agents se mêlaient aux participants pour mieux les passer au crible, Fanny, Karen et Benjamin faisaient mine de s'intéresser aux lots, mais ils ne s'éloignaient jamais du numéro 17. Selon le catalogue, il s'agissait d'« une curiosité rarissime issue des premières civilisations moyen-orientales, datant d'avant notre ère et constituée d'un cristal de roche monobloc remarquablement poli de forme sphérique, maintenu dans un présentoir de bronze pyramidal orné de symboles merveilleusement gravés issus de différentes cultures, l'ensemble en excellent état ». Répartis autour des différents côtés de la vitrine, tous trois observaient l'objet sous tous les angles possibles. Malgré l'interdiction et la présence de deux gardes, Karen réussit à prendre quelques photos.

— Ton avis ? demanda discrètement Ben à Fanny.

— Étonnant. Le cristal et son support sont parfaitement ajustés. Aucun jeu possible. L'un et l'autre n'ont pas été conçus pour être séparés. Le soin apporté à sa taille ne peut pas être le fruit du hasard. Et que dire de ces signes sur les montants ?

— Un mélange peu orthodoxe.

— Je donnerais cher pour l'avoir à ma disposition quelques jours. Il faudrait le dater et essayer de comprendre le sens de ces gravures.

— Le dater sera compliqué. Le carbone 14 ne nous sera d'aucune utilité, et l'étude de la corrosion ne nous donnera rien de précis pour un âge aussi élevé. En analysant les gravures au microscope électronique, on pourrait peut-être définir avec quels outils elles ont été réalisées et identifier du coup l'époque de sa fabrication...

Le cristal était exposé entre trois autres pièces antiques : une poterie étrusque, un bijou celte et une sculpture en bas-relief sur ivoire d'origine indienne.

— Mesdames et messieurs, si vous le voulez bien, nous allons commencer.

Le commissaire-priseur ne cachait pas sa joie de voir autant de monde présent.

— Prenez place, s'il vous plaît !

Dans le grand salon de réception réaménagé en salle des ventes, ce fut plus d'une soixantaine de personnes qui emplirent rapidement les rangées de chaises.

L'homme monta sur l'estrade et s'installa derrière son pupitre. Il était vêtu comme un maître d'hôtel, gants blancs compris. Il arborait un sourire de commande éclatant et, comme un cheval qui s'ébroue avant de s'élancer, avait le tic de secouer la tête chaque fois qu'il s'apprêtait à s'adresser à l'assemblée.

À sa droite, quatre assistants étaient au téléphone avec les enchérisseurs ne pouvant être présents ou ne voulant pas être vus. Sur la gauche, deux jeunes hommes gantés se tenaient prêts à poser les lots sur un présentoir de velours noir filmé par une petite caméra dont l'image était agrandie sur un écran géant installé en hauteur.

Ben avait pris place au dernier rang, entre Karen et Fanny. L'agent Holt était équipée d'une oreillette pour être en liaison radio avec ses hommes. Horwood lui demanda discrètement :

— Comment va-t-on faire pour ceux qui sont au bout du fil ?

— Ne vous souciez pas de cela. Concentrez-vous sur ceux qui nous entourent.

Les quatre agents étaient répartis dans la salle, trois debout au fond et le dernier assis dans les premiers rangs.

— Chers amis, l'heure est venue. Bienvenue à toutes et à tous pour cette vente exceptionnelle.

C'est avec beaucoup d'émotion que nous vous proposons aujourd'hui quelques-uns des biens les plus personnels de la célèbre famille Oppenheimer. Piliers de l'économie sud-africaine, philanthropes, collectionneurs, c'est à leur flamboyante histoire que nous sommes invités à nous associer aujourd'hui. Sans plus attendre, commençons avec le lot numéro 1, une superbe paire de boucles d'oreilles, diamants montés sur platine...

Les bijoux déposés sur le velours apparurent à l'écran dans tout leur éclat. Le commissaire-priseur donna tous les détails possibles, vantant les avantages en termes d'image et de prestige que l'heureux acquéreur pourrait en retirer. Comme souvent dans ce genre de vente, l'enthousiasme de l'assistance était retenu et les enchères courtoises. Les cinq premiers lots, tous des bijoux, trouvèrent preneur sans surenchère acharnée. À chaque fois cependant, très satisfait, le maître de cérémonie frappa le pupitre avec son maillet en ayant dépassé de très loin les mises à prix. Fanny ne lâchait pas le lot numéro 17 des yeux. Pour le moment, il était toujours enfermé dans sa vitrine gardée. Ben observait tout autour de lui, détaillant visages et attitudes, épiant les gestes, cherchant le plus petit indice capable de révéler un participant suspect.

Pendant le temps que dura le début de la vente, les agents et le trio eurent le temps de se faire une idée sur la plupart des spectateurs. Certains cependant résistaient à l'analyse. Les enchères s'affolèrent une première fois, pour un collier réunissant trois pierres, chacune de plus de cinq carats. Un autre temps fort fut le lot numéro 12, le bas-relief en ivoire, qui déchaîna aussi quelques passions. Au terme d'un long duel, ce fut un concurrent au téléphone qui emporta l'œuvre pour six fois sa mise à prix.

Certaines des personnes présentes n'avaient pas encore enchéri une seule fois, signe qu'elles attendaient toujours la pièce pour laquelle elles avaient fait le déplacement. D'autres avaient déjà quitté la salle, ayant obtenu – ou vu leur échapper – le lot convoité.

Karen se focalisa soudain sur un homme seul, assis trois rangs devant elle sur la droite, sur lequel l'un de ses agents venait d'attirer son attention via son oreillette. Remarquant son intérêt, Ben demanda à voix basse :

— Que se passe-t-il ?

— Le type en costume bleu, cheveux châtains. Il s'est enregistré sous le nom de Nicholas Dreyer...

— N. D... S'il chausse du 44, son compte est bon.

— Attendons qu'il s'intéresse au cristal avant de lui sauter dessus.

— Judicieux.

Le commissaire-priseur avala une gorgée d'eau, fit signe à son assistant d'apporter le lot suivant et secoua légèrement la tête comme un pur-sang prêt à jaillir de sa stalle.

— Mesdames et messieurs, c'est maintenant un trésor archéologique que nous vous proposons : le lot numéro 17.

Sur l'écran, le cristal enchâssé dans sa pyramide s'afficha. Éclairée par les spots blancs, la sphère polie apparaissait incroyablement limpide.

— D'une grande rareté, cette véritable relique est un condensé d'art et d'histoire. Elle fut pendant des années posée sur le bureau même de M. Oppenheimer, qui adorait la voir s'illuminer grâce aux rayons du soleil couchant. Si son usage n'a pas pu être précisé, cette œuvre plurimillénaire, grâce à sa forme emblématique, n'en évoque pas moins la magie et les rites de l'Égypte et de ses flamboyants pharaons. Pas uniquement, cependant : si vous étudiez attentivement les gravures extrêmement fines réalisées sur les arêtes protégeant le cristal de quartz admirablement façonné et poli, vous découvrirez des figures venues d'horizons très divers. L'heureux possesseur de cette énigmatique petite merveille pourra rêver toute sa vie de ce qu'elle fut en d'autres temps et bénéficier sans frais supplémentaires des résultats des études que M. Oppenheimer fit réaliser par les plus grands spécialistes d'archéologie à travers le monde. Ces données sont évidemment exclusivement réservées à l'acheteur une fois tous les frais acquittés. Cet antique trésor est mis à prix à 50 000 dollars.

Un étrange silence tomba sur la salle, comme si personne ne voulait être le premier à témoigner de son appétit. Un des assistants au téléphone leva la main pour enchérir au nom d'un correspondant. Tout de suite, un homme assis au deuxième rang se manifesta à son tour. Karen ne quittait pas Nicholas Dreyer des yeux. Un émir entra dans la danse, puis un monsieur âgé d'origine asiatique qui n'avait pas encore participé. En quelques instants, l'enchère dépassa les 100 000 dollars.

Le commissaire-priseur fit pivoter la pièce sous les spots. L'enchérisseur au téléphone ne lâchait pas, ni l'émir, ni l'Asiatique. Lorsque, à son tour, Dreyer leva la main, l'enchère était déjà à plus de 170 000 dollars. Karen se cambra sur son siège. L'homme se retourna pour évaluer ses concurrents et balaya la salle. Karen réussit à détourner le visage assez rapidement pour éviter son regard, mais pas Ben. Les deux hommes s'étaient non seulement vus, mais jaugés. Un deuxième enchérisseur s'annonça au téléphone. Une femme en tailleur beige entra aussi dans la course. Le nombre de candidats ne cessait d'augmenter.

— Nous avons 250 000 au téléphone. Nous arrivons désormais dans les sommes dignes de cette pièce extraordinaire. Qui dit mieux ?

Le commissaire-priseur désigna soudain un candidat proche de Ben. Horwood pivota aussitôt pour découvrir qui venait d'enchérir. Il s'aperçut, stupéfait, que Fanny avait la main levée.

— Mais qu'est-ce que tu fais ?

— Je ne sais pas ce qui m'a pris... J'achète souvent pour le musée. Un réflexe.

Dreyer fixait la jeune femme. L'Asiatique relança l'offre, mais fut rapidement dépassé par les deux enchérisseurs au téléphone, puis par la femme en tailleur. Dreyer se manifesta à nouveau. 320 000. L'émir lâcha l'affaire, mais l'Asiatique et la femme n'étaient pas décidés à renoncer. L'un des assistants au téléphone indiqua que son client abandonnait. Dreyer monta à nouveau. L'Asiatique poussa jusqu'à 400 000, la femme en beige jusqu'à 420 000 et Nicholas Dreyer à 470 000. Mais il ne l'emporta pas. Le marteau du commissaire-priseur s'abattit après l'ultime offre de celui qui avait été le premier à lancer l'escalade par téléphone.

— C'est donc un acheteur souhaitant garder l'anonymat qui emporte le lot numéro 17 pour la superbe somme de 500 000 dollars, représentant dix fois la mise à prix ! Notre record du jour !

Un assistant retira le cristal avec précaution alors que l'autre apportait déjà le lot suivant.

Presque aussitôt, Dreyer quitta la salle. Ben allait se lever pour le suivre, mais Karen le stoppa dans son élan en lui posant la main sur la cuisse.

— Ne bougez pas, monsieur Horwood. Laissez faire les professionnels.

25

Dans le jet, sur l'écran de l'ordinateur portable, l'agent Holt avait juxtaposé les photos du cristal volé au Caire et de celui qui venait d'être vendu aux enchères à Johannesburg.

— Les proportions et les structures sont identiques, nota Fanny, mais les deux pierres sont différentes. La transparence et la nuance de teinte varient. Mes compétences en minéraux sont très limitées, il nous faudrait l'avis d'un expert pour identifier leur nature, leur valeur et leur provenance.

— Je sais où trouver un spécialiste, annonça Karen.

— Si l'on se fie à la trace laissée dans la poussière du *kofun* et à l'empreinte dans l'excavation de l'église d'York, récapitula Ben, on peut à présent supposer qu'il existe quatre de ces objets.

— Rien ne dit qu'il n'y en a pas d'autres, fit remarquer Fanny.

— Possible.

— Nous savons aussi de façon certaine que trois d'entre eux n'avaient pas vocation à ressortir des lieux où ils étaient enfermés, ajouta-t-elle.

— Tous étaient très éloignés les uns des autres, commenta Karen. Un enterré en Angleterre, l'autre scellé dans une sépulture au Japon, et le troisième enseveli dans la vallée des Rois. Peut-être les études commandées par Oppenheimer nous apprendront-elles d'où provient le sien si nous arrivons à y avoir accès ?

Ben se focalisa soudain sur deux photos. Un détail venait de lui sauter aux yeux.

— Avez-vous remarqué les symboles gravés sur les arêtes ? Sur chacun des deux spécimens, on retrouve des séries qui se ressemblent, mais l'ordre de certains éléments varie.

Il désigna une séquence et fit défiler les photos pour vérifier tous les angles.

— Ce petit éclair, par exemple, n'est présent que sur une seule des pyramides. Par contre, cette croix est intercalée sur chacun des montants, mais jamais au même endroit.

— Tu as raison, acquiesça Fanny. Dès notre arrivée, j'effectuerai un relevé du plan des gravures pour comparer précisément.

Elle considéra les deux colonnes de clichés et ajouta :

— Je ne sais pas si vous serez d'accord avec moi, mais tout semble indiquer que ces artéfacts sont l'œuvre des mêmes créateurs. Avoir un regard sur les deux autres exemplaires serait d'autant plus intéressant.

— On va relancer notre contact à l'Agence impériale japonaise, promit Karen, mais je parie que Nishimura va encore nous opposer le même argument : eux traquent les profanateurs et ne se sentent pas concernés par notre enquête. Pourquoi partageraient-ils un savoir qu'ils considèrent comme un héritage sacré et secret ? Ils ne comprennent même pas après quoi nous courons.

— Nous non plus…, ironisa Ben.

Il s'assit sur l'accoudoir d'un fauteuil et s'interrogea à voix haute :

— Une question me taraude : pourquoi ceux qui ont fabriqué ces pièces se sont-ils donné le mal d'associer des caractères issus de différentes civilisations ?

Après un bref silence, Fanny proposa :

— Pour être compris par toutes ?

— Et d'après toi, quel type de déclaration aurait pu mériter d'être délivrée aussi largement ?

L'historienne réfléchit un instant.

— Peut-être un message du même genre que celui que les Américains ont envoyé vers l'espace avec les sondes spatiales Pioneer et Voyager : une plaque avec des pictogrammes accompagnés de mots et d'œuvres tirés de différentes cultures. Du fond des âges, ceux qui ont conçu ces cristaux ont peut-être voulu envoyer un signe de fraternité, ou expliquer qui ils étaient.

Karen intervint :

— À moins qu'il ne s'agisse d'un avertissement, d'une mise en garde. Ils ont peut-être voulu signaler ou annoncer un danger.

— L'hypothèse est loin d'être stupide…, approuva Ben.

— Trop aimable.

— … Mais il aurait fallu que la menace soit si forte que l'existence même de l'espèce humaine s'en trouve menacée. Déjà en ces temps reculés, tout savoir était instrumentalisé pour assurer la suprématie d'un pouvoir, et aucun monarque n'aurait pris le risque de le partager à moins d'être convaincu qu'il n'y survivrait pas lui-même.

Karen raisonna :

— Une catastrophe naturelle ? Une maladie ? Un poison ?

— Ou alors un secret, répliqua Ben. Un secret aujourd'hui convoité par ceux qui sont prêts à tout pour l'utiliser.

Fanny posa sur son collègue un regard admiratif qu'il ne remarqua pas. Elle se leva et alla rejoindre les agents qui, à l'autre extrémité de la cabine du jet, s'affairaient à identifier les participants aux enchères.

— Du neuf sur l'identité de l'acheteur ?

— On est dessus. L'appel de l'enchérisseur vainqueur a été passé depuis un cabinet d'avocats à Zurich, mais cela ne prouve pas qu'il s'y trouvait ou même qu'il réside dans la ville. Par contre, nous avons quasiment bouclé l'identification des autres.

Karen et Ben les rejoignirent. L'agent désigna son écran :

— On a récupéré les images de télésurveillance de l'hôtel. Nous en avons extrait des captures exploitables de presque tous les participants. Nous avons écarté certains des individus dont les profils n'ont aucune chance de correspondre. Nous nous sommes attachés à ceux pouvant présenter des zones d'ombre ou des incohérences dans leur parcours. Voilà ce que ça donne.

Il fit défiler des portraits, tous pris de haut, en noir et blanc et avec une définition acceptable, en expliquant :

— L'Asiatique est un marchand d'art réputé dans son milieu. Basé à New York, il s'est spécialisé dans les objets à connotation ésotérique. L'authenticité de ce qu'il vend très cher, souvent à des pigeons fortunés, a plusieurs fois été remise en cause. L'émir est koweïtien. Il collectionne tout ce qui concerne la civilisation égyptienne. Il ne regarde pas à la dépense mais ne conserve presque rien pour son plaisir personnel. Apparemment, il se sert de ses acquisitions comme cadeaux destinés à ceux avec qui il veut faire affaire. La femme en tailleur est brésilienne, intermédiaire dans des transactions qu'elle effectue pour le compte de grands musées. Il semble que cette fois, elle ait été mandatée par une fondation suisse.

— Surprenante galerie…, lâcha Benjamin.

— Je vous ai gardé les meilleurs pour la fin, reprit l'agent. Deux des participants nous posent des problèmes. Celui qui s'est bien battu au téléphone pour finalement jeter l'éponge à 380 000 a utilisé un procédé de communication qui n'est pas à la portée de tout le monde. Son appel a été plusieurs fois relayé par des serveurs sur différents continents, selon des techniques que nous utilisons nous-mêmes pour contrer les tentatives de localisation. Soit il est paranoïaque, soit il a quelque chose à cacher, soit les deux. Mais nous finirons par découvrir où il se planque. Nous y travaillons et si ça traîne, nous pourrons nous appuyer sur les systèmes de nos collègues américains.

— Et Dreyer ? demanda Karen.

— Celui-là nous donne carrément du fil à retordre.

L'agent afficha les rares clichés disponibles.

— Il savait exactement où se placer pour ne pas être correctement filmé par le réseau de l'hôtel. Les recherches autour de son identité officielle n'ont rien donné. Il existe trois Nicholas Dreyer d'un âge approchant, mais aucun ne correspond à son signalement et tous se trouvaient à des milliers de kilomètres.

— Quelqu'un a vérifié s'il chaussait du 44 ? interrogea Ben.

— Il ne nous en a pas laissé le temps, intervint un autre agent. La vitesse à laquelle il nous a semés en quittant l'hôtel prouve qu'il ne s'agit pas d'un amateur. Ce type est un excellent pro.

— Il est peut-être doué, objecta Fanny, mais il est quand même reparti sans le cristal. C'était pourtant son but, non ?

Karen zooma sur la moins mauvaise des images de Nicholas Dreyer. Trois quarts dos, l'arête de la mâchoire, un impeccable col de chemise dépassant d'une veste coupée sur mesure, des cheveux tellement brillants et bien coiffés qu'il aurait pu s'agir d'une perruque.

— Si c'est notre homme, étant donné ce qu'il a été capable d'accomplir sur d'autres coups, j'ai du mal à croire qu'il reparte sans ce qu'il est venu chercher. Son intention n'était peut-être pas d'acquérir le cristal.

— Alors pourquoi était-il là ?

— Pour savoir à qui il devrait le voler ensuite, et découvrir en prime qui est sur ses traces.

— Dans ce cas, annonça Ben, il a déjà réussi sur un point. Je suis certain qu'il nous a repérés.

— Je sais, répliqua Holt. C'est bien ce qui m'inquiète.

26

Aux alentours de l'an 2330 avant notre ère, le
pharaon Ounas, dernier de la Ve dynastie, entreprit
un long voyage dont il ne révéla la destination à
personne. Contrairement à l'usage, il ne se fit pas
accompagner de sa cour et réduisit même le contin-
gent de sa garde personnelle au strict minimum.
Restés en son palais, ses scribes mentionnèrent que
son absence dura près de cinq cycles lunaires, soit
environ cinq mois.

Lorsque le souverain revint, il ne raconta rien
de son périple. Il ne rapporta ni fortune, ni prise
de guerre, ni récit d'exploits, mais un simple coffret
de pierre grise lisse qu'il était le seul autorisé à ouvrir.

L'épuisement qui l'accablait fut d'abord attribué
à son déplacement, mais le repos n'y changea rien.
Il s'avéra atteint d'un mal mystérieux et demanda
qu'on lui fabrique de toute urgence une tunique
complète faite de petites plaques d'or assemblées
qu'il porta en permanence dès qu'elle fut prête.
Celui dont la réputation de courage était légendaire
passait ses journées et ses nuits couché, à gémir.
Ses plaintes résonnaient dans les couloirs du palais.

Son état de santé s'aggrava. Quelques mois plus
tard, au terme d'horribles souffrances et sans avoir
rien révélé de plus, il finit par rejoindre le royaume

des morts. Peu de temps avant son décès, il avait ordonné que la sépulture d'abord destinée à sa mère soit rehaussée et renforcée en forme de pyramide avant de lui être attribuée. Il se fit inhumer avec tous les trésors de son règne, dont beaucoup d'or, mais un seul objet prit place dans le sarcophage de granit qui accueillit sa dépouille momifiée : le coffre en pierre grise, qui fut placé à ses pieds.

Quatre millénaires plus tard, en 1881, lorsque l'égyptologue français Gaston Maspero parvint à pénétrer dans les appartements funéraires dissimulés au cœur de la pyramide d'Ounas, il découvrit ce qui n'avait jamais été vu auparavant dans aucune tombe : recouvrant les murs du sol au plafond, des hiéroglyphes constituant à ce jour le plus important et le plus ancien des corpus théologiques mis au jour. Ils devinrent célèbres comme étant les premiers « textes des pyramides ». Jamais aucun message n'avait auparavant été gravé sur une telle échelle. Plus de cinquante mètres carrés de hiéroglyphes tapissent l'intérieur du lieu et racontent la sagesse, l'histoire et la gloire des dieux, ainsi que le châtiment qu'ils réservent à ceux qui oseraient les défier en utilisant leur magie contre leur gré.

Dans la chambre mortuaire, c'est un autre sujet qui s'affiche : on y lit notamment une prophétie sur les risques encourus par ceux qui tenteraient « de rapporter des cieux les torrents de lumière ».

Au-dessus du sarcophage, la voûte à deux pans est peinte de façon inédite, décorée en son centre par une étoile d'or rayonnante à cinq branches.

Note : Gaston Maspero a-t-il trouvé le coffret de pierre dans le sarcophage ? Puisqu'il a travaillé à la création du musée du Caire, est-il possible qu'il l'ait confié aux collections de l'établissement ?

Le regard de Ben quitta la feuille pour se perdre par la vitre de la portière. L'étrange voyage d'Ounas et sa fin tragique avaient de quoi interpeller, mais il était étonnant aussi que dans sa liste de points à vérifier, Wheelan ne se soit pas demandé ce que pouvait contenir ce mystérieux coffret. Le savait-il ?

Le véhicule roulait rapidement sur l'autoroute et les paysages défilaient. Taraudé par de multiples questions, Ben ne regardait rien de précis. Des formes indistinctes traversaient son champ de vision. Des panneaux, les voitures ou les camions doublés, des forêts, des aires de service sur lesquelles ils ne devaient surtout pas s'arrêter. Ben se détourna pour éviter d'accentuer le mal de tête qui était en train de lui vriller le cerveau.

Assise à côté de lui à l'arrière, Karen se reposait, les yeux clos. C'était la première fois qu'il avait l'occasion de l'observer ainsi.

Lorsqu'il était plus jeune, Benjamin jouait souvent à essayer de deviner la profession des gens rien qu'en les regardant. Qu'aurait-il imaginé de miss Holt ? L'aurait-il croisée dans une gare, dans un restaurant, un magasin ? Le décor influe forcément sur la première impression. Il aurait peut-être d'abord entendu sa voix, ou remarqué son rire qui véhiculait un authentique sentiment de liberté. Discrètement, il se serait débrouillé pour l'apercevoir. Avec le contact visuel aurait surgi le premier ressenti. Séduisante comme une prof de littérature passionnée par les textes romantiques. Pressée comme une maman qui se demande pourquoi ses enfants ne sont pas encore revenus. Élégante et fière comme une femme qui aurait les moyens de ne se consacrer qu'à des causes auxquelles elle croit. Il l'aurait tout de suite trouvée sûre d'elle. Avocate peut-être. Forcément en couple parce qu'aucun homme digne de ce nom ne passe à côté d'une pareille personnalité sans être attiré. Les plus stupides la trouvent au minimum attirante, et les autres lisent ce que chacun de ses gestes trahit : elle est bien plus que cela.

Chaque fois que Ben fut en mesure de vérifier ses hypothèses à ce petit jeu de devinette, il avait pu constater qu'il s'était trompé, et parfois lourdement. Prendre un vigile pour un docteur ou une directrice d'institut de beauté pour une danseuse de bar à routiers l'avait convaincu que la recherche historique était un domaine qui lui était parfaitement adapté. On ne trouve en effet aucun videur dans les enluminures et pas de barre de pole dance sur les bas-reliefs.

De cette expérience, il n'avait gardé aucune amertume, mais la conviction que l'apparence des gens ne reflète que rarement leur fonction. De plus, ce que l'on parvient à deviner des autres se limite souvent à ce que l'on reconnaît pour l'avoir vu ailleurs ou à ce que l'on est soi-même. Peu de chose en somme. Cela se vérifiait encore une fois avec Karen. Lorsqu'elle lui était apparue en Bourgogne, il n'avait pas essayé de prédire son métier. Il s'était simplement interrogé sur le fait même qu'elle puisse exister. Objectivement, si Ben l'avait croisée dans un endroit moins inattendu, il n'aurait pas eu la moindre chance de soupçonner sa véritable activité. Miss Holt résistait à toute tentative d'analyse, se révélant chaque jour à travers différentes facettes dont l'assemblage formait un tout surprenant. Pour l'heure, Benjamin la regardait, librement, là encore en toute impunité. En son for intérieur, il finit par admettre qu'il préférait observer les femmes à leur insu plutôt que les regarder en face. Un psy aurait certainement trouvé beaucoup de commentaires à faire à ce sujet, mais Ben n'en avait strictement rien à cirer. De façon bien plus concrète, en détaillant la courbe du petit nez de sa voisine, en s'attachant au frémissement de sa peau, Benjamin eut l'impression que son mal de tête s'envolait.

— Besoin de quelque chose ?

Comme pris en faute, Ben s'affola.

— Vous ne dormez donc jamais ?

— C'est mon secret et je l'emporterai dans la tombe.

— Vous n'êtes pas une saloperie de vampire, au moins ?

— Vous n'avez pas répondu. Besoin de quelque chose ? Soif, faim, un bonbon ? Maman a tout ce qu'il faut dans son grand sac.

— Je déteste quand vous m'infantilisez.

— Maman voit bien que Benji grandit. Tous les jours. Entre le moment où il s'habillait tout seul – tout étriqué – et maintenant, il a déjà pris une taille de chemise...

— Karen, franchement... Tantôt je suis votre collègue, tantôt vous me traitez comme un môme. Vous ne me prenez pas au sérieux.

— Détrompez-vous. Dans votre domaine de compétence, vous m'impressionnez, et je comprends pourquoi le professeur Wheelan vous citait régulièrement quand il évoquait ceux capables de lui succéder. Par contre, sur un plan plus personnel, c'est à vous de me dire qui vous voulez être.

Ben ne répondit pas. Cela ne signifiait en rien que la remarque ne le faisait pas réagir, bien au contraire. Souvent, lorsque les gens n'arrivent pas à formuler de réponse face à ce qui les remet en cause, c'est dans leur comportement physique qu'il faut trouver l'expression de leur sentiment. En l'occurrence, Ben souffla comme un buffle avant de charger. Dans le rétroviseur, il croisa le regard du chauffeur, que l'échange amusait. L'historien consulta sa montre et grommela :

— C'est long. L'hélicoptère ou le jet sont quand même plus pratiques...

— Vous êtes en train de prendre goût au luxe, monsieur Horwood.

— Je constate simplement que c'est plus rapide.

— Après chaque transport spécial, je dois me taper trois formulaires pour le justifier. Je doute que la commission de contrôle accepte ce genre de dépenses sur un banal trajet entre Londres et Oxford.

Ben se replongea dans ses feuilles, surtout pour se renfermer. Voulant éviter que le dialogue ne se rompe, Karen demanda :

— Vous trouvez des éléments intéressants ?

— Tous les jours. Et plus j'en découvre, plus je me pose de questions. Je m'aperçois que le professeur ne se contentait pas de mener votre enquête. Il cherchait aussi autre chose de son côté.

— C'est-à-dire ?

— Comme nous, il espérait découvrir qui s'empare de ces artéfacts. Mais il est clair qu'il avait aussi l'ambition de comprendre ce que les voleurs veulent en faire. Beaucoup de ses notes concernent l'étude des objets et abordent des aspects qui ne servent pas à la recherche des coupables. Il s'intéressait à des événements survenus à diverses époques, sans lien direct avec les cambriolages. Il a collecté de nombreux épisodes historiques dont je n'avais même jamais entendu parler. J'ai l'impression qu'il cherchait une cohérence face à une réalité inconnue.

— Un complot ?

— Plutôt un rouage de l'histoire qui aurait été sous-estimé, ou un événement que les versions officielles n'auraient pas intégré. Un élément manquant qui aurait faussé l'analyse et dont ceux qui commettent tous ces vols connaîtraient l'importance au point de vouloir en tirer parti.

— Vous êtes du métier... Vous pensez sérieusement que des centaines d'historiens, de chercheurs et d'archéologues auraient pu passer à côté ?

— Pourquoi pas ? Il y a bien eu des centaines de savants pour nous certifier que la terre était plate et que si l'on approchait trop du bord, les bateaux allaient assurément tomber dans un vide abyssal peuplé de monstres. N'oublions jamais que malgré tous les moyens techniques et humains à notre disposition, nous étudions l'histoire en nous basant uniquement sur ce que nous trouvons ou d'après ce que nous croyons savoir. La découverte d'un tout petit squelette en Afrique a complètement remis en cause la conception pourtant très établie de notre évolution. Quelques peintures rupestres mises au jour par des gamins qui jouaient en France ont dynamité notre chronologie de développement sur des millénaires. Regardez à quel point nous sommes désemparés devant ces petites pyramides et leurs étranges pierres cristallines. Nous essayons de retracer le destin de l'humanité en reliant quelques épisodes transmis de génération en génération à une poignée d'indices sortis des entrailles de la terre. Mais ne nous aveuglons pas avec ce que nous prenons pour notre génie. Plus c'est éloigné dans le temps, plus grande est l'incertitude. Nous ne savons toujours pas grâce à quelles techniques les pyramides ont été bâties, ni ce qu'elles contiennent vraiment. Nous ignorons comment ceux que nos grands-parents appelaient pourtant des sauvages ont pu ériger des statues monumentales sur des îles où eux-mêmes n'auraient pas réussi à survivre quinze jours. Pour boucher les trous de notre histoire, on suppute, on extrapole. C'est un bon début, mais cela ne constitue pas une vérité pour autant. Quand vous voyez ce que notre mémoire arrive à faire d'événements survenus seulement un an plus tôt, il y a de quoi douter de ce qu'elle peut retenir – et surtout restituer – lorsque cela remonte à des siècles ou des millénaires ! Aucun historien honnête ne peut affirmer qu'il sait sans risque d'erreur. Ceux qui osent le faire cherchent le plus souvent à manipuler l'histoire pour servir des intérêts particuliers. Il ne fait aucun doute que partout sur le globe, nous découvrirons régulièrement de nouveaux éléments de nature diverse qui chambouleront notre perception. L'histoire se réécrit sans cesse au fil de ce que nous acceptons d'apprendre chaque jour.

Karen observait Ben qui, entièrement absorbé par ce qu'il expliquait, ne s'en rendait pas compte. Lorsqu'il parlait ainsi, il n'était plus le même. Exalté, passionné, précis, il n'avait plus rien de l'homme désinvolte qui prenait tout à la légère. Quelque chose d'autre se dégageait de lui : une énergie, une sereine conviction que Karen n'avait jamais ressentie chez personne et qui la troublait. Même si elle n'avait pas sa formation, elle aimait discuter avec lui de ces sujets.

— J'ai beaucoup pensé à notre conversation au retour de Johannesburg, fit-elle, lorsque vous avez évoqué un danger capable de menacer la vie elle-même au point d'épouvanter les puissants.

— J'y réfléchis aussi.

— J'essaie d'imaginer une sorte d'arme de destruction massive de l'époque.

— Déformation professionnelle ?

— Sans doute.

— Instinctivement, reprit Ben, je le sens davantage comme quelque chose qui serait survenu voilà très longtemps, avant notre ère, avant la mémoire écrite, et qui aurait des répercussions sous-jacentes depuis. En marchant dans les pas du professeur Wheelan, j'ai le sentiment qu'il cherchait activement la clé de voûte qui pourrait donner un sens à ces faits mystérieux. Un événement fondateur, primordial, oublié ou caché, et que quelqu'un voudrait faire resurgir ou utiliser aujourd'hui.

— Je suis convaincue qu'en étudiant les séries de symboles, Mlle Chevalier nous aidera à y voir plus clair. Elle semblait très motivée à l'idée de s'y consacrer.

— Je ne connais personne de plus apte qu'elle à ce genre de recherches. C'est son truc. S'il y a quelque chose à trouver, elle le découvrira.

— J'espère vraiment que nous parviendrons à lui ramener le modèle vendu à Johannesburg, pour qu'elle puisse au moins étudier un exemplaire en vrai.

— Encore faut-il que les coordonnées concernant l'acheteur anonyme soient bonnes.

— J'ai toute confiance en nos services.

— Sinon, nous aurons perdu notre temps à Oxford. À moins que je ne vous invite à dîner dans un excellent petit resto que je connais là-bas...

27

Le charme émanant de la vénérable cité universitaire est à la hauteur de sa réputation. Est-ce
la couleur ocre des pierres des bâtiments ? Les
groupes d'étudiants qui animent la ville d'une
éternelle jeunesse ? L'influence de la lumière particulière qui baigne cette région ? Toujours est-il
que quelle que soit la saison, lorsque vous entrez
à Oxford, vous avez l'impression d'arriver au cœur
d'un automne idéal.

Karen n'était pas là pour faire du tourisme. Sur
son téléphone, elle vérifiait régulièrement les rapports de surveillance tout en gardant un œil sur la
route. En apercevant les bâtiments du prestigieux
collège de Christ Church, elle demanda à l'agent
au volant de se ranger sur le côté.

— Déposez-nous ici. Nous finirons à pied. Je
préfère une arrivée discrète.

Le chauffeur hocha la tête et ralentit pour se garer.

Le sol détrempé témoignait des récentes préci-
pitations. Les pavés brillaient sous le soleil revenu
depuis peu. Holt et Horwood s'engagèrent dans
Brewer Street, une ruelle qui s'étirait entre deux
longs murs masquant des jardins privés, ponctués de
quelques rares maisons de ville à un ou deux étages.

Avec les interrogations qui lui trottaient dans la tête, Ben avait du mal à se concentrer sur le rendez-vous.

— Comment s'appelle-t-il, déjà ?

— Marcus Bender, adepte des sciences occultes.

— Vous lui tirez dessus tout de suite ou j'essaie de lui parler avant ?

— Il appréciera certainement d'avoir affaire à un spécialiste du British Museum. Donc, à vous l'honneur. N'oubliez pas, notre demande est simple : nous garantissons le secret de son acquisition mais nous souhaitons disposer de sa pyramide au cristal quelques jours.

— À sa place, je refuserais.

— Moi aussi. C'est à ce moment-là que je lui tirerai dessus.

Ben sourit.

En arrivant devant le numéro 1 de la rue, Horwood découvrit sur la façade une de ces plaques rondes et bleues qui signalent un passé historique : « Ici naquit Dorothy L. Sayers en 1893, femme de lettres et de culture. »

— Dorothy Sayers ? Jamais entendu parler, commenta Karen.

— Elle a notamment écrit de très nombreux romans policiers entre les deux guerres.

Ben prit le temps de savourer l'air aussi ébahi qu'impressionné de son équipière.

— Bluffée, non ? Mais je n'ai aucun mérite, mon grand-père était fan et sa bibliothèque en était remplie. Il faut que Marius Branter ait de sacrés moyens pour s'offrir un pied-à-terre dans ce genre.

— Il se nomme Marcus Bender. Tâchez de vous en souvenir. N'allez pas le vexer dès vos premiers mots.

Karen frappa à la porte et patienta. Le calme était tel dans la rue que l'on entendait les oiseaux chanter au-delà des murs. N'obtenant aucune réponse, elle toqua à nouveau.

— Il est probablement absent, supposa Ben.

Karen vérifia à nouveau son portable.

— Notre unité de surveillance indique qu'il n'a pas bougé de chez lui depuis ce matin. Si j'en crois les données actualisées, son smartphone est à cette minute même à moins de sept mètres du mien.

— Il a pu sortir sans le prendre. Moi, ça m'arrive régulièrement.

— Pour votre propre sécurité, ne vous avisez plus de le faire.

Étonné par le ton sec de la réplique, Ben haussa les sourcils.

— Sinon quoi ? Maman sera fâchée ?

Miss Holt tapa plus fort et commença à jeter un œil aux alentours. Horwood remarqua son regard.

— Rassurez-moi, vous n'avez pas l'intention d'entrer sans y être invitée ?

— Il est hors de question d'avoir fait le trajet pour rien. Le cristal est peut-être ici. Nous devons rencontrer ce monsieur, et vite.

— Imaginez qu'on lui fasse peur et qu'il soit armé... Je n'aime pas me faire mitrailler.

— Ça vous arrive souvent ?

— La dernière fois, j'étais en vacances en France. Une ravissante psychopathe m'a tiré dessus pour m'arracher à ma paisible vie.

— Avouez que ça vous a plu.

— Disons que je ne regrette pas. Du coup, maintenant que je suis habitué, je préfère nettement que ce soit vous qui me canardiez.

Karen fouilla dans son sac à main et y prit un étui qui aurait pu contenir un nécessaire à ongles. Elle en tira deux outils, un crochet et une lame étroite, qu'elle introduisit dans la serrure.

— C'est donc vrai que vous avez de tout là-dedans... Si l'offre tient toujours, quel parfum, les bonbons ?

Holt s'appliquait à déverrouiller le mécanisme.

— Je vous en prie, Karen, ne faites pas ça. Je suis certain qu'il nous attend derrière, avec un tromblon.

— Moi je l'imagine gisant à terre, mort, parce que notre braqueur l'aurait débusqué avant nous pour lui arracher le cristal.

— Vous dites ça pour justifier votre effraction et me faire peur.

— Faites-moi plaisir, admettez que ça fonctionne sur les deux plans.

Un claquement sec indiqua que la serrure avait cédé. Miss Holt dégaina son pistolet et ouvrit la porte avec précaution.

— Monsieur Bender ? appela-t-elle. Vous êtes là ? Pardon de vous importuner mais nous devons absolument vous parler. C'est urgent.

Un couloir sombre. Sur la gauche, un escalier montant vers l'étage. Sur la droite, deux portes dont seule la plus éloignée était ouverte et laissait filtrer une lumière tamisée.

Karen posa le pied dans la maison.

— Monsieur Bender ? Nous sommes du British Museum...

Ben huma l'air.

— Ça sent la poussière humide, le renfermé. Personne ne vit ici. C'est un rat de musée qui vous le dit.

Karen remonta prudemment le corridor, l'oreille tendue, à l'affût du moindre signe de présence. Horwood était sur ses talons. Arrivés à hauteur de la porte béante, ils ne découvrirent qu'une pièce vide dont les rideaux étaient tirés, masquant les fenêtres. En son centre trônait une table sur laquelle étaient disposés côte à côte un téléphone portable et une photo du cristal Oppenheimer. Karen s'immobilisa et murmura :

— Ne faites pas un pas de plus, ça pue le piège.

— Vous aviez raison, son cellulaire était bien à sept mètres. On dirait qu'il l'a laissé là exprès...

— Pourquoi cette mise en scène ? Je n'aime pas ça du tout.

Sur la table, le téléphone se mit à vibrer. Le vrombissement qui se transmettait à la table de bois résonna dans le silence lugubre de la demeure vide. Holt hésita et fit un pas en avant.

— Vous venez de me dire de ne pas bouger et vous faites l'inverse... N'y allez pas, Karen, c'est sûrement le signal qui va tout faire exploser.

— Vous regardez trop la télé. C'est un message qui arrive.

Ben la suivit.

— Un message ?

— « Vous voilà enfin. J'étais impatient. J'aurais été déçu que vous ne veniez pas. Hâte de vous régler votre compte. »

— Je vous avais prévenue. Il ne fallait pas entrer. Il nous attendait. C'est super glauque...

— Si on s'en sort, c'est moi qui vous invite à dîner.

Holt allait faire demi-tour pour s'enfuir lorsqu'elle aperçut une ombre qui se détachait de l'obscurité au fond de la pièce. Elle n'eut le temps ni d'alerter Ben ni de faire feu. La douleur fut aiguë, foudroyante. Un dard s'était planté dans son cou avec une puissance inouïe. Horwood subit exactement le même sort. L'effet fut tellement fulgurant qu'ils ne se virent même pas s'écrouler sur le parquet.

28

— Benjamin, vous m'entendez ? Je vous en supplie, parlez-moi.

Sans doute stimulé par la voix de Karen, Horwood revint péniblement à lui. Essayant de se retourner, il s'aperçut aussitôt qu'il était entravé. Plus grave, lorsqu'il ouvrit les yeux, il ne vit rien.

— C'est déjà la nuit ?

— Ça doit faire au moins deux heures que l'effet du produit s'est dissipé. Même prisonnier, vous ne pouvez pas vous empêcher de dormir...

— Il était inutile de me réveiller si c'était pour m'accabler de reproches. Par contre, j'aime beaucoup votre voix quand vous me suppliez...

— Vous devriez avoir honte.

— Rassurez-vous, je suis déjà puni. Bon sang, qu'est-ce que j'ai mal ! La dernière fois qu'une piqûre m'a fait cet effet-là, c'était un vaccin et j'avais huit ans.

— Comment pouvez-vous plaisanter dans un moment pareil ? C'est insupportable.

— Chacun gère son stress comme il peut. Soit je tente de dédramatiser avec mes blagues, soit je me mets à hurler. À vous de choisir.

— Les deux peuvent nous valoir pas mal d'ennuis...

— On est vivants, c'est déjà ça. On s'en est sortis ! Alors, vous m'invitez à dîner ?

— Il est encore un poil tôt pour faire la fête.

— Karen, détachez-moi, s'il vous plaît.

— Je suis ligotée, comme vous, et j'ai la tête dans un sac en papier.

— C'est donc ça ! Moi aussi ! Le mien sent les croquettes pour chat. Et le vôtre ?

— Arrêtez de faire le guignol, on risque de se faire buter.

— Quelle heure est-il ?

— Pas la moindre idée.

— Il doit être tard parce que j'ai faim.

— Vous avez tout le temps faim.

— Où sommes-nous ?

— Aucune idée. Mais le sol est froid, certainement de la pierre.

— Brillante déduction. Je suis estomaqué. Moi aussi j'ai les fesses équipées de capteurs thermiques. On est donc tous les deux des super-héros. Dans tous les cas, il nous a bien eus.

— De qui parlez-vous ?

— De celui que nous étions censés surprendre. Vous avez foncé dans son traquenard tête baissée.

— Je n'ai pas foncé tête baissée.

— Bien sûr que si. D'abord, il y a eu votre célèbre « Laissez faire les professionnels », juste avant que le gugusse ne sème vos quatre agents aussi facilement que les parents se sont débarrassés du Petit Poucet. Puis vous avez eu cette réplique inoubliable : « Ne faites pas un pas de plus, ça pue le piège » et on s'est fait tirer comme des dindons le jour de l'ouverture de la chasse.

— Taisez-vous, j'entends des pas.

— Moi, j'entends les anges de la Miséricorde qui répètent leur cantique pour nous accueillir au paradis. Cela dit, je ne suis pas certain qu'une place vous y soit réservée étant donné...

Le grand coup de pied que Ben reçut dans les jambes lui arracha un cri rauque.

— C'est vous qui m'avez frappé ?

— Oui, et je peux recommencer. Fermez-la.

— C'est inconcevable. Vous êtes supposée me protéger, je suis à terre, pieds et poings liés, et vous me tabassez. L'expression « On ne frappe pas un homme saucissonné à terre » ne vous dit...

Le choc sourd de l'ouverture d'une porte métallique tétanisa Benjamin. Des voix d'hommes en approche. Une langue étrangère incompréhensible. On marchait vers eux. Des pas, juste à côté. Quatre individus, au moins. Soudain, des mains qui le saisissent fermement, le soulèvent et l'emportent.

— Karen, vous êtes là ?

Pour toute réponse, une claque brutale et une voix qui aboie. Pas besoin de comprendre les mots pour en saisir le sens. Ben fut traîné dans des couloirs, hissé dans des escaliers. Trimballé comme un sac, il n'arrivait presque jamais à poser les pieds par terre. Si la situation n'était pas si dramatique, il aurait eu l'impression de voler. Dans les virages, il se heurtait parfois aux murs. Son corps lui faisait mal comme s'il avait été roué de coups. Le dédale dans lequel on le conduisait tournait et retournait dans tous les sens. Il n'osait plus rien dire.

Tout à coup, la réverbération des sons ambiants se modifia, lui donnant l'impression d'être entré dans un espace plus grand. Il semblait y faire moins froid. Sans ménagement, il fut assis sur une chaise. Une voix plus âgée donna des ordres brefs. Les colosses qui le maintenaient obéirent et desserrèrent leur emprise. On retira d'un coup le sac qui lui recouvrait la tête.

Son premier réflexe fut de regarder autour de lui pour chercher Karen. Avec un vrai soulagement, il la découvrit assise sur une chaise voisine. Même dans cette circonstance, la voir lui arracha un sourire. Un homme la libéra à son tour de sa cagoule de papier. Ils se regardèrent. Quelque chose de fort passa entre eux, mais miss Holt ne s'y attarda pas. Elle commença aussitôt à analyser le décor pour tenter de comprendre ce qui leur arrivait en espérant trouver un moyen de les tirer de là.

Ils étaient retenus dans une cave aux contours irréguliers, dont le plafond de roche brute était supporté par des piliers massifs que reliaient de larges arches en brique. Le lieu était ancien. Une seule porte de sortie.

Debout face à eux, un homme assez âgé les fixait d'un regard dur. Il les détailla de la tête aux pieds avec la moue dégoûtée d'un entomologiste qui aurait mis au jour une espèce de larve venimeuse. L'homme n'était pas grand. Sa moustache était aussi blanche que ses cheveux courts. Il chaussait bien moins que du 44. Aucune chance qu'il puisse s'agir de Nicholas Dreyer.

L'inconnu s'approcha de ses prisonniers. Ses hommes se tenaient en retrait, prêts à lui prêter main-forte s'il prenait aux larves l'envie de tenter quoi que ce soit.

— J'étais certain que je finirais par vous attraper, fit l'homme. Je me l'étais juré. Peu importe le temps que cela aurait pu prendre. Mais c'est finalement arrivé assez rapidement. Vous n'êtes pas si malins.

Il parlait avec un accent prononcé, mais sa maîtrise de la langue était excellente. Comme un lion en cage, il multipliait les allers-retours devant les captifs.

— Ne comptez pas sur vos complices pour vous porter secours. Personne ne viendra vous sauver ici. Cet endroit n'existe pas. On ne risque pas de vous y retrouver.

— Que voulez-vous ? demanda Karen.

— J'ai un marché à vous proposer : vous m'avouez tout ce que vous savez et ensuite, je promets d'en finir avec vous proprement, sans vous faire souffrir. Racontez-moi tout. Plus vite vous parlerez, moins vous en baverez.

Il s'approcha encore. Ses yeux gris suintaient la haine. Devant miss Holt qui soutenait son regard, il gronda :

— Je connais les vermines de votre espèce. Mon grand-père a combattu les nazis, mon père les a pourchassés, et je continue ce qu'ils ont commencé.

Benjamin lâcha :

— Je vous dirai tout ce que vous voulez savoir, mais laissez-la partir.

Dans un mouvement sinueux, comme un boa qui prend position devant sa victime avant de l'étouffer, l'homme glissa devant Horwood et plongea ses yeux dans les siens.

— Vous voulez la sauver ?

— S'il vous plaît.

— Non, Benjamin, protesta Karen, ne faites pas ça.

D'un geste sans appel, l'homme lui intima le silence et revint à l'historien.

— Je vais vous poser une question. Une seule. Si vous êtes celui que je recherche, alors vous serez capable de répondre et votre complice aura une chance d'échapper au sort que je vous réserve.

— Je vous écoute.

— Pourquoi avez-vous assassiné Maximilien Köhn ?

Sur le visage de Ben, la surprise effaça la crainte. La sincérité de sa réaction déstabilisa son geôlier.

— Je n'ai tué personne, protesta Ben. Jamais. Je le jure. Je ne sais même pas qui est l'homme dont vous parlez. Vous n'avez qu'à libérer Karen et vous pourrez me torturer pour vérifier que je dis vrai.

L'homme hésita un instant.

— Vous prétendez ne pas avoir tué ce pauvre Maximilien ?

— Je l'affirme.

— Alors expliquez-moi ce que vous comptiez faire subir à Marcus Bender en entrant chez lui par effraction et armés ?

— Il est vrai que les faits ne plaident pas en notre faveur. Mais nous voulions seulement le convaincre de nous confier pour quelques jours le cristal qu'il a acheté à Johannesburg.

Cette fois, ce fut l'homme qui parut étonné.

— Vous vouliez lui emprunter le cristal Oppenheimer pour quelques jours ?

— Le temps de l'étudier en détail.

— Mais qui donc êtes-vous ?

— Benjamin Horwood, spécialiste de l'histoire des sciences, attaché au British Museum.

L'homme pivota vers sa voisine :

— Et vous ?

— Karen Holt, agent du gouvernement britannique en mission officielle. Nous enquêtons sur une série de vols hors norme dont je doute de plus en plus que vous soyez l'auteur...

L'inconnu joignit les mains et resta silencieux un moment. Il s'adressa ensuite dans sa langue à l'un de ses sbires, qui quitta aussitôt la salle.

Il se concentra à nouveau sur Ben et Karen, prit une profonde inspiration et déclara :

— Nous allons vérifier. N'en doutez pas, mes relations me le permettent. Laissez-moi vous avertir que si vous mentez, vous le paierez cher.

29

La salle souterraine dans laquelle furent conduits Karen et Ben n'avait rien de commun avec celle de l'interrogatoire. L'ambiance y était chaleureuse et très singulière. Avec ses tentures rouges suspendues comme des rideaux de théâtre, ses tapis épais, ses confortables fauteuils d'un autre temps, Ben trouva qu'elle ressemblait au repaire d'un pirate qui vivrait au cœur d'un volcan, ou bien à la base secrète d'un savant retiré du monde.

Le long des parois de pierre, entre les piliers supportant les arches de brique, s'étendaient de longues travées de bibliothèques aux étagères chargées de livres anciens et d'une quantité phénoménale de bibelots de toutes les époques. Au fond, installé devant un grand retable orthodoxe du XIIIe siècle représentant la Passion du Christ, un large bureau de bois sombre, massif et sobre, sur lequel un globe terrestre antique en cuivre se remarquait aussitôt.

L'homme, qui moins d'une heure auparavant les menaçait des pires souffrances, les invita cette fois à s'asseoir.

— Cette terrible méprise n'aurait jamais eu lieu si vous n'aviez pas pénétré dans la maison comme des bandits...

— C'est ce que je me suis tué à lui répéter, ironisa Ben en frictionnant ses poignets encore endoloris d'avoir été ligotés trop serré.

Leur interlocuteur prit appui sur son bureau.

— Échanger nos informations pourrait être bénéfique pour chacun de nous. J'ai des questions et vous en avez certainement aussi. Procédons par ordre. Pour me faire pardonner votre captivité, je vous laisse commencer.

Karen saisit la balle au bond et demanda directement :

— Qui êtes-vous ?

— Gábor Walczac. Citoyen hongrois. Soixante-deux ans. Négociant international, comme mon père, mon grand-père et leurs pères avant eux. Ma famille a commencé avec deux chevaux et je possède désormais une des plus importantes flottes de porte-conteneurs de la planète. Assez riche pour figurer dans les classements, assez malin pour éviter d'y apparaître. Ma réponse vous semble-t-elle assez complète ?

— C'est un bon début.

— Alors à mon tour : pourquoi vous intéressez-vous à ce cristal ?

Benjamin prit la parole :

— Nous enquêtons sur un homme, peut-être une organisation, qui dérobe des objets du même genre un peu partout dans le monde. Le cristal mis en vente à Johannesburg ressemble beaucoup à un autre exemplaire volé très récemment dans une sépulture japonaise, ainsi qu'à un autre qui a disparu du musée du Caire.

— Je n'avais jamais entendu parler de la version japonaise. Par contre...

Walczac allait en dire plus, mais il s'interrompit. En vieux roublard, il ne comptait pas faire cadeau d'une réponse qui n'aurait pas fait l'objet d'une question.

— Qui était l'homme que vous cherchez à venger ? demanda Benjamin.

— Le professeur Maximilien Köhn, un ami proche mais surtout un éminent spécialiste de l'histoire ancienne de l'Orient. Je l'ai connu voilà plus de quarante ans. Notre passion commune des antiquités a fait de nous des compagnons de route. Depuis environ trois ans, en marge de l'université de Vienne où il donnait régulièrement des cours, il travaillait pour un mystérieux mécène. On lui avait fait promettre de rester discret tant sur l'identité de son bienfaiteur que sur la nature de ses travaux. Max étant un homme de parole, il ne m'en a pratiquement rien dit. Voilà onze jours, on l'a retrouvé mort dans son bureau, et ses travaux ont intégralement disparu. Les secours ont conclu à une crise cardiaque, mais je sais que c'est faux.

— Comment pouvez-vous en être sûr ? réagit Karen.

— Ce n'est pas à votre tour de poser la question, mais je vais répondre. Il se trouve que le matin même de son décès, Maximilien avait rendez-vous avec un certain Neville Desmond, représentant légal de son donateur.

Ben et Karen échangèrent un regard. Leur hôte enchaîna :

— Il devait lui exposer le résultat de ses recherches, « un aboutissement en forme d'apothéose », selon ses propres termes. Parce que je voulais lui souhaiter bonne chance pour sa présentation, nous nous sommes parlé au téléphone la veille au soir. Il était en pleine forme, très excité et convaincu que ses travaux allaient changer la lecture de l'histoire et lui valoir une reconnaissance internationale. Je ne l'avais jamais entendu aussi enthousiaste. Quelques heures plus tard, j'apprenais son décès brutal, et personne n'a plus rien retrouvé de ses années de labeur. Aucun document, pas la moindre feuille de travail, ni à l'université ni à son domicile. Comme si rien n'avait jamais existé. J'ai immédiatement demandé à des amis dans la police de rechercher ce Desmond, mais comme par hasard, ils n'en ont trouvé trace nulle part. Max a été assassiné à cause de ce qu'il a découvert, j'en ai la certitude.

Très ému, Walczac marqua un temps, puis se reprenant, demanda :

— Vous étiez présents à Johannesburg parce que le cristal constituait un appât ?

Karen répondit :

— Vous l'avez acheté pour les mêmes raisons : pour attirer celui qui devait tenter de s'en emparer.

— Exact. C'était mon seul lien avec le meurtrier. Je lui ai donc tendu un piège en inventant Marcus Bender, un acheteur qui ne paraissait pas être un adversaire trop dangereux. J'ai lancé l'hameçon, mais c'est vous qui avez mordu. Nous courons après le même homme.

— Nous commençons à être nombreux à ses trousses, commenta Karen. Lors de la vente, nous avons failli appréhender un suspect, mais il a réussi à échapper à nos agents.

— Il ne perd rien pour attendre. Je finirai par l'avoir.

— En quoi le cristal vous reliait-il au meurtrier ? intervint Benjamin.

— Maximilien m'en avait parlé. Il avait évoqué le spécimen possédé par ce milliardaire sud-africain et celui exposé au Caire. À demi-mot, il avait laissé entendre que ces antiquités constituaient les preuves irréfutables de sa découverte.

— Vous a-t-il dit de quelle façon ?

— Non.

— Il ne vous a rien révélé d'autre ?

— Il a seulement parlé d'un voyage qu'il projetait de faire en Irak pour vérifier sa théorie.

Walczac s'assombrit soudain.

— Pauvre Max... Il n'accomplira jamais son voyage. Il n'aura même pas tenu la petite pyramide entre ses mains.

L'homme releva le visage vers Ben.

— Voulez-vous voir le cristal ?

— Il est ici ?

L'homme hocha la tête.

— Alors j'aimerais beaucoup avoir cet honneur.

Walczac se dirigea vers ses bibliothèques.

— Je ne sais même plus où je l'ai posé. Il doit se trouver quelque part au milieu de mes souvenirs. Je n'ai plus vraiment ma tête, avec ce qui s'est passé ces derniers jours...

— Vous ne le conservez pas dans un coffre ?

— Cet endroit tout entier est un coffre, et du modèle le plus sûr qui soit : celui dont tout le monde ignore l'existence.

— Où sommes-nous ?

Walczac répondit en arpentant ses étagères surchargées :

— C'est vrai qu'avec votre exfiltration sous sédatifs, vous devez n'en avoir aucune idée ! Vous vous trouvez en Hongrie, à Budapest.

— En Hongrie ? s'étrangla Karen.

— Je ne mentais pas lorsque je vous disais qu'il est impossible de vous retrouver ici. Nous sommes au beau milieu des entrailles de la vieille ville, dans les souterrains qui s'étendent sous la colline du palais de Budavár. Avant la fondation de la ville, des sources ont creusé ces tunnels, qui ont été agrandis et aménagés au fil des siècles. Ils ont servi de cachette aux comploteurs et aux princes en exil. Ils ont abrité la population. Mes ancêtres y ont trouvé refuge, et aujourd'hui j'en ai fait mon quartier général.

Tout en continuant à chercher parmi la multitude d'objets, il désigna une paroi :

— À quelques mètres derrière cette roche, les touristes visitent le labyrinthe sous le château. Mes ancêtres commerçaient avec l'Asie et se sont établis dans le quartier depuis des générations. Jadis, tous les riverains possédaient leur propre accès au réseau de galeries par leur cave. On y entreposait certaines de nos marchandises à l'abri des regards indiscrets et des collecteurs de taxes, si vous voyez ce que je veux dire. C'est aussi ici que les insurgés se sont cachés des Allemands, puis des Soviétiques. Après les bombardements et la reconstruction du palais, la plupart des passages ont été éboulés ou murés, mais nous avons réussi à préserver le nôtre.

L'homme eut soudain une exclamation de satisfaction. Il tendit la main pour saisir l'objet acquis pour un demi-million de dollars, qui était simplement posé entre un vieux pot à crème en faïence et une reproduction métallique d'une voiture de sport.

— Pour Maximilien, cette curiosité était un trésor. À mes yeux, ce n'est que le souvenir d'un ami très cher, mort pour avoir voulu percer son secret. En l'achetant, j'ai eu accès à ce que les experts avaient écrit à son sujet pour le précédent propriétaire. Rien de spectaculaire. Ils se perdent en hypothèses parfois farfelues et n'apportent aucune réponse. Maximilien était bien plus doué qu'eux. Il l'a payé de sa vie.

Walczac déposa la précieuse antiquité sur son bureau, face à ses visiteurs. Il en approcha sa lampe pour mieux l'éclairer. Le cristal était d'une limpidité exceptionnelle.

— J'aurais bien aimé que Max me dise à quoi cette chose pouvait servir.

— Moi aussi, murmura Ben.

Karen se leva pour l'étudier sous un autre angle. Impressionnée, elle souffla :

— Il est plus spectaculaire en réalité qu'en photo.

— Vous savez à quoi il me fait penser tout à coup ? lui glissa Benjamin.

— À l'illustration volée dans le *Splendor Solis* dont nous a parlé Robert Folker, avec son démon sortant du soleil en portant une pyramide entre les mains.

— Exactement.

Karen se redressa.

— Monsieur Walczac, accepteriez-vous que l'on fasse quelques photos ?

— J'ai bien mieux à vous proposer. Je suis prêt à vous confier le cristal aussi longtemps que vous en aurez besoin pour l'étudier. En échange, aidez-moi à mettre la main sur l'assassin de Maximilien. Nos raisons de lui courir après sont différentes mais nous partageons la même envie de le coincer. Associons-nous. Servez-vous de Marcus Bender, utilisez mon piège et attrapons le salaud qui a tué mon ami. Je veux sa peau. Si nous joignons nos forces, il ne pourra pas nous échapper. Donnez-moi votre parole que lorsque vous l'aurez eu et qu'il aura balancé ce que vous voulez savoir, vous me le livrerez. Personne n'en saura jamais rien. Ce genre de pourriture ne doit pas finir devant un tribunal, parce qu'alors, ils s'en sortent toujours mieux que leurs victimes.

30

Miss Holt revint enfin du module de communication satellite et se laissa tomber dans un fauteuil, une jambe par-dessus l'accoudoir, faisant preuve d'une décontraction dont elle n'était pas coutumière.

— C'est vrai que le jet est quand même plus rapide et plus confortable.

— Vous dites ça parce que c'est Walczac qui paie et que vous n'aurez pas vos satanés formulaires à remplir.

— Pas uniquement. Vu le nombre de bleus que j'ai partout sur le corps, des sièges moelleux ne sont pas un luxe. Les conditions de transport n'ont certainement pas été les mêmes à l'aller. Si nous nous trouvions dans cet avion, c'est en soute qu'ils nous avaient embarqués !

— Vous aussi vous avez mal ?

Ben se retourna aussitôt et commença à relever son T-shirt.

— Là, juste au-dessus de la fesse, c'est hyper sensible.

— Ne comptez pas sur moi pour vous ausculter. Rhabillez-vous immédiatement.

— Soit ils m'ont donné un coup de barre de fer, soit ils m'ont étalé sur un palet de hockey pendant des heures.

— Pourquoi un palet de hockey ?

— À la forme, ça correspond parfaitement. Mais ça me pique aussi, alors c'était peut-être une pomme de pin.

— Formidable, nous aurions donc été kidnappés par des écureuils qui auraient voulu nous faire la peau dans la forêt magique. Je vous demanderais bien si vous avez compté vos noisettes, mais vous allez encore rougir !

— Et on prétend que ce sont les hommes qui ont l'humour le plus lourd... Quoi qu'il en soit, pendant qu'on était inconscients, ils ont dû nous traiter comme des quartiers de viande.

— Ils avaient l'intention de nous massacrer, pourquoi auraient-ils pris des gants ?

— Évidemment, vu sous cet angle... Il faut quand même pratiquer votre métier pour raisonner ainsi.

— Parce que vous allez me soutenir que vu du vôtre, l'histoire s'écrit avec des gens adorables qui vivent heureux dans un monde en paix et finissent par s'éteindre de leur belle mort ?

— Un point pour vous. Si ça se trouve, au Moyen Âge, coucher les gens sur un palet de hockey était un supplice très en vogue.

— Combien d'années d'études pour en arriver là ?

Ils se mirent à rire ensemble.

— Vous êtes restée un bon moment en communication, reprit Benjamin. Tout va bien dans le service ?

— Ils étaient tellement soulagés de nous savoir vivants que tout le monde a voulu me parler. C'était le branle-bas de combat depuis quarante-deux heures. Tous les services sur les dents. La direction avait déclenché le grand jeu pour nous retrouver. Les services secrets alliés étaient même déjà dans la boucle.

— Comme ça, à défaut d'avoir pu nous sauver, ils auraient retrouvé nos cadavres en moins de deux...

— On ne nous aurait pas tués en même temps. Ils en auraient éliminé un pour faire pression sur l'autre.

— Toujours une partie d'échecs qui se joue. Reste à savoir qui de nous deux aurait été dégagé en premier.

— Dans le manuel, au chapitre sur les prisonniers, leçon numéro deux, il est écrit : « Celui qui est identifié comme détenant le plus d'informations est maintenu en vie le plus longtemps. »

— Vous avez d'étranges lectures. Encore faut-il définir le type d'information qui a de la valeur.

— Je doute que la recette secrète de votre tante Jane vous aurait valu de vivre vieux.

— Vous ne direz plus ça quand vous y aurez goûté. Votre remarque perfide soulève cependant une intéressante question. En admettant que vos équipes nous aient localisés, s'ils n'avaient pu sauver qu'un seul de nous deux, lequel auraient-ils choisi à votre avis ?

— Benjamin, sérieusement, pourquoi jouer avec ce genre d'interrogations ?

— Pure spéculation. Juste pour savoir. Vous ne vous demandez jamais à quel point vous comptez ? Vous qui évaluez tout, ne songez-vous jamais à cela ? Votre patron a lancé tous ses limiers pour nous récupérer, et vous n'aimeriez pas savoir si c'était plus pour vous que pour moi ?

— Vous êtes un garçon rationnel...

— Ça dépend pour quoi.

— Vous appréciez réellement ce genre de jeu stupide ? Du style il n'y a qu'une seringue pour deux personnes que tu adores, laquelle choisis-tu de sauver ?

— Ces hypothèses d'école ont le mérite de remettre les choses à leur place. Du coup, je me demande qui votre patron choisirait entre vous et moi.

— Je n'en sais rien. Et pour vos chances de survie, j'espère que le cas ne se présentera jamais. Cela dit, il était tellement heureux d'avoir de mes nouvelles qu'il a lui aussi tenu à me parler. Je ne l'ai jamais trouvé aussi chaleureux. Presque amical. C'était extrêmement bizarre.

— Qui sait ? L'âge avançant, il prend peut-être conscience que les affections sont plus puissantes que ses injections de produits chimiques.

— Vous plaisantez ? On voit bien que vous ne le connaissez pas. À trois secondes de claquer, il hésitera encore à se confier à Dieu parce qu'il le soupçonnera de travailler pour le camp adverse. Il se demandera aussi certainement s'Il n'est pas sur écoute. Cela dit, il a pris de vos nouvelles. Vous avez le droit d'être fier. C'est une marque d'estime historique. Quand le domicile de Wheelan avait été saccagé, il n'avait même pas cherché à savoir dans quel état était le professeur.

— Les gens évoluent. Il n'est peut-être pas aussi dur qu'il veut le laisser paraître.

— Vous avez certainement raison. Le meilleur moyen d'en être sûr, c'est de faire un test. Dès que nous arriverons, vous essaierez de lui faire un bisou. Promettez-moi d'attendre que je sois là pour vous jeter à son cou. Je vous jure de ramasser vos restes et de vous offrir une sépulture décente dans une boîte à chaussures.

— Il est aussi monstrueux que cela ?

— Il n'est pas monstrueux, il est pro. Quand je vois ce qu'il doit gérer tous les jours, je me dis que c'est un sacré bonhomme. Et encore, je ne sais pas tout.

— Il n'a pas voulu me dire son nom.

— Personne ne le connaît. C'est un petit jeu qui l'amuse beaucoup.

— Si lui et moi étions tous les deux mourants, et que vous n'ayez qu'une seule seringue...

— Benjamin, s'il vous plaît.

— Lui ou moi ? Soyez franche.

La jeune femme tenta d'éviter de répondre, mais elle comprit qu'elle n'y couperait pas.

— C'est vous qui l'aurez voulu : je le sauve lui, parce que dans le monde où nous vivons, il est malheureusement bien plus nécessaire que vous.

Ben porta la main à son cœur dans une posture de tragédien.

— Quel choc ! Quelle désespérance ! Ça me fait une peine énorme. Vous auriez pu au moins tricher pour me faire plaisir.

— Il ne fallait pas demander. Je ne sais pas tricher. Désolée !

— Sort funeste... Hier, vous m'avez frappé alors que j'étais ligoté et maintenant, vous me tuez parce que je sers à que dalle.

— S'il vous plaît, ne faites pas cette tête de chien battu. N'espérez pas me convaincre que vous prenez votre petit jeu au sérieux.

— Et pourquoi pas ?

— OK. Vous voulez jouer, alors jouons : Mlle Chevalier et moi sommes à l'agonie. Vous n'avez qu'une seringue...

— Vous avez parfaitement raison, tout cela est complètement puéril.

— C'est vous qui avez commencé. Répondez.

Ben plissa les yeux pour faire semblant de réfléchir.

— À titre préventif, je me fais l'injection à moi-même parce que de nous trois, je suis quand même celui que je préfère.

— Vous mentez.

— Ne me parlez pas sur ce ton ou vous allez crever. Je vous rappelle que c'est moi qui décide qui je sauve.

Karen rit.

— Vous dites vrai, répliqua-t-elle.

— À quel sujet ?

— Quand ça devient trop sérieux, vous ne savez rien faire d'autre que blaguer.

— Vous connaissez mon talon d'Achille.

— Est-ce pour cela que vous avez choisi de vous consacrer à l'histoire ?

— Comment ça ?

— En étudiant le passé, vous ne courez aucun risque. Aucune décision à prendre, aucun choix cornélien, aucune urgence. Tous les dilemmes sont résolus depuis longtemps. Plus rien à sauver ou à condamner. Uniquement des leçons à tirer, en restant bien au chaud, sur la berge, à l'abri du torrent de la vie.

— Je n'avais jamais envisagé cela de cette façon.

— L'image vous choque ?

— Du tout. Au contraire.

— Benjamin... Hier, quand notre vie ne valait plus grand-chose, je vous remercie d'avoir voulu vous sacrifier pour moi.

— Ce n'est rien. Je fais ça tout le temps. Je n'ai pas vraiment réfléchi. Même au supermarché, je laisse passer les petites mamies devant moi.

— Ne rabaissez pas votre geste en me traitant de petite mamie.

— Je vous rassure, vous avez de beaux restes. Je suppose que s'ils avaient commencé à me torturer, j'aurais sans doute regretté mon élan.

— Vous êtes plus courageux que vous ne le croyez.

— Vous le pensez ? Je crois plutôt que je m'estime moins que n'importe qui. Je n'ai jamais été convaincu que les meilleurs partaient les premiers. Votre manuel est d'ailleurs d'accord avec moi sur ce point : plus vous avez de valeur, plus on vous garde et on vous épargne. Du coup, je m'attends à y passer d'une seconde à l'autre.

Un grésillement des haut-parleurs interrompit leur échange. La voix du pilote s'éleva :

— Miss Holt, une communication urgente. C'est votre collègue qui rappelle.

Karen se leva aussitôt. Comme s'il pressentait que c'était important, Ben la suivit. Elle enfila le casque et s'annonça. Pendant de longues secondes, elle ne fit qu'écouter. Ben la vit blêmir.

Lorsqu'elle raccrocha, elle souffla comme un sprinter face à l'épreuve qu'il redoute. Enfin, elle leva les yeux vers lui.

— Benjamin, il est arrivé quelque chose à Fanny. Alors qu'elle sortait d'une entrevue avec un consultant, elle a été prise pour cible, en pleine rue. L'un de nos agents qui assurait sa protection a été abattu. Elle a été transportée sous escorte à l'hôpital. Nous n'en savons pas plus. Je suis navrée.

31

— Pour le moment, elle dort, expliqua le médecin. Rassurez-vous, ses jours ne sont pas en danger. Nous préférons cependant la maintenir sous sédatif. Rien de lourd, mais cela devrait nous aider à la stabiliser. Elle a reçu une balle longue portée dans l'épaule. Même si le projectile est ressorti, il a provoqué quelques dégâts, sans toutefois rien toucher de vital. Elle a eu beaucoup de chance. Nous avons dû pratiquer un peu de reconstruction mais rien de dramatique. Elle ne gardera aucune séquelle, ni plastique, ni motrice. Par contre, psychologiquement, il faudra certainement un suivi. Elle était passablement perturbée lorsqu'on nous l'a amenée...

Dans le hall sécurisé du service de traumatologie du Queen Elizabeth Hospital, les équipes de nuit avaient pris leur poste. Seuls quelques bruits de pas dans les couloirs et les bips réguliers des machines dans les chambres troublaient le silence.

Ben poussa un soupir de soulagement.

— Puis-je la voir ?

Le docteur consulta l'agent Holt du regard avant de répondre :

— Si vous voulez.

— Je vous attends là, glissa Karen.

Avant qu'il ne s'éloigne, elle lui posa la main sur le bras et demanda :

— Ça va aller ?

— Si je ne suis pas ressorti d'ici vingt minutes, c'est que j'aurai fait un malaise. Par pitié, ne laissez pas le gros brancardier avec les tatouages me faire du bouche-à-bouche...

Karen salua sa tentative de légèreté mais redevint vite sérieuse :

— Benjamin, nous devons prévenir le compagnon de Fanny.

— Cela me paraît évident.

— Souhaitez-vous lui expliquer vous-même ce qui s'est passé ?

— Si vous estimez que c'est plus convenable, je le ferai, mais tout à fait entre nous...

— Je comprends. Laissez, je m'en charge. Allez la voir.

Ben remercia Karen et se dirigea vers la chambre devant laquelle un militaire était en faction. Il entra sans bruit et referma derrière lui.

L'éclairage de la veilleuse était minimal. Sur le grand lit médicalisé, Fanny paraissait toute menue. Il faut dire que comparativement, la dernière fois qu'Horwood l'avait vue étendue sur un lit, c'était le sien – en tout bien tout honneur –, dans sa chambre d'étudiant, et que le matelas était vraiment minuscule. Ben la retrouvait ce soir allongée sous un drap verdâtre, les bras le long du corps. S'il n'y avait pas eu cet épais pansement sur son épaule gauche, ces cathéters et ce bip récurrent, on aurait pu croire qu'elle passait une nuit comme tant d'autres. Sa poitrine se soulevait régulièrement et son visage semblait étonnamment apaisé.

Ben s'approcha. Tendant la main vers elle, il hésita à entrelacer ses doigts avec les siens mais n'osa pas aboutir son geste. Plusieurs émotions contradictoires s'opposaient en lui : le soulagement de savoir qu'elle allait se rétablir, la colère face à la violence qui l'avait lâchement frappée, et surtout un immense sentiment de culpabilité. Malgré les arguments bienveillants de Karen, il se sentait responsable. On croit certaines décisions anodines, mais elles engendrent parfois des conséquences au-delà de l'imaginable, des années après. Comme si l'écho de chacun de nos actes échappait à toute proportion ou temporalité. Si Ben n'avait pas proposé à Fanny de s'associer pour leur thèse, celle-ci n'aurait jamais été écrite. Personne ne l'aurait lue et il n'aurait jamais été recruté par le service de Karen. Si lui-même ne s'était pas laissé embarquer dans cette histoire, il n'y aurait pas entraîné celle avec qui il espérait secrètement vivre autre chose que ce qu'ils enduraient à cet instant.

— Je suis désolé, Fanny. Tu n'imagines pas à quel point.

Il parlait à voix basse.

— On va te sortir de là. Tout va s'arranger. Tu vas rentrer à Paris. Tu iras courir dans les jardins du Luxembourg. Ton grand baraqué te protégera. Moi, je n'en suis pas capable. Oublie toute cette affaire et vivez heureux.

Il aurait voulu caresser sa joue. Il aurait aimé être celui qui pouvait légitimement la serrer dans ses bras pour la réconforter. Mais ces actes lui paraissaient hors de portée. Ben mesura soudain toute la distance qui sépare un geste de ce qui lui confère sa légitimité. On peut se permettre, on peut faire, mais si le mouvement ne repose pas sur un affectif partagé, il n'est que mécanique. Pire, il n'est que la contrefaçon de l'authentique. Chacun éprouve un jour cette limite et pour Ben, c'était la première fois.

De façon inédite, il ressentait de la honte en dévisageant Fanny à son insu. Il estimait ne plus mériter le privilège de la contempler. Benjamin baissa les yeux.

Se trouver près d'elle en cet instant d'intimité lui permettait d'entrevoir tout ce qu'il n'avait pas vécu à ses côtés. Malgré son âge et son bagage, il n'avait finalement que peu d'expérience en matière de rapports humains. À force d'étudier la vie des autres, le plus souvent à travers les seuls progrès de la science, il en avait un peu oublié de faire sa propre expérience et de fréquenter les vivants.

Parce qu'il était plus facile de lui dire ce qu'il avait sur le cœur sans qu'elle l'entende, comme il l'avait fait de plus loin lorsqu'il l'épiait depuis la rue, il s'abandonna au désir instinctif de lui parler. Le sommeil de la jeune femme, tout comme la distance autrefois, lui permettait de s'exprimer sans masque.

— Un midi, avec la bande, nous profitions du peu de temps libre entre les cours. Tu ne dois pas t'en souvenir. Nous étions assis sur les marches du perron dont le doyen essayait toujours de nous chasser. Il faisait beau. Je ne me rappelle pas de quoi nous parlions précisément, mais tu m'as tout à coup demandé si je te trouvais jolie. Ta question a déclenché une vraie panique dans mon pauvre cerveau. Je ne sais plus ce que j'ai répondu tellement j'ai été pris de court et gêné. J'ai dû essayer de m'en sortir avec une mauvaise blague. Résultat : au cours des jours suivants, j'avais peur chaque fois que tu faisais mine de me parler. Heureusement pour moi, tu n'as jamais demandé si je t'aimais. J'aurais pu tomber dans les pommes ou sauter par la fenêtre... Je ne sais pas comment font ceux qui sont si sûrs d'eux. Peut-être se posent-ils moins de questions ? Ils tentent leur chance et attendent le résultat. Parfois, cela doit fonctionner. Je le suppose, puisque notre espèce perdure. Ils ont sans doute raison. J'ignore ce que t'a dit ton commando pour te séduire. En tout cas, je sais tout ce que moi, je ne t'ai pas dit. C'est peut-être mieux ainsi. Tu sembles heureuse. Enfin, tu en avais l'air avant de te prendre une balle... Dieu merci, tu es vivante. On est amis, c'est déjà beaucoup. J'espère que tu me pardonneras de t'avoir précipitée dans ce cauchemar. Je vais faire en sorte de t'en sortir. Et puis on se reverra de temps en temps. Tu ne sauras jamais à quel point tout ce que nous avons partagé compte pour moi. Tant pis. On ne dit pas tout, même aux gens qu'on aime.

Fanny ouvrit soudain les yeux. Ben se figea. L'avait-elle entendu ? Son premier mouvement fut d'aller chercher le médecin, mais la jeune femme le retint.

— Benjamin...

— Tout va bien, tu es à l'hôpital.

— Je sais.

— Génial. Donc aucun problème.

C'était lui le plus stressé des deux.

— J'ai dormi longtemps ?

— Aucune idée. Je ne suis avec toi que depuis quelques minutes.

— Ils t'ont raconté ce qui s'est passé ?

Il hocha la tête positivement.

— J'ai rappliqué aussi vite que possible.

— Tu es au courant pour l'agent qui m'accompagnait ?

— Oui. Le pauvre gars.

— Ils ont tiré pour me tuer. S'il ne s'était pas retourné, c'est moi qui aurais reçu le projectile en pleine tête. Je ne devrais plus être là.

— Rappelle-toi nos cours d'histoire : tu nous fais un superbe complexe du survivant. Il n'a pas eu de chance et toi si. Tu n'es pas responsable.

Elle lui tendit la seule main qu'elle pouvait bouger. Il la saisit.

— Tu peux concevoir ça ? Je ne connaissais même pas son prénom et il est mort pour moi, à ma place.

— Tu n'y es pour rien. C'est dramatique mais c'est ainsi.

— On n'imagine pas que des atrocités pareilles puissent se produire en vrai, dans une ville en paix, au beau milieu de la foule. Cette terreur au milieu des enfants qui rentrent de l'école et des gens qui font leurs courses. Tu te rends compte ? Je trouvais amusant d'avoir un garde du corps. Comme si ça pouvait être « amusant »...

— Fanny, ne pense pas à tout ça. Pas maintenant.

Elle tourna son visage vers lui, des larmes au coin des paupières.

— Qui a tiré, Ben ?

— On ne sait pas encore, mais on va les coincer. Ils paieront.

— J'ai besoin de réponses.

— Elles viendront, on les trouvera.

Fanny était incapable de songer à autre chose. Elle ferma les yeux.

— Tu nais, tu grandis en découvrant le monde, tu fais des études, des projets. Tu espères, tu construis, et puis à un moment, sans savoir pourquoi, sans l'avoir voulu, tu te retrouves à une place à laquelle rien ne te prédestinait. On te colle un rôle que tu n'as pas choisi, et un type dont tu ne sais rien te vise à travers sa lunette pour te flinguer. Je n'arrive pas à effacer cette image de mon esprit.

— Rentre à Paris. Retrouve ta vraie vie et avec le temps, tu finiras par surmonter cette horreur.

— Même si la balle a manqué sa cible, j'ai reçu en pleine tête le message qu'elle portait : personne n'est à l'abri, nulle part, jamais. Chacun peut être mis en joue, pour ce qu'il sait, ou pour ce qu'il est. Comment vivre en sachant cela ?

— Je ne sais pas.

— Je sens encore le poids de mon ange gardien effondré sur ma poitrine. Même mort, il m'a protégée. Son sang, partout, entre mes doigts, jusque dans ma bouche...

Benjamin referma sa main sur celle de Fanny, mais rien n'y faisait. La jeune femme, le regard fixe, revivait la scène en boucle.

— Je n'ai même pas entendu les coups de feu. Tout est arrivé si vite... Il aura suffi d'une fraction de seconde pour détruire une vie et faire basculer la mienne.

— Ne dis pas des choses pareilles. Les services spéciaux vont te mettre à l'abri. Ils en ont les moyens. Tu ne seras plus jamais en danger.

Il sentit la brusque pression de ses doigts.

— Condamnée à me planquer, à disparaître ? Ce serait donner raison à ceux qui ont voulu m'abattre et admettre qu'ils sont les plus forts. Je ne vais pas leur faire ce cadeau. Je ne veux pas être mise hors circuit. Qui t'aiderait à décrypter les symboles ? Tu sais que je suis douée pour ce genre de recherches.

— Aucun doute sur ce point, mais je ne veux plus que tu prennes de risques.

— Tu viens de le dire toi-même : rappelle-toi nos cours d'histoire, Benjamin. Fuir n'aide jamais à surmonter les épreuves. Il faut affronter. Je refuse de voir ma vie empoisonnée par leur agression.

La porte de la chambre s'ouvrit et le médecin entra.

— Vous voilà réveillée, mademoiselle Chevalier. Votre épaule ne se manifeste pas trop ?

— Je ne sens absolument rien, docteur. Je suis complètement shootée.

— Tant mieux. L'infirmière va vérifier si votre pansement a besoin d'être changé.

Il se tourna vers Benjamin.

— Je vais vous demander de sortir, monsieur. Ne vous en faites pas, elle est entre de bonnes mains.

Ben s'apprêtait à obéir mais Fanny l'interpella :

— Tu pars sans me faire la bise ?

— Les Français et leur manie des bises...

— Si ça t'ennuie, va-t'en.

— Ne sois pas bête.

Il se pencha pour l'embrasser. Elle lui souffla :

— Pendant mon sommeil, c'est drôle, j'ai rêvé de l'université. Tout semblait si réel. Nous étions assis avec Peter et Amanda, sur les grands escaliers, au soleil. Je te demandais si tu m'aimais.

32

— Il est tard, essayez de dormir, conseilla Karen en raccompagnant Ben à la porte de son appartement à l'agence.

— Aucun risque. Je ne pense qu'à Fanny. Je suis inquiet pour elle.

— Je vous assure qu'elle est en sécurité. Son état de santé étant satisfaisant, on va la transférer vers un site militaire dans les prochaines heures. Faites-moi confiance.

— Je vous fais confiance.

Il désigna sa porte ouverte.

— Voulez-vous rester une minute ?

— Monsieur Horwood serait-il en train de m'inviter à prendre un dernier verre chez lui ?

— Je ne suis pas chez moi et votre boss, Petit Poney, a sifflé le peu d'alcool qui restait dans le bar.

— Y a pas à dire, vous savez vous y prendre.

Elle entra malgré tout et s'installa dans le canapé.

— Donc, rien à boire…

— Je peux vous proposer de l'eau du robinet et si ça vous tente, j'ai aussi du shampooing à la pomme.

— J'essaie d'arrêter, merci.

Ben ne tenait pas en place. Karen sentait qu'il n'était pas dans son assiette.

— Bien que ce ne soit pas votre sujet de conversation favori, je suppose que vous préférez savoir : le compagnon de Mlle Chevalier arrivera auprès d'elle demain matin, tôt.

— J'en suis très heureux pour eux deux.

— Nous avons eu du mal à le joindre. Il était en déplacement à Madrid. En découvrant son prénom, j'ai d'abord cru que c'était un surnom ou une boutade... Il s'appelle vraiment Alloa ?

— Vous aussi, ça vous amuse ?

— Presque autant que Benji. Il me semble que l'expression hawaïenne s'écrit différemment.

— Vous lui poserez la question à l'occasion. Par contre, d'après les photos que j'ai pu entrevoir de lui, à défaut d'être conforme à l'orthographe officielle, il a l'authentique allure d'un surfeur de là-bas.

— Alloa West. On dirait le nom d'un héros de bande dessinée.

— J'imaginais plutôt un personnage de série télévisée, le genre de mec qui vit sous un soleil éternel, dans une villa de milliardaire, avec une piscine géante autour de laquelle se pâment des filles sublimes qui n'attendent que lui.

— Quelle vision machiste ! Si ça se trouve, c'est le seul point d'eau de la région, auquel ces créatures viennent s'abreuver. Les jolies filles ont aussi besoin de s'hydrater.

— Pas si elles ont le privilège d'apercevoir Alloa West, l'homme qui d'un regard peut vous faire vivre ou mourir. Ce genre de type est la solution à tout, le rêve ultime. Il est livré avec tous ses accessoires. Il ne faiblit pas, ne freine jamais. Il ne se gare pas non plus – les créneaux, c'est vulgaire. Il saute de sa voiture de sport et l'envoie s'écraser contre un mur dans une explosion, même pour aller s'acheter du papier toilette.

— Benjamin, ces hommes-là n'achètent pas ce genre de chose.

— Vous avez raison. Les dieux n'ont jamais la diarrhée. C'est notre triste condition de mortels.

— Vous ne l'aimez pas.

— Vous êtes-vous déjà retrouvée devant quelqu'un qui réussit tout ce que vous ratez et qui occupe la place que vous rêviez d'avoir ?

— Une fois, oui. Pendant un accrochage au sud de Bagdad. J'aurais voulu être le superbe char d'assaut qui tenait la colline et distribuait généreusement ses rafales de pruneaux là où je n'arrivais même pas à en balancer un seul.

— Vous devez me trouver pathétique.

— Vous savez bien que non.

— Je ne le déteste pas. J'en suis jaloux.

— Comptez-vous passer le reste de votre vie à regretter ce que vous n'êtes pas et ce qui vous échappe ?

— Si je n'ai rien de mieux à faire, c'est une occupation comme une autre.

Ben haussa les épaules et s'intéressa à la carte murale.

— En attendant, nous allons devoir créer une fiche sur l'assassinat de Maximilien Köhn. La disparition de ses travaux constitue certainement une des clés de tout ce foutoir.

En cherchant un bristol sur sa table de travail, Benjamin tomba sur les relevés des symboles effectués par Fanny. Fidèle à sa promesse, elle avait soigneusement redessiné les différentes séries de signes, arête par arête. Elle avait toujours été douée pour le dessin. Il saisit les feuilles, le cœur aussi serré que si elle était morte.

— Je ne lui ai même pas annoncé que nous avions rapporté le cristal.

Sans qu'il s'en aperçoive, Karen l'avait rejoint et se tenait derrière lui.

— Il sera bien temps de lui en parler si elle revient sur l'affaire. D'autant qu'il n'est plus disponible pour le moment.

— Qu'en avez-vous fait ?

— À cette minute même, il est enfermé dans le coffre de la résidence de Marcus Bender, à Oxford.

— Quel irresponsable a eu cette idée saugrenue ? s'exclama Ben, stupéfait.

— Moi. Et ne vous en déplaise, j'en suis fière. Walczac nous a permis d'utiliser son piège. Nous ne pouvions pas laisser passer pareille opportunité. Dans le peu de temps dont nous disposions, nous avons légèrement amélioré son traquenard. Je trouve le résultat très convaincant. Avec quelques informations qui ont « fuité », deux ou trois aménagements et des figurants, nous avons donné plus de corps à son leurre. Mais le dispositif n'aurait pas été complet sans le véritable appât. Ceux que nous traquons ne font pas les choses à moitié, nous devons agir de même. Nous avons donc désormais un Marcus Bender plus vrai que nature qui attend patiemment son prédateur dans un environnement ultra-verrouillé.

— Les pros sont à la manœuvre... Et si on se fait piquer le cristal ?

— Plan B : on démissionne et on part élever des moutons dans le Kent. Je filerai la laine sous une fausse identité pendant que vous ferez des petits fromages bio.

— Karen, je m'en voudrais beaucoup de voir ma détestable désinvolture déteindre sur vous.

— Blague à part, on ne se fera pas surprendre deux fois. L'équipe est très remontée.

— Cela n'empêche pas nos adversaires de mener le jeu. Ils font ce qu'ils veulent et on encaisse. Ils s'en sont quand même pris à Fanny.

— Navrée de vous contredire, mais ils n'ont pas atteint leur objectif. L'un des nôtres l'a payé de sa vie, mais votre amie est vivante.

— C'est juste. Pardonnez-moi. Quand je suis épuisé, je dis n'importe quoi.

— Cela vous arrive aussi quand vous êtes bien reposé.

Doucement, pour évacuer la tension, Ben étira sa nuque en inclinant la tête.

— Pourquoi ont-ils voulu éliminer Fanny ? La perçoivent-ils comme une menace ?

— Pas forcément. Dans la partie d'échecs qui se joue, ils ont peut-être voulu se servir du cavalier pour déstabiliser la tour. Avez-vous déjà oublié la leçon numéro deux du chapitre sur les prisonniers ?

Ben fit appel à sa mémoire avant de réciter :

— « Celui qui est identifié comme détenant le plus d'informations est maintenu en vie le plus longtemps. » Quel rapport ?

— Ils n'ont mis que quelques jours à identifier et cibler Mlle Chevalier. Ne vous y trompez pas, ils ont aussi un œil sur vous depuis le début. Votre appartement a été fouillé moins de quarante-huit heures après notre premier contact.

— Et alors ?

— Si vous n'étiez qu'une gêne pour eux, ils auraient déjà essayé de vous rayer définitivement de la partie.

— Merci, je me sens beaucoup mieux.

— Mais ils ne l'ont pas fait. Alors je suppose qu'en supprimant Fanny, leur but était de vous mettre sous pression.

— Pourquoi feraient-ils cela ?

— Peut-être parce qu'ils ont besoin de vous.

— Pardon ? À quoi pourrais-je leur servir ? Je ne suis pas dans leur camp et je peux vous assurer qu'après ce qu'ils ont fait à Fanny, mon envie de les traquer prend un tour très personnel.

— Le fait est qu'ils n'ont rien tenté contre vous alors qu'ils n'ont pas épargné Fanny. Si j'en juge par ces fiches sur le mur, ils ne font rien sans raison. Il faut creuser.

— C'est ma tombe que je peux commencer à creuser. Parce que lorsqu'ils comprendront qu'ils n'obtiendront jamais rien de moi, je ne donne pas cher de ma peau.

— Vous aviez sans doute vu juste.

— À quel propos ?

— Peut-être en veulent-ils vraiment au Christmas pudding de votre tante.

— Comment pouvez-vous plaisanter dans une situation pareille ?

— Benjamin, je m'en voudrais beaucoup de voir mon insupportable sérieux déteindre sur vous.

33

La nuit était depuis longtemps tombée sur Oxford. Seuls les chants d'une poignée d'étudiants éméchés s'élevaient au loin. Même ivres, ils s'en sortaient plutôt bien et ne pouvaient en aucun cas être tenus pour responsables de la pluie qui rinçait la cité.

Dans un ensemble parfait, deux hommes sautèrent le haut mur de brique qui entourait la propriété. Retombant à l'intérieur avec souplesse, ils se fondirent aussitôt dans les massifs végétaux du fond en ne provoquant que quelques bruissements. Ils avaient choisi une stratégie d'approche évitant les rues, par l'arrière, en se faufilant de parcs en jardins dans la zone résidentielle historique huppée. Deux silhouettes furtives. Depuis quelques jours, ils avaient pris soin de repérer précisément les lieux, utilisant même un drone de moyenne altitude. Comme des champions de course de haies, ils franchissaient les obstacles avec une redoutable efficacité, poursuivant méthodiquement leur percée en direction de la résidence de Marcus Bender.

Les systèmes de surveillance – au demeurant assez rudimentaires – étaient déjà identifiés, et le modèle de coffre-fort ancien John Tann installé dans le salon n'allait poser aucun problème. Ils n'auraient même pas à le forcer. Ces antiquités sont faites pour rassurer les retraités nostalgiques, pas pour résister aux dernières technologies. Le collectionneur dormait au premier étage, seul. Ils avaient pour instruction de le laisser dormir. Si par contre il venait à les surprendre, une option plus radicale était programmée.

Les deux ombres progressaient rapidement en évitant les zones découvertes. Vêtus de treillis militaires et de gilets tactiques, équipés de petits sacs à dos ainsi que de lunettes à vision nocturne, les intrus étaient remarquablement entraînés. Leur course puissante ne comportait aucune hésitation. Même si la mission s'annonçait simple, ils l'abordaient comme une véritable opération en territoire ennemi. Aucune parole échangée. Pas de liaison avec leurs commanditaires.

Lorsque le premier individu atteignit la maison, il s'adossa directement contre le mur, ajusta ses gants et dégaina son arme. Il engagea une balle dans la culasse et replaça le pistolet dans son étui. En voyant approcher son complice, il positionna ses mains en berceau pour lui faire la courte échelle. Sans ralentir l'allure, l'autre s'élança d'un bond pour agripper la corniche de la fenêtre de la cuisine. Avec agilité, il se rétablit sur le rebord puis, à l'aide d'une lame souple et d'un film métallique, neutralisa le capteur d'effraction. Il força l'ouverture et se glissa dans l'office. Son complice atterrit à ses côtés immédiatement après lui.

Ils se positionnèrent dans le couloir. À l'autre extrémité se trouvaient la porte d'entrée donnant sur la rue et l'escalier qui montait à l'étage. Dans la pénombre, sans un bruit, ils pénétrèrent dans le salon et se dirigèrent droit sur le vénérable meuble blindé. Massif et noir, de la taille d'un petit frigo, décoré de motifs dorés d'inspiration victorienne, ce modèle associant serrure mécanique et combinaison simple ressemblait à ceux que possédaient les bijoutiers dans leurs boutiques au début du siècle dernier. Les deux individus s'agenouillèrent dos à dos, l'un allumant une lampe à faisceau restreint pour s'occuper du coffre pendant que l'autre montait la garde, l'arme au poing. Le premier sortit du matériel électronique de son sac ainsi qu'un jeu de passe-partout à longues tiges. D'un geste expert, il plaqua une sonde sur la porte métallique, qui afficha une image radiographique du mécanisme interne sur sa tablette. Il commença à tourner la molette chiffrée. Après avoir tâtonné, il isola les trois positions de rotation et s'attaqua à la serrure à clé. Dans son dos, son binôme, aussi raide qu'un robot, balayait la pièce, prêt à réagir au moindre bruit.

L'homme en charge du coffre mit moins de trois minutes pour se rendre maître du système de verrouillage. Il tourna la poignée et tira à lui l'épais battant. Quelques dossiers, un peu d'argent, diverses boîtes. L'homme ne se laissa pas distraire et repéra immédiatement ce qu'il était venu chercher. Il s'empara d'un pochon de velours dont la palpation le rassura. La forme pyramidale attendue s'y trouvait. Il ouvrit la housse et contrôla de visu, mais prit soin de ne pas toucher l'objet directement.

C'est alors qu'il entendit un choc sourd, suivi d'une série de claquements. Il identifia aussitôt des pas et un tir d'arme équipée de silencieux. Sans céder à la panique, il enfourna le cristal dans son sac à dos tout en agrippant son pistolet.

Il pensait sans doute que son comparse le couvrait encore, mais il se trompait. Une violente décharge électrique le paralysa. Il bascula sur le côté. Son compagnon ne bougeait déjà plus. Les faisceaux de plusieurs lampes firent irruption dans la pièce, des silhouettes casquées portant des tenues pare-balles l'encerclèrent. La mâchoire tremblante, tétanisé par l'impulsion, l'homme devina qu'on lui faisait une injection à l'épaule. Puis il ne sentit plus rien.

34

— Fanny ? Qu'est-ce que tu fais là ?

— Salut, Benji. Je ne me voyais pas rester cloî-
trée dans leur base. L'impression d'être prisonnière et inutile... inacceptable pour mon moral.
Je préfère reprendre le travail. Je voulais aussi
en profiter pour te présenter Alloa...

Dans l'encadrement de la porte entrouverte,
l'homme apparut derrière elle. Ben s'efforça ne
rien laisser paraître ni de sa surprise ni de son
malaise. L'ex-baroudeur lui adressa un salut aussi
hésitant que le sourire qui l'accompagnait.

— Même si les circonstances ne sont pas idéales,
ajouta Fanny, je suis heureuse que vous puissiez
enfin vous rencontrer.

— Bien sûr, tu as bien fait. Entrez, soyez les
bienvenus.

Le couple passa le seuil et Horwood se leva à
leur rencontre. Il embrassa Fanny puis serra la
main de son compagnon. Au premier abord, il le
trouva moins grand qu'il ne l'avait imaginé – ce
qui constitua un motif de joie viscérale totalement
déplacée mais réelle. Par contre, le bougre avait
autant d'allure que sur les photos glanées sur les
réseaux sociaux. Comble de l'épreuve, au moment
où Ben tentait de soutenir son regard couleur

lagon, il prit conscience que l'athlète avait un sourire réellement sympathique. Troublante sensation lorsque quelqu'un que l'on n'a pas envie d'aimer vous fascine malgré tout. La poignée de main était sans appel. Ben prit immédiatement conscience que l'homme n'avait qu'à refermer son étau préhensile pour lui broyer sa petite mimine d'érudit. L'éternel combat des brutes contre les intellectuels se jouait à nouveau. Ben fut en revanche plutôt satisfait de constater que Monsieur Univers était condamné à se balader dans les locaux avec un badge « visiteur » fluo barré d'une infamante mention lui interdisant l'accès aux zones confidentielles, le reléguant au rang de chien dans un jeu de quilles.

— Bonjour, monsieur Horwood. Heureux de découvrir enfin l'homme dont Fanny parle si souvent.

— Merci beaucoup. Je suppose que si votre bonne amie et moi avions eu davantage l'occasion de converser ces derniers temps, elle vous aurait également beaucoup mentionné. Je compte sur vous pour prendre soin d'elle, surtout après ce qu'elle vient de traverser.

Ben récupéra sa main avec tous ses doigts et pivota vers la jeune femme.

— Comment va ton épaule ?

— Je ne suis plus shootée, alors forcément, je déguste, mais j'ai droit à deux cachets par jour, alors je tiens à peu près le coup. Tu étais en train de travailler ?

— Je tente d'y voir clair en attendant la prochaine catastrophe à gérer.

Ils rejoignirent la table de travail.

— Tes croquis me sont bien utiles, reprit Ben. Ton coup de crayon est toujours excellent. Je me documente sur chacun des symboles mais je m'y perds un peu car la signification de beaucoup d'entre eux a évolué au fil du temps.

— Je sais. Un vrai casse-tête. Juste avant de me faire tirer dessus, j'étais en rendez-vous avec un cryptologue spécialiste des langages non verbaux. D'après le grand patron qui a organisé l'entrevue, il travaille régulièrement pour le gouvernement. Un homme passionnant. Il passe son temps à étudier tout ce qui ne s'écrit pas ni ne se prononce mais qui veut pourtant dire quelque chose. Les nuages de fumée des Indiens, l'architecture des temples antiques, la gestuelle des lanceurs de base-ball... Il m'a ouvert quelques pistes dont il faudra que l'on discute.

Fanny montra les feuilles à son compagnon.

— Ce sont les signes gravés dont je t'ai parlé.

Puis elle ajouta en aparté à l'attention de Benjamin :

— Je sais qu'il ne devrait pas être au courant, mais lui me parle aussi de ses opérations de sécurité.

Ben hocha la tête d'un air entendu.

— Ma mère avait coutume de répéter : « La confiance est le ciment du couple. » Cette mémorable citation a disparu de son répertoire à la seconde où elle a découvert que mon père menait une double vie.

Fanny se tourna vers Alloa.

— Ne fais pas attention, chéri, je t'avais prévenu qu'il pratiquait un humour plutôt grinçant.

— J'aime assez cet esprit, sourit le touriste bronzé.

Fanny leva les yeux au ciel et revint à ses croquis. Elle précisa :

— J'ai tout de même progressé depuis leur réalisation. En me focalisant sur chacun des signes, je suis parvenue à définir une date butoir avant laquelle ce message n'a pas pu être créé. On peut sans risque affirmer que ces codes ont forcément été écrits après l'apparition dans l'histoire du plus ancien des symboles y figurant. Ce qui nous renvoie aux environs de 2 500 ans avant notre ère. Cela n'indique pas précisément leur datation, mais c'est déjà une première limite.

— Tu en parles comme de codes. C'est étrange. À l'époque, ce message n'avait rien de cryptique, et il a même été conçu avec l'ambition d'être compris du plus grand nombre. Ironie du sort, aujourd'hui, nous nous cassons les dents dessus sans rien en saisir. Il doit y avoir, quelque part au cours de l'histoire, une rupture dans la chaîne de transmission du savoir...

Fanny désigna un petit cercle marqué en son centre d'un point.

— Celui-là me complique bien la vie. Il introduit une variable supplémentaire. Selon l'époque, il a signifié beaucoup de choses différentes qui, suivant le cas, pourraient radicalement modifier le sens de l'ensemble. Un rond avec un point au milieu. L'univers chez les anciens, ou l'œil des dieux chez d'autres. On le retrouve jusque dans l'alchimie européenne comme représentant l'or et le soleil.

West montra l'un des symboles.

— Et là, c'est une croix gammée nazie ?

— Ça y ressemble effectivement, répondit Fanny. Mais en l'occurrence, elle n'a pas du tout la signification que nous lui attribuons. Le svastika existait bien avant qu'Hitler ne se l'approprie comme emblème de son parti, puis du Reich. Ce signe est l'un des plus anciens jamais tracés par les humains. Il est présent dans de nombreuses civilisations.

Difficile de dire avec certitude quand et où il est apparu, mais on le retrouve en Mésopotamie, en Asie et en Inde, où il est encore utilisé comme un symbole très positif. Il figure aussi sur des ornements ou des objets relevant de civilisations précolombiennes.

— Que représente-t-il ici ?

— Excellente question ! s'exclama Ben. Cette croix, dont les branches ressemblent à la lettre majuscule gamma grecque – ce qui lui a valu son qualificatif tardif de « gammée » –, revêtait déjà de nombreux sens avant qu'Hitler n'en fasse le logo de son infamie. Suivant les époques et les continents, les spécialistes estiment que cette croix a pu évoquer le soleil et sa rotation, la convergence des énergies telluriques, et même les courants cosmiques alors supposés porter notre monde. Son interprétation est multiple mais sa notoriété quasi universelle.

Fanny fixait Benjamin avec toute la relative sévérité dont elle était capable. Elle n'aimait pas quand il se lançait dans ses petits exposés encyclopédiques destinés à impressionner les néophytes. Cela ne correspondait pas à ce qu'elle appréciait chez lui. Elle savait aussi que, paradoxalement, il n'usait de cet artifice que devant des gens vis-à-vis desquels il se sentait en infériorité. Pour sa part, Alloa semblait captivé devant cet étalage de culture.

— Passionnant, fit celui-ci. En tout cas, s'il cherchait l'efficacité visuelle, Hitler ne s'est pas trompé en la choisissant.

— Disons qu'il a été habilement conseillé, précisa Ben. Probablement par Karl Haushofer, l'une des principales éminences grises de l'occultisme nazi. Ancien directeur de l'Institut géopolitique de Munich, Haushofer s'y lia d'amitié avec l'un de ses élèves, l'épouvantable Rudolf Hess, qui devint l'un des plus proches complices d'Hitler. Haushofer fut aussi un membre influent de l'ordre de Thulé, dont le salut caractéristique – bras tendu associé au « Heil » – fut aussi récupéré par le Führer.

— J'ai déjà entendu parler de cette espèce de confrérie. Une de ces sociétés secrètes qui plaçait les Aryens au-dessus de tout et qui a nourri la doctrine nazie ?

— Exact.

Même si le ton professoral de Ben ne lui plaisait pas trop, Fanny s'amusait de voir les deux hommes discuter. Au travers de leur échange, ils semblaient trouver un plaisir que ni l'un ni l'autre, pour des raisons différentes, n'avait anticipé.

Karen fit irruption par la porte restée ouverte.

— Déjà debout ?

— Depuis un bon moment. J'ai même de la visite, comme vous pouvez le constater.

L'agent Holt fit un bref signe de tête et lâcha :

— Ils ont mordu à l'hameçon, ils ont essayé de voler la pyramide au cristal.

— Devons-nous fuir et passer le reste de nos vies cachés au milieu des moutons ?

— Inutile pour cette fois. Sur cette manche, on leur inflige même un bel échec et mat. Le boss nous attend en salle de réunion. Monsieur West, je suis obligée de vous demander de retourner attendre à l'accueil.

Fanny fronça les sourcils.

— Vous aviez le cristal ? Et vous ne m'avez rien dit ? C'est quoi cette histoire de moutons ?

35

Comme si le temps s'était figé depuis son arrivée dans le service, Benjamin retrouva le patron de Karen assis exactement à la même place et dans la même posture que lors de leur toute première entrevue. Sourire mécanique, costume identique, geste parfaitement rodé pour les inviter à s'asseoir.

Ce type constituait une telle énigme que, l'espace d'un instant, Benjamin envisagea qu'il ait pu bénéficier de technologies ultrasecrètes pour se faire cloner afin que l'une de ses versions reste là en permanence, mise en scène dans ce fauteuil sous une lumière valorisante pour assurer les rendez-vous, pendant que d'autres exemplaires s'amuseraient – par exemple – à surprendre les gens sortant de leur douche.

— Mademoiselle Chevalier, je suis heureux de vous retrouver sur pied. Nous nous sommes beaucoup inquiétés à votre sujet.

— Merci, monsieur. Je vais bien.

— Monsieur Horwood, Karen m'a fait part de votre courage lors de votre rocambolesque captivité dans les souterrains de Budapest. Merci pour votre tentative. Votre geste était stupide, totalement irresponsable et voué au fiasco, mais d'une indéniable noblesse.

Ben resta sans voix. Comme la première fois, Holt se tenait auprès de son patron, qui commença son exposé.

— Ce matin, à trois heures trente-huit exactement, deux hommes ont tenté de dérober la pyramide au cristal à Oxford. Des mercenaires très bien équipés et parfaitement préparés. L'un d'eux a été abattu lors de l'assaut donné pour leur capture mais l'autre a pu être appréhendé. Même si l'individu connu sous le pseudonyme de Nicholas Dreyer n'était pas de la partie, nous détenons désormais un de ses pions. Le prisonnier a été endormi et exfiltré vers l'un de nos centres d'interrogatoire, où il ne devrait pas tarder à reprendre ses esprits. Une fois son identité établie, nous aurons beaucoup de questions à lui poser. Peut-être en avez-vous aussi ? Réfléchissez-y dès maintenant.

« Ce succès n'est cependant qu'un premier pas. Ces deux individus ne sont pas arrivés jusque-là tout seuls. À la seconde où je vous parle, nos agents sont lancés dans une course contre la montre afin de remonter jusqu'à ceux qui les ont accompagnés ou dépêchés sur place. J'ai mis beaucoup de monde sur le coup : analyse de leurs équipements et des données logistiques, recherche de véhicules suspects à proximité, vérification des chambres et locations réservées dans la région, et bien entendu contrôle des circuits de surveillance des gares et des aéroports. Tout est passé au crible. Nous faisons le plus vite possible afin que personne n'ait le temps d'effacer leurs traces. Je suis tenu informé de ces investigations en temps réel.

« Autre point positif, la pyramide au cristal devrait être rapatriée dans quelques heures et vous sera confiée pour étude. Nous nous efforcerons de mettre à votre disposition les moyens matériels et humains dont vous pourrez avoir besoin. Puisque nous sommes réunis – heureusement sains et saufs ! –, je profite de l'occasion pour vous remercier très sincèrement de votre implication qui, vous le constatez, commence à porter ses fruits. J'imagine que les épreuves traversées par chacun de vous ces dernières heures vous ont convaincus de l'urgence d'agir.

Fanny acquiesça, déterminée. Ben ne broncha pas.

— Je vous libère donc, conclut l'homme. Nous avons tous du pain sur la planche.

Les deux universitaires se levèrent et tournèrent les talons.

— Monsieur Horwood, s'il vous plaît. Puis-je vous dire un mot en particulier ?

Ben revint sur ses pas. D'un geste peu protocolaire, l'homme l'invita à se pencher vers lui. Lorsqu'ils furent assez proches, il murmura :

— Si vous m'appelez encore « Mon Petit Poney », ou si vous dégradez à nouveau les murs de l'appartement dont j'ai la gestion, c'est moi qui vous étoufferai personnellement la tête dans un sac.

— Quelle déception. J'avais cru comprendre que vous préfériez injecter des produits chimiques. Je m'en faisais une joie. Confiez-moi donc votre nom et je l'utiliserai. Le problème ne se posera plus.

— Appelez-moi Jack.

— Serions-nous amis ? Il est encore un peu tôt pour se considérer comme tels. Essaieriez-vous de surestimer notre relation ? Certainement une autre spécificité des services de renseignement, mais dans le milieu universitaire, nous sommes plus timides, voire sauvages.

— Foutez-moi le camp, saleté de civil.

36

Fébrile, Fanny enfila des gants de coton et délia le pochon de velours pour en libérer l'antique pyramide. Ben la regardait officier.

— C'est bizarre, lui confia-t-elle, je me fiche éperdument que cet objet puisse valoir un demi-million. Par contre, l'avoir entre les mains me fait de l'effet. C'est une émotion quasi physique. Il m'impressionne. Je n'ai jamais tenu ou même entendu parler d'un artéfact aussi particulier. Je serais bien incapable de savoir dans quelle collection de musée on pourrait le classer. Emblème ? Outil ? Œuvre ? Il échappe à toute catégorie.

Elle le déposa délicatement sur un plateau.

— Il pèse son poids. Belle densité. La précision de la fabrication est époustouflante. Admire la perfection des angles... Il n'y a pas un micron de jeu entre la sphère de cristal et son support. L'ajustement de la géométrie est digne des machines-outils modernes.

Benjamin s'accroupit pour observer l'objet au ras de la table en croisant ses bras sous son menton.

— À quel examen veux-tu le soumettre d'abord ?

— Je pencherais pour l'étude des traces d'oxydation, puis je m'intéresserais à la technique de taille des symboles. Je me demande s'ils ont été coulés dès sa création ou gravés ensuite. Un passage au microscope électronique devrait pouvoir nous révéler d'éventuelles traces d'outils de taille et nous renseigner. Il faut aussi lui faire subir la batterie classique : magnétisme, radioactivité, spectromètre...

Sans toucher la petite pyramide, Ben positionna la pointe de son majeur au-dessus du sommet.

— J'essaierais bien de faire réagir la pierre à des rayonnements lumineux, histoire de voir comment elle interfère. Le cristal n'est pas homogène. Suivant l'angle d'exposition, les résultats doivent changer. Et tu l'as dit toi-même, les minéraux ne sont sans doute pas de la même nature sur les autres exemplaires disparus.

— J'aimerais beaucoup pouvoir étudier les quatre en parallèle.

— Vois déjà ce que tu peux tirer de celui-ci. Je te rappelle que pour l'obtenir, j'ai été obligé de me fourrer la tête dans un sac de croquettes pour chat.

Miss Holt entra dans l'appartement.

— Vous laissez toujours la porte ouverte ?

— J'en ai assez de faire le portier. Qu'elle soit ouverte ou fermée, tout le monde débarque ici. Mon refuge est un vrai hall de gare...

— Fanny, votre escorte est arrivée. Vous êtes impatiemment attendue au laboratoire d'investigation avec l'objet. Enfin un sujet d'expérience digne de leurs ambitions. Ça va les changer.

— Merci, Karen, je file tout de suite.

— Benjamin, dès que nous aurons accompagné Mlle Chevalier, puis-je vous prendre un peu de votre temps ? J'aimerais avoir votre avis sur un point.

Horwood décela une affectation inhabituelle dans sa façon de s'exprimer.

Le trio quitta la pièce. Ben souhaita bon courage à Fanny et suivit Karen vers la cage d'ascenseur.

— Où m'emmenez-vous ?

— Dans une zone de nos services dont vous n'êtes pas supposé connaître l'existence. J'ai besoin de votre regard d'expert. Les choses avancent vite.

Lorsqu'ils furent seuls dans la cabine, Karen expliqua :

— Nous avons du nouveau au sujet des hommes d'Oxford.

— Génial, ça n'a pas traîné !

— Hormis le fait qu'ils soient âgés d'environ vingt-huit ans et de type caucasien, nous avons confirmation que nous ne savons absolument rien d'eux.

— Suis-je supposé accueillir cette absence d'infos comme une bonne nouvelle ? fit Ben, surpris par l'écart entre l'effet d'annonce et son contenu.

— Plus ou moins. Ils ne portent aucun signe distinctif, aucun tatouage, et ni leurs empreintes, ni leur visage, ni même leur ADN n'apparaissent dans des fichiers auxquels nous pouvons avoir accès. De plus, ne les ayant jamais entendus prononcer le moindre mot, nous ignorons même dans quelle langue ils s'expriment.

— Formidable. Moins on en sait, mieux on se porte. Blague à part, le prisonnier finira bien par parler. Vous n'avez qu'à demander à votre Grand Manitou de lui faire une piqûre de sérum de vérité.

— J'ai bien peur que cela ne serve à rien.

— Pourquoi ? Ils sont immunisés ?

— Le pion que nous avions capturé s'est suicidé.

— Pardon ?

— Je n'ai pas voulu vous l'annoncer devant Fanny pour ne pas l'inquiéter.

— Vous avez eu raison, laissons-la se concentrer sur la pyramide au cristal et continuons à ramasser les détritus ensemble dans la rue. Pardonnez ma question, mais ce type n'était-il pas sous la surveillance de vos collègues ?

— Si, et ils ont suivi le manuel à la lettre. Le captif a été placé à l'isolement après avoir été débarrassé de tous ses effets personnels. Il n'avait plus sur lui qu'une tunique en intissé de type hospitalier. À son réveil, son premier geste conscient a été de se supprimer. Il dissimulait une capsule de poison dans sa bouche. Il est mort trop rapidement pour que l'on puisse tenter quoi que ce soit.

— J'aurais juré que plus personne n'utilisait ce genre de méthode...

— Nous le pensions aussi. C'est d'ailleurs pour cela que les procédures ne spécifient plus la vérification de la bouche des prisonniers.

L'ascenseur s'immobilisa et s'ouvrit sur un couloir en béton brut au plafond duquel couraient des tuyaux de toutes sortes.

— J'espère que vous ne m'emmenez pas à la morgue ? Je ne supporte pas la vision des cadavres.

— J'ai pourtant lu dans votre dossier que vous nourrissez une véritable fascination pour les momies.

— Ce n'est pas du tout la même chose.

— Un mort tout sec, c'est toujours un mort.

— Les médecins légistes et les archéologues ne peuvent que désapprouver ce raccourci.

— Je les comprends, mais pour ma part, j'ai déjà assez de boulot avec les vivants.

Karen s'arrêta au seuil d'une porte sans poignée au-dessus de laquelle était encastrée une petite caméra.

— Karen Holt, accompagnée, articula-t-elle en regardant l'objectif.

Un déclic électrique débloqua l'ouverture. Ils pénétrèrent dans une vaste salle plongée dans une semi-obscurité, dans laquelle s'étiraient plusieurs rangées de consoles en enfilade, bardées d'écrans, de signaux et de commandes, devant lesquelles des dizaines d'agents assis pianotaient. Les moniteurs déversaient des flots ininterrompus de données, de paramètres, de chiffres et d'images.

— Bienvenue dans notre PC de surveillance et de communication qui n'existe pas.

— Une vraie salle de lancement de fusées, ou plutôt un sous-marin.

— Le terme de sous-marin est assez approprié, surtout étant donné la profondeur à laquelle nous nous trouvons. Mais je vous préviens, Benjamin : si vous faites seulement mine d'espionner un seul de ces écrans, je serai obligée de vous abattre froidement pour haute trahison.

— Ne vous moquez pas de moi. Au fond là-bas, j'en vois un qui regarde des dessins animés.

— Vous allez donc mourir à cause d'un épisode de *Scooby Doo*, tout ça parce que les agents de permanence ont accès au câble pour se détendre pendant leur pause...

Ils partagèrent un rire qui ne cadrait pas vraiment avec l'austérité studieuse du lieu. L'agent Holt amena l'historien jusqu'à un poste devant lequel opérait un homme étonnamment jeune.

— Je vous présente l'un de nos meilleurs analystes, Tyler. Et voici Benjamin, enquêteur.

Le technicien hocha la tête sans quitter son écran des yeux. Holt demanda :

— Pouvez-vous nous montrer les captations d'Oxford, s'il vous plaît ?

Le jeune homme fit défiler une liste de dossiers et cliqua sur l'un d'eux. Alors que des vues du jardin s'affichaient sous différents angles, Karen expliqua :

— Les abords de la résidence étaient truffés de caméras. Nous ne voulions pas risquer de nous faire surprendre par nos invités. En visionnant les fichiers, un point a immédiatement attiré notre attention, surtout concernant l'individu que vous pouvez suivre sur la droite.

Ben observa les images avec attention. Après lui avoir laissé quelques instants, Karen l'interrogea :

— Qu'en dites-vous ?

— Il court plus vite que moi, ça c'est sûr. Il a l'air de savoir où il va...

— Rien ne vous choque dans son comportement ?

— Si. Il piétine les fleurs sans ménagement, c'est effectivement très choquant, surtout dans une cité aussi respectueuse des traditions qu'Oxford.

Ben plissa les yeux, tentant de se concentrer sans trop savoir sur quoi.

— L'individu semble légèrement plus vif que son acolyte, fit-il au bout de quelques secondes, mais je ne décèle rien d'autre de particulier. Mettez-moi sur la voie.

— Plus vif, c'est le mot. J'imagine que dans le cadre de vos études, vous avez dû visionner de nombreuses images de soldats au combat.

— Plus qu'à mon goût, en effet, mais les circonstances et le type de prises de vues étaient très différents. Difficile de comparer. Désolé, mais je ne vois toujours pas.

— Regardez comme il cavale. Vous allez le voir sauter un muret de plus d'un mètre sans même paraître faire un effort.

— Ne le prenez pas mal, Karen, mais vous courez un peu comme ça...

— Je vous promets qu'il existe quand même une différence entre ce type et moi.

— C'est vrai, il a beaucoup moins de charme que vous.

Le nez dans son clavier, Tyler sourit sans oser vérifier l'effet que produisait la remarque sur l'agent Holt.

De caméra en caméra, Ben suivait la progression des deux hommes dans le jardin. Celui qui semblait le plus rapide s'adossa à la maison sans donner le moindre signe d'essoufflement et fit la courte échelle à l'autre, avant de le rejoindre à l'intérieur d'un seul bond impressionnant.

— Il bouge comme un ninja, commenta Ben.

— C'est lui que nos forces d'élite ont été contraintes d'abattre. Son comportement nous a incités à pratiquer une autopsie et des analyses complémentaires.

— Il était sous l'effet d'une drogue ?

— Il avait pris de la méthédrine. Savez-vous ce que c'est ?

Surpris, Ben marqua un temps avant de répondre :

— Tous ceux qui s'intéressent à la Seconde Guerre mondiale le savent : c'est de la méthamphétamine, une belle saloperie qui élimine la sensation de fatigue. Le sujet est aussi en proie à une confiance en soi irraisonnée et fait preuve d'agressivité. Cette substance fut autrefois massivement produite en Allemagne sous le nom de Pervitin, parce qu'Hitler en gavait ses troupes. Les effets psychiques de ce poison étaient si dévastateurs que plus aucune armée au monde n'en a utilisé depuis.

— Nous en étions convaincus nous aussi, mais il faut croire que quelqu'un est en train de la remettre à la mode.

L'esprit de Ben tournait à toute allure. Il demanda :

— À tout hasard, avez-vous identifié le poison utilisé par le prisonnier pour se suicider ?

— Du cyanure, stocké dans sa dernière molaire.

— Le moyen préféré des nazis.

— Qu'en pensez-vous, monsieur l'historien ?

— Churchill a bien fait de créer votre service.

37

Extrait d'une présentation rédigée par Heinrich Himmler et datée du 17 octobre 1939, alors que déjà à la tête des SS, il vient d'être nommé Commissaire du Reich pour le renforcement de la race allemande : « Le royaume d'Irak englobe aujourd'hui la plus grande partie de l'antique Mésopotamie. C'est dans sa zone la plus fertile, sur les rives de ses deux fleuves, le Tigre et l'Euphrate, que sont nées les premières cités-États, celles-là mêmes où seront définies les saisons, et mis au point l'écriture, l'agriculture organisée, la monarchie, les remparts de fortifications, les premiers systèmes d'échanges commerciaux reposant sur une comptabilité, les laboratoires d'étude des sciences, et beaucoup des principes architecturaux sur lesquels s'épanouiront ensuite la grandeur de l'Égypte et la puissance de la Grèce et de Rome. Cette région est aujourd'hui une priorité stratégique absolue pour plusieurs raisons. (...) C'est dans les mémoires et les vestiges des civilisations sumérienne, assyrienne et babylonienne, qu'il nous faut chercher les clés des révélations disparues. Seule cette compréhension pourra nous donner les moyens de domination absolue face au chaos et à la décadence, position plus élevée encore que celle promise par les futures victoires

de nos glorieuses troupes. J'entends assigner autant d'hommes et de matériel qu'il le faudra à cette mission dont je garantirai moi-même le bon déroulement jusqu'à complète réussite des fouilles et recherches. »
Fin de citation.

Alors que la Seconde Guerre mondiale s'étend, Rachid Ali al-Gillani prend le pouvoir en Irak, décidé à s'affranchir de l'influence britannique et à se rapprocher du Troisième Reich. Lorsque éclate la guerre anglo-irakienne en avril 1941, l'Irak fait appel au soutien des forces de l'Allemagne hitlérienne pour résister à la tentative de reprise en main.

Certains déplacements terrestres allemands de troupes et de matériels ne répondent cependant à aucun objectif militaire stratégique cohérent. Le renforcement des positions ou la préparation de la guerre du Levant ne justifient pas ces affectations, notamment dans la province de Dhi Qar, aux abords de la ville de Nassiriya. C'est en effet dans cette région que se concentrent la plupart des contingents humains et mécaniques, qui, sur la foi des inventaires partiels découverts, font état d'engins d'excavation et semblent plus relever de l'archéologie à grande échelle que du combat.

Incapable de fermer les yeux après avoir lu cette note, Benjamin en fut réduit à fixer le plafond blanc pour ne plus recevoir aucune information susceptible d'ajouter au chaos de ses pensées. Dans son esprit, les pièces du puzzle tournoyaient autour de lui, mues par une tornade. Il éprouvait la même sensation que s'il s'était tenu debout au cœur de l'œil d'un cyclone, cerné par l'infernal tourbillon d'éléments disparates volant en spirale en se télescopant. La Mésopotamie, un savoir alchimique perdu, le Reich d'Hitler, des indices disséminés sur différents continents, à différentes époques, traqués par des gens prêts à tout pour en percer les secrets.

Dans sa violence, la tempête soulevait maintes questions, mais déposait aussi quelques prémices de réponses. Comme s'il distinguait une lueur à travers les flux de l'ouragan, Horwood commençait à y voir plus clair.

Son tri des notes du professeur Wheelan arrivait enfin à son terme. Partout dans la pièce, sur la moquette, le long des murs et jusque sur le bar, s'empilaient des petits tas de feuilles très ordonnés correspondant aux différentes catégories définies par Ben pour les travaux de son illustre aîné : « Faits », « Commentaires subjectifs », « Spéculations », « Recherches connexes », « Hypothèses envisagées et abandonnées », « Énigmes scientifiques », etc.

Après avoir filtré la totalité des coupures, Benjamin n'avait plus peur de rien – sauf d'un courant d'air qui mélangerait à nouveau l'énorme masse de documents.

La table finalement dégagée était désormais réservée aux catégories les plus importantes. Ben s'apprêtait à déposer la feuille évoquant Himmler sur la pile des « Informations pouvant orienter les recherches » lorsqu'il suspendit son geste. En rapprochant cet élément-là de la nature des produits utilisés par les mercenaires d'Oxford pour se doper et se suicider, il ne pouvait s'empêcher de voir un lien. Il se leva soudain, décidé à aller partager l'information avec Karen.

Il n'avait pas l'habitude de s'aventurer hors de son appartement. C'était même la première fois qu'il se lançait seul dans les méandres du bâtiment officiel de l'agence de renseignement.

D'instinct, il emprunta le couloir dans la direction que Karen suivait toujours en sortant de chez lui. Il chercha des plaques indiquant le nom des occupants des bureaux sans en trouver aucune. Lorsque les portes étaient ouvertes, il jetait un œil, espérant découvrir sa partenaire, mais il ne récolta que des regards suspicieux. Il croisa quelques agents. Désemparé, il se résolut à aborder une inconnue.

— Pardonnez-moi, je cherche Karen Holt.

La jeune femme lui sourit poliment.

— Vous êtes nouveau ?

— J'habite au bout du couloir. Je travaille avec elle.

— Vous êtes le remplaçant du vieux monsieur ?

— En quelque sorte.

— Le mieux est de contacter l'agent Holt par téléphone, elle vous dira quoi faire.

— Je n'ai pas son numéro.

— Je vois. Dans ce cas, tout ce que je peux faire, c'est vous conduire à l'accueil de son pôle où ils aviseront.

La jeune femme se mit aussitôt en chemin, présenta son badge à la borne d'une porte et, après avoir fait passer Ben, s'engagea d'un pas énergique dans l'escalier qui montait. Pour détendre l'atmosphère, Ben demanda :

— Vous travaillez aussi avec elle ?

— Ne posez jamais ce genre de question ici.

À l'étage supérieur, ils arrivèrent devant un sas vitré équipé d'un interphone. La jeune femme sonna.

— Un colis pour Karen.

Penaud, tenant sa feuille à la main, Benjamin ressemblait à un gamin attendant à la porte du proviseur.

Lorsque la paroi de verre s'écarta, l'agent de sécurité lui fit signe d'entrer. Sa guide prit aussitôt congé.

— Merci ! lança Benjamin alors qu'elle disparaissait déjà dans la cage d'escalier.

L'universitaire fut piloté jusqu'à un espace de bureau paysager au centre duquel, autour d'une table commune, Karen discutait avec deux autres agents devant un poste de téléphone en mode haut-parleur. L'un de ses adjoints s'adressait à son collègue en ligne :

— Déconnectez immédiatement le disque dur du reste de l'unité. Sinon ils sont capables de l'effacer à distance.

— Compris, répondit une voix masculine. Avez-vous reçu les trois éléments non cryptés ?

— Nous les avons, déclara Karen. Ne traînez pas sur place.

C'est en se redressant qu'elle découvrit Ben.

— Que faites-vous là ? Un problème ? J'espère que vous n'avez pas bu votre shampooing à la pomme...

— J'arrive encore à me contrôler, mais je ne sais pas si je tiendrai longtemps.

— Que me vaut le plaisir de cette visite surprise ?

— Je suis tombé sur une note de Wheelan dont je souhaite vous parler. Je ne me doutais pas qu'il serait si compliqué d'arriver jusqu'à vous. Je tombe peut-être mal ?

— Non, au contraire. Suivez-moi.

Une fois dans son bureau, Karen débarrassa le siège visiteur de la pile de dossiers qui l'encombrait avant d'inviter Ben à s'asseoir. Il en profita pour passer rapidement la pièce en revue, curieux d'en apprendre plus sur celle dont il savait si peu. L'endroit n'était pas grand, et très encombré. Une armoire blindée entrouverte, apparemment remplie de classeurs, sauf en bas où l'on pouvait apercevoir un sac de sport. Au mur s'étalaient des cartes géographiques et des listes de données qu'Horwood n'essaya même pas de déchiffrer pour avoir une chance de rester en vie. Il y avait aussi une cible de tir percée de cinq impacts parfaitement groupés en son centre. Aucun bibelot ni objet personnel, à l'exception de trois clichés dont deux grands : un chien couché dans l'herbe sur un tirage aux couleurs passées, une photo de groupe un jour de mariage devant un de ces hôtels de la campagne anglaise dont les noces à la chaîne constituent la principale activité et, plus petite mais la seule sur le bureau, celle d'un homme, beau gosse, souriant, torse nu, assis sur un cocotier incliné au bord d'une plage paradisiaque, sur fond de ciel d'orage.

— De quoi vouliez-vous me parler ?

— D'une information qui me perturbe, mais qui, étant donné son ancienneté, est sans doute moins urgente que cette histoire de disque dur. Votre surveillance s'emballe, c'est ça ?

— En effet. Je vous passe les détails mais nos agents ont réussi à localiser le mobil-home dans lequel les deux cambrioleurs ont habité pour préparer leur opération. Planqué dans le plafond, ils ont découvert un ordinateur portable.

— Bien joué. Un échec au roi en perspective ?

— Pas certain. La plupart des dossiers sont cryptés. Il semble cependant que nos gaillards travaillaient déjà sur un autre coup. Malheureusement, les seules informations auxquelles nous avons eu accès pour le moment ne sont pas cohérentes.

— De quoi s'agit-il ?

— Principalement d'un plan réalisé à main levée. Des couloirs, des salles, et derrière ce qui pourrait être un mur, un escalier qui conduirait à une pièce.

— Pour préparer un autre vol ?

— Possible, mais cela n'a pas de sens. L'unique indication est manuscrite et mentionne le temple égyptien d'Abou Simbel. Nous avons vérifié, le tracé ne correspond absolument pas à la configuration du lieu.

— Une pièce derrière un mur... Un passage secret ?

— Sauf que rien ne colle avec l'endroit qui se visite.

La tempête se leva de plus belle dans l'esprit de Ben. Karen détecta immédiatement son changement d'attitude.

— Vous en faites une tête...

Il ne répondit pas immédiatement.

— Puis-je voir ce plan ?

38

— Qu'y a-t-il de si urgent, monsieur Horwood ?

Ben n'avait eu que quelques minutes – le temps que le patron de Karen les rejoigne – pour mettre ses idées en ordre. Il entra directement dans le vif du sujet.

— Si mon hypothèse se vérifie, nous avons peut-être une chance de prendre nos adversaires de vitesse sur leur propre terrain.

— À partir d'un plan qui ne correspond à rien ?

— Tout dépend de la façon d'envisager les choses...

— Expliquez-vous.

— Au début des années soixante, l'Égypte s'est lancée dans un plan de développement économique sans précédent. Pour étendre les zones fertiles et produire de l'électricité, le président Gamal Abdel Nasser a décidé de construire un nouveau barrage sur le Nil, le haut barrage d'Assouan, immense, là où le relief le permettait.

— Quel rapport avec notre affaire ?

— J'y viens. Sur les berges du fleuve se dressaient alors de nombreux monuments, dont les inestimables temples d'Abou Simbel, le petit et le grand, creusés à flanc de falaise sur la rive ouest. La construction du barrage et surtout la création du gigantesque lac de retenue d'eau en amont les condamnaient à être engloutis. Alertée, l'Unesco a lancé une opération de sauvetage inédite dans l'histoire du monde. Pour la première fois, la communauté internationale s'est mobilisée afin de préserver les temples et quelques monuments voisins, voués à disparaître sous les flots. Cette opération a été financée par plus de quarante pays. Je ne me souviens pas de tous les détails, mais c'est une légende chez tous les passionnés d'histoire. Il ne s'agissait pas de temples bâtis, mais creusés dans la roche. Il n'était pas question de démonter des pièces assemblées, mais d'arracher ce chef-d'œuvre à sa gangue de pierre. Ce fut le chantier du siècle, un exploit technique et logistique sans précédent. C'est d'ailleurs sur ce projet que l'Unesco a inventé le concept de « patrimoine de l'humanité ». Des dizaines de milliers de tonnes de roches soigneusement découpées, référencées, transportées et réassemblées plus haut, à l'abri du futur lac. C'est ainsi qu'aujourd'hui, les temples sont réinstallés sur le plateau rocheux au pied duquel ils avaient été originellement creusés. D'ailleurs, je ne suis pas certain qu'étant donné les moyens et le temps limités, la totalité du lieu ait été transplantée. Ils ont vraisemblablement été obligés de concentrer leurs efforts sur les pièces essentielles. Quoi qu'il en soit, ce qui se visite de nos jours est une recréation brillamment reconstituée au sein d'une gigantesque structure artificielle de béton et d'acier sous laquelle les salles sauvées ont été réinstallées.

Pour la première fois, Ben vit Karen et son patron stupéfaits.

— Vous voulez dire qu'une partie du temple est restée sur l'ancien site désormais submergé par les eaux du barrage ?

— Tout à fait. Ce serait logique s'il s'agit d'une salle secrète non découverte à l'époque.

— Le plan saisi peut-il correspondre à cette section ?

— Il faut s'en assurer, mais c'est bien possible.

Le chef du service demanda :

— Savez-vous comment vous y prendre pour vérifier ?

— C'est mon métier, c'est ce que je fais pour le British Museum.

— Je croyais que vous étiez spécialisé dans l'histoire des sciences ?

— La méthodologie de recherche est la même, seul le sujet change.

— De combien de temps avez-vous besoin pour trouver la réponse ? intervint Karen.

— Laissez faire les professionnels.

Le patron ne remarqua pas le regard chargé d'amical défi qu'échangèrent Karen et Ben. Il avait désormais d'autres soucis.

— Si votre intuition se confirme, cela signifie que le camp d'en face compte aller récupérer on ne sait quoi dans les restes d'un temple égyptien englouti.

— Ils n'ont pas d'autre choix.

— Il faut que ce qui est enfermé là-dedans vaille vraiment la peine pour tenter une telle expédition.

— Karen l'a déjà dit et elle a raison : nos adversaires ne font rien à moitié.

— Vous réalisez ce qu'implique une opération de ce type ?

— Les bonnes affaires, surtout en archéologie, se dénichent rarement dans la supérette du coin.

— Au lieu de vous foutre de moi, vérifiez immédiatement ce plan. Tant que les autres ignorent que nous avons compris ce qu'ils préparent, nous gardons une longueur d'avance. Ne la gâchons pas.

39

Cet avion-là était bien moins confortable qu'un jet. En comparaison, on pouvait même le qualifier de spartiate – pour autant que ce qualificatif antique puisse s'appliquer à une machine aussi moderne. Beaucoup plus gros, avec des moteurs bruyants et des petits sièges aussi durs qu'étriqués installés en rangs serrés pour dégager le plus d'espace possible pour la soute de fret installée en queue. Pas un seul chocolat, aucun petit sandwich sur les tablettes – pas de tablette non plus d'ailleurs – mais des militaires qui, bien qu'en opération, étaient exceptionnellement habillés en civil pour ne pas attirer l'attention une fois sur site.

Ben n'acceptait pas la situation personnelle dans laquelle il se retrouvait après avoir confirmé la véritable nature du plan. Assis en biais sur un strapontin d'allée, il s'était isolé au fond de la cabine, tournant le dos à ses compagnons de voyage. Il regardait fixement les parachutes alignés sur la paroi arrière. Pour passer le temps, il n'avait rien trouvé de mieux que d'envisager tous les scénarios catastrophes possibles qui pourraient le contraindre à en enfiler un. Il imaginait déjà les gyrophares rouges tournoyant dans le hurlement des sirènes d'alerte, les guerriers ajustant sans panique ces étranges sacs à dos kaki avant de sauter vaillamment par la porte béante pendant que lui se prenait les pieds dans les sangles jusqu'à s'étouffer avec. Une fin pathétique pour un type supposé instruit ayant de surcroît étudié les plus grands trépas de l'histoire. Ben connaissait en effet toutes les façons de mourir, des plus spectaculaires aux plus étranges, avec une préférence pour celle du général John Sedgwick qui, pendant la guerre de Sécession, déclara lors d'un affrontement avec les Confédérés : « À cette distance, ils n'arriveraient même pas à toucher un élépha... », et mourut sans avoir achevé sa phrase, d'une balle reçue dans l'œil gauche. Tant de fins historiques, injustes ou méritées, héroïques ou lâches, publiques ou secrètes, mais aucune n'impliquait l'incapacité d'enfiler un parachute. Quelle importance, après tout ? Même s'il avait réussi à s'équiper, une fois à la porte, Ben n'aurait jamais eu le cran de se jeter dans le vide. Resté seul dans l'avion en perdition, attendant que l'engin s'écrase ou explose dans la plainte déchirante des turbines, il aurait certainement songé à envoyer un dernier texto à la personne qu'il aimait le plus.

Qui donc aurait-il choisi ? Depuis son départ du bureau, sa plante verte devait être crevée et ce stupide chat pisseux ne savait pas lire. Son père était décédé depuis déjà longtemps, et s'il écrivait à sa mère qu'il vivait ses derniers instants, elle lui répondrait sans doute : « D'accord, mais n'oublie pas d'apporter les gâteaux dimanche prochain. » S'il était honnête, son ultime message devrait aller à Fanny. Mais en pareille circonstance, pourrait-il continuer à faire semblant de n'être qu'un bon copain ? Avec tout ce qu'il devait lui avouer, il allait pulvériser le record du SMS le plus long de l'histoire et n'aurait jamais assez de forfait. Et quand bien même, était-ce vraiment un cadeau à lui faire ? Désormais heureuse avec son athlète, sa vie était ailleurs alors que la sienne allait finir dans le bouquet final du premier feu d'artifice jamais tiré vers le bas, avec en prime une boule de feu et un gros crac.

La voix – bien réelle – de Karen le fit sursauter.

— On vous attend à l'avant pour le briefing. Ensuite, si ça vous chante, vous pourrez revenir admirer vos nouveaux amis, ironisa-t-elle en désignant les sacs accrochés.

— Rassurez-moi, on va bien se poser ? On ne va pas être obligés de sauter ?

— Un bel atterrissage en douceur, promis.

— Karen, pourquoi m'infliger ça ?

— Parce que personne ne s'y connaît autant que vous et qu'il faut un spécialiste sur place. Ce sont des experts militaires du M Squadron, Benjamin ; ils maîtrisent les plongées en grande profondeur. Ils vont s'occuper de tout, assurer votre sécurité, mais une fois dans le temple, même si c'est risqué et que cela se passe loin sous l'eau, on aura besoin de vous pour réagir à ce que l'on risque de découvrir.

— Je n'avais pas encore songé à cet aspect. À vrai dire, je n'y pensais même pas. C'est proprement terrifiant. Je crois que je vais vomir.

— Alors pourquoi faisiez-vous une tête pareille ? Que suis-je donc censée vous avoir infligé ?

— La présence d'Alloa West. M'obliger à revoir Fanny ne vous suffisait pas ? Grâce à vous, je me retrouve chaque jour à côtoyer la femme que j'ai le plus aimée, témoin de mon propre échec. Je suis comme un diabétique devant la vitrine d'une confiserie. J'en crève d'envie mais je n'y ai pas droit. Ce n'était pas une torture assez cruelle à vos yeux, il faut en plus que je fasse équipe avec son bonhomme. Et c'est moi le pervers ?

Karen s'efforça de répondre sur un plan strictement professionnel.

— Le seul critère à prendre en compte est sa qualification. Ses états de service sont excellents. West est capable de vous protéger dans ces conditions particulières, c'est même son métier, et c'est le seul point qui nous importe. Sur un plan plus perso, c'est vrai qu'il est beau mec.

Benjamin fut aussi scandalisé que Karen l'espérait.

— Je plaisante, Benjamin. Détendez-vous. Je dis cela uniquement pour vous taquiner, même s'il est vrai qu'il est craquant.

— Vous n'avez donc aucune limite ? Jamais pitié ? Pourquoi n'est-ce pas vous qui m'accompagnez ? On s'entend bien. Si vous acceptez, juré, je vous laisserai me tirer dans les pieds à balles réelles. Ou alors dans les fesses, mais seulement avec du gros sel.

— Sur terre ou dans les airs, je resterais à vos côtés avec plaisir, mais sous l'eau, je n'ai pas la formation requise.

— « Je n'ai pas la formation requise... » Parce que je l'ai, moi, la formation requise ? Ça doit faire au moins dix ans que je ne suis pas allé à la piscine. Je n'ai même pas de maillot ! Cela dit, ce n'est pas complètement vrai parce que voilà environ trois ans, lors d'un cocktail prétentieux sur un bateau tape-à-l'œil, j'ai basculé par-dessus bord avec un plateau de petits fours. Ne cherchez pas à savoir comment j'en suis arrivé là, c'est confidentiel et si vous veniez à l'apprendre, je serais obligé de vous demander de vous tuer vous-même. C'est la dernière fois que j'ai pu vérifier si je savais encore nager. Pensez-vous que c'est une formation suffisante face à ce qui m'attend ?

— Benjamin, on se pose bientôt. Ils vous attendent.

Assis autour d'une table pliante fixée à la carlingue, Alloa West et deux gradés du Special Boat Service, l'unité des forces spéciales de la Royal Navy, attendaient que Karen et Ben les rejoignent. Étalés sur la table, des relevés topographiques, des photos aériennes des rives du lac Nasser, ainsi qu'un plan de l'intérieur du temple.

— Prêt pour l'aventure, monsieur Horwood ? demanda le commandant du M Squadron.

— C'est une première pour moi.

— Ne vous inquiétez pas. Nous allons procéder en deux temps. D'abord, une première expédition pour repérer le fond du lac, sécuriser la descente et installer les équipements. Sur site, les hommes vérifieront les accès et dégageront éventuellement les limons qui pourraient les obstruer. Quand nous aurons rendu l'environnement praticable, nous passerons à la phase deux et vous plongerez à votre tour. Vous êtes gâté : nous vous avons dégoté une petite merveille pour vous épargner les paliers et les mélanges gazeux qui rendent fou. Pour vous, ce sera une vraie balade.

— Cela semble si simple présenté ainsi...

— Pouvez-vous nous expliquer à quoi nous devons nous attendre ? demanda l'un des gradés à Ben.

— J'ai réuni quelques documents qui devraient vous éclairer. Ils datent de la fin des travaux de démantèlement. Nous devrons pénétrer dans ce qui reste du site originel du grand temple d'Abou Simbel. Techniquement, nous parlons d'un spéos, un monument creusé dans la roche, en l'occurrence une falaise de grès. Le lieu fut aménagé sur ordre de Ramsès II, douze siècles avant notre ère. Je me doute que cela ne va pas constituer une bonne nouvelle, mais la partie du plan qui nous intéresse raccorde avec les salles situées le plus au fond – les moins accessibles donc. L'extraction a significativement modifié la topographie des lieux. Pour que vous puissiez vous faire une idée du décor tel qu'il se présente probablement aujourd'hui, je dois vous expliquer comment se sont déroulés les travaux.

Ben pointa de l'index le plan du temple.

— Les salles les plus reculées étaient creusées à environ soixante mètres de l'entrée. Pour déplacer le temple, ses parois sculptées ou peintes ont été découpées en énormes blocs de vingt tonnes pour l'intérieur et de trente tonnes pour la façade. Chacune de ces pièces géantes a été sciée à la main sur sa face visible et tronçonnée mécaniquement sur sa partie arrière. Lorsque ces morceaux ont été retirés, il n'est plus resté derrière que la paroi brute dont ils ont été séparés. Étant donné la nature de la roche, il y a de bonnes chances pour que ces structures aient bien résisté à l'immersion. Autre bonne nouvelle : pour récupérer les plafonds des premières salles, les ingénieurs de l'époque ont éventré la montagne, ce qui ouvre des enclaves d'autant plus larges. Compte tenu du retrait de la façade et des excavations réalisées pour accéder aux plafonds, nous n'aurons donc qu'une vingtaine de mètres à parcourir en souterrain avant d'arriver au point qui nous intéresse. Vous devriez vous trouver directement face au resserrement qui marque l'entrée du dernier espace avant le sanctuaire.

Ben tapota l'endroit précis sur le schéma.

— C'est là, sur la droite de l'ancien emplacement de l'antichambre, à travers ce qui reste d'épaisseur de mur, qu'il faudra effectuer vos sondages. Si le plan dit vrai, derrière, vous devriez trouver un escalier conduisant à une pièce secrète. Êtes-vous équipés pour percer la pierre à cette profondeur ?

— Ne vous tracassez pas pour cela.

— Prenez garde de ne pas abîmer ce qui se cache derrière.

— Nous ne sommes pas là pour détruire.

Karen intervint :

— Sous couvert de vérifications géologiques, nous avons obtenu l'autorisation de plonger sur l'ancien site. Nous sommes officiellement mandatés par l'Unesco. Le véritable enjeu de notre visite ne devra jamais être découvert. Cela poserait de graves problèmes diplomatiques, l'Égypte étant légitimement très sensible au sujet de son patrimoine.

Karen fit un dernier tour de table.

— L'un d'entre vous a-t-il encore des questions ?

Le second gradé s'adressa à Ben :

— Avez-vous une idée, même approximative, de ce que nous cherchons et que nous aurons à remonter ?

— Pas la moindre.

— Vous n'allez pas nous dénicher un bloc de vingt tonnes ?

— J'espère que non. Tout ce que je peux vous dire c'est que souvent, en archéologie, plus c'est précieux, plus c'est petit.

— Prions pour ce soit très précieux !

Ben sourit aux militaires et demanda :

— Dites-moi, commandant, l'eau va-t-elle être froide ?

— À environ soixante mètres de profondeur, forcément. Mais avec votre équipement, cela ne vous gênera pas et de toute façon, la température ne sera pas notre principal problème.

— Heureux de l'apprendre. Et quel sera donc notre principal problème ?

— La visibilité. On ne va rien voir au fond. Ce sera de la purée. Vous n'êtes pas claustrophobe, au moins ?

40

Alors que les premiers rayons du soleil embrasaient la ligne d'horizon, le convoi composé d'un 4×4 de l'Unesco suivi de deux camions tout-terrain se présenta à la barrière de l'accès technique du site d'Abou Simbel. Malgré l'heure très matinale, non loin de là, les cars de touristes commençaient déjà à envahir l'immense parking public, déversant leur armada de curieux.

Un premier garde sortit du poste de sécurité. Il s'approcha du véhicule de tête dans lequel Karen, seule femme de l'expédition, était au volant avec à ses côtés l'historien du British Museum venu officiellement superviser l'opération. L'homme vérifia avec attention la liasse de documents d'accréditation, pendant que ses collègues inspectaient le chargement des camions et l'identité des « techniciens ». Après avoir échangé avec les autres agents de sécurité dans sa langue, il indiqua le chemin avec un fort accent :

— Suivez cette piste. Elle vous conduira sur les rives du lac. Ne vous écartez pas du tracé. On viendra vous voir plus tard.

— Pas de problème, merci.

La petite colonne se remit en mouvement, quittant l'allée bitumée en soulevant un nuage de poussière dans son sillage. Au premier croisement, l'agent Holt bifurqua sur la droite, laissant comme prévu l'équipe continuer seule. Profitant des quelques heures nécessaires à la première plongée, Karen et Ben s'étaient inscrits pour une visite du grand temple.

En descendant du véhicule, Ben plissa les yeux. Le soleil montait rapidement et il avait oublié ses lunettes noires. Regardant autour de lui, il éprouva une sensation grisante d'immensité. Les reliefs de roche et de sable s'étendaient à perte de vue sous un ciel gigantesque qui virait peu à peu au bleu. Il respira à pleins poumons. Dans quelques heures, l'air encore frais de la nuit serait devenu brûlant sous les rayons ardents. Sur ses joues, Ben sentit ce léger vent qui picote, charriant d'infimes poussières minérales capables de vous envahir jusque dans vos vêtements s'ils ne sont pas adaptés au climat. Il retrouva aussi la détestable invasion de ces minuscules grains qui vous assèchent la bouche et font grincer les dents. D'un geste adroit, Karen attacha ses cheveux, ce qui n'empêcha pas le vent de jouer avec sa mèche restée libre. Ben remarqua que cette coiffure-là révélait sa nuque. La jeune femme, plus prévoyante que lui, enfila les lunettes solaires qu'elle avait pris soin d'emporter.

— Hier soir à Londres, ce matin en Égypte, commenta Ben. Ça ne vous fait pas drôle ? J'ai davantage voyagé en trois semaines avec vous que pendant les dix dernières années.

— Le tout sans même avoir besoin de sauter en parachute...

Horwood était tenté de lui confier qu'ici, seul avec elle, il avait presque l'impression d'être en vacances. Mais, redoutant une de ces reparties dont il se méfiait, il s'abstint. Karen prit le chemin des monuments.

Le grand et le petit temple, bâtis côte à côte, se distinguaient très nettement, au point que l'on aurait pu les croire à une distance raisonnable. Cependant, au fur et à mesure que les deux visiteurs s'en approchaient, ils mesuraient réellement ce qu'il en était : ce n'était pas parce qu'ils étaient proches qu'on les voyait si clairement, mais parce qu'ils étaient immenses. Plus Karen et Ben progressaient dans leur direction, plus les édifices prenaient leur dimension, si colossaux qu'ils en étaient fascinants.

Pour faire face au flot de touristes venus du monde entier, les visites étaient très encadrées et minutées. Karen ne mit pas longtemps à trouver le guide auprès duquel elle les avait inscrits. L'homme à la peau mate était mince et sec, d'un âge difficile à déterminer et plutôt petit, mais il faisait preuve d'une énergie communicative. Ben se demanda s'il était toujours aussi en forme après sa journée à promener des centaines de badauds. Le guide conduisit son groupe face au monument et débuta sans tarder :

— Bienvenue au grand temple d'Abou Simbel, joyau de la vallée de Nubie, créé par le pharaon Ramsès II voilà plus de 3 000 ans. Avec cette réalisation monumentale, Ramsès le Grand affirme sa puissance jusqu'aux limites de ses terres, puisque nous nous situons à l'extrême sud de ce qui constituait son empire. Lorsqu'il ordonne la construction de ce temple, les pyramides de Gizeh dominent déjà le monde antique depuis plus de mille ans. Ce seul chiffre donne toute la mesure de la grandeur et de l'éternité de la civilisation égyptienne. Aucune autre culture, pas même la Grèce et Rome, ne parviendra à l'égaler.

Sans s'être concertés, Karen et Ben se retrouvèrent en queue de peloton. Horwood s'approcha de sa complice.

— Déjà, petit, je restais derrière pendant les visites, lui glissa-t-il. Je préférais traîner et regarder à mon rythme plutôt que de coller au troupeau.

— Vous ne vous intéressiez pas aux commentaires ? Voilà qui est surprenant de la part d'un futur historien. Je faisais comme vous, mais dans mon cas c'était plus logique...

Pour donner encore plus de théâtralité à son discours bien rodé, le guide multipliait les grands gestes.

— Découvert en 1817, sous des tonnes de remblai dont seule une tête géante émergeait, ce temple est dédié au grand dieu d'Empire Amon-Rê, au dieu-soleil Rê-Horakhty ainsi qu'à Ptah et au pharaon lui-même. La façade, orientée à l'est, culmine à trente-quatre mètres de haut, dominée par une frise de vingt-deux babouins. Les quatre statues monumentales que vous pouvez admirer représentent toutes Ramsès II et mesurent chacune vingt mètres de haut.

Le spectacle était effectivement grandiose. Le lieu imposait une force et une noblesse intactes malgré les millénaires. Dans ce contexte, la rumeur des différents groupes de visiteurs parlant chacun dans leur langue paraissait incongrue, presque vulgaire.

— Imaginez l'émotion de ceux qui ont découvert ces monuments..., murmura Ben. Voir ces merveilles surgir des sables. Être le premier à y pénétrer depuis des siècles, dans un silence sépulcral, rempli d'admiration et de crainte devant ces signes alors indéchiffrables...

Le guide poursuivait :

— Grâce à ces colosses de grès, Ramsès II innove en décorant pour la première fois l'entrée d'un spéos. Ces gigantesques représentations du souverain avaient aussi pour fonction d'intimider d'éventuels envahisseurs venus du sud. Vous pouvez constater que le buste de la seconde statue à gauche s'est effondré, peut-être suite à un séisme survenu du vivant même de son bâtisseur. Nous allons maintenant nous avancer vers l'intérieur, si vous le voulez bien.

L'effet produit par la façade augmentait à mesure que les visiteurs s'en approchaient. Elle provoquait une sensation de vertige unique. Chacun était obligé de se tordre le cou pour apercevoir la frise du sommet désormais éclairée par le soleil. L'homme à la peau mate expliqua :

— Le temple fut creusé dans la falaise sur près de soixante mètres de profondeur. Il comporte deux grandes salles en enfilade qui conduisent au sanctuaire. On trouve également des salles latérales, aussi appelées salles du Trésor.

Avant de franchir le seuil majestueux, Karen déclara en aparté :

— On a du mal à se dire que tout cela n'est qu'un décor reconstitué.

Ben désigna la vue vers le lac Nasser.

— Le site d'origine est là-bas, cent soixante-dix-huit mètres plus loin et soixante-deux mètres plus profond, englouti. En observant les parois réédifiées ici, amusez-vous à déceler les traces de coupe. Pensez aux trois mille pauvres bougres qui ont scié tout ça à la force des bras.

En pénétrant dans le temple, Karen fut saisie par la beauté et la richesse du lieu.

— C'est vraiment très impressionnant.

Ils évoluaient au milieu d'une foule, mais elle parlait à Ben aussi naturellement que s'ils étaient seuls.

— Tout à fait entre nous, que croyez-vous que nous allons trouver au fond ?

— Au fond de ce temple-là, rien, à part un dôme en béton. Et au fond de l'eau, pas la moindre idée. Je suis d'autant plus curieux que les indices déjà recueillis nous renvoient à une période bien plus ancienne que la construction de ce temple et que la plupart des artéfacts semblent plutôt rattachés aux Sumériens qu'aux Égyptiens.

— J'ai quand même relevé que le pharaon a dédié ce temple à deux divinités liées au soleil.

— Trois, en fait. Je vous expliquerai cela une fois dans le sanctuaire...

Pour obliger son groupe à se tenir près de lui, le guide parlait sans forcer la voix.

— La première salle, aussi appelée pronaos, est soutenue par huit piliers de dix mètres dits « osiriaques » parce qu'ils ont la forme du dieu Osiris, même si en l'occurrence, ils ont le visage du grand Ramsès. Sur les murs, vous pourrez découvrir différents exploits militaires, avec notamment la soumission d'un chef libyen, la prise d'une citadelle et au nord, la représentation de la bataille victorieuse menée à Qadesh contre les Hittites, dans l'actuelle Syrie.

Ben remarqua soudain un homme qui semblait l'observer à la dérobée. Chaque fois qu'il en avait l'occasion, l'individu ne le quittait pas des yeux. Il n'appartenait pas à leur groupe, mais le suivait manifestement. Ben chercha le moyen d'alerter discrètement Karen. Il s'approcha d'elle et, comme s'ils avaient été un banal couple de touristes, lui prit délicatement la main.

— Qu'est-ce qui vous prend ?

— Je crois qu'on nous file.

— Ne désignez personne, ne montrez pas. Décrivez et indiquez-moi la direction.

Malgré cette tirade peu romantique, elle ne dégagea pas sa main. Bien au contraire, elle joua le jeu en posant sa tête sur son épaule, ce qui ne manqua pas de troubler Ben.

— Un homme de ma taille, vêtu d'une chemise bleu clair, à cinq heures. Sur le coup, j'ai cru que c'était Nicholas Dreyer...

Feignant d'admirer les bas-reliefs, Karen pivota pour balayer l'angle indiqué. Mais dans la foule perpétuellement en mouvement, elle n'identifia personne.

— Restez près de moi, soyez vigilant, mais ne laissez paraître aucun signe d'inquiétude.

— Vous croyez que les autres peuvent être ici ?

— Je vous rappelle que nous y sommes parce que nous avons saisi un de leurs plans.

— Vous n'êtes même pas armée.

— Ne vous en faites pas, même nue, je suis dangereuse...

Main dans la main, ils suivirent leur groupe. Ben avait du mal à se concentrer sur autre chose que la dernière remarque de l'agent Holt.

Le guide s'enfonça plus avant dans le temple, emprunta un passage étroit à la sortie duquel il embrassa l'espace d'un ample mouvement du bras.

— Cette seconde salle, dénommée naos, présente le cheminement du pharaon jusqu'à son accession parmi les dieux. Sa famille ainsi que des scènes traditionnelles évoquant la vie de l'époque sont également figurées. Ramsès II passe ainsi de l'état de descendant divin à celui de dieu lui-même, et cela de son vivant.

Louvoyant entre les piliers, Karen multipliait les occasions de se retourner pour couvrir toutes les directions, mais cette salle plus exiguë et la densité des visiteurs qui en résultait compliquaient sa surveillance.

Le groupe avança encore pour gagner l'anti-chambre du sanctuaire. Ben et Karen ne s'étaient pas lâché la main. Cette fois, ce fut Ben qui emmena Karen.

— Permettez-moi de vous servir de guide.

Il l'entraîna sur la droite et glissa :

— Si nous étions sur le site d'origine, c'est derrière ce mur qu'il faudrait percer en espérant trouver un accès.

Puis il contourna un groupe de Japonais pour se présenter à l'entrée du sanctuaire, la toute dernière salle du temple. Sur le mur du fond s'alignaient quatre statues.

— En partant de la droite, annonça Ben, je vous présente Rê-Horakhty avec sa tête de faucon surmontée du disque solaire, Ramsès II lui-même, puis Amon-Rê, à la coiffe ornée de deux plumes. Sur la gauche, voici Ptah, dont la tête manque. J'ai une histoire intéressante à vous raconter sur lui. Vous verrez qu'elle n'est pas sans lien avec notre sujet...

Karen était suspendue à ses lèvres.

— En se basant sur la partie encore visible de la statue, les égyptologues estiment qu'il était présenté ici sous sa forme couronnée d'un disque solaire, incarnant alors le feu souterrain capable de semer le chaos sur la terre. Sous cette apparence, il ne doit jamais être exposé à la lumière. Il peut parfois prendre l'apparence d'un babouin, comme ceux qui ornent la frise de la façade du temple.

Il invita la jeune femme à se retourner et lui désigna l'entrée du temple à l'autre extrémité des deux salles, aveuglante depuis leur pénombre.

— Deux fois par an, le 23 février et le 23 octobre, les rayons du soleil pénètrent jusqu'ici, illuminant trois statues pour les régénérer, mais Ptah, lui, reste éternellement dans l'ombre comme le veut la tradition.

— À quoi correspondent ces dates ?

— Elles ne correspondent plus à celles fixées à l'origine car les différents calendriers adoptés depuis et le déplacement du temple les ont légèrement décalées. Plusieurs hypothèses ont été évoquées, mais je commence à en envisager moi-même une autre, très personnelle. Il semble acquis qu'à travers ce temple, Ramsès II a voulu servir les dieux et sa gloire aux limites de ses terres. Tout le monde considère que son ambition et sa dévotion ont été ses moteurs. Mais le choix des dieux à qui il consacre ce monument et la place qu'il s'y donne lui-même posent plusieurs questions. Ce monument ne peut pas uniquement s'expliquer par la recherche de grandeur dans la pratique d'un culte. Son emplacement, sa nature, le fait qu'il soit enfoui dans la roche... Plus important encore, il n'était pas d'usage de mélanger dieux de la lumière et dieux de l'ombre. Pourquoi le souverain a-t-il choisi cette étrange association ? Pourquoi les prier ensemble ? Pour quelle protection avait-il besoin des deux ?

— Parce qu'un seul n'aurait pas suffi, réfléchit Karen. Il fallait la complémentarité de leurs pouvoirs pour exaucer sa demande.

— J'en suis arrivé à cette même conclusion. Je me demande si le pharaon a voulu les honorer ou leur confier quelque chose. Étant donné la nature des divinités, cela aurait forcément un rapport avec la lumière, dans ce qu'elle a de positif ou de négatif.

— Nous nous trouverions donc dans un écrin plus que dans un lieu de culte ?

— Creusé comme un abri au cœur d'une montagne.

— Pour y entreposer un trésor ?

— Peut-être un pouvoir. Quoi qu'il en soit, quelque chose qui mérite que, loin de tout, l'homme le plus puissant de son temps ait transformé une montagne en palais.

41

Le lac Nasser scintillait d'une nuée de reflets aveuglants, semblables à des papillons d'or incandescents battant des ailes avant de prendre leur envol.

Perché sur le toit du camion logistique, un homme équipé de jumelles surveillait les environs. Chacun de ses collègues passant à proximité y allait de sa petite vanne pour évoquer son futur bronzage et lui rappeler qu'il avait la meilleure place de la troupe, tant que les abords restaient paisibles et qu'aucun sniper ne le prenait pour cible.

Sur la berge, trois groupes électrogènes ronflaient, alimentant les pompes de désensablement et l'éclairage du chantier sous-marin. Assisté par deux militaires, Benjamin tentait d'entrer, non sans difficulté, dans un scaphandre rigide pour grandes profondeurs digne d'un film de science-fiction – un costume en inox, titane, téflon et kevlar.

Alloa, T-shirt et barbe de deux jours, dévala le talus en quelques enjambées.

— Je viens d'avoir Fanny. Elle vous embrasse.

— Bien aimable. Comment va son épaule ?

— Tant qu'elle ne remue pas son bras, c'est supportable. Elle m'a demandé de vous prévenir que l'étude de la pyramide au cristal prend bonne tournure et qu'elle a déjà du neuf pour votre enquête.

— Fabuleux.

— Elle vous souhaite aussi bonne pêche.

Alors qu'on lui enfilait la partie haute de son costume technique, Benjamin se cogna durement.

— Laissez-moi vous aider, proposa Alloa. C'est du super matos, mais sa mise en œuvre n'est pas évidente.

Lorsqu'il s'avança pour lui prêter main-forte, Ben se détourna, manifestant ostensiblement sa volonté de maintenir une distance. Surpris, West le considéra un instant.

— Écoutez, Benjamin, je crois que nous sommes partis d'un mauvais pied. La situation n'est simple pour aucun de nous deux.

— Vraiment ?

— Hier soir, lorsque votre patron a envisagé de m'associer à cette opération, franchement, j'ai hésité. J'ai du travail ailleurs, je ne sais même pas sur quoi vous bossez.

— Alors que faites-vous ici ? répliqua Ben en glissant ses mains dans les tubes articulés des bras.

— Je suis venu à cause de Fanny. Elle m'a dit : « Benji compte beaucoup pour moi. Je te demande de l'accompagner et de veiller sur lui. Je te le confie. » Voilà pourquoi je suis là.

Benjamin releva la tête sans même se soucier du coup qu'il se flanqua au passage.

— Elle a vraiment dit ça ?

West confirma d'un hochement de tête et ajouta :

— Elle parle très souvent de vous. Benji par-ci, Benji par-là. Même pendant le peu de vacances que l'on arrive à prendre tous les deux, il lui arrive de me raconter ce que vous avez fait ensemble. Chaque fois que l'on visite un monument ou un musée, elle ne parle que de ce qu'il faudrait vous montrer.

— Désolé.

— Au début, j'admets que ça m'énervait pas mal. Je n'étais pas habitué à ce que mes copines me parlent d'un autre mec quand elles étaient avec moi – si vous voyez ce que je veux dire. Mais avec elle, c'est du sérieux. Fanny n'est pas une fille de plus. J'ai donc appris à m'y faire. Vous êtes important pour elle. Je l'accepte. J'en plaisante même parfois en me disant qu'elle a deux hommes dans sa vie. Alors je préférerais que l'on s'entende. Disons que je vous vois un peu comme mon beau-frère.

Non seulement Apollon lui avait ravi sa belle, mais il venait en prime de le traiter de « beauf ». Même si intérieurement, Ben appréciait la franchise du propos et l'élan de bonne volonté, il allait lui falloir un peu de temps pour se sentir à l'aise avec le demi-dieu.

Un des militaires solidarisa la partie haute à la partie basse de la combinaison à grand renfort de verrous vissés.

— J'ai l'impression d'être dans une armure, grogna Ben.

West plaisanta :

— Les types en armure se noyaient quand ils tombaient dans la flotte alors qu'avec ça, vous allez survivre.

En toquant sur la structure, un des militaires ajouta :

— C'est un petit bijou, on ne le sort pas souvent. Conçu par la NASA. Avec ça, pas de palier, vous respirez comme à l'air libre, en pressurisé. Même si on vous tire dessus, vous vous en sortez.

— Espérons que je n'aurai pas à le vérifier...

— Je vais enfiler le mien, annonça Alloa.

La portière du camion logistique s'ouvrit et Karen sauta de la cabine. Elle connaissait assez Ben pour savoir qu'étant donné son état de stress, elle ne devait en aucun cas lui demander comment il allait.

— Comment se déroulent les préparatifs ?

— Regardez-moi, je deviens une boîte de conserve. Quand je plie les bras ou les genoux, ça couine.

Il fit une démonstration et ajouta en désignant West qui s'équipait plus haut.

— Vous l'avez vu ?

— Plutôt bien, oui.

— À côté de lui, je ressemble à un enfant chétif qui va à son premier cours de natation avec son père.

Karen éclata de rire.

— Si vous êtes gentil avec papa, maman vous achètera une bouée en forme de canard.

Le commandant du M Squadron débarqua à son tour d'un véhicule et lança :

— Ils ont percé le mur. La communication n'est pas idéale mais ils viennent de me prévenir qu'il y a bien un espace vide derrière la paroi. Vous allez pouvoir descendre.

Ben et Karen se regardèrent. L'historien demanda :

— Vos hommes ont-ils trouvé un escalier ?

— Ils n'ont fait qu'un premier trou. Ils sont maintenant en train d'aménager une ouverture pour que vous puissiez passer. Le temps de les rejoindre, vous découvrirez vous-même la réponse.

Un des militaires déclara :

— Monsieur Horwood, tenez-vous bien droit. On va vous raccorder votre module respiratoire sur le dos. C'est un peu lourd sur terre mais dans l'eau, ça ne pèse rien.

En recevant la charge, Ben émit un grognement de bête blessée et faillit basculer en arrière.

— Un peu lourd, en effet.

Les hommes lui fixèrent ensuite une ceinture plombée autour de la taille.

— Ça vous aidera à descendre.

— Je vais couler comme une pierre.

— On vous la retirera pour remonter.

Le commandant vérifia lui-même les équipements annexes.

— À votre main droite, vous avez le déclenchement de la caméra ventrale grand angle. Vous le sentez ?

Ben chercha du bout des doigts et acquiesça.

— À gauche, vous commandez vos projecteurs d'épaule. Allumez-les le plus tard possible pour économiser les batteries.

Alloa revint. Même avec son armure, il arrivait à se déplacer dignement. Il lui avait fallu moins de temps pour s'équiper qu'à Ben pour régler son micro. L'historien s'efforça de faire bonne figure devant Karen.

— Voici venu le moment fatidique.

Elle l'aida à enfiler son casque et lui souffla :

— Tout ira bien.

Ben se retrouva enfermé dans son scaphandre. La voix de Karen lui parvenait étouffée à travers le hublot. Pendant que les hommes s'affairaient à tout bloquer, il essayait de lire sur ses lèvres pour ne pas perdre un mot.

— Concentrez-vous sur ce que vous descendez chercher. Ne songez qu'à cela.

Elle lui souhaita bonne chance puis le prit dans ses bras. Avec sa grosse carapace, Benjamin ne sentit rien de son étreinte et ne parvint pas à définir s'il s'agissait d'une accolade entre collègues ou d'un geste plus personnel. Craignant de l'écraser, il resta les bras bien écartés, comme un pingouin.

La voix d'Alloa résonna soudain dans son oreille.

— Tout est OK, Benjamin ? Vous m'entendez ?

— Fort et clair. C'est bien comme ça qu'on dit ?

— Essayez de bouger.

Il s'exécuta, avec la grâce d'une mascotte de foot américain.

— Parfait, vous êtes mûr pour aller danser en boîte.

— Dans ce truc, je suis déjà en boîte.

— N'oubliez pas : respirez normalement. Parlez normalement. On a largement assez d'air pour tenir.

Karen accompagna Ben pas à pas jusqu'au bord de l'eau. Il se sentait comme un astronaute sur Mars, surtout dans ce paysage désolé et rocailleux.

Le commandant lui montra un câble qu'il enfila dans un anneau de flanc.

— On appelle cela une ligne de vie. Elle relie le camion au site sous-marin sans interruption. C'est elle qui va vous guider pour descendre et remonter parce qu'avec votre blindage, pas question de nager. Cette ligne est votre assurance. Ne vous en détachez sous aucun prétexte, sauf une fois en bas. Rappelez-vous : au fond, vous ne verrez rien. C'est de la soupe. Pour ma part, je suis en liaison avec vous et M. West.

Ben voulut hocher la tête, mais il ne fit que se cogner dans son casque.

— J'ai oublié de passer aux toilettes.

Il crut devenir sourd en entendant le commandant et West éclater de rire simultanément.

— Bienvenue dans les forces spéciales, monsieur Horwood.

42

Le défilement du câble dans l'anneau de guidage engendrait un bruit aigu et continu qui résonnait à l'intérieur du scaphandre. Benjamin était inexorablement entraîné vers le fond, derrière West qui ouvrait la voie en parlant pour le rassurer.

— Votre rythme de respiration est excellent, maintenez-le.

À mesure qu'il s'enfonçait, Ben sentait son esprit s'emballer. Il était en train de réaliser que seul, il n'avait aucun moyen de s'extraire de sa carapace. Si quoi que ce soit d'anormal se produisait, il était condamné à rester prisonnier de son enveloppe blindée. Par les vitres de son casque, il n'apercevait aucun poisson et quasiment aucune végétation. Il s'enfonçait vers un néant nébuleux sans limite. Espérant se rassurer en apercevant la lumière du jour, il tenta de regarder vers le haut de son hublot, mais la surface du lac n'était déjà plus qu'un lointain plafond inaccessible.

— Vous êtes le deuxième que j'accompagne avec ce genre de matériel, révéla West.

— On peut donc s'en sortir vivant…

— Évitez les idées noires, Benjamin.

— Vous avez raison, gardons-les pour plus tard. Qui était votre premier client ?

— Un milliardaire italien qui souhaitait plonger sur l'épave d'un bateau ayant appartenu à ses ancêtres, en Méditerranée. C'était magique.

— Il a dû pleurer d'émotion dans son scaphandre. C'est un coup à se noyer.

Alloa ne releva pas l'ironie et continua :

— On a réussi à faire une photo de lui debout sur le pont. Grandiose.

Benjamin songea que bien que descendant vers un temple égyptien mondialement réputé dont il risquait de découvrir une partie secrète, il n'éprouvait rien d'autre que l'appréhension du moment présent. Tous ses sens étaient en alerte et l'empêchaient de se projeter vers son futur, même proche.

Il s'aperçut qu'une seconde ligne de vie descendait en parallèle et que régulièrement, deux ou trois plongeurs y étaient accrochés avec des grappes de bouteilles.

— Que font-ils ?

— Paliers de décompression. Qu'ils montent ou descendent, ils doivent attendre pour stabiliser les échanges gazeux de leur organisme. Les bouteilles respiratoires sont aussi changées pour adapter les compositions des gaz à respirer en fonction de la profondeur. Eux ne sont pas pressurisés. Nous sommes des petits privilégiés.

Ben avait l'impression d'être dans un ascenseur, mais la descente s'effectuait sans repère dans un univers toujours plus sombre et de plus en plus oppressant. Il tenta de plaisanter.

— Vous ne trouvez pas contradictoire d'être sous des millions de litres d'eau et de ne pas être mouillé ?

— J'espère que le paradoxe va durer.

L'obscurité grandissante rendait l'environnement plus inquiétant de seconde en seconde. Ben réagissait à chaque bruit, ses yeux traquaient la moindre forme. Il distingua soudain une masse qui s'approchait rapidement. Il faillit pousser un cri quand d'étranges tentacules se tendirent vers lui. Heureusement, il reconnut la forme d'un plongeur avant de se trahir. L'homme nageait vers la surface avec aisance et lui fit un signe technique auquel Ben répondit par un coucou d'enfant.

Le câble bifurqua légèrement et, comme sur un rail de fête foraine plongeant dans un train fantôme, West et Benjamin le suivirent.

— Nous avons parcouru le tiers du chemin, indiqua West. Essayez de ralentir votre rythme respiratoire. Vos oreilles ne vous font pas mal ?

— Je les sens mais c'est acceptable.

— Parfait.

Ils croisèrent d'autres hommes à différents paliers. Autour de lui, Benjamin ne distinguait désormais plus rien. Des minuscules résidus de sédiments et d'algues glissaient sur les vitres de son casque. Sans ces particules, il aurait pu croire qu'il était devenu aveugle. Le commandant n'avait pas menti en parlant de soupe.

Le câble changea à nouveau de direction suivant une ample courbe. Ben frôla une arête rocheuse dont l'extrémité se perdait dans l'abîme.

La voix du commandant s'éleva dans le casque :

— Vous entrez à présent dans la partie éventrée de la montagne. Le site n'est plus loin.

— Faites-moi penser à passer à la boutique souvenirs.

— On va y aller, répliqua West, et je pense que vous êtes pressé de découvrir ce que vous allez pouvoir en rapporter.

Plus bas vers le fond, l'universitaire distingua des lueurs. Dans la clarté toute relative, il s'aperçut du coup qu'il longeait la falaise immergée.

— Treize mètres avant le plateau, annonça le commandant. West, commencez à décélérer.

Le sol apparut tout à coup, comme émergeant d'un brouillard surnaturel, nimbé de la lumière laiteuse des projecteurs. Des hommes s'y déplaçaient lentement, sans bruit, laissant échapper des colonnes de bulles qui fuyaient vers la lointaine surface. Certains étaient équipés d'outils, d'autres s'affairaient autour de gros containers. Leurs gestes étaient ralentis à l'extrême. Cette vision réveilla chez Ben un souvenir d'enfance qu'il avait cru oublié, lorsque chez son grand-père, durant les longs dimanches en famille, il passait des heures à s'user les yeux sur les illustrations du roman de Jules Verne, *Vingt mille lieues sous les mers*.

West freina et agrippa un pied de Ben pour lui permettre un arrêt en douceur. Après une manœuvre dont le déroulement lui échappa, Benjamin se retrouva debout, comme un gros jouet posé sur ses deux pieds, un peu chancelant.

— J'ai la tête qui tourne.

— Normal. Respirez profondément et vous allez récupérer. Vous vous en êtes très bien sorti.

Un plongeur les libéra du câble et leur fit signe de le suivre.

Dans ce monde irréel, Ben fit ses premiers pas avec la même assurance qu'un bébé de dix mois qui lâche pour la première fois la table basse du salon. D'après les formes géologiques autour de lui, il crut identifier les restes de la structure du pronaos. Personne n'avait foulé ce sol depuis les travaux de démantèlement, quelques décennies plus tôt. Marcher lui demandait un véritable effort. Chaque pas lui donnait l'impression de pousser quarante kilos de fonte.

Il s'approcha d'une paroi, celle-là même qui avait supporté les bas-reliefs admirés avec Karen quelques heures auparavant. Même si ses gants blindés ne lui permettaient pas de sentir la matière, il effleura la roche. Dans ce milieu hostile, parmi ces hommes en mission, il était sans doute le plus à même de réaliser l'importance du lieu où il se trouvait. Il aurait voulu prendre le temps d'y penser mais, craignant de se faire distancer, il se remit en marche.

Ce qui restait de l'antichambre du sanctuaire était davantage éclairé. Trois hommes travaillaient sur la paroi de droite, dégagée de tout limon grâce aux pompes. Une ouverture avait été pratiquée dans le mur. Leur guide la désigna et les invita à s'y engager.

— Nous y sommes, annonça West. Au pied du mur...

— Qu'ont-ils trouvé à l'intérieur ?

Ce fut la voix du commandant qui répondit, hachée par la mauvaise qualité de la liaison.

— Personne n'est entré, monsieur Horwood. Notre ordre de mission stipule que nous devons vous ouvrir le passage, ensuite c'est à vous de jouer.

Benjamin s'approcha de la bouche béante. Devant lui s'ouvrait un espace sombre au fond duquel, ses yeux s'adaptant, il ne tarda pas à deviner des formes horizontales. Les circonstances particulières l'empêchaient de prendre toute la mesure de ce qu'il s'apprêtait à vivre.

— Benjamin, indiqua West, pour des raisons de sécurité, je suis supposé passer le premier, mais je préfère vous laisser l'honneur d'ouvrir la voie. Pas d'objection, commandant ?

— Je ne suis pas au fond, vous êtes seul juge.

— J'accepte le risque, déclara Benjamin en adressant un salut de remerciement à son ange gardien.

Il alluma ses projecteurs et déclencha sa caméra ventrale. Il se présenta devant l'ouverture et s'y glissa de côté pour arriver à passer.

— Ne respirez pas trop vite, tempéra West.

En franchissant la paroi, Ben éprouva l'angoisse de rester coincé. Il prit une inspiration et eut une pensée pour ceux qui avaient découvert ce temple, ceux qui l'avaient étudié et même ceux qui l'avaient démantelé, qui étaient passés à moins d'un mètre de ce passage secret et n'en avaient rien deviné.

— Des marches, ce sont bien des marches, s'exclama-t-il. Beaucoup !

Une fois le mur dépassé, il se retrouva au pied de l'escalier où Alloa ne tarda pas à le rejoindre.

— J'ai entendu dire que les lieux de ce genre pouvaient comporter des pièges…, fit l'ex-commando, un peu tendu.

— On raconte aussi que ceux qui les profanent sont ensuite frappés par d'horribles malédictions. Mais essayez d'éviter les idées noires, monsieur West.

Ben s'aperçut que les parois étaient entièrement gravées de hiéroglyphes et de cartouches royaux. Il tenta d'évaluer l'escalier.

— Il nous faut monter sans perdre de temps, Alloa. Seuls les dieux savent où ce passage conduit.

43

Marche après marche, au prix d'efforts répétés, Ben et West gravissaient l'escalier l'un derrière l'autre. Le passage était tout juste assez large pour que chacun puisse monter en se tenant de face avec son imposant scaphandre. Au moindre écart de trajectoire, leurs grosses épaules arrondies râpaient les parois.

L'éclairage de Ben projetait des ronds de lumière sur les murs gravés de symboles. Il était frappé par leur excellent état de conservation. Chaque pas lui révélait des ornementations et des textes qui, à eux seuls, auraient mérité d'être étudiés pendant des jours. Mais il devait continuer. Dans cet endroit hors du temps et loin du monde, il montait vers la nuit.

— Bon sang, personne n'a mis les pieds ici depuis 3 000 ans. Pourquoi je ne suis pas plus chamboulé que ça ? lâcha Horwood pour lui-même.

— Moi je le suis, réagit West qui l'avait entendu. L'effet que ça me fait est même un poil inquiétant.

Ben s'immobilisa soudain. Plus haut dans l'escalier, il venait d'apercevoir une étrange ondulation qui renvoyait le faisceau de ses lampes. Il reprit son avancée avec prudence, s'efforçant de comprendre de quoi il s'agissait. Il finit par s'apercevoir qu'au fur et à mesure qu'il montait, son casque se retrouvait progressivement hors de l'eau. Son premier réflexe fut de se figer. Incrédule, il se demanda s'il n'était pas victime d'une hallucination. Il tendit les bras devant lui et les observa à l'air libre à travers son hublot.

— Nous entrons dans une poche d'air ! annonça-t-il.

West le constata à son tour.

— Incroyable. Elle a dû rester prisonnière de la zone murée. Ne retirez surtout pas votre scaphandre.

— Je n'en avais pas l'intention.

Les deux hommes montèrent encore et se retrouvèrent entièrement au-dessus du niveau de l'eau.

— Les pressions semblent s'équilibrer, commenta West. Avec les millions de mètres cubes d'eau qui poussent, l'air doit être sacrément comprimé.

— La zone secrète a dû rester étanche jusqu'au percement de la paroi. Je comprends mieux pourquoi les bas-reliefs sont si bien préservés.

Aussi délicatement que possible, Ben passa la main sur le mur sec et observa la poussière récoltée sur son gant.

— Je suis d'avis de ne pas traîner, déclara West.

— Tout à fait d'accord.

Les deux hommes gravirent encore une dizaine de marches lorsque les faisceaux des lampes de Ben se perdirent dans le vide. La lumière ne dévoilait plus rien.

— Je ne sais pas vers quoi nous allons, mais nous y arrivons, commenta Ben.

Lorsqu'il atteignit le sommet des marches, il eut la sensation de se tenir au bord d'un gouffre dont l'insondable profondeur l'aspirait. Le fait de ne plus être entouré d'eau le déstabilisait, le poids du scaphandre l'essoufflait. Il lui fallut quelques instants pour prendre conscience de ce que ses lampes révélaient.

— Je suis au seuil d'une salle, West. Plus grande que ce que laissait supposer le plan.

Il posa le pied sur le dallage millénaire et parfaitement sec. Le bruit de ses semelles métalliques résonna, bientôt doublé par l'écho des pas d'Alloa.

Une pièce carrée d'environ six mètres de côté dont les murs étaient peints de scènes aux couleurs restées très vives malgré leur âge. Au centre de l'espace, une large vasque posée sur un pilier bas. Au fond, sous une fresque représentant un disque solaire encadré par de longues ailes, un sarcophage étonnamment allongé.

— Nous avons besoin de monde, demanda Ben dans sa radio. Commandant, pouvez-vous envoyer vos hommes avec en priorité le matériel de prise de vues ?

Aucune réponse. West insista :

— Commandant, vous nous recevez ?

Silence.

— On a perdu la liaison, Ben. Ne vous inquiétez pas, cette interruption de communication n'est pas surprenante dans des conditions pareilles.

L'universitaire n'était pas anxieux. Il était trop accaparé par ce qu'il découvrait. En se déplaçant, il faisait le bruit d'un robot qui avance implacablement.

— Aucune trace de combustion à l'intérieur, fit-il en examinant la vasque. Elle devait contenir des fluides destinés aux rituels.

— Benjamin, je dois aller chercher du renfort. Il nous faut plus de lumière, et le matériel. Vous vous sentez capable de rester ici tout seul ?

— Je ne pense pas être seul, répondit Horwood en désignant le sarcophage.

— Vous êtes flippant. J'y vais.

Alors qu'il s'apprêtait à redescendre l'escalier, West lança :

— L'eau est montée !

— Vous en êtes certain ?

— Aucun doute.

— Ne perdons pas de temps. Il faut prendre des photos avant que l'eau n'abîme ces merveilles.

Dans son accoutrement, West se hâta autant que possible. Plus il descendait, moins sa lumière se percevait dans la salle, laissant Ben avec ses seules lampes dans une atmosphère de pénombre.

Benjamin était fasciné par la sépulture au fond de la salle et son disque solaire ailé. De chaque côté du cercle d'or, d'immenses ailes magnifiquement peintes s'allongeaient, étendant leur bienveillante protection sur le défunt. Ben étudia le coffre funéraire. Il posa ses mains gantées dessus. Il aurait voulu pouvoir le toucher, sentir sa matière, son grain, la fraîcheur de la pierre, parcourir ses sculptures. Il aurait aimé caresser sa dalle massive.

Un effroyable coup de tonnerre lui glaça soudain le sang, immédiatement suivi d'un souffle violent qui lui fit perdre l'équilibre et le plaqua contre la tombe. La tempête d'air se mua en mugissement terrifiant. Un frisson de terreur lui parcourut le dos, ravivant toutes ses peurs primaires. Dans sa panique, Ben eut une révélation : pour sa dernière leçon, la vie allait lui prouver que toutes les légendes concernant les créatures vengeresses qui protègent les tombeaux sacrés sont vraies. Pour avoir osé troubler le repos d'un protégé des dieux, il allait périr ici, détruit par une abomination sans nom. Il ferma les paupières de toutes ses forces, prêt à endurer la sanction.

Les secondes qui suivirent furent comme une éternité. La respiration dantesque de son cauchemar finit cependant par s'apaiser. Quelques instants plus tard, constatant qu'aucun châtiment divin ne l'avait réduit à néant, Ben se retourna lentement et ne découvrit rien, ni personne.

Encore tremblant, il s'avança. Il s'aperçut alors que dans l'escalier, l'eau était agitée de petites vaguelettes pointues et que son niveau était brutalement monté d'au moins un mètre. C'était sans doute l'effet de siphon qui avait provoqué ce fracas de tempête et ce souffle surpuissant. Ben pouvait continuer à espérer que les monstres n'existaient pas... Mais il avait une autre raison de s'inquiéter. La colossale masse d'eau repoussait l'air dans les plus infimes fissures des structures de la salle. Cette marée agressive cherchait à envahir la pièce et pouvait y parvenir d'un instant à l'autre. Alors, il ne donnerait pas cher de sa peau. Il essaya de retrouver son calme.

— Fais un effort, concentre-toi sur tes recherches. Que dirais-tu à Fanny si elle était là ?

Il se retourna vers le sarcophage.

— Toi aussi tu voudrais bien savoir qui se cache là-dedans, pas vrai ? Qui est celui qui repose ici ? Pour qui a-t-on aménagé cette tombe secrète ?

— Le meilleur moyen de le savoir, c'est encore de l'ouvrir, répondit la voix de West dans son casque.

Cette fois, Ben ne put contenir sa peur et hurla. West apparut dans son champ de vision, tenant un projecteur et un enregistreur.

— Bon sang, vous voulez me tuer ? s'exclama Benjamin. Vous ne pouviez pas vous annoncer ?

— J'aurais bien frappé, mais il n'y a pas de porte. Qu'est-ce que vous avez foutu avec la flotte, vous avez laissé un robinet ouvert ?

— L'eau repousse l'air, et c'est plutôt violent. Un palier a été franchi d'un seul coup. Cette salle sera noyée d'ici peu.

— Puisqu'on en est au concours de mauvaises nouvelles, j'en ai une qui devrait vous plaire : nous allons devoir nous débrouiller tout seuls, vous et moi, parce que nos valeureux frères d'armes ne peuvent pas venir ici avec leurs équipements. À cette profondeur, ils doivent rester dans l'eau, sinon ils y laisseront leur peau.

— On fera avec. Aidez-moi à ouvrir le tombeau.

— On est obligés ?

— Bien sûr, quelle question !

West n'en menait pas large.

— Génial. J'ai toujours rêvé de réveiller les morts.

Il alluma sa lampe et la posa. Les peintures dorées des fresques se mirent à briller comme elles ne l'avaient pas fait depuis des millénaires.

Les deux hommes se positionnèrent chacun à une extrémité du sarcophage et placèrent leurs mains aux angles de la dalle.

— À trois ?

— OK.

Ils eurent beau y mettre toute leur force, le couvercle ne bougea pas.

— Faites un effort, Benjamin, donnez tout ce que vous avez.

— Je fais ce que je peux. Mes excuses, mais mon cursus n'incluait pas la musculation. Le travail de bûcheron, c'est plutôt votre domaine.

— Pardon ?

Un coup de tonnerre encore plus violent que le premier explosa dans la pièce, d'une force telle que le sol en trembla. L'eau bondit comme un monstre tapi passant à l'attaque. Le rugissement de l'air fut encore plus puissant et la vague vint frapper la base du sarcophage.

Une fois passé le choc de la surprise, Ben constata :

— Alloa, la dalle a bougé.

Ils forcèrent de plus belle et enfin, réussirent à déplacer la pierre.

En apercevant ce que contenait la tombe, Ben, cette fois, éprouva quelque chose. Une émotion qu'il n'oublierait jamais.

44

Comme si le temps avait suspendu son cours, Benjamin et West contemplaient le coffre mortuaire ouvert. Dans une disposition très inhabituelle, l'habitacle comportait deux parties. Une momie reposait dans la plus grande, mais contrairement à ce qui se pratiquait le plus souvent pour des sépultures de cette importance, la dépouille n'était pas enfermée dans un sarcophage secondaire. Le corps desséché reposait à même le fond du réceptacle de pierre, vêtu d'une longue tunique aux manches ne laissant apparaître que les mains et les pieds. La peau parcheminée grise avec des nuances brunes était rétractée sur les os dont on devinait aisément chaque contour. Un masque d'or incrusté de pierreries recouvrait le visage. Un spectaculaire collier composé de petits rectangles dorés assemblés en cotte de mailles s'étalait sur la poitrine creusée. Aux poignets, des bracelets du même métal. La forme de chacun de ces bijoux était atypique. Si les matières étaient ciselées avec un soin virtuose, les lignes plus sobres, associant des motifs inédits dans la culture égyptienne, renvoyaient à des influences étrangères. Malgré la finesse du travail des artisans, le dessin de ces parures semblait destiné à avoir du sens plutôt qu'à impressionner. Comparativement aux trésors égyptiens déjà connus, le résultat pouvait paraître plus primitif mais paradoxalement plus technique.

Le second compartiment était situé aux pieds du cadavre. Il se présentait comme un bloc plein, chacun des objets s'y trouvant étant logé dans un espace spécialement creusé à sa forme.

— West, il faut aller chercher les containers.

— Je refuse de vous laisser ici tout seul avec l'eau qui peut jaillir.

— Nous devons sauver ceci. Allez-y, je vous en prie. Chaque seconde compte. Je m'occupe des photos.

— Fanny m'a demandé de vous ramener vous, pas les antiquités. C'est trop risqué. Si la pièce est submergée, on va déguster.

— Alloa, personne – pas même vous – ne me fera sortir d'ici sans ces artéfacts.

West grogna.

— Fanny a raison, vous êtes plus têtu qu'une bourrique.

— Je vous le confirme. Alors aidez-moi, s'il vous plaît.

De l'eau jusqu'aux mollets, West prit le chemin de la sortie pendant que l'historien entamait le plus étrange inventaire de son existence.

Une fois seul, il se tourna vers la momie et se pencha sur elle.

— Qui es-tu ? lui demanda-t-il. Un prêtre ? Un magicien ? Un voyageur venu d'une contrée lointaine ? Peut-être une femme, si j'en juge par la forme de ton bassin.

Il réalisa quelques prises de vues.

— Ne t'inquiète pas, je ne suis pas un pilleur, pas même un explorateur. Je ne vais te prendre aucun de tes bijoux. D'ici peu, l'eau sera partout.

Tu ne vas pas aimer cela. Je t'en demande pardon mais nous avons besoin de savoir. D'autres avaient prévu de venir et je ne suis pas certain qu'ils t'auraient laissé tes richesses. C'est avec respect que je te demande de m'aider. Permets-moi de prendre le savoir qui pourra nous épargner le pire.

Il recula vers le bas du sarcophage et extirpa un premier objet de son logement. Un tube de pierre contenant un rouleau de papyrus. Un autre se trouvait dans le trou voisin. Ce fut ensuite un étonnant cube de métal couvert de graduations et de tracés géométriques qu'il sortit. Son emballage de toile tissée tomba en poussière.

Un nouveau coup de tonnerre ébranla la salle. Ben se cramponna au tombeau. Le souffle prit cette fois la forme d'une plainte évoquant un monstre agonisant. Sur les murs et au plafond, des fissures se répandirent, lézardant les inestimables fresques. Le disque solaire était désormais fendu. Étrangement, aucune poussière ne tombait par les interstices. L'air sous pression, repoussé dans les entrailles de la terre, emportait avec lui dans sa fuite la moindre particule. Des forces physiques titanesques s'affrontaient dans cette salle. L'eau était encore montée, décidée à conquérir son espace. La poche d'air lui résistait, mais pour combien de temps ? Le flot arrivait désormais à mi-hauteur du sarcophage. Les vagues agitées léchaient les murs, de plus en plus haut. Malgré les secousses, Ben ne se déconcentra pas.

— Je t'en supplie, murmura-t-il à la dépouille. Qui que tu sois, je ferai en sorte d'honorer ta mémoire. Apprends-moi. Dis-moi. Donne-moi.

Il arracha d'autres trésors à leur fourreau de pierre – un petit cylindre gravé, une boîte rectangulaire grise, et une large coupelle de bronze ronde dont l'intérieur était doré.

Benjamin avait maintenant de l'eau jusqu'au bassin. L'apparition d'une lumière venue de l'escalier lui annonça le retour de West. L'homme émergea dans son scaphandre.

— Bordel, ça devient mauvais, Benjamin. On doit filer d'ici.

— Donnez-moi les boîtes, vite. Aidez-moi. Il faut placer tout ceci à l'abri.

En découvrant les deux petits caissons, Ben s'exclama :

— Vous n'avez que ça pour tout emballer ?

— J'en ai déjà bavé. Pas question de faire un autre aller-retour.

— Quelle poisse ! Il va falloir décider de ce que nous pouvons emporter.

Horwood se retrouva à devoir faire un choix entre des pièces inestimables. La pire situation possible. Que décide-t-on d'abandonner ? À quoi est-on prêt à renoncer ? Quels sont les objets qui pourront répondre aux questions ? Ne risquait-il pas de se tromper ?

— Benji, dépêchez-vous !

— Soyez gentil, ne m'appelez pas Benji, je déteste ça.

L'historien ouvrit un container étanche et plaça les objets dedans en les calant à la hâte.

Pensant l'aider, West essaya de retirer le masque d'or de la momie.

— Non, Alloa, n'y touchez pas. Ne prenons que ce qui est à ses pieds.

— Pourquoi le laissez-vous ? Je suis certain que même Fanny n'en a jamais vu d'aussi beau dans aucun musée. Personne n'en fera rien ici.

— Je vous en prie, faites-moi confiance. J'ai donné ma parole. Aidez-moi plutôt à collecter ceci.

Il dégagea d'autres objets, privilégiant ceux dont il n'identifiait pas la nature, espérant ainsi écarter les plus communs.

Un sifflement lugubre commença à se répandre dans la pièce. Par réflexe, Benjamin referma le premier container, que West verrouilla aussitôt. Le son prit de l'ampleur, au point de devenir physiquement douloureux à entendre. Ben récolta encore quelques artéfacts qu'il déposa à la hâte dans la deuxième boîte. Toute la salle se mit à trembler. Il ne fallait plus parler de fissures, mais de brèches dans lesquelles l'eau s'insinuait.

— Benjamin, ça risque d'être violent.

— Maintenant, j'ai peut-être droit à une petite idée noire, qu'en dites-vous ?

— Vous êtes dingue, venez...

— Si jamais je ne m'en sors pas, prenez soin de Fanny. Soyez heureux. Dites-lui de ma part qu'elle a bien deux hommes dans sa vie.

— Vous l'aimez ?

À travers leurs casques, les deux hommes échangèrent un regard. D'une main assurée, Ben ferma le second coffre de transport.

Le mugissement enfla en un cri. La vague les souleva comme des bouchons et les projeta contre la fresque. Dans l'ultime assaut de l'eau, Ben crut voir la momie se redresser. Il lui tendit la main, mais quels qu'aient été ses pouvoirs, elle ne l'aida pas.

45

Chaque existence est un fil dont est tissée l'étoffe du monde. Comparables à des fibres, les vies coulent et ondulent entre hauts et bas, se plient, s'accrochent, résistent et s'usent parfois jusqu'à se déchirer. Tous les êtres vivent dans cet entrelacs sans fin où les destins se croisent, se nouent, liés les uns aux autres par un métier qui s'active depuis la nuit des temps, ajoutant sans cesse son œuvre du jour à l'infinie tapisserie de notre histoire. Tantôt rugueux, tantôt de soie, ce tissu universel et sacré s'avère plus fort que la mort elle-même.

Certains futurs ne tiennent qu'à un fil, et nul ne sait ce qui lui donnera la force de résister ou le fera rompre. Dans la chambre mortuaire du tombeau, Benjamin avait été projeté comme une marionnette désarticulée. Mais pour cette fois, le Grand Tisserand avait choisi de ne pas sectionner ses ficelles.

Étendu sur son lit, le visage partiellement recouvert d'un bandage, il était agité de mouvements incontrôlés. Bien que profondément endormi, il revivait tout ce que son esprit n'avait pas réussi à appréhender en temps réel. Après avoir capté et ressenti dans l'urgence, le cerveau travaillait à analyser pendant que le corps récupérait. Répéter la scène pour mieux la comprendre, la rejouer jusqu'à ne plus être débordé par sa violence, la reconstituer jusqu'à ce que plus aucun détail ne reste flou. Parfois, quelques secondes vécues, sublimes ou traumatisantes, peuvent engendrer matière à réflexion pour très longtemps. Le temps nécessaire pour décortiquer, classer et intégrer. Le temps de découvrir si cela vous pousse à vivre ou à mourir.

Dans le cas de Ben, sa rencontre avec l'inconnue du sarcophage avait été aussi magique spirituellement que douloureuse physiquement. Très peu d'humains connaissent le privilège d'une expérience aussi intense, encore moins y survivent. Le plus souvent, ce qui fascine et enflamme à ce point vous tue, comme un bouquet final ou une overdose. Et si l'on ne succombe pas, même un cortex affûté a besoin de temps pour disséquer et gérer tout ce qui en découle. Pendant que ce processus se poursuit, le corps bouge, comme s'il cavalait après les sentiments qui le font exister. Benjamin en était là.

Sa main se crispa sur le vide, il se mit à gémir comme un animal blessé et ses jambes se raidirent. Il se cambra de toutes ses forces et son cœur accéléra au point de déclencher l'alerte de l'électrocardiogramme auquel il était relié.

La vérité des êtres se cache souvent au plus profond de leurs rêves. Leur clé se révèle lorsqu'ils peuvent enfin agir librement, comme s'ils accomplissaient au grand jour, mais paradoxalement sans aucun témoin et sans risquer la moindre conséquence. Dans cet espace intime, au creux des méandres de l'esprit, personne ne peut espionner ou juger, l'âge n'a plus cours et le temps s'abolit. Affranchis des contraintes physiques et sociales,

les songes sont le théâtre de ce qui compte vraiment : les vraies peurs et les vrais espoirs. Seul ce qui importe subsiste. N'entrent en scène que ceux qui y sont conviés, ne se déroule que ce qui est essentiel. Tel un démiurge absolu inconscient de son pouvoir démesuré, celui qui dort écrit sa vie en toute impunité dans une authenticité exempte de compromis. La nuit, les mensonges et la tiédeur n'existent pas. Les plus grands bonheurs et les pires des malheurs, si.

Benjamin s'était toujours estimé chanceux. Il n'avait presque jamais fait de cauchemars de sa vie. Il s'amusait du fait que souvent, à son réveil, il se souvenait encore de ce qu'il avait imaginé en dormant. Dans des lieux qui l'avaient marqué, agencés selon sa fantaisie, un scénario récurrent se dessinait : il était à la recherche de quelqu'un.

Il avait ainsi beaucoup erré sur les traces de son grand-père, première figure de son enfance dont la disparition brutale lui avait enseigné l'inéluctable temporalité de ceux auxquels on tient. À de nombreuses reprises dans ses rêveries, durant des années, Ben avait eu rendez-vous avec son papy James, toujours au même endroit, au cœur d'un petit matin des vacances d'été, sur la barque dans laquelle ils avaient l'habitude d'aller pêcher. Malgré son affection maintes fois témoignée, le brave homme – dont le rire de cheval épouvantait les enfants en faisant honte au reste de la famille – avait rarement répondu présent à l'appel du souvenir. Presque trente ans plus tard, il arrivait encore à Ben de l'attendre.

Il avait ainsi cherché beaucoup de monde, son père, son chien Power, mais la personne qu'il avait le plus espérée, celle qu'il avait littéralement pourchassée dans tous les décors possibles et qui sans cesse se dérobait à sa vue dès qu'il tentait de l'approcher, était sans conteste Fanny Chevalier.

Benjamin entrouvrit les paupières. Son bandage ne lui permettait de voir que d'un œil. Il ne distingua rien d'autre qu'une forme imprécise, le dominant à contre-jour. Il ne se demanda ni où il se trouvait, ni ce qui lui était arrivé. Son attention tout entière était concentrée sur cette silhouette qu'il perçut d'instinct comme protectrice.

— Fanny ?

Une main saisit la sienne. La chaleur de la peau. Une vie qui se connecte à une autre.

— Non, c'est Karen.

Benjamin n'était pas déçu. Le rôle convenait tout aussi bien à miss Holt et aucun regret n'y était attaché. Il se cramponna aux doigts avec le peu de force dont il était capable et tenta de se tourner vers la jeune femme.

— N'essayez pas de bouger. Je vais prévenir le docteur.

— Restez.

— C'est l'affaire d'une minute

— Ne me laissez pas, Karen, même une minute. S'il vous plaît.

Lorsqu'il fut certain qu'elle n'allait pas s'éloigner, Ben se détendit en expulsant l'air de ses poumons. Même respirer lui faisait mal. Il ferma les yeux. Il appréhendait de les ouvrir à nouveau. Tout ce qu'il avait cru vivre n'était peut-être qu'une illusion. Karen ne serait alors qu'un agréable songe dans son purgatoire. Et si la main qu'il serrait encore était celle d'une inconnue âgée de 3 000 ans, saisie au cœur du raz de marée souterrain ? Paupières closes, il demanda :

— Suis-je vivant ?

Karen eut un petit rire.

— Vous en avez la plupart des symptômes.

— L'espace d'un instant, je vous ai prise pour une momie.

— Étant donné vos goûts, je vais considérer cela comme un compliment.

Dans l'esprit embrumé d'Horwood, plusieurs images fortes s'imposèrent en saccade. La terrifiante masse d'eau déchaînée. Les fresques illuminées dont les motifs dorés se détachaient. L'épouvantable regard du masque funéraire et les bras tendus de la mystérieuse défunte.

— Où est West ?

— Dans la chambre voisine.

— Je suppose que si je suis encore de ce monde, c'est grâce à lui.

— Il s'est battu comme un lion pour vous sortir de votre trou.

— Super. À compter d'aujourd'hui, je dois la vie au type que j'avais le plus envie de détester. À moi de m'arranger avec ça. Le fait est qu'il a l'air de quelqu'un de bien.

— En plus il est beau…, soupira Holt, joignant les mains en une pose de midinette énamourée.

— Karen, serait-il envisageable de négocier une trêve ? Je suis un grand fan de nos échanges teintés d'ironie, mais là…

— Trêve accordée. Il me faudra quand même un certificat du médecin pour la justifier. J'apprécie également beaucoup nos échanges, monsieur Horwood, teintés de tout ce que vous voudrez. Lorsque j'ai cru que nous n'en aurions plus, je me suis sentie mal. Très mal. J'ai vraiment détesté. Vous pouvez vous vanter d'être à l'origine de la plus grande peur de ma carrière.

— Fort heureusement, petite chanceuse, je suis bien vivant et ma petite « gueule d'ange » n'a rien.

— Attendez de vous voir dans un miroir, monsieur le prétentieux. Je trouve que votre ego récupère vite.

— Ne le surestimez pas, il fait de gros efforts parce que vous êtes là.

Karen s'appliqua à remonter le drap. Évitant de regarder Ben, elle avoua :

— Lorsque nous avons perdu la liaison audio, pour la première fois de mon existence, j'ai paniqué. Ce n'était pas très professionnel, je me suis surprise moi-même, mais je n'ai pas réussi à garder mon sang-froid. Il s'est écoulé treize longues minutes avant que les gars nous confirment qu'ils avaient revu West et que tout semblait se dérouler correctement pour vous. J'ai vécu le pire quart d'heure de ma vie.

Dans son état, Ben n'était pas en mesure d'interpréter ses paroles. « Ce n'était pas très professionnel... mais je n'ai pas réussi à garder mon sang-froid. » Karen voulait-elle dire qu'elle avait techniquement failli à sa rigueur ou plutôt qu'un sentiment personnel avait dicté sa réaction ? Ben décida de confier cette interrogation stratégique à son cerveau, qui l'ajouta illico à la pile de dossiers complexes déjà en attente d'analyse.

Pour tester sa mobilité, il inclina sa tête d'un côté puis de l'autre.

— Bon sang, je ne sens ni mes bras ni mes jambes...

— Les médecins ont prévenu qu'il fallait s'y attendre. Votre corps a subi une épreuve très violente, mais les examens n'ont heureusement révélé aucune lésion neurologique. Les toubibs pensent que vous devriez récupérer vos facultés rapidement.

— Fanny est au chevet de son héros ?

— Mlle Chevalier est restée en Angleterre. Elle désirait venir mais pour des raisons de sécurité, elle n'y a pas été autorisée. Je la tiens personnellement au courant de votre état.

— Quel est le diagnostic ? Écrasé dans une boîte de conserve ?

La jeune femme fit un effort pour se souvenir de la totalité du bilan.

— Poignet foulé, deux côtes enfoncées, entorse du genou, hématomes plus ou moins marqués un peu partout...

— Et Alloa ?

— Le même genre de menu.

— Me trouvez-vous stupide si je vous demande de qui Fanny a demandé des nouvelles en premier ?

— Je refuse de vous répondre.

— Ça veut donc dire qu'elle a d'abord demandé pour Alloa.

— N'importe quoi.

— Extra, votre réaction prouve qu'elle s'est davantage inquiétée pour moi.

Karen lui retira sa main assez vivement, trahissant son agacement.

— Quel âge avez-vous ? Qu'est-ce que ça change ? On va aussi jouer à deviner qui de vous deux elle sauverait si elle n'avait qu'une seule seringue ? C'est tout ce qui compte ? Votre ambition se résume à être préféré ?

— J'avais l'ambition d'être aimé. Même si cela peut paraître puéril, être préféré peut constituer un premier pas. Mais vous avez raison, je n'en suis plus là. De toute façon, ma dette envers West me condamnerait à lui faire moi-même l'injection qui aurait pu me tirer d'affaire. Quelle bonne blague ! Sur ma tombe, je vous demande de faire graver : « Certains vécurent heureux et eurent beaucoup d'enfants, mais pas lui. »

— C'est trop long.

— Très juste. Contentez-vous d'inscrire « Trop bon, trop con ». Ainsi, même mort je pourrai servir de leçon aux suivants.

— Vous espérez entrer au Panthéon avec une épitaphe aussi tarte ?

— Dans l'état qui sera le mien, peu m'importe où j'entrerai. D'ailleurs, où sommes-nous ?

— Dans une clinique privée du Caire. Nous n'avons pas voulu prendre le risque de vous transporter plus loin.

— Depuis combien de temps ?

— Quatre jours.

— Quatre jours dans le gaz ? J'ai de la chance de vous trouver auprès de moi pile au moment où je me réveille.

— Je ne vous ai pas quitté.

Ben fixa Karen de son seul œil ouvert. Elle réagit aussitôt.

— Ne vous avisez pas de me demander pour qui de vous ou de West je me suis le plus inquiétée, sinon je vous casse un bras !

Horwood savait que cette menace n'était que le paravent d'une touchante bienveillance. Cette pudeur lui plaisait.

— West vous a-t-il parlé de ce que nous avons découvert en bas ?

— Il n'était pas en état. Figurez-vous que la fin de l'expédition a été un peu bousculée...

— Avez-vous pu sauver les containers d'objets collectés ?

— Ils ont été remontés.

— Il faut les protéger. Coûte que coûte. L'autre camp va certainement tenter de les récupérer.

— Détendez-vous, les containers ne risquent rien. Ils ont été transférés sur un site sécurisé du Defence Science and Technology Laboratory. Fanny a déjà commencé à en étudier le contenu. Vos systèmes de prise de vues sont eux aussi repartis avec ce qu'il restait de vos scaphandres. Malgré l'état pitoyable du matériel, espérons que vos images seront exploitables. Votre baignade va nous coûter des millions. Je vois d'ici les kilomètres de formulaires à remplir... Vous devez une fière chandelle aux concepteurs de ces équipements et aux hommes du Special Boat Service qui vous ont ramenés à l'air libre.

Benjamin tenta de se redresser mais Karen l'en empêcha.

— Restez allongé. Je vais alerter les infirmières pour vos soins.

— Je ne veux pas être soigné, je veux vous parler.

— De quoi ?

— De ce que j'ai vu, Karen.

Malgré lui, Benjamin sentit les larmes couler sur ses joues, comme si le trop-plein d'émotion et de tension avait attendu l'évocation de la plongée pour s'évacuer.

— Il faut que je le partage, c'est trop énorme pour moi seul. C'était magnifique. Le plan disait vrai. Au-delà du mur se cachait une sépulture. J'ignore qui y reposait, mais j'espère le découvrir. Je lui dois bien ça.

— Vous en parlez au passé...

— Il n'en reste plus rien. L'irruption violente de l'eau a tout dévasté. Nous n'avons même pas eu le temps de refermer le sarcophage pour protéger la pauvre dépouille...

Il passa son poignet bandé sur son front perlé de sueur.

— C'est terrible. On ne pourra plus jamais redescendre dans ce tombeau. Nous aurons été les premiers et les derniers à le contempler. Il est resté scellé pendant plus de trois millénaires pour protéger une inconnue et son étrange collection. Il aura suffi d'une seule visite pour que le flot anéantisse tout. Quelle tristesse...

— *Une* inconnue ? Vous pensez qu'il s'agissait d'une femme ?

— J'en ai l'intuition. Probablement assez jeune. Les proportions du corps me portent à le croire. Mais comment en avoir confirmation ? Je ne peux même plus retourner à son chevet...

— Vous auriez été prêt à replonger malgré ce que vous avez vécu ?

— Sans hésiter. Si seulement vous aviez pu voir ça, Karen ! Ce n'était pas un musée. Il ne s'agissait pas d'une reconstitution ou d'un décor. Nous étions au cœur d'une réalité sacrée. Les derniers à avoir foulé ce sol en étaient les concepteurs. Ce qu'ils y ont laissé représente le plus noble, le plus pur et le plus abouti de leur temps. Ils y ont déposé leurs croyances, leur espoir d'une vie par-delà la mort. Nous avons été les témoins d'une foi, d'un savoir, d'un pouvoir intacts. Nous avons pu les approcher, les toucher, directement et sans aucun filtre. J'ai marché à travers les siècles. C'est un sentiment qui surpasse tout, qui transcende la condition d'homme. Vous pénétrez une réalité qui nous dépasse tous. Je comprends les explorateurs qui ont évoqué un sentiment d'éternité. Je l'ai éprouvé. Il est en moi. Vous côtoyez ce qui constitue le vrai miracle de notre monde, le pur génie de ceux qui cherchent face aux lois de l'univers qui nous échappent. Une vie pour une quête qu'aucune mort ne pourra interrompre.

— Vous parlez comme un alchimiste.

— Ceux qui souhaitent apprendre ne sont-ils pas tous égaux face à ce que j'ai vu ? J'ai plongé pour trouver des réponses, mais j'ai aussi rapporté des questions.

— Ne vous emballez pas. J'ai très envie que vous me racontiez tout en détail mais pour le moment, il vous faut du repos.

— Du repos ? Avec ma tête dans une telle ébullition ? Ça va être compliqué. Voulez-vous que je vous confie le plus surprenant, Karen ?

— Dites-moi.

Elle lui reprit la main mais, perdu dans son exaltation, il ne s'en rendit pas compte.

— Tout au fond, bien que m'aventurant dans l'inconnu, malgré la menace de l'eau, je n'ai jamais eu peur. J'étais à ma place. Je n'avais jamais ressenti cela auparavant.

— J'aurais aimé être à vos côtés.

Ben haussa un sourcil.

— Dommage que vous n'ayez pas la formation.

La jeune femme grogna :

— Vous allez payer pour cette vanne fourbe. Notez que c'est vous qui avez rompu la trêve.

Benjamin sourit, sentit enfin la main de Karen, puis, comme si ces heureuses émotions avaient suffi à épuiser le peu de forces encore présentes en lui, il s'endormit à l'instant.

46

À son réveil, Ben chercha aussitôt la silhouette à son chevet.

— Karen ?

Une voix masculine lui répondit :

— Miss Holt n'est plus là.

— Elle était ici voilà quelques minutes.

— Vos « quelques minutes » ont duré plus de trois jours. J'avais été averti que vous étiez un gros dormeur, mais pas à ce point-là... Néanmoins, je suis très heureux de vous récupérer.

Avec difficulté, pensant découvrir un médecin, Ben se tourna vers son interlocuteur, mais une surprise l'attendait.

— Jack ?

— Quelle familiarité... Malgré vos allégations condescendantes, les universitaires seraient-ils finalement des garçons aussi faciles que les agents du renseignement ?

— Vous préférez que je continue à vous appeler « Mon Petit Poney » ?

— Seconde fois que vous ouvrez la bouche et vous me tapez déjà sur les nerfs. Quand je pense que je me suis réjoui que vous ayez survécu...

— Que faites-vous ici ?

— Je me le demande, étant donné la quantité de problèmes qui m'attend à Londres.

— Avouez-le, vous vous faisiez un sang d'encre pour moi. J'en suis touché.

Le patron du service hésita à répondre, comme si sa pudeur s'en trouvait remise en cause.

— Il est vrai que j'ai eu peur pour vous. Mais ce n'est pas pour le plaisir de voir ces demoiselles tenter de vous redonner forme humaine et changer vos pansements que j'ai fait le trajet.

— Vous étiez là lorsque les infirmières s'occupaient de moi ?

— Effectivement, et je ne souhaite ce spectacle qu'à mes pires ennemis.

Benjamin était scandalisé.

— Elles sont supposées faire sortir les étrangers pendant les soins.

— Tout dépend de l'étranger. Tout dépend du malade. Peu sont aussi protégés que vous.

— Vous n'êtes même pas de ma famille et vous avez vu mes fesses ?

— Vous pratiquez d'étranges mœurs, monsieur Horwood, sans doute liées aux cultures primitives qui fascinent tant les gens de votre milieu. Pour ma part, montrer ses fesses ne constitue en aucune manière un signe d'appartenance à un clan. Je n'ai jamais vu l'arrière-train de la plupart des gens de ma famille. Dieu m'en préserve. Si vous connaissiez mon horrible tante Abigail, vous comprendriez.

Ben ouvrait des yeux ronds – surtout le gauche étant donné son bandage.

— Rassurez-moi, vous n'êtes pas venu jusqu'au Caire pour mater mon anatomie ?

— Bien sûr que non, même si je dois avouer que je n'ai jamais dénombré autant de bleus sur un seul corps. Mais vous avez raison, d'autres questions m'amènent.

Ben parut soudain préoccupé, comme si un fait important venait de lui revenir.

— Pourrions-nous en discuter en mangeant ? Mon estomac qui se réveille aussi m'indique que je crève de faim...

— On m'avait également parlé de votre métabolisme d'enfant qui réclame du miam-miam après son gros dodo.

— Je ne vous permets pas.

— Si vous faites des caprices, vous n'aurez pas de miam-miam. Voilà des heures que Petit Poney attend le réveil de la Belle au scaphandre dormant, alors je vous remercie de me répondre avant de commander votre pitance. Ce ne sera pas long.

Benjamin resta sans voix. L'homme enchaîna :

— J'ai deux questions cruciales à vous poser. Elles sont tellement importantes que je n'ai délégué à personne le soin d'en recueillir les réponses. Primo : dans ce tombeau, avez-vous identifié ce dont nos adversaires voulaient s'emparer ? Secundo : avez-vous trouvé des éléments susceptibles de nous révéler la véritable valeur des antiquités volées ? Je songe évidemment aux petites pyramides.

— Je n'ai pas de réponses satisfaisantes à vous apporter. Vous avez le droit d'être déçu. J'ignore ce que nos adversaires pouvaient convoiter. D'ailleurs, eux-mêmes ne le savaient sans doute pas non plus. Le tombeau était vierge de toute intrusion et personne n'en connaissait le contenu. Si nous ne les avions pas devancés, ils se seraient retrouvés comme nous, à explorer et prélever ce qu'ils pouvaient. D'autre part, concernant ce que notre moisson pourra nous apprendre, il va falloir attendre qu'on l'étudie. Certains éléments découverts sur le site m'ont paru très prometteurs, mais je n'ai pas eu le loisir de les évaluer. Nous y verrons plus clair lorsque nous les aurons expertisés en détail. L'agent Holt m'a dit que Fanny était déjà au travail.

— Dois-je vous rappeler que nous jouons contre la montre ?

— J'en suis parfaitement conscient.

— Vous avez quand même dormi trois jours…

— J'aime vraiment cette impitoyable mauvaise foi dont j'aurais sans doute moi-même fait usage si j'avais été à votre place. Vous n'aurez qu'à décompter mes jours de coma de mes congés. Blague à part, ce que j'ai vécu dans le tombeau m'a très efficacement rappelé à quel point chaque seconde compte. À ce sujet, je dois vous préciser que durant le peu de temps dont nous avons disposé auprès du sarcophage et de son contenu, j'ai été obligé de faire des choix. Il y avait bien plus à rapporter que ce que nous avons pu embarquer. J'ai essayé d'opérer la sélection la plus judicieuse possible, mais les circonstances étaient particulières et je ne suis pas égyptologue.

— Vous avez fait au mieux. C'est déjà beaucoup. Le coup est joué, nous ferons avec. Comment s'est comporté M. West ?

— Pour des raisons personnelles, j'ai d'abord été perturbé par sa présence…

— J'ai appris cela.

— … mais sans son aide, non seulement je ne serais pas devant vous, mais nous n'aurions rien récupéré du tout. C'est à lui que vous devez la réussite de cette opération.

L'homme considéra Benjamin.

— Quel individu surprenant vous faites, monsieur Horwood. Vous avez un caractère de cochon, un humour qui donne envie de vous tirer dessus, aucun respect des hiérarchies, mais vous êtes d'une honnêteté désarmante.

— Merci. C'est le plus beau compliment qu'un petit poney m'ait jamais fait. Pour ce qui est des hiérarchies, si elles étaient liées à une échelle de compétences et non à de basses considérations politiciennes, elles ne me poseraient aucun problème.

L'homme ricana.

— Cher Benjamin, nous avons un point commun.

— Vous détestez aussi obéir à des crétins ?

— C'est bien plus grave que cela. J'ai découvert votre secret.

— J'en étais sûr, les infirmières auraient dû vous faire sortir...

— Je suis sérieux. Je connais votre secret parce que c'est aussi le mien. Vous faites preuve d'un superbe détachement qui impressionne tout le monde. Rien ne semble vous atteindre. Vous admettez vous-même brandir le second degré comme un bouclier contre l'existence. Vous avez élevé son maniement au rang de sport de compétition. Je le pratique aussi. Mais de vous à moi, nous pouvons bien nous l'avouer : ce n'est qu'une façade. Vous comme moi vivons derrière ce qui n'est qu'une posture. Rien ne nous soumet, rien ne nous effraie. Nous observons les aléas de l'existence avec cette distance qui nous permet de les tourner en dérision. Si la vie n'a pas de prise sur nous, c'est pour une raison toute simple : nous n'attendons plus rien d'elle. Nous avons trop peu à perdre et trop peu à gagner. De toute façon, nous n'aimons pas compter. Je ne sais pas ce qu'il en est pour vous, mais je me demande souvent ce que je fais là, dans ce costume, dans ce rôle que j'ai parfois l'impression d'usurper, au beau milieu de ce cirque tantôt fabuleux, tantôt désolant. Mais puisque je suis vivant et coincé sur cette foutue planète, autant agir selon mes règles, sans concession. Céder à mes envies n'est pas un idéal. C'est même un mode de vie que je considère comme extrêmement vulgaire et indigne de notre espèce. Aucun animal n'est aussi égoïste et irresponsable que certains de nos congénères. À mes yeux, le luxe ultime ne consiste pas à faire ce que nous voulons, mais ce que nous croyons. Le reste est sans intérêt. Ces mots trouvent sans doute un écho en vous, n'est-ce pas ?

Ben et Jack échangèrent un de ces regards rares durant lesquels chacun lit exactement la pensée de l'autre. Horwood murmura :

— Lorsque tout ce qui compte vous échappe, vous n'avez plus envie de rien. Se détacher de tout constitue peut-être la seule voie vers la liberté. L'absence d'intérêt personnel vous épargne les partis pris. Puisque plus rien n'a d'importance, vous ne faites jamais semblant et vous osez réagir à ce que le monde tente de vous imposer. Comme un prisonnier qu'aucune grâce ne viendra sauver et qui peut se permettre de hurler la vérité.

— Je connais bien ce sentiment, mais laissez-moi vous faire le cadeau de ma modeste expérience. Je suis un peu plus loin que vous sur le chemin. Je vais oser un jugement personnel : vous vous trompez. Votre grâce n'a pas à venir, car vous n'êtes pas condamné. Il n'est pas trop tard pour vous. Votre tête dépasse encore de l'eau. L'horizon est devant vous. Vous dites que vous n'avez plus envie de rien. C'est faux. Il n'y a qu'à voir l'énergie que vous mettez dans notre affaire. Osez me dire que vous ne voulez pas savoir ce que sont ces étranges objets. Essayez donc de me faire croire que vous ne désirez pas en découdre avec ceux qui les volent. Votre vie vous attend, et il ne tient qu'à vous d'en profiter. Ne vous enfermez pas dans les limbes damnés où je suis obligé d'errer. Vous êtes trop instruit pour ignorer qu'ils existent, mais vous êtes encore assez innocent pour avoir la force de leur échapper. Un jour, vous irez danser. Un jour, vous irez promener vos enfants au parc. Je vous le souhaite sincèrement. Alors laissez-vous une chance. Les périodes les plus sombres sont souvent une opportunité pour ceux qui ont besoin de se révéler et d'être remis en selle.

Les deux hommes restèrent un moment silencieux.

— Merci, finit par lâcher Ben.

— À votre service. Ne perdez pas de temps. Même si ce monde n'en est pas conscient, il a grand besoin de nous.

— Je vais faire mon possible. Si j'ai répondu à vos questions, puis-je vous demander une faveur ?

— Ne comptez pas sur moi pour vous faire manger.

47

— Vous n'êtes pas supposé quitter votre chambre sans la permission des médecins, ni même sortir de votre lit.

— Je n'ai pas besoin d'une conscience, mais d'un coup de main.

Dans le couloir de la clinique, Jack soutenait Ben, bien décidé à rallier la chambre de West.

Sous l'œil dubitatif des agents surveillant cette section de l'étage, l'éclopé au visage à demi bandé s'appuyait sur le grand patron, froissant au passage son élégant costume sombre totalement inadapté au climat égyptien.

En atteignant la porte, Horwood se reposa contre le montant.

— Merci de votre aide. Je me débrouillerai pour rentrer tout seul.

— Je repars donc pour Londres, où je vous attendrai.

Les deux hommes se saluèrent et Benjamin pénétra dans la chambre.

En traînant la patte, il avança jusqu'au lit sur lequel West, endormi, était étendu en survêtement.

— Alloa, vous dormez ? demanda-t-il à voix basse.

L'ex-commando émergea laborieusement. Lorsqu'il découvrit Benjamin, il eut d'abord un mouvement de recul épouvanté, avant de passer sans aucune transition à une expression carrément joyeuse.

— Je dois dire que je n'avais jamais fait cet effet-là à personne, commenta Horwood. Pardon si je vous ai réveillé.

— C'est votre tête, avec le bandage. D'abord vous faites flipper, et après vous faites rire. On dirait une momie...

— Il est vrai que vous en avez peur.

— Moi au moins, je ne leur demande pas d'aide.

Les deux rescapés se jaugèrent sans animosité. Pour la première fois depuis leur incursion dans le tombeau, ils se retrouvaient face à face.

Alloa se leva sans se ménager. Il acceptait mal de donner une image affaiblie de lui-même. Il gagna son cabinet de toilette où il se versa un verre d'eau, croisant son reflet dans le miroir.

— Même sans bandelettes, je n'ai pas meilleure mine que vous, constata-t-il. Quant aux courbatures... je n'en avais jamais eu de pareilles. J'ai l'impression d'avoir tourné une semaine dans une bétonnière.

Benjamin ne savait pas trop comment amener la conversation là où il le voulait. Tôt ou tard, il allait devoir dépasser les banalités d'usage. Tandis qu'il hésitait, West revint, posa son verre sur sa table de chevet et se courba brusquement vers le sol, tendant ses bras vers ses pieds en arrondissant le dos. Il commença à pratiquer une série d'étirements en grognant. Il prit ensuite appui sur la barre du pied de son lit pour effectuer des mouvements que Ben ne pensait même pas possibles pour un humain.

— Vous semblez avoir déjà bien récupéré, nota celui-ci. Ça vous ennuie si je m'assois ?

— Faites donc.

Ben prit place sur le fauteuil, découvrant au passage l'existence de nouvelles zones endolories. Il se chercha une position acceptable en faisant la grimace.

— Je vais repartir en Angleterre, dit-il, ce soir ou demain.

— Je dois filer moi aussi. J'ai déjà planté un contrat et je suis en retard sur le suivant.

Alloa arrêta ses mouvements et se retourna pour faire face à l'universitaire.

— On a eu beaucoup de chance, Benjamin.

— Pas seulement, et c'est pour cela que j'ai souhaité vous voir avant que nous ne reprenions nos routes respectives. Je voulais vous remercier de m'avoir tiré de là. Je vous en dois une.

West hocha la tête en signe d'appréciation.

— Pas de problème, j'étais là pour ça.

— Je n'oublierai jamais ce que nous avons vécu ensemble, au fond.

— Moi non plus. Aucun risque. Vous traîner alors que je vous croyais mort pendant que ce pauvre corps desséché semblait s'accrocher à moi s'est avéré plus éprouvant que le pire de mes raids. Pendant l'instruction, on ne nous forme pas à ce genre de configuration. Je vais sûrement en faire des cauchemars jusqu'à la fin de mes jours.

Ben se leva et lui tendit la main. West la saisit sans hésiter.

— Merci beaucoup, Alloa.

— Quand tout sera terminé, passez donc à Paris, on prendra un pot.

— Avec plaisir.

— Avant de nous offrir des adieux dignes de vétérans, il reste cependant un point que j'aimerais éclaircir.

— Je vous en prie.

313

— Quand nous étions autour du sarcophage, juste avant la tempête, vous n'avez pas répondu à ma question.

Ben identifia immédiatement le problème. Bien que sachant pertinemment que cela ne servirait à rien, il essaya de gagner du temps.

— Je ne suis pas certain de saisir.

— Vous aimez Fanny ?

— Vous parlez de cette question-là ! Oui, ça me revient. Nous avons été interrompus par le déluge.

D'un geste circulaire, Alloa désigna la pièce autour d'eux.

— Ici, l'eau ne nous menace pas. Prenez tout votre temps mais d'homme à homme, je pense qu'il est important de clarifier la situation.

Bien que très embarrassé, Ben était finalement soulagé de pouvoir enfin avouer la vérité.

— Depuis le premier jour, je l'ai toujours aimée, lâcha-t-il.

Il aurait pu expliquer pourquoi, en détail même, mais il s'abstint pour ne pas aggraver son cas. West opina en grommelant.

— Je m'en doutais. Parfois, quand je l'entends parler de vous, je me dis qu'elle vous aime aussi.

— Vous vous trompez. Elle m'aime bien, mais pas suffisamment pour vivre avec moi ce qu'elle partage avec vous. Avant votre rencontre, j'ai essayé d'être plus qu'un ami pour elle. Par tous les moyens, je vous jure que j'ai tenté. Mais la limite qu'elle me fixe est sans ambiguïté. Il m'a fallu du temps pour l'admettre. Elle me veut comme ami. Elle vous veut pour compagnon. Je respecte cela. Vous n'avez rien à craindre de moi.

— J'apprécie votre franchise et je suis désolé pour vous.

— Ne le soyez pas. Vous êtes son choix. Il était plus facile pour moi de vous en vouloir que de l'accepter. Je ne me suis pas gêné pour vous détester cordialement. N'y voyez rien de personnel, c'était comme une thérapie.

— Vous croyez à ce genre de truc ?

— Pas vraiment, mais quand on va mal, on essaie tout. Aujourd'hui, je sais que Fanny restera comme un regret dans ma vie, mais je vous aime bien.

— Sans rancune.

— Pas complètement. Vous êtes beau, je ne supporte pas votre sourire parfait d'Américain, et vous arrivez à vous toucher les pieds sans plier les genoux.

— Je peux vous apprendre à vous toucher les pieds si vous voulez.

— Je crois que j'ai réussi une fois, dans le tombeau, lorsque je me suis fait plier en six par cette saloperie de vague...

Les deux hommes éclatèrent de rire, mais Horwood reprit son sérieux le premier.

— Alloa, puisque je m'en suis sorti, ne lui dites pas qu'elle a deux hommes dans sa vie. Elle n'a que vous.

— Vous acceptez donc le grade de beau-frère ?

— Avec bonheur.

Sans le prévenir ni lui laisser le choix, l'ex-commando prit Benjamin dans ses bras et le serra comme les Américains aiment le faire. Entre la bise des Français et les étreintes des Yankees, Ben ne savait pas ce qui le mettait le plus mal à l'aise. En le serrant contre son cœur, West lui enfonça ses côtes douloureuses, lui tordit le poignet et lui appuya sur au moins une dizaine de bleus.

48

En revenant à sa chambre, Ben avait deux bonnes raisons d'être satisfait : il allait garder un excellent souvenir de son échange avec West et, sur un autre plan, il s'apercevait que malgré ses contusions, il parvenait finalement à marcher sans trop de difficultés.

Impressionné par l'énergie que son « frère d'armes » mettait à se rétablir, Benjamin comptait l'imiter en commençant par une bonne douche et quelques étirements – cependant sans commune mesure avec ceux dont il avait été témoin. Fort de ces bonnes résolutions, il franchit le pas de sa porte, mais son regard fut aussitôt attiré par un rectangle blanc sur son lit. Une enveloppe, à son nom. « À l'attention de M. Benjamin Horwood. Personnel. » Ben imagina d'abord qu'il pouvait s'agir de son quitus de sortie. Il décacheta le pli et fut surpris de reconnaître le papier ivoire à fines lignes rouges sur lequel le professeur Wheelan avait l'habitude de prendre ses notes. Il s'assit sur son lit.

Rudolf Hess fut l'un des plus proches collaborateurs d'Adolf Hitler depuis les débuts de son ascension. Avant de devenir son adjoint et l'un des hommes forts du régime nazi, il fut d'abord nommé secrétaire particulier de celui qui allait devenir le Führer dès son accession à la direction du Parti national-socialiste. En 1933, Hitler le présente à plusieurs reprises comme son dauphin, et c'est Hess qui l'assiste lors de la signature de l'armistice avec la France le 22 juin 1940 à Rethondes.

C'est par l'entremise de Hess que Hitler découvre le concept d'« espace vital » développé par Karl Haushofer, qui lui servira à justifier l'expansionnisme nazi. Hess et Hitler affichent une relation d'une telle proximité qu'elle provoquera la jalousie d'autres dignitaires tels que Heinrich Himmler ou Joseph Goebbels. Hitler est le parrain du fils unique de Hess né en 1937.

Le 10 mai 1941, à 17 h 45 heure locale, Rudolf Hess décolle de la base d'Augsbourg, en Bavière, à bord d'un chasseur Messerschmitt Bf 110 E-1/N portant le numéro de série 3869. Il pilote seul, vêtu d'un uniforme de la Luftwaffe qui ne correspond ni à son grade ni à son affectation. L'appareil n'est pas équipé de bombes mais de deux réservoirs de carburant supplémentaires portant son rayon d'action à 4 200 kilomètres. Dans la nuit du 10 au 11 mai, à 23 h 09 exactement, Hess saute en parachute et son avion s'écrase en Écosse, à environ douze kilomètres au sud de Glasgow. Dans sa chute, il se brise la cheville. Même si certains prétendent qu'il a raté son atterrissage de fortune, il est plus probable qu'il ait été touché par des tirs de DCA lors de son entrée dans l'espace aérien britannique. Il est capturé par les Anglais, soigné à l'hôpital militaire de Drymen, puis incarcéré dans différents sites dont la tour de Londres, du 17 au 20 mai, à la demande de Churchill, ce qui fera de Hess le dernier prisonnier à y avoir été enfermé.

Plusieurs historiens avancent la thèse selon laquelle Rudolf Hess aurait accompli ce périple à la demande directe d'Hitler, avec mission de négocier une paix séparée avec la Grande-Bretagne pour permettre au Reich de se consacrer plus sereinement à l'offensive allemande sur le front de l'Est. Il a été dit que Hess aurait eu rendez-vous avec le duc d'Hamilton, par l'entremise duquel il comptait obtenir l'oreille des membres du gouvernement anglais. Si Hamilton possédait effectivement une propriété non loin du lieu de l'accident, il était aussi de notoriété publique qu'il ne s'y trouvait pas et qu'il était impossible pour un avion de s'y poser. Aucune escale n'était possible ailleurs qu'à Glasgow, où l'on imagine sans peine l'accueil réservé à un avion de combat allemand en temps de guerre. Si toutefois, et malgré toutes ces réserves, cette prétendue négociation avait été le véritable but de ce voyage secret, elle n'aboutira pas. Rudolf Hess ne rencontrera aucun officiel britannique et passera le reste de la Seconde Guerre mondiale en prison. Peu de temps après l'accident, Hitler se désolidarisera et prétendra que Hess était devenu fou et avait agi sur sa seule initiative, allant même jusqu'à clamer se sentir trahi par « cet acte révoltant de désertion ».

Au lendemain de la Seconde Guerre mondiale, Rudolf Hess sera jugé au procès de Nuremberg et reconnu coupable de complot et de crimes contre la paix. Au cours du procès, il se dira fier d'avoir servi Adolf Hitler. Condamné à perpétuité, il sera envoyé à la prison de Spandau, à l'ouest de Berlin, jusqu'à en devenir l'unique et – là encore – le dernier pensionnaire, mais aussi l'un des prisonniers les plus coûteux de l'histoire. Peu après son procès, faisant référence à son vol vers l'Écosse, il déclarera : « Personne ne saura jamais ce qui se préparait. L'avenir de mon Führer était en jeu et j'ai joué le rôle qui m'était assigné. Peu m'importent les procès, peu m'importent les condamnations. J'ai osé. Face à l'histoire, je ne blâme pas Adolf Hitler pour les atrocités commises sur des innocents, car chaque génie renferme en lui un démon. »

Le 17 août 1987, Hess, âgé de quatre-vingt-treize ans, est retrouvé pendu dans la salle de lecture aménagée dans sa prison. Bon nombre d'historiens crédibles et des membres de la famille de Hess remettent en cause la thèse officielle du suicide en pointant de nombreuses incohérences.

Personne à ce jour n'a pu établir les véritables raisons de son voyage secret en Écosse.

Remarque 1 : Si l'avion ne s'était pas écrasé, son autonomie lui permettait de rallier n'importe quelle partie des îles Britanniques et de rentrer ensuite en Allemagne.

Remarque 2 : Si son intention était bien de négocier une paix, pourquoi aucun document n'a-t-il été trouvé sur lui ou dans l'appareil ?

Remarque 3 : En 1985, lors d'un entretien dont plusieurs employés de la prison de Spandau ont été témoins, Hess a affirmé qu'Adolf Hitler et lui étaient restés proches malgré cet événement et que le Führer avait eu l'occasion de lui faire part de sa gratitude et de son amitié. Pourtant, officiellement, les deux hommes ne se sont plus jamais revus ni parlé entre la nuit de la capture de Hess et le suicide de Hitler dans son bunker cerné par les troupes russes, le 30 avril 1945.

Comme une main démoniaque qui saisit pour broyer, Benjamin sentit une douleur lui écraser le crâne. Son cerveau n'avait pas besoin de ce dossier en plus. À elle seule, cette simple feuille engendrait trop de questions. De par son contenu, mais aussi par la façon dont elle avait atterri sur son lit. Quelle place le voyage de Hess pouvait-il avoir dans le puzzle ? Pourquoi cette note avait-elle échappé à son tri ? Qui l'avait déposée là ? Était-ce Jack qui aurait oublié de la lui donner en main propre ? Ben aurait bien aimé pouvoir y croire, cela l'aurait rassuré, mais son instinct le poussait à envisager d'autres pistes. Quelles que soient les explications qui s'échafaudaient, il se sentait en danger.

49

Même atténué par les vitres fumées, le soleil du début de matinée était trop intense pour les yeux fatigués de Ben. Dans les locaux du Defence Science and Technology Laboratory, il suivait Karen en essayant de ne rien laisser paraître des douleurs qui se rappelaient à son bon souvenir à chaque pas. L'agent Holt avait beau chercher son chemin, elle ne ralentissait pas pour autant. Après avoir hésité devant les multiples lignes du marquage de guidage au sol, elle reprit son chemin vers la zone rouge en consultant son téléphone.

— Je reçois à l'instant les résultats au sujet du document trouvé dans votre chambre en Égypte.

Elle découvrait le compte rendu en même temps qu'elle lui en faisait part.

— Aucune trace d'empreintes autres que les vôtres... Le document a visiblement été « nettoyé ». Le papier est identique à celui des autres fiches de travail et l'écriture est bien celle du professeur Wheelan.

— Le contraire m'aurait étonné. Reste à savoir par quel miracle ce texte a pu nous échapper et qui l'a fait réapparaître à ce moment précis dans un lieu théoriquement inaccessible.

— Il s'agit manifestement d'une faille dans nos procédures de sécurité. Nous travaillons activement à isoler le ou les points de faiblesse pour résoudre ces dysfonctionnements.

Ben grogna.

— Vous me faites peur, Karen. Je commence à vous connaître. Quand vous utilisez ce ton officiel et ces formules creuses dignes d'un communiqué de presse du ministère, c'est que vous êtes perdue.

La jeune femme ne se déroba pas.

— C'est vrai, nous sommes complètement paumés. Et ça me rend dingue. Nous n'avons pas la moindre idée de la façon dont ce pli a pu arriver jusqu'à vous. Quelle qu'en soit l'explication, elle est inacceptable. Soit nous sommes infiltrés, soit nous sommes incompétents. Peut-être même les deux. Pour le moment, à mon niveau, la seule réaction que je puisse mettre en place en attendant de découvrir ce qui s'est réellement passé, c'est de garder mon arme chargée et de ne plus vous lâcher d'une semelle.

Karen se rendit compte que Ben était essoufflé. Elle ralentit.

Dès leur retour d'Égypte, ils étaient immédiatement repartis à destination d'une anodine petite bourgade située à moins d'une centaine de kilomètres au sud-ouest de Londres. C'est là, dans des locaux banalisés ayant l'apparence d'une entreprise agroalimentaire, que se trouvait le quartier général de l'unité chargée de la veille technologique stratégique du Royaume-Uni. Discrètement, le site était aussi équipé d'un complexe regroupant différentes cellules d'études capables de mener confidentiellement des recherches scientifiques de haut niveau pour le compte du gouvernement.

Lorsque l'agent et l'historien se présentèrent au poste de contrôle de la section de physique appliquée, Ben glissa :

— Si vous n'y voyez pas d'inconvénient, évitons d'affoler Fanny avec cette histoire de « faille de sécurité ».

— J'approuve.

Sur un ton beaucoup moins assuré, il ajouta ensuite :

— Karen, s'il vous plaît, entre nous, puis-je vous demander de quoi j'ai l'air ? Dites-moi franchement...

L'agent Holt comprit sa préoccupation. À l'heure de retrouver Fanny, Horwood ne voulait pas rater son entrée. La jeune femme mit de côté ses sentiments personnels et le dévisagea avec l'œil critique d'un médecin examinant un patient.

— Voyons voir... Vous n'êtes pas coiffé, vous avez un œil au beurre noir, on dirait que vous avez dormi dans vos vêtements... Diagnostic : vous ressemblez à un écolier qui s'est battu pour garder son goûter et qui a manifestement échoué.

— Très drôle.

Karen lui sourit, rectifia son col, redressa les épaules de son blouson et, en quelques gestes très doux malgré leur vivacité, le recoiffa.

Elle contempla le résultat et conclut avec un petit sourire :

— Vous êtes parfait. Quel tombeur, ce Benji...

Sous le coup de cette familiarité aussi bien physique que verbale, Ben n'eut pas l'air très malin quand le contrôleur leur ouvrit.

Holt et Horwood furent conduits jusqu'à la salle affectée à l'étude de leur projet. Au centre d'un bel espace, Fanny, cheveux attachés et vêtue d'une blouse blanche, s'affairait autour d'une grande table en prenant des notes. Les objets remontés du tombeau étaient disposés devant elle sur le plateau éclairé, chacun sur une des cases numérotées d'un grand quadrillage.

— Enfin vous voilà ! s'exclama-t-elle.

Elle salua Karen et enlaça Benjamin en lui malmenant quelques bleus au passage.

— Trop contente de vous voir ! D'après le peu qu'Alloa a eu le droit de me confier, j'ai compris que ça n'avait pas été simple. Il m'a promis que tu me raconterais tout.

Elle prit le temps d'observer l'historien.

— Tu as l'air épuisé. Par contre, cet œil au beurre noir et ta barbe de deux jours te donnent un côté mauvais garçon très sexy...

Ben aurait sans doute plus apprécié la remarque si Karen n'en avait pas été témoin.

Attiré comme un aimant par les artéfacts, il s'approcha de la table. En les contemplant, il éprouva une étrange sensation, comme si les retrouver dans cet environnement aseptisé leur ôtait un peu de leur magie. Ils semblaient nus, perdus loin de chez eux, orphelins.

— Je suis aussi heureuse que vous soyez là, confia Fanny, parce que j'en ai assez de découvrir chaque jour des données bluffantes et de ne pouvoir en parler à personne sous prétexte que c'est confidentiel. Je n'ai même plus sommeil tellement je suis avide d'avancer ! Chaque information, chaque découverte ouvre de nouveaux champs de recherche. Pas le temps de manger ni de dormir ! Ces trésors m'ont transformée en zombie du savoir. Vous aviez raison en comparant cette affaire à un puzzle. À coup de surprises, les pièces s'assemblent...

— Les photos réalisées sur le site sont-elles correctes ? interrogea Karen, anxieuse.

— On voit qu'elles ont été faites dans l'urgence mais ça reste acceptable. L'endroit devait être magnifique. Quelle émotion ! J'ai fait imprimer quelques tirages, mais un autre service s'occupe de les agencer pour mettre au point une reconstitution 3D du tombeau. En se basant sur les différentes prises de vues, on devrait obtenir un modèle virtuel dans lequel nous pourrons évoluer en image. Ils m'ont promis que tout serait prêt d'ici deux jours.

Depuis son arrivée dans la salle d'étude, Benjamin n'avait pas prononcé un seul mot. La contemplation des reliques l'accaparait. Il enfila une paire de gants de coton. D'instinct, le premier objet qu'il saisit fut le cube en métal dont les faces étaient couvertes de schémas géométriques et d'indications de mesures. L'objet n'était même pas rouillé et la finesse de la gravure surpassait celle des bijoux les plus précieux.

— Celui-là te fascine aussi ? glissa Fanny en s'approchant. J'en ai effectué le relevé. On y trouve surtout des formules en lien avec les proportions des pyramides. Des règles de calcul qui auraient pu inspirer Thalès et Pythagore.

Benjamin observait chaque face de l'étrange dé.

— Tu as dû vivre un moment exceptionnellement fort au fond de ce lac, ajouta Fanny. Même si l'expédition n'a pas été une partie de plaisir, n'importe quel archéologue aurait donné dix ans de sa vie pour être à ta place.

— Je suis même convaincu que certains auraient tué pour y être. Notamment ceux à qui nous avons arraché le plan.

— Es-tu conscient de ta chance ?

— D'y être allé ou d'en être revenu ?

— Les deux.

— Peu à peu, je réalise.

Ben avait changé, Fanny le sentait. Il dégageait quelque chose de différent. Son attitude, son regard plus précis, même sa voix, calme et grave. Était-ce dû à la fatigue ? À la puissance de ce qu'il avait vécu ? Était-ce l'émotion de retrouver ces reliques ? La jeune femme profita de ce que Karen était occupée à observer la collection à l'autre bout de la table pour lui murmurer :

— Si j'avais pu, je me serais précipitée à votre chevet, mais ils ne m'ont pas laissée faire.

— Je sais. Aucun problème. Ne t'en fais pas. Alloa a remarquablement pris soin de moi. Je te remercie d'avoir fait de lui mon ange gardien.

— Quand ils m'ont dit que vous étiez blessés, que même un coup de fil n'était pas envisageable, j'ai vraiment été morte d'inquiétude.

— Tu étais plus utile ici.

— Pourquoi ne m'as-tu jamais dit que tu détestais que je t'appelle « Benji » ?

Horwood quitta le cube des yeux et fixa Fanny sereinement.

— Il y a beaucoup de choses que je ne t'ai jamais dites, mais c'est sans importance. La seule chose qui compte, c'est ce que nous partageons au présent. Quand j'étais au fond de ce tombeau sans savoir si j'en ressortirais un jour, j'ai eu l'occasion de mesurer ce qui compte vraiment pour moi. Tu te situes à la fois au-dessus et à part, définitivement. Ce n'est pas une découverte, mais cela ne m'était jamais apparu aussi nettement.

Il regardait Fanny avec une telle intensité qu'elle en fut troublée. Elle n'avait jamais eu l'occasion d'entendre Benjamin exprimer des sentiments aussi forts, aussi intimes, surtout avec un tel naturel. Elle qui s'amusait souvent de son manque d'assurance face à des sujets affectifs fut déstabilisée par le contrôle de lui-même dont il faisait preuve. Pour la première fois, c'est elle qui ne sut pas quoi lui répondre.

L'impatience à lui faire part de ses découvertes offrit une diversion toute trouvée. Elle lui retira délicatement le cube des mains et le reposa à sa place.

— J'espère que tes neurones sont connectés, parce que j'ai pas mal de choses à t'annoncer, et que c'est du lourd...

Elle fit signe de la suivre vers un poste installé le long du mur de la salle. Sous un cube en plexiglas, Ben reconnut aussitôt la pyramide au cristal prêtée par Gábor Walczac.

— Commençons par le début. J'ai bien avancé concernant cette petite merveille. Les expériences que nous avons menées ont permis d'établir quelques certitudes. Comme tu l'avais suggéré, nous avons soumis le cristal à la lumière pour étudier son interaction. Cramponne-toi : si, sur trois axes, il diffracte le rayon comme n'importe quelle matière translucide hétérogène, sur le quatrième, en revanche, il le concentre avec une efficacité remarquable. Cet effet de loupe est extraordinaire. Il n'est pas dû à la forme du minéral, mais à sa structure même. Ce morceau n'a pas été modifié ou taillé exprès, mais choisi pour sa capacité particulière à densifier et focaliser un rayon de lumière. Voilà qui explique pourquoi il est ajusté si précisément dans sa monture. La moindre déviation de sa position dans son support aurait pu remettre en cause l'effet. Cet artéfact est donc bien un outil, et je suis prête à parier que ses frères jumeaux aussi.

— Les quatre pyramides sont donc liées...

— Ce n'est pas tout. Je n'ai pas chômé pendant que tu barbotais dans l'eau avec mon mec. Les examens ont aussi révélé que l'objet est radio-actif. Ce n'est cependant inhérent ni à la nature du métal ni à celle de la pierre. D'après les ingénieurs, l'analyse de la surface indique que l'objet aurait acquis cette caractéristique en ayant été exposé à un bombardement massif de rayonnement. En se basant sur l'évolution du taux de radioactivité dans le temps par rapport aux modèles connus, ils sont parvenus à déduire que l'irradiation a sans doute été violente et qu'elle s'est déroulée sur une période très brève survenue voilà approximative-ment 4 000 ans.

— Même avec l'imprécision, cela nous renvoie encore au temps des Sumériens.

— Tout juste. Par ailleurs, nous en savons davantage sur les symboles gravés. L'étude de leur méthode de taille a démontré qu'ils ont été sculptés après l'exposition aux radiations.

— En as-tu appris plus sur leur signification ?

— Pas vraiment, mais il est désormais avéré que les hiéroglyphes datent de la première période égyptienne, la plus ancienne. J'ai aussi décou-vert que les petites volutes imbriquées sont la réplique exacte de motifs que l'on retrouve sur des pierres sacrées dans le tumulus mégalithique de Newgrange, en Irlande, construit 3 200 ans avant notre ère.

— Une origine géographique de plus...

— Ou une destination. Parce que si l'on rap-proche ces données de celles déjà tirées de ce que tu as remonté, tu vas voir que les faits s'agencent drôlement bien et qu'une hypothèse se dessine.

Fanny se dirigea vers un autre poste de travail équipé d'un grand écran. Elle tapa un code sur le clavier et une série de photos du tombeau s'affichèrent. Karen s'approcha.

— Lorsque j'ai découvert les clichés de l'intérieur du sarcophage, reprit Fanny, je me suis tout de suite étonnée de la façon dont la momie était disposée.

— En l'ouvrant, j'ai moi aussi été surpris.

— N'étant pas une spécialiste, j'ai interrogé des collègues du Louvre, bien sûr sans rien leur dévoiler du site ou des véritables raisons de mes questions. Tous m'ont unanimement répondu que l'ensevelissement ne correspondait pas au rite égyptien de l'époque à laquelle fut bâti Abou Simbel. Cette façon d'inhumer est bien plus ancienne et se rapproche des traditions mésopotamiennes.

— Sumer, toujours.

— Reste le mystère qui entoure l'identité du corps qui semble être féminin. C'est une énigme. Ses bijoux, qui sont aussi très inhabituels, pourront peut-être nous aider à déterminer qui elle est. J'ai aussi aperçu le masque mortuaire sur les photos. Exceptionnel. Tu n'as pas été tenté de le remonter ?

— Pas la place, pas le temps, mais surtout pas envie.

— Pas envie ?

— J'aurais eu l'impression de commettre un vol...

Ben désigna la dépouille sur l'écran.

— J'espère que nous pourrons apprendre qui dormait là depuis si longtemps.

— Ta collecte nous apporte déjà quelques éléments de réponse...

Fanny invita Benjamin et Karen à revenir autour de la table. Le visage d'Horwood s'assombrit soudain.

— Il manque un objet. Un large bol de bronze doré aux bords relevés, une espèce d'assiette creuse très lourde et calcinée en son centre.

— J'ai toujours adoré ta perspicacité ! s'enthousiasma Fanny. Dès que ça t'intéresse, plus rien ne t'échappe. Effectivement, la pièce dont tu parles n'est plus là. Elle a été transférée vers un centre d'études spécialisé dans les analyses nucléaires. L'équipe qui a étudié les rayonnements radioactifs de la pyramide au cristal s'occupe d'elle en ce moment même. Parce qu'il faut te préciser que lorsque j'ai déverrouillé tes containers, les systèmes de sécurité antiradiation du labo se sont immédiatement déclenchés. Du coup, nous avons isolé et inspecté les antiquités une à une, et ce plat s'est révélé férocement radioactif. Son irradiation était du type de celle détectée sur la petite pyramide, mais en beaucoup plus intense. Les scientifiques du centre m'ont déjà prévenue que sur sa partie centrale brûlée et noircie, le récipient contenait des particules d'une matière inconnue liée à la source du rayonnement.

— Encore un indice qui suggère une expérience.

Fanny désigna deux tubes de pierre brisés.

— Ils étaient intacts quand je les ai sortis, fit remarquer Ben.

— Ils ne l'étaient plus quand j'ai ouvert tes caisses. Tout était sens dessus dessous, à croire que vous aviez joué au foot avec.

— L'eau s'en est chargée. Nous n'avons pas vraiment eu le temps de faire des paquets-cadeaux...

— Je me souviens aussi très bien de la façon dont tu faisais tes valises, mais passons. Toujours est-il que les papyrus contenus dans ces fourreaux sont en cours de traduction, répartis en plusieurs sections pour qu'aucun des spécialistes qui s'y attellent ne puisse en comprendre la globalité.

— Combien de temps va-t-il falloir attendre pour lire le résultat ?

— Je ne sais pas, mais rassure-toi, on a de quoi s'occuper, car certains objets ont déjà livré leur secret.

Fanny s'empara d'un cylindre à peine plus large que son doigt et long de quelques centimètres, taillé dans une pierre bleutée. C'était le plus petit des objets rapportés.

— Les photos m'ont permis d'entrevoir tout ce que tu as été obligé de laisser dans la précipitation, mais tu as été bien inspiré de prendre ceci.

— Nous avons quelques beaux spécimens du même genre au British Museum.

— Qu'est-ce que c'est ? voulut savoir Karen.

— Un sceau, expliqua Ben. Celui-ci est à première vue en lapis-lazuli, une pierre bleue utilisée depuis les temps les plus anciens. Il est gravé en creux et lorsque vous le faites rouler sur de l'argile humide, il dessine en relief une scène ou un message. Les rois sumériens utilisaient cet outil pour authentifier leurs écrits officiels à l'époque où ils étaient consignés sur des tablettes.

Karen admira l'objet.

— Une signature infalsifiable avant l'heure... C'est remarquablement astucieux.

Ben se tourna vers Fanny.

— As-tu réalisé une empreinte ? Sait-on à qui il appartenait ?

La jeune femme se déplaça jusqu'à un troisième poste, sur l'écran duquel elle afficha un autre type d'image. On y distinguait un petit bas-relief marqué dans de l'argile à l'aide du rouleau.

— Note la finesse inhabituelle des profils et des draperies du personnage central. La présence des sabres croisés rappelle les armes de la cité d'Ur. Il pourrait s'agir d'un de ses rois, Ur-Nammu, et de son fils, Shulgi.

— Qu'est-ce qu'un sceau sumérien faisait dans un tombeau égyptien construit à des milliers de kilomètres de là ?

— La réponse se cache peut-être dans cet autre objet que tu as rapporté.

Fanny retourna à la table et prit cette fois la petite boîte de pierre grise polie.

— L'as-tu ouverte avant de décider de l'emporter ?

— Pas eu le temps.

La chercheuse souleva le couvercle avec précaution. À l'intérieur, une plaquette recouverte d'une mosaïque sombre et mate représentait un homme en toge devant une vasque dont s'échappaient des traits semblables à des rayons.

— La technique de fabrication ne te rappelle rien ? questionna Fanny.

— Si : l'étendard d'Ur, la pièce sumérienne conservée au Museum. On dirait que cette plaquette a été fabriquée par les mêmes artisans.

— De quoi parlez-vous ? intervint Karen.

Ben répondit :

— Le musée possède une antiquité issue de la période sumérienne parmi les plus exceptionnelles qui soient : l'étendard d'Ur, découvert dans la nécropole royale de la cité. C'est un étroit coffret de bois d'une trentaine de centimètres de haut sur une cinquantaine de long, décoré d'incrustations sur une base de bitume, comme cette plaquette. Sur l'une des deux grandes faces, on peut voir une armée autour du roi et, sur l'autre, ce qui s'apparente à des scènes quotidiennes. Le style de mosaïque est très comparable à celui-ci. Sa réalisation était d'une qualité très avancée pour l'époque. L'étendard d'Ur est considéré comme un des objets les plus emblématiques de l'histoire de l'humanité, d'autant plus précieux que datant d'une période ou de tels chefs-d'œuvre n'étaient pas encore réalisables couramment. Étrangement, personne n'a pu en deviner l'utilité. Ornement ? Enseignement ? Hommage glorieux ? Nous n'avons pas la réponse. Cette plaquette-ci prouve que cette technique de décoration n'était pas aussi isolée qu'on a pu le penser.

Délicatement, Ben souleva la petite tablette et découvrit qu'une autre se cachait dessous.

— La boîte en contient trois, précisa Fanny. Deux scènes de cour et une autre qui ressemble à un plan de ville, mais qui est fêlée.

— On dirait des cartes postales, nota Karen.

— Cette petite boîte remet en cause à elle seule beaucoup de théories, commenta Benjamin.

Fanny rangea les miniatures de mosaïque et reposa la boîte sur sa case.

— Je suis entièrement d'accord. Moi, ça fait dix jours que j'ai la cervelle en fusion à cause de ces objets. J'ai la sensation que tout ce que j'ai vu ou lu avant, que tout ce que l'on a appris, n'est rien à côté de ce que l'on est en train de mettre au jour.

50

Adossée au mur du salon, les bras croisés, l'œil rivé sur la trotteuse de sa montre, Karen attendait que Benjamin sorte enfin de la salle de bains. Elle-même était prête depuis plus de dix minutes. Dès qu'elle n'entendit plus l'eau de la douche couler, elle demanda à travers la porte :

— Et s'il s'agissait d'un traquenard ?

— Qui me parle ? Ma conscience ? Un de ces êtres pervers qui rôdent dans des appartements supposés privés ? Ceci dit, vous au moins avez l'obligeance d'attendre derrière la porte, alors que votre patron...

— Benjamin, je ne plaisante pas.

— Un traquenard ? Je n'imagine pas ce brave M. Folker me tendant un piège.

— Pourquoi ne pas vous retrouver à la British Library comme la dernière fois ?

— Il a sûrement ses raisons. Il ne m'a d'ailleurs pas laissé le choix. Le fait qu'il me fixe rendez-vous dans un lieu public devrait vous rassurer.

— Ces derniers temps, rien ne me rassure.

— Je vous comprends.

— Vous, par contre, me semblez en revanche plutôt détendu.

— Sans doute le contrecoup de mes peurs égyptiennes. Après la plongée et la note dans ma chambre, il en faut plus qu'avant pour m'inquiéter.

— Faites attention à ne pas vous habituer au risque. C'est là que l'on relâche sa vigilance et en général... Quel effet vous a fait Folker au téléphone ? Sa voix trahissait-elle de l'anxiété, une hésitation inhabituelle ?

— Je n'ai rien remarqué d'anormal. Il était pressé que nous puissions parler. Il a insisté sur le fait que c'était urgent et très important. De toute façon, nous en aurons très vite le cœur net.

Ben ouvrit soudain la porte et fit sursauter Karen, qui ne s'y attendait pas. En cherchant ses chaussures dans le salon, il acheva de boutonner sa chemise et la glissa dans son pantalon. Il avait opté pour un vêtement qu'il n'avait encore jamais mis. Choisie par Karen, cette chemise était encore plus éloignée de ses goûts que les précédentes. Plutôt près du corps, sombre, avec des motifs géométriques ton sur ton. Il n'était pourtant pas prévu qu'il rencontre Fanny aujourd'hui.

Ben passa en coup de vent devant le miroir.

— Non seulement vous avez l'œil pour ma taille, mais vous avez en plus du goût. J'aime bien. Et vous ?

Déconcertée par le nouvel aplomb de Ben, Karen se trouva pour une fois à court de repartie. Ben trouva enfin ses chaussures.

— Dépêchez-vous, lança-t-il en attrapant son blouson. Nous allons finir par être en retard.

Karen réagit au quart de tour :

— Comment pouvez-vous me sortir ça ?

— Regardez, c'est très simple. Il suffit d'ouvrir la bouche et d'expulser l'air de vos poumons en faisant vibrer vos cordes vocales.

Il fit une démonstration.

— Bou-gez-vous. Étonnant non ? Je suis certain qu'avec un peu d'entraînement, vous pourrez, vous aussi, y arriver.

— Méfiez-vous, j'ai un flingue, et il est chargé.

— J'aime quand vous me menacez, ça me donne des frissons partout. Vous connaissez le Sky Garden ?

51

Au cœur de la City, une tour de verre à l'architecture épurée dominait les immeubles sages du quartier des affaires. Rectangulaire à sa base, elle s'élevait en s'élargissant pour s'épanouir dans une forme protubérante arrondie abritant le Sky Garden, le jardin le plus haut de Londres. Éden aérien, l'endroit avait rapidement gagné la réputation d'attraction de premier plan.

Pour être autorisée à y monter armée avec son protégé, Karen avait été obligée de s'identifier officiellement et d'emprunter d'autres ascenseurs que ceux réservés aux touristes.

Une fois arrivés au trente-cinquième étage, à plus de cent cinquante mètres au-dessus du sol, la jeune femme et Horwood débouchèrent dans une gigantesque serre au centre de laquelle se dressaient un restaurant et un bar aménagés en terrasse, cernés d'un immense jardin en pente orienté plein sud. L'endroit associait un design futuriste à une ambiance naturelle, formant un écrin lumineux géant peuplé d'arbres de belle taille et de luxuriants parterres végétaux, au creux desquels avaient été aménagés des recoins équipés de bancs.

Ben s'approcha des baies vitrées. La vue sur la capitale anglaise était stupéfiante. À des dizaines de kilomètres à la ronde, rien n'échappait au regard. Depuis cette hauteur, les avenues apparaissaient comme de simples rubans gris sur lesquels les bus rouges ressemblaient à des modèles réduits. Traversant la Tamise sur des ponts d'allumettes, les métros et les trains de banlieue filaient comme des jouets électriques.

— Vous a-t-il précisé l'endroit où il vous attend ? demanda l'agent Holt, que le charme du lieu ne distrayait pas du motif de leur visite.

— Détendez-vous, Karen. Profitez un peu. Après des semaines passées enfermé dans des laboratoires, des appartements confinés et des temples souterrains, voir si loin, découvrir un horizon dégagé environné de ces plantes qui exhalent des parfums frais me fait un bien fou. Pas vous ? On n'imagine pas que les plaisirs de ce monde continuent d'exister lorsqu'on est plongé dans les problèmes jusqu'au cou.

— J'envie votre enthousiasme. Pour ma part, je n'oublie jamais que même dans ce genre d'endroit, les ombres rôdent en attendant leur heure. Aidez-moi à localiser Folker.

— Il m'a prévenu qu'il patienterait sur un banc dans les fleurs. Montons en faisant le tour, on finira bien par le trouver.

Ils se mêlèrent à la foule des visiteurs qui musardait dans ce paysage improbable. Beaucoup se prenaient en photo devant le panorama ou les plantations les plus spectaculaires. Au moment de fixer le souvenir, certains arboraient un sourire parfaitement maîtrisé, d'autres s'embrassaient ou faisaient d'étranges signes avec leurs doigts. Les codes et symboles sont partout. Sur le qui-vive, Karen passait la foule au crible avec une attention extrême.

C'est en redescendant par le flanc est que de haut, Ben aperçut la silhouette et reconnut la crinière blanche de l'ancien assistant de recherche. Il se hâta de le rejoindre.

— Monsieur Folker ! Quel plaisir de vous retrouver. Je ne suis pas en retard au moins ?

— C'est moi qui étais en avance. Bonjour, Benjamin. Merci de vous être rendu disponible si rapidement.

Il lui indiqua un cube de bois servant de siège.

— Asseyez-vous près de moi, nous avons peu de temps.

La présence des deux hommes avait brutalement élevé le niveau d'alerte de plusieurs crans. Nerveuse, Karen balayait l'espace, à l'affût de toute attitude suspecte, en gardant discrètement la main sur la crosse de son automatique.

Ben se rendit compte à quel point Folker était tendu. Pour le réconforter, il se permit de prendre ses mains tremblantes entre les siennes en un geste chaleureux.

— Tout va bien, Robert. Je suis là et l'agent Holt nous protège. Vous ne risquez absolument rien. Pourquoi avoir voulu nous retrouver ici ?

— Ma petite-fille adore. C'est avec elle que j'y viens. Elle dit que cet espace est « une planète posée dans le ciel ». C'est pour moi un lieu associé au bonheur. Il n'y en a plus tant que cela… En outre, il y a du monde, je préfère ne pas être seul en ce moment.

— Qu'est-ce qui vous préoccupe ?

— Vous allez me croire sénile, mais depuis quelque temps, j'ai l'impression d'être surveillé. Même à la Library, j'ai souvent la sensation que des oreilles traînent. Je surprends des regards de gens que je n'ai jamais vus. Ils m'observent à la dérobée, j'en suis presque certain. Dans les couloirs déserts des étages d'étude, il m'arrive même de ressentir des présences et de prendre peur. J'essaie de me raisonner, de mettre cela sur le compte de la paranoïa d'un vieil homme que la solitude abîme et que l'affaire du *Splendor Solis* a ébranlé. Mais rien n'y fait.

— Vous êtes simplement fatigué. Ne vous accablez pas. Si vous en ressentez le besoin, n'hésitez jamais à m'appeler.

— C'est ce que j'ai fait. Je voulais que vous soyez au courant de ce que j'ai découvert au sujet du *Splendor Solis*, au cas où il m'arriverait malheur.

— Dites-moi tout.

— Après notre entrevue au sujet des pages volées, j'ai poursuivi mes recherches. Un peu pour le plaisir, je l'avoue, mais surtout parce que j'étais de plus en plus intrigué par les illustrations foisonnantes associant éléments ésotériques et scènes figuratives. Comme Ronald avant moi, je me suis mis en tête de traquer les informations cachées qu'elles pouvaient contenir. J'ai cherché à lire dans les plis des robes, dans les ombres, dans les herbes, dans les nuages. Des heures, que dis-je, des nuits à user mes pauvres yeux avec des loupes ! J'ai essayé de percer le code des couleurs et des formes, de déchiffrer la symbolique. J'ai aussi analysé les paysages, les monts et vallées, les courbes des fleuves, les villages, et même les éléments architecturaux dépeints pour tenter d'y déceler au moins des indications de localisation.

— Qu'avez-vous découvert ?

— Rien. Pas la moindre ressemblance entre les illustrations et une quelconque réalité qui ne soit pas déjà connue.

Devant l'air aussi surpris que déçu de Benjamin, Folker s'empressa d'ajouter :

— Mais un hasard nocturne m'a révélé bien davantage...

Folker s'anima soudain, et Ben reconnut l'authentique sourire d'enfant que l'ancien assistant de recherche arborait lorsqu'il était content d'avoir joué un tour au professeur Wheelan.

— J'imagine sans peine l'excitation de Ronald si j'avais pu lui annoncer ce qui m'est apparu... Voilà donc toute l'histoire : un soir, alors que j'avais travaillé tard et que le personnel avait quitté les bureaux, je me suis enfin décidé à rentrer. Comme d'habitude, j'ai éteint les lampes éclairant mon plan de travail, mais Nancy avait oublié d'éteindre les siennes. Elles projetaient une lumière de biais jusqu'à ma place. Je n'avais pas encore refermé le volume lorsque j'ai été surpris de constater que la page que j'étudiais – celle du « Vieux Roi et du jeune Roi » – semblait réagir à cet éclairage particulier. Certaines parties de l'illustration brillaient anormalement. Sous cet angle, la lumière faisait ressortir des détails de la robe du jeune monarque, mais aussi certaines zones de l'ornementation encadrant la page, qui en temps normal ne se remarquent pas. Inutile de vous dire que malgré ma fatigue, il n'était plus question de regagner mon domicile pour me reposer ! J'ai regardé de plus près. J'ai alors passé toutes les pages en revue et je me suis rendu compte que l'apparence première du codex se double d'une lecture secrète que personne n'avait encore jamais percée à jour. Dans toutes les pages enluminées, aussi bien dans les dessins que dans les inscriptions et légendes, j'ai pu constater que certaines lettres et des détails ont été particularisés. Je n'ai rien dit à qui que ce soit et j'ai attendu la nuit suivante pour approfondir mes investigations.

« Il m'a fallu un microscope pour m'apercevoir que toutes les parties dorées n'ont pas été traitées selon la même technique. Certaines ont été simplement recouvertes à la feuille ou à la poudre d'or, mais d'autres ont été en plus retouchées avec un pigment diffractif spécial qui se met à briller sous une lumière rasante. Je vais vous montrer.

Folker sortit son téléphone de sa poche et ouvrit le dossier des images.

— Cela ne rend évidemment pas aussi bien en photo qu'en vrai, mais vous allez tout de même parfaitement vous rendre compte.

Il afficha une page peu éclairée représentant le « Couple royal ». Certaines lettres de la présentation de la scène, mais aussi d'autres inscrites sur les rubans rouges et bleus portés par les deux dignitaires, se détachaient en brillant d'un éclat nacré.

— Fascinant, souffla Ben.

— Le phénomène se répète sur toutes les illustrations. J'ai fait des photos de chacune. Elles ne sont pas d'excellente qualité, mais cela me permet de garder une trace et d'éviter que vous ne me preniez pour un vieux fou.

— Loin de moi cette idée, monsieur Folker. Pouvez-vous m'envoyer ces photos ?

— Vous les envoyer ?

— Oui, via votre téléphone.

Folker lui tendit son appareil.

— Faites-le vous-même. Ma petite-fille saurait comment s'y prendre, mais je n'y entends rien. Ces techniques sont de votre temps, pas du mien.

Benjamin sélectionna toute la série et l'expédia sur son numéro.

— Je n'en ai soufflé mot à personne, précisa le vieil homme. Je suis bien ennuyé. Que faire de cette découverte ? À qui la confier ? C'est une énorme responsabilité. Ronald, lui, aurait su quoi faire.

— Ne vous en faites pas. Nous allons vous aider.

— Ce traitement sélectif n'est en rien dû au hasard, Benjamin. Il ne s'agit ni d'une facétie d'artiste ni d'un accident. J'en ai la preuve.

— Expliquez-moi.

— Je ne suis sans doute pas le plus qualifié pour résoudre ces énigmes, mais sur au moins deux pages, j'ai pu constater que ces lettres différenciées forment à elles seules des mots jusque-là dissimulés dans le texte qui leur sert de paravent.

Folker reprit son téléphone et fit défiler les vues.

— Dans l'illustration représentant « Le Chevalier de l'Art royal » debout sur les fontaines d'or et d'argent, la citation inscrite sur son bouclier ainsi éclairée révèle une référence qui renvoie à un texte précis d'Hermès Trismégiste.

— L'un des pères de l'alchimie ?

— Celui-là même. Vous connaissez son importance.

— Je ne suis qu'historien de formation, et si je ne m'abuse, Trismégiste est une figure de l'occultisme et de l'hermétisme.

— C'est d'ailleurs de son nom qu'est tiré l'adjectif *hermétique*.

— Je sais également que l'art royal est aussi désigné sous le nom de science hermétique, mais ma culture au sujet de ce personnage ne va pas beaucoup plus loin.

— Laissez-moi vous éclairer.

Folker fit défiler ses photos et présenta la page du « Philosophe alchimiste » portant une robe drapée d'étoffe rouge et bleu.

— Vous souvenez-vous de cette illustration ?

Ben reconnut le ruban s'échappant de la fiole au-dessus du savant, telle une fumée.

— Vous nous aviez montré l'original lors de notre visite à la British Library.

Folker opina.

— On peut affirmer sans risque que cette peinture est une représentation du mythique Hermès Trismégiste. Son existence n'est pas avérée, mais la plupart des textes fondateurs de l'occultisme et de l'alchimie lui sont attribués. Les plus grands auteurs le citent en référence depuis la plus haute Antiquité. Son génie rayonnait sur la médecine, la magie, l'alchimie, la philosophie, l'astrologie et même la théologie. Difficile de dire à quelle époque il aurait pu vivre. Les Égyptiens assimilèrent ses travaux à ceux du dieu Thot qui, chez les Grecs, prit la forme d'Hermès. Le dieu Thot symbolisait la lune par opposition au soleil, et il aurait selon la croyance inventé l'écriture et la langue de Ptah – le Verbe de Dieu, qui donna naissance à l'univers. La civilisation grecque s'empara de cette illustre figure et contribua à sa renommée. Platon mentionne ainsi « Theuth » et lui attribue la maîtrise des enseignements secrets. L'étymologie de son nom suffit à le définir. Le mot « Trismégiste » signifie « trois fois très grand » – en dérivant à la fois de la langue égyptienne et d'autres plus anciennes –, auquel le prénom « Hermès », messager des dieux chez les Grecs, viendra s'accoler. Ainsi renforcé par l'admiration que les différentes cultures successives portèrent à ses travaux, Hermès Trismégiste gagna le statut de maître de la mystique alchimique. Depuis plus de deux millénaires, il est régulièrement invoqué, cité, et les écrits qui lui ont été attribués ont fait florès jusqu'à l'âge d'or de l'alchimie en Europe. D'innombrables légendes, pouvoirs et miracles lui sont prêtés. Comme l'alchimie, le nom de Trismégiste sera dévalorisé, puis dénigré par les charges répétées d'esprits autoproclamés rationalistes. Mais bien que l'ayant privé de lumière, ils ne parviendront jamais à le renvoyer dans l'obscurité de l'oubli. Certains des textes qui lui sont attribués sont encore à ce jour révolutionnaires. Beaucoup de ses enseignements se retrouvent d'ailleurs dans le florilège du *Splendor Solis*.

— Pensez-vous qu'il ait réellement existé ?

— Qui suis-je pour répondre ? À défaut de vérité, je peux vous confier mon modeste sentiment, mais il convient d'être prudents. Nous savons bien peu de chose sur les temps des premières civilisations qui l'auraient vu naître. Nous connaissons à peine le nom des rois, alors que peut-on espérer apprendre sur un érudit disparu depuis des millénaires ? Le professeur Wheelan pensait que Trismégiste n'était sans doute que l'incarnation fantasmée du prophète tant espéré par les adeptes de l'alchimie.

— S'il n'est qu'une cristallisation imaginaire, comment expliquer la richesse de ses enseignements ?

— Par la profusion de ceux qui ont voulu y croire et qui, pour entrer dans sa légende, se sont réclamés de lui.

En écoutant Folker, Benjamin se trouvait transporté dans un univers à des années-lumière du décor qui les entourait.

— Benjamin, fit le vieil homme gravement, je n'ai plus l'âge ni la force de me lancer dans une telle quête. Vous, si. Vous avez l'énergie et les capacités qui conviennent. Je ne connais personne de plus apte que vous. Cherchez ce qui se cache dans ces illustrations, trouvez-en le sens. Je suis certain que c'est le secret que visent ceux qui ont volé les pages.

Benjamin eut un sourire mi-amusé, mi-sceptique.

— Votre confiance m'honore, mais je doute d'être à la hauteur.

— Ayez foi en vous.

— À l'instant, vous évoquiez une référence cachée sur le texte du bouclier du Chevalier...

— Vous vérifierez par vous-même sur les photos, mais grâce au message débusqué dans l'illustration, j'ai effectivement identifié le passage des œuvres de Trismégiste auquel il renvoie.

— Vous souvenez-vous du thème qu'il aborde ?

— Je me rappelle bien plus que cela. Il est gravé en moi à la virgule près. Depuis que j'ai lu le passage, chaque mot résonne dans ma pauvre tête, comme des notes dont je ne saisis malheureusement pas la mélodie. Je cherche mais je ne trouve pas. Écoutez, et jurez de m'en confier la clé si vous la découvrez.

— Vous avez ma parole.

Folker se pencha vers Benjamin, la bouche à quelques centimètres de son oreille. D'une voix posée, très articulée, il murmura :

— « L'expérience a besoin des siècles pour grandir. Les idées ont besoin de simplicité pour atteindre l'essentiel. Nulle création animée ou inerte n'est séparée du tout. Rien ne sera entrepris sans raison. Aucune chimie, aucune œuvre de pensée ou de cœur ne doit être considérée comme inférieure au regard des sphères les plus pures. Montagnes et abysses, glace et braise, jour et nuit, or et boue, roi et mendiant sont à jamais unis dans le flamboiement céleste. Seul le pouvoir de lumière peut créer ou détruire. Seuls les sages ont l'esprit assez noble pour recevoir la connaissance des arcanes, et c'est à eux que le grand savoir se transmet en secret, vie après vie. Si d'aventure, corruption ou trahison souillent le dessein comme le poison pollue l'onde, la lumière de Dieu deviendra celle du diable, dressant d'irréversibles périls devant nos destinées. Avant que l'aube des traîtres ne survienne, les initiés scelleront l'éternel oubli des Vérités. Qu'ils les enfouissent aux confins et les préservent en souvenir des témoins du Premier Miracle. Qu'ils permettent l'offrande de l'avenir. »

Bien qu'il n'ait pas toutes les clés, bien qu'ignorant précisément ce à quoi ce passage faisait allusion, Benjamin le comprit. Intuitivement, intimement, il en saisit le sens profond. Il se sentit si proche des mots qu'il eut la sensation de les reconnaître. Comme s'ils reprenaient leur place en lui, restaurant dans son esprit une clairvoyance qui s'y trouvait enfouie depuis toujours.

À cet instant, le décor enchanteur du lieu de détente et de promenade dans lequel il se trouvait s'effaça. Il ne voyait plus que les ombres qui rôdent autour de notre monde en attendant leur heure.

52

Dans les locaux de l'agence, Benjamin se tenait sur le seuil de son appartement, décontracté comme il aurait pu l'être sur le palier de son propre immeuble. Il attendait une visite tardive. Même si les services de renseignement fonctionnaient jour et nuit, les couloirs étaient nettement moins fréquentés en fin de soirée. Pour patienter, il observait ses doigts de pieds nus qui gigotaient avec une belle vigueur. Il se réjouissait de les voir à nouveau capables d'accomplir toutes ces figures et prouesses qui ne servent strictement à rien.

Habiter au milieu des bureaux provoquait un vrai décalage. Ici, pas de salut cordial lancé aux voisins, pas de musique entendue d'un étage à l'autre, pas d'adorable petite mamie pour vous trouver beau et à qui demander de ses nouvelles, pas de fumets de cuisine, plus de locataire revenant des boîtes aux lettres en robe de chambre, aucun ballon multicolore accroché aux portes annonçant des anniversaires d'enfants joyeusement tapageurs. Voilà des semaines que Ben n'avait vu personne rentrer de courses en portant son cabas débordant de victuailles. Un coup à pleurer d'émotion la prochaine fois qu'il verrait un panier chargé de laitages, d'essuie-tout et de tomates... Ce quotidien banal, auquel on ne prête pas attention avant d'en être coupé, lui manquait. Il se surprit même à sourire en se souvenant des rires aigus entrecoupés de propos hypocritement offusqués de la jeune femme d'à côté lorsque son compagnon se montrait entreprenant.

Benjamin commençait à comprendre Jack lorsqu'il évoquait une autre vision du monde que celle des gens qui vivent à l'abri de certains problèmes. Devant sa porte, il ne voyait passer ni couples, ni enfants, ni vieillards. Seulement des femmes et des hommes plutôt jeunes, habillés dans un style neutre, terne et strict, mais tous armés jusqu'aux dents et capables de tuer. De quoi influer sur votre perception de la civilisation.

Le tintement de l'ascenseur annonça l'arrivée de la cabine à l'étage. Fanny en descendit. Elle ne remarqua pas immédiatement Benjamin qui l'attendait dans le couloir. Ces quelques instants laissèrent à Horwood le temps de mesurer à quel point elle semblait épuisée, juste avant qu'elle ne revête à nouveau son masque d'éternel dynamisme. Fanny s'était toujours comportée ainsi. À la fois par politesse envers les autres et pour s'offrir du même coup une armure, elle s'était toujours retranchée derrière une image de bonheur et de légèreté. Dans une logique comparable, Horwood avait choisi l'humour. Chacun se protège comme il peut.

Une seule fois, Ben avait été le témoin du désarroi de son amie. Un soir, Fanny n'avait pas eu la force de maquiller ses tourments. Quelques semaines après avoir fêté leur diplôme, la jeune femme avait été contrainte de se prononcer sur la pertinence du maintien des soins prodigués à son père alors en phase terminale. Aucun de ses amis n'avait su qu'il était malade et jamais elle n'avait évoqué ce que cette situation l'avait obligée à gérer tout en poursuivant ses études. À l'époque, elle avait choisi l'option la plus courageuse – mais la plus difficile – afin d'épargner d'inutiles souffrances à son seul parent encore en vie, sacrifiant au passage un peu de sa propre innocence. Pour le bien de son père, elle avait décidé de le condamner et de l'accompagner jusqu'à son dernier souffle. La nuit d'après, du crépuscule à l'aube, elle avait pleuré, raconté ses souvenirs, crié sa rage et sa douleur. Ce soir-là, il n'y avait eu que Ben pour la prendre dans ses bras et la réconforter. Dès le lendemain, rien sur le visage ou dans l'attitude de Fanny n'avait plus trahi ce qu'elle endurait. De cette nuit, Ben gardait un souvenir ambigu, mélange instable d'une sincère compassion pour celle à qui il tenait tant, et d'une monumentale fierté renforcée de joie égoïste due au fait qu'elle était venue se réfugier auprès de lui et de personne d'autre.

Fanny releva les yeux. En apercevant Ben planté devant sa porte, elle déploya en urgence son plus beau sourire.

— Ils t'ont prévenu que je montais ?

— Inutile, je vois à travers les murs.

— Si tu regardes à travers ma robe, je te tape.

Elle lui fit la bise et ajouta :

— Merci de m'avoir attendue si tard.

Il aurait pu lui répondre qu'il ne faisait que ça depuis plus de dix ans, mais était-ce encore vrai ? Il l'invita à entrer pendant qu'elle lui glissait :

— Tu dois être pressé d'aller dormir.

— Comme toi, j'imagine.

En pénétrant dans l'appartement, Fanny fut aussitôt assaillie d'un doute. Elle qui avait toujours connu ce lieu très éclairé et dévolu au travail le découvrait baigné d'une lumière douce digne d'un café parisien pour amoureux noctambules. Elle espéra de tout son cœur que Ben ne s'était pas mépris sur les raisons de sa visite nocturne.

— Je te sers un verre ? Profites-en, les forces spéciales ont regarni le bar aux frais du gouvernement.

— Non, merci, rien pour le moment.

— Ne reste pas debout, mets-toi à l'aise.

Elle retira son trench et prit place dans le canapé pendant que Benjamin se servait un jus de tomate.

— J'aime bien le jus de tomate, commenta-t-il. C'est amusant, chaque fois que j'en bois, je suis hyper-content mais quand je dois commander, je ne pense jamais à en demander.

Même lui trouva sa remarque d'une affligeante vacuité. Il mit cela sur le compte de la fatigue. Il s'installa dans un fauteuil et leva son verre à la santé de Fanny, en ajoutant :

— Heureux de te retrouver autrement qu'en réunion de crise.

— Quelles que soient les circonstances, c'est toujours agréable de se voir.

— J'ai lu tes derniers rapports. Ton sens de l'analyse est encore plus redoutable qu'à l'époque de notre mémoire. Tu as accompli un boulot impressionnant. La traduction du premier papyrus répond à bien des questions. À quelques détails près, je partage tes conclusions. Les pièces du puzzle prennent leur place.

— Tant mieux.

Benjamin sentait que la jeune femme ne se comportait pas comme d'habitude. Moins de spontanéité, moins de proximité aussi. Son attitude ne pouvait que révéler une volonté de maintenir une distance. Elle désigna le salon d'un geste aérien.

— Pourquoi nous avoir concocté une ambiance romantique ?

Fanny n'était pas du genre à éluder les sujets sensibles. C'était d'ailleurs un des traits que Ben appréciait particulièrement chez elle.

— Si telle avait été mon intention, j'aurais assuré le coup en demandant un discret coup de main à l'un de ces bons vieux crooners que tu affectionnes tant. Tu n'as jamais su y résister.

La remarque rassura Fanny.

— Tu n'as pas oublié mes goûts.

— Je n'ai pas oublié grand-chose.

Fanny ne voulait pas s'aventurer sur ce terrain-là. Pas ce soir. Pas avec ce qu'elle devait lui annoncer.

— Très classe, tes vieilles chaussettes sur la lampe pour tamiser la lumière.

— Je fais avec les moyens du bord... Mais si l'esthète que tu es daigne lever les yeux au plafond, tu verras que ça dessine un dragon à la gueule grande ouverte.

— Fabuleux ! commenta-t-elle sans y croire une seconde.

— Quand j'étais gamin, cette ombre aurait suffi à m'épouvanter pour la nuit.

— Nous n'avons plus besoin de ça pour faire des cauchemars.

— Très juste, on a trouvé mieux. La réalité est bien plus terrifiante que les contes pour enfants.

— Tu ne me demandes pas pourquoi j'ai tenu à te voir ce soir ?

— J'imagine que c'est pour préparer la réunion de demain... Il y aura des gens importants, des officiels. On va se retrouver comme lorsque nous avons soutenu notre thèse devant le jury. Tu veux que nous confrontions nos théories historiques avant de les présenter ?

— Pas uniquement. Je voulais surtout aborder deux points importants avec toi. Rien que nous deux.

Benjamin trouva que « aborder deux points importants » avait un aspect très solennel que le « rien que nous deux » faisait voler en éclats.

— Dois-je m'inquiéter ?

— Non, bien au contraire. Je souhaite te parler de deux femmes, et avant que leurs histoires ne s'ébruitent, je ne veux les partager avec personne d'autre que toi.

— Tu m'intrigues…

Elle prit un instant avant de s'élancer :

— Benjamin, j'ai visionné les images enregistrées par ta caméra lors de ton exploration du tombeau. Pas à pas, je t'ai suivi. Le passage ouvert dans la roche, l'escalier aux parois gravées, ton entrée dans la poche d'air, et bien sûr, la découverte de la salle. J'ai perçu ton souffle.

Saisi dans son intimité, Horwood baissa les yeux.

— J'ai entendu tes mots, poursuivit Fanny. Je pense avoir deviné les sentiments à travers lesquels ton périple t'a mené. J'en ai été bouleversée. J'ai vraiment eu l'impression d'être à tes côtés. La sensation de te retrouver tel que je te connais, mais en dix fois plus concentré.

— Tu es donc venue pour me faire rougir.

— Quand je mesure l'impact de ces images sur moi, j'ose à peine imaginer ce que les vivre a pu provoquer en toi. J'en ai la chair de poule rien que d'y penser. Aucun des explorateurs qui ont découvert ce genre d'endroits n'en a rapporté des images d'une telle intensité. Tu as réalisé un enregistrement brut d'un intérêt scientifique et humain exceptionnel. Mais ce n'est pas ce qui te distingue le plus des autres. Je vais te livrer ma conviction : celle qui se trouvait dans le sarcophage a eu beaucoup de chance que ce soit toi qui la découvres. Il faut tout ce que tu es pour vivre un moment pareil sans oublier d'être humain. J'ai été émue que tu lui parles, touchée des mots qui te sont venus pour elle...

Fanny hésita à poursuivre.

— Je sais que tu t'adresses souvent aux gens qui dorment...

Benjamin blêmit.

— ... J'ai même parfois eu l'impression d'entendre ta voix lorsque j'étais seule dans mon appartement à Paris. Mais nous parlerons de ce sentiment bizarre une autre fois. Pour le moment, tu brûles d'en apprendre plus sur l'inconnue du sarcophage. N'est-ce pas ? Quand tu es revenu d'Égypte, j'ai tout de suite senti à quel point tu tenais à savoir qui se cachait sous le masque mortuaire. Je suis maintenant en mesure de te répondre.

— C'est donc bien une femme ? demanda Ben, la gorge serrée.

Fanny hocha la tête.

— Ton intuition était juste. J'ai récupéré les différents segments traduits du second rouleau de papyrus. Le document lui est entièrement consacré. On y révèle son histoire, un peu de sa vie, et plus important que tout : son secret.

« Elle s'appelait Ânkhti. Elle n'était pas d'ascendance égyptienne, ni même issue de la noblesse. C'est un étrange destin qui l'a conduite loin de la terre de ses ancêtres, tout en lui conférant son rang et un statut quasi divin. Ni sa fonction ni son titre n'étaient officiels. Plusieurs indices incitent à croire que sa véritable identité a été gardée confidentielle toute sa vie. Ânkhti était une messagère, une gardienne, un trait d'union. Elle était la descendante d'un savant sumérien que Shulgi dépêcha auprès des premiers pharaons égyptiens des siècles auparavant. Car à l'évidence, les civilisations n'étaient pas aussi imperméables les unes aux autres que certains raccourcis historiques le disent aujourd'hui. L'érudit sumérien était porteur d'un savoir secret qu'il devait transmettre aux puissants de la civilisation égyptienne afin d'éviter une nouvelle catastrophe pareille à celle que son pays avait connue – ou même provoquée suivant l'interprétation que l'on donne du texte. Au fil des dynasties pharaoniques, les descendants de cet homme ont perpétué sa charge, jusqu'à Ânkhti qui fut la dernière initiée. Elle est l'ultime maillon d'une chaîne qui, de génération en génération, enseigna certaines règles occultes de l'univers aux maîtres de l'Égypte. Le texte stipule que cette transmission a été inaugurée par le savant exilé lui-même auprès de son fils, qui l'a à son tour confiée à sa propre fille, et ainsi de suite jusqu'à ce que la jeune Ânkhti, presque mille ans plus tard, apprenne de son père l'histoire du « Premier Miracle » et des effets dévastateurs qui en découlèrent. Malheureusement, il semble qu'elle n'ait pas réussi à passer le flambeau. Elle s'est éteinte seule, protégée au point d'être recluse, sans avoir enfanté ou trouvé celui à qui elle pourrait transmettre sa charge, mettant fin à cette lignée de l'ombre. D'après le papyrus, le grand Ramsès lui-même aurait dit d'elle qu'elle s'était abîmée dans la nuit parce qu'elle ne connaissait que trop le pouvoir secret du soleil.

Ben ne put s'empêcher d'associer la révélation de l'histoire d'Ânkhti au texte de Trismégiste évoquant les détenteurs du grand savoir.

— Te souviens-tu de la boîte grise contenant les trois petites mosaïques ? reprit Fanny.

— Bien sûr.

— Il s'agit du seul trésor personnel que les membres de cette famille se sont transmis les uns aux autres. Trois souvenirs, trois images reproduites avec tout le savoir-faire possible de ce temps. La première représente une scène d'adieux, lorsque le roi qui décida de voir plus loin que son propre pouvoir se sépara de son chercheur pour mieux protéger l'avenir. La seconde montre le savant avec ses assistants et son fils. La troisième dépeint le lieu où se produisit l'événement destructeur « dont seul l'or parvint à sauver quelques âmes ». À la mort d'Ânkhti, selon les accords sacrés conclus entre les dynasties sumériennes et égyptiennes, le dernier détenteur de ces savoirs occultes n'ayant pu les transmettre dut être inhumé avec toutes les reliques s'y rattachant dans un lieu que les dieux garderaient à l'abri des hommes.

— C'est pour cela que le temple a été bâti. Creusé au plus profond, loin de tout.

— Pour lui servir de résidence éternelle, entourée de tout ce qu'elle possédait concernant le Premier Miracle. Mais le récit semble distinguer un objet encore plus important que les autres au sein de la collection.

— La grande coupelle dorée qui s'est révélée radioactive...

— Tout juste. Elle y est qualifiée de « centrale » sans que le contexte permette de préciser davantage le sens du mot. Le récit insiste sur le fait que dans son éternité, Ânkhti a été inhumée au plus proche de cet objet pour éviter qu'il ne tombe entre des mains indignes, ce qui aurait à nouveau déchaîné la colère des dieux.

— Les artéfacts à ses pieds n'étaient donc pas des offrandes, ils ont été confiés à sa garde ?

— Te rends-tu compte de ce que cela implique, Ben ? Il existe bien un savoir secret qui trouve sa source au jour de ce Premier Miracle. Tout a commencé à Sumer. L'histoire d'Ânkhti constitue la preuve que les rois de l'époque ont surmonté leurs divisions et oublié leurs différences pour tenter de gérer ce qui les terrifiait et les dépassait.

L'esprit de Ben s'enflamma en entrevoyant ce que ces informations permettaient de déduire et de recouper. Mais un sentiment plus profond le submergea soudain. Il ferma les yeux et songea à celle qu'il avait été le dernier à toucher.

— Sais-tu quel âge avait Ânkhti ?

— Elle n'a sans doute pas dépassé les vingt-cinq ans.

— Cette pauvre femme est morte écrasée par le poids d'un héritage que des siècles de tradition la condamnaient à porter seule. Elle n'a trouvé personne pour la comprendre, sans doute terrassée de honte à l'idée d'avoir échoué dans son devoir de transmission...

Benjamin souffla de dépit et de colère. Il lâcha, la voix rauque :

— Et j'ai surgi dans son éternité, détruisant tout...

— Non, Benjamin. Tu l'as libérée. Tu l'as relevée de sa charge en la reprenant à notre compte. Nous avons aujourd'hui les moyens de porter ce savoir et de le protéger.

— En es-tu certaine ? D'autres que nous cherchent à s'en emparer, et même si nous ignorons qui ils sont, nous en savons assez sur eux pour être sûrs que leurs intentions ne sont pas aussi positives que celles des rois de Sumer. À l'époque, ceux que l'on se permet aujourd'hui de juger comme « primitifs » ont eu la sagesse de tirer les leçons de leur témérité et de sécuriser ce qui pouvait conduire à en reproduire les effets. Aujourd'hui, alors que nous sommes convaincus d'être doués, comme des enfants irresponsables, nous oublions les enseignements de ces précurseurs au risque de déclencher une autre catastrophe. On appelle cela jouer avec le feu, ou tenter le diable. Jamais ces expressions n'ont eu autant de sens.

— Tu crois à la colère des dieux ?

— Cette colère n'est peut-être qu'une vue de l'esprit. Mais d'où que provienne cette puissance, elle peut nous détruire. L'enjeu est là. Expérience scientifique ou fait divin, ce Premier Miracle nous menace. En ce temps-là, les faits incompris, maléfiques ou bénéfiques, étaient perçus comme ne pouvant être que l'œuvre de divinités. Aujourd'hui, c'est bien différent : beaucoup sont convaincus d'être plus malins que n'importe quel dieu.

— Benjamin, nous pourrions parfaitement décider de ne rien révéler de ce que nous avons découvert. Le secret d'Ânkhti serait préservé.

— Il est trop tard, Fanny. Le tombeau a été ouvert. Les pyramides aux cristaux sont presque réunies. Dès lors qu'un savoir existe, le fait qu'il soit connu et exploité n'est plus qu'une question de temps.

— Il n'est pas trop tard. Nous avons encore les cartes en main.

— Rien n'est moins sûr. Karen a raison. Nous jouons une partie d'échecs. Ce n'est pas un roi ou une reine qui vient de faire son entrée sur le plateau de jeu, c'est un mouvement inédit, une modification des règles qui n'implique plus seulement l'affrontement d'une pièce face à l'autre. Si ce coup-là est joué, si quelqu'un applique cette règle occulte, c'est tout l'échiquier qui partira en poussière, et il n'y aura aucun vainqueur. J'ai du mal à croire que sur autant de générations, les descendants du savant exilé aient pu faire preuve d'une parfaite loyauté. Logiquement, il aurait dû s'en trouver au moins un pour tirer parti de son savoir dans un intérêt personnel.

— Alors pourquoi cela ne s'est-il pas produit ?

— Parce que, en entendant le récit de ce qui s'est passé, en l'apprenant de la bouche de son père ou de sa mère, je devine que chacun a été tellement épouvanté, tellement impressionné, qu'il en a oublié son propre intérêt. Fanny, l'histoire de l'humanité nous l'a enseigné à maintes reprises : lorsqu'un individu découvre que sa propre vie ne vaut plus rien, il accepte de se sacrifier pour son espèce. C'est en nous. C'est ce qui fait de nous des humains. C'est ce qui nous a permis de survivre au pire depuis la nuit des temps.

Il fit une pause.

— Merci de m'avoir confié l'histoire d'Ânkhti. Je me sens déjà mieux depuis que je sais qui elle est.

— Tu sembles chamboulé.

— Je le suis. Mais si ma mémoire est bonne, en commençant, tu avais parlé de deux femmes. Quelle autre histoire voulais-tu me raconter ?

— Finalement, je veux bien que tu m'offres un verre. Pas du jus de tomate. Sers-moi quelque chose de costaud et prends-toi la même chose, tu vas en avoir besoin.

53

À la première gorgée de scotch, Benjamin s'étrangla. Fanny avala le sien d'un trait, comme s'il s'agissait d'un élixir capable de lui donner tout le courage dont elle avait besoin. Dans un claquement mat, elle reposa son verre vide sur la table basse avec le geste d'un joueur d'échecs qui positionne une pièce. D'une voix légèrement enrouée par l'alcool, elle déclara :

— L'autre femme est bien moins importante qu'Ânkhti. Il s'agit de moi.

Horwood afficha sa surprise.

— Tu espères me raconter une histoire te concernant que je ne connaîtrais pas ?

— Oui. Une histoire dont tu fais partie.

— Mais...

— S'il te plaît, ne m'interromps pas, fit-elle en levant la main. Ce n'est déjà pas évident...

Elle se redressa pour se donner plus d'assurance.

— Demain, après la réunion officielle avec les types du gouvernement, je vais partir pour quelque temps. Je ne l'ai pas voulu, Benjamin. C'est le directeur qui me l'a ordonné. Il dit que j'ai besoin d'une pause, à cause de l'attentat et de ma blessure à l'épaule – entre autres. Il a sans doute raison, même si travailler d'arrache-pied sur les reliques du tombeau m'a fait beaucoup de bien. Du coup, il nous envoie, Alloa et moi, nous mettre au vert je ne sais où, dans une de leurs adresses secrètes, au soleil, loin de tout, pour que je me repose à l'abri. Mais je compte ensuite revenir t'aider à poursuivre les recherches.

Ben ne broncha pas.

— Tu ne dis rien ?

— Tu m'as demandé de me taire.

— Oui, mais là, tu pourrais réagir.

Il fit mine de réfléchir.

— À quelle réaction t'attends-tu ? Je suis très content pour vous deux. Mets de la crème avant d'aller bronzer et si vous allez sur une île, n'oblige pas ton homme à faire de la plongée, je pense qu'il est vacciné pour un moment. Pense aussi à m'envoyer une carte postale.

— Je suis enceinte, Benjamin.

Quelque chose de violent se produisit dans le cerveau d'Horwood. Un court-circuit, une explosion, un incendie jusque dans les archives. Le feu se propagea vite, attisé par des rafales de sentiments. Les flammes gagnèrent tous les étages. Ce fut la panique partout, jusqu'au service de coordination des mouvements. Il allait falloir plus d'une caserne pour espérer maîtriser ce sinistre.

Les femmes sont parfaitement capables de faire disjoncter un esprit masculin pourtant solide. Une seule aurait pu suffire à venir à bout de celui de Benjamin ce soir-là. Ânkhti et son destin avaient déjà miné le terrain, mais la nouvelle de la grossesse de Fanny ouvrit en grand les stocks de produits inflammables. Aucun homme ne peut encaisser ce genre de séisme sans fissurer ses structures.

À voir la tête qu'il faisait, Fanny comprit que Benjamin n'était pas en mesure d'avoir une réaction cohérente. Elle attendit qu'il arrête de faire un bruit de pneu qui se dégonfle pour ajouter :

— Alloa n'est pas encore au courant. Je compte lui annoncer la nouvelle pendant que nous serons au calme. Je tenais à te prévenir avant. C'est sûrement idiot, mais pour moi, cette annonce en avant-première est comme un cadeau que je suis heureuse de t'offrir. Je te dois bien ça.

Benjamin mobilisait toutes ses ressources pour essayer de faire bonne figure.

— Est-il possible de faire comme si je n'avais rien entendu ? Peut-on s'en tenir à Ânkhti pour cette nuit, et reparler de tout cela à tête reposée, à ton retour ?

— Quelqu'un que j'aime énormément m'a dit très récemment : « Dès lors qu'un savoir existe, le fait qu'il soit connu et exploité n'est plus qu'une question de temps. »

— Soit. Parlons-en.

— Tu n'es pas heureux que je sois enceinte ?

— Bien sûr que si, mais je suis assez gêné de l'apprendre avant le père !

— Il comprendra. Il sait qui tu es pour moi. J'espère d'ailleurs que tu accepteras d'être le parrain de notre enfant. Chez nous, en France, c'est très important. On ne demande pas cela à n'importe qui. Ainsi nous serions un peu de la même famille.

— Merci beaucoup.

Il chercha ses mots.

— C'est un honneur qui m'émeut. Pardon de n'être pas plus enthousiaste, mais ça fait beaucoup d'un coup.

— Ce n'est pas fini, Ben. Je m'en excuse par avance.

— Cette fois, je dois m'inquiéter ?

— Te connaissant, tu en as le droit.

Il se renversa tout au fond de son fauteuil et acheva son verre d'un trait, sans tousser.

— En visionnant l'enregistrement de ta caméra, je me suis aussi intéressée au moment où tu t'es retrouvé seul dans la chambre funéraire, juste avant le retour d'Alloa et l'ouverture du sarcophage. Tu as eu peur du grondement de l'eau puis, pour te rassurer, tu t'es mis à parler comme si quelqu'un était avec toi. On t'entend clairement dire : « Toi aussi tu voudrais bien savoir qui se cache là-dedans... » Tu me jugeras peut-être prétentieuse, mais j'ai imaginé que ce pouvait être moi que tu projetais dans ce rôle de complice. Je me suis ensuite dit qu'il pouvait aussi bien s'agir de Karen...

Ben allait s'exprimer, mais Fanny lui fit signe de garder le silence.

— S'il te plaît, ne m'enlève pas mes illusions, et si tu ne veux pas que ça dégénère, ne fais aucun humour à ce sujet. D'autant qu'après, j'ai regardé les enregistrements de la caméra d'Alloa... Même derrière les vitres de ton scaphandre, j'ai clairement vu l'émotion sur ton visage lorsque vous avez déplacé la dalle de pierre et découvert ce qu'elle cachait. J'ai aussi assisté au déferlement brutal de la vague qui t'a propulsé contre le mur comme un sac. Heureusement que tu es là, devant moi, sinon je ne croirais jamais que tu aies pu t'en sortir. Quelle horreur ! Ta survie tient du miracle. La colère des dieux est peut-être une vue de l'esprit, mais en te retrouvant quasiment intact après cet enfer, bien qu'étant cartésienne je suis obligée de croire en leur bienveillance.

Alloa a aussi joué son rôle à leurs côtés. Il a tout fait pour te tirer de là. Il s'est battu, Ben, je te jure qu'il s'est démené. Je n'avais jamais entendu un homme hurler de rage en luttant contre les éléments. Il a failli y laisser sa peau. Il n'a rien lâché. Je ne crois pas qu'il aura l'occasion de se donner autant une autre fois dans sa vie...

— Je l'espère pour lui. Je sais ce que je lui dois. Jamais je n'aurais pensé dire cela de lui un jour, mais il est mon héros. On dirait une blague et pourtant c'est vrai.

— Il a été très touché que tu le remercies. Mais l'histoire ne s'arrête pas là, Benjamin. Car pour moi, la véritable tempête et le raz de marée se sont déroulés avant celui provoqué par l'eau. Il a eu lieu lors de l'échange que vous avez eu, Alloa et toi, pendant que tu prélevais les derniers objets en toute hâte. Vous vous êtes parlé d'homme à homme, et cela m'a secouée autant que ta vague. Je te dois des excuses. Je m'aperçois que je suis plus douée pour décrypter des fragments de poteries romaines que les propos de ceux que j'aime.

— De quoi parles-tu ?

— Il y a des années, lorsque tu as voulu sortir avec moi, j'ai tout fait pour l'éviter. J'ai dû te faire beaucoup de mal. À l'époque, je ne flirtais qu'avec des garçons avec qui ça ne durait pas. Ils me couraient après, je me laissais parfois rattraper mais franchement, j'avais le don d'attirer les cas désespérés...

— Les jolies filles ont toujours attiré les abrutis.

— Dis donc, tu oublies que toi aussi tu me cavalais après !

— Je n'ai jamais prétendu être très malin.

— Toujours est-il que j'étais incapable d'envisager une histoire sérieuse. Il ne m'est pas venu à l'idée que pouvait naître entre nous autre chose qu'une petite aventure sans lendemain. Je n'étais pas encore capable de vivre quelque chose de profond. Toi si. J'ai eu peur que le fait de passer sur ce plan intime n'abîme notre lien, cette relation unique que nous partageons et à laquelle je tiens tellement. Alors j'ai fui. J'ai fait celle qui ne comprenait pas. Pire, j'ai cédé au premier venu pour qu'il joue le rôle à ta place. Je ne me souviens même plus de son prénom... La honte totale. C'est en surprenant ton regard lorsque Alloa t'a demandé si tu m'aimais que j'ai compris à quel point j'avais été idiote. J'ai vu tes yeux. J'ai stoppé l'image, je suis revenue en arrière et j'ai mis sur pause. Soudain tout est devenu clair. Je n'avais pas mesuré à quel point tu étais sérieux. Je suis désolée. J'espère que tu me pardonneras un jour.

Fanny avait laissé tomber son masque d'éternelle bonne humeur et Benjamin n'avait pas la force de lancer une plaisanterie. Il mit quelques secondes à répondre.

— Tu sais, Fanny, avec le recul, je pense que tu as eu raison. Même si ça n'a pas été facile pour moi, tu as sans doute sauvé notre relation.

— Tu dis ça pour me préserver.

— C'est évident, et je compte sur ton éternelle gratitude devant tant de générosité, mais sur le fond, c'est vrai.

— Tu ne crois pas que ça aurait pu coller entre nous ?

Horwood évita le regard de la jeune femme.

— Quelle importance ? Nous profitons aujourd'hui des rapports que j'espérais. Soyons objectifs : nous pouvons tout nous dire, nous ne divorcerons jamais. Nous ne nous verrons que parce que nous en avons envie. Je n'aurai pas à supporter ta collection de chaussures dans mon entrée. Tout va bien.

— Je n'en serai convaincue que lorsque je te verrai heureux avec une autre.

— T'ai-je déjà parlé d'un border collie avec qui j'ai vécu une histoire très forte ?

— Non, espèce de malade, mais je t'ai vu tomber raide dingue de cette statue au Victoria and Albert Museum.

— Tu n'as pas oublié grand-chose non plus. Bon sang, quelles courbes elle avait, cette Aphrodite ! Dommage qu'elle ait été de marbre.

— Karen n'est pas de marbre, elle. Ni au propre ni au figuré.

Ben se leva pour éviter d'avoir à répondre.

— J'ai besoin d'un deuxième verre, dit-il.

— Tu m'en sers un aussi ?

— Même pas en rêve. Plus d'alcool pour toi jusqu'à ce que je sois parrain. Tu es enceinte, d'un autre que moi soit dit en passant. Alors je n'ai aucune raison de partager avec toi cet excellent whisky dont j'ai grand besoin.

Il se servit à boire et savoura ostensiblement sa gorgée sous le regard incrédule de Fanny.

— Sadique.

— Cochonne.

54

Benjamin se retourna d'un seul coup dans son lit. Il dormait d'un sommeil agité. Étendant un bras, il repoussa les oreillers qui glissèrent avec un bruit de frottement jusqu'à tomber du matelas. Le visage crispé, il semblait en proie à une intense inquiétude. Il respirait puissamment, comme quelqu'un qui, malgré sa peur, mobilise ses forces avant de passer à l'acte. Ses jambes s'animèrent. Il était encore plongé dans ce rêve, le même qui revenait presque chaque nuit depuis sa visite dans le tombeau d'Ânkhti. Ses crépuscules étaient devenus des rendez-vous.

Il connaissait désormais le nom de la jeune femme mais ne voyait toujours pas son visage. Il sentait sa présence. Il existait autour d'eux la bulle d'énergie commune qui unit les vrais couples. Dans les premières lueurs de l'aube, seuls, ils se tenaient la main au pied de la monumentale façade du grand temple d'Abou Simbel. Tous deux étaient vêtus d'une longue robe de toile écrue. Derrière eux, le flot naturel du Nil s'écoulait librement, tel qu'au début du royaume. Le vent déjà chaud balayait la vallée, colportant les cris des oiseaux occupés à pêcher.

Ils pénétrèrent dans le temple. Ils connaissaient l'endroit, mais cette visite ne ressemblait à aucune autre. Ils traversèrent les salles sous le regard des dieux et des pharaons qui semblaient les accompagner. Plus ils avançaient, plus l'ambiance sonore du bord du fleuve s'estompait. Ils se glissèrent derrière un paravent et s'engagèrent dans l'escalier secret.

Alors qu'ils montaient les marches, l'écho de leurs pas synchronisés résonnait dans le silence. Au seuil de la chambre mortuaire, Ânkhti s'immobilisa. Elle commença à parler. Ben entendait sa voix mais ne comprenait pas sa langue. Elle lâcha sa main pour avancer seule.

Sur la dalle du sarcophage ouvert, elle saisit les uns après les autres les objets alignés, puis les déposa dans leurs logements respectifs en racontant ce qu'ils étaient. Benjamin écoutait. Il aurait voulu comprendre ce qu'elle expliquait. Il savait à quel point c'était important. Pourtant, le sens lui échappait et il ne s'attachait qu'à l'émotion qu'engendrait le timbre vocal particulier de sa compagne. Dans l'atmosphère ouatée de la salle souterraine, les paroles de la jeune femme emplissaient l'espace comme une mélopée. Parfois, elle achevait ses phrases en un murmure.

Ânkhti venait de ranger la grande coupelle de bronze dorée. Il ne lui restait plus qu'un objet à placer : le caillou brun boursouflé ayant la forme et la taille d'une orange. Il s'insérait exactement dans le réceptacle creusé à son intention. Elle le désigna et ajouta quelques mots, sans doute inconsciente du fait que celui à qui elle s'adressait restait étranger à son message.

Ayant achevé cet ultime rituel, elle se tourna vers Benjamin et lui prit tendrement les mains.

Peut-être échangèrent-ils un regard. Peut-être l'embrassa-t-elle. Il n'osa pas l'étreindre. Elle était plus qu'une reine. Elle était la dernière.

Benjamin retint sa respiration. Ânkhti se confia encore. Il ne comprenait toujours pas un mot, mais sa voix l'apaisait. Malgré son fardeau, elle trouvait encore la force de le réconforter. Elle attira les paumes de Ben et les posa contre ses joues fraîches.

Puis vint la séparation. Elle grimpa sur le marchepied et monta dans le sarcophage. Résignée mais digne, elle se coucha à l'intérieur. Elle s'étendit comme elle aurait pu le faire avant un sommeil ordinaire. Pourtant, elle ne s'allongeait pas sur une couche de coton mais sur la pierre brute, et sa nuit allait durer jusqu'à la fin du monde.

Avec soin, la jeune femme rectifia les plis de sa tunique et la position de son large collier. Elle demanda son masque d'or et de pierreries. Elle s'en recouvrit elle-même le visage. Benjamin était bouleversé. Une dernière fois, il entrevit l'éclat d'un regard qui allait lui manquer plus que tout. Lorsque l'ornement fut en place, paisiblement, Ânkhti croisa les bras sur sa poitrine et ne prononça plus un mot.

Au-dessus de la sépulture, les longues ailes peintes se déployèrent et s'étendirent, protectrices. Le disque solaire, puis tout l'or présent dans la salle, au mur et sur Ânkhti, se mit à briller d'un éclat fabuleux qui inonda progressivement la chambre de lumière, jusqu'à obliger Benjamin, aveuglé, à fermer les yeux aussi fort qu'il le put. Alors, le rêve s'arrêta.

Après chacune de ces rencontres irréelles, Benjamin se réveillait en sursaut. Son cœur battait la chamade. Il se souvenait de tout et n'avait pas l'impression d'avoir rêvé. Il lui semblait sentir encore la main de la jeune femme dans la sienne. Le parfum de la poussière de pierre flottait autour de lui, parfois supplanté par des fragrances d'agrumes et de myrrhe. Il frottait ses yeux éblouis par la clarté dont il ne subsistait rien.

Peu à peu, la réalité du lieu où il s'éveillait reprenait le dessus. Mais le mirage n'avait pas laissé uniquement un souvenir. Presque à chaque fois, au terme de son hallucination, une idée ou une réponse s'imposait à son esprit, mystérieusement déposée au seuil de sa conscience. Comme un présent, comme le don d'une mémoire qui cherchait à le guider, un élément inédit venait éclairer ses réflexions.

Chacune de ces révélations apparues pendant son sommeil l'aidait à comprendre le puzzle. Pour toutes, il s'était demandé si une partie de son cerveau avait travaillé pendant qu'il s'évadait dans son imaginaire, ou bien si Ânkhti utilisait ses songes pour communiquer avec lui. Internes ou surgies de l'au-delà, issues d'un processus naturel ou d'une vision romantique qui refusait la mort, ces réponses étaient toujours pertinentes. Quelle que soit leur importance, leur évidence s'imposait naturellement.

Celle que Benjamin découvrit ce matin-là était exceptionnelle, et il se demanda pourquoi aucun autre historien ne l'avait envisagée avant.

55

Encore sous le coup de la nuit perturbante dont il venait d'émerger, Benjamin remarqua tout de même que l'agent Holt avait particulièrement soigné son allure. Vêtue d'une veste de tailleur courte sur un chemisier plissé très élégant, elle avait souligné son regard d'un maquillage légèrement plus appuyé que d'ordinaire. Le résultat en valait la peine. Elle invita Horwood à emprunter les escaliers.

— Me priver des ascenseurs fait partie de mon programme de rééducation ?

— Vous n'en êtes plus là. « Apte au terrain », comme on dit chez nous. Je me permets d'ajouter que les quelques kilos perdus dans vos mésaventures sont tout à votre avantage.

— Je vous défends de me reluquer, votre patron s'en charge déjà.

— Navrée de doucher vos espoirs, mais les rares fois où je l'ai vu s'intéresser à l'anatomie de quelqu'un, c'était toujours en salle d'autopsie pour les besoins d'une enquête.

Lorsqu'ils dépassèrent la porte de l'étage inférieur, l'historien s'étonna :

— Nous n'allons pas à la salle de réunion habituelle ?

— Elle est à l'usage exclusif du service. Pour des raisons de sécurité, lorsque nous recevons des invités extérieurs, surtout si haut placés, nous en utilisons une autre, plus grande et retranchée au premier sous-sol.

— Qui sont donc ces visiteurs si importants pour qui vous vous êtes mise en beauté ?

Karen ne releva pas l'allusion à son apparence.

— Je ne suis pas autorisée à vous communiquer leur identité. Ne vous formalisez pas. Lors de ce genre de rendez-vous, la discrétion est de mise. On ne fera pas les présentations, même si eux sauront exactement qui vous êtes. Tous ont reçu votre note de synthèse et l'ont lue. Le boss m'a déjà dit qu'il fallait vous attendre à des questions.

— Je ne répondrai pas. Je ne parle pas aux inconnus.

— Ne faites pas l'enfant. Il y aura des gens du bureau du Premier ministre, des huiles de l'état-major, des collègues de la Défense et de l'Intelligence Corps.

— Le beau monde s'intéresse à notre affaire. On n'a pas intérêt à être mauvais.

— Je ne vous le fais pas dire. Nous avons déjà sollicité beaucoup de moyens pour nos opérations. Tout le monde a joué le jeu. Services secrets, forces armées, et même le service des fonds spéciaux de Downing Street qui a payé – entre autres – vos caleçons. Or pour le moment, tout ce que nos partenaires ont vu de concret en retour, ce sont deux scaphandres hors de prix bons à balancer à la benne. Plus personne ne nous accordera d'aide sans que nous ayons rendu des comptes.

— Si votre but était de me mettre la pression, c'est réussi.

— Tant mieux. D'ailleurs, puisqu'on en parle, où sont vos notes ?

— Mes notes ?

— Vos fiches de présentation.

— J'ai tout dans la tête.

— Vous rigolez ? Ce n'est pas Fanny qui les a ?

— Pas besoin d'antisèche. Vous êtes bien placée pour savoir à quel point je suis bon en improvisation.

— Quand je pense que vous m'avez traitée d'irresponsable... J'hallucine. Savez-vous devant qui vous allez devoir expliquer toute notre affaire ?

— Chut. Ne me dites rien. Je ne veux pas savoir. La discrétion est de mise dans ce genre de rendez-vous. Pas de noms, pas de présentations. Pour vous aider à faire respecter l'anonymat, je suis prêt à m'enfiler un sac à croquettes sur la tête avec deux trous pour les yeux.

À cran, comme si elle dégainait son arme, l'agent Holt présenta son badge devant le lecteur optique de la porte du premier sous-sol. Elle ouvrit le battant avec une brusquerie qui en disait long sur son état de nerfs. Elle s'engagea dans le couloir en essayant de se rassurer pour calmer son stress.

— Je suis certaine que Mlle Chevalier aura gardé vos notes. C'est une femme sérieuse, elle. Heureusement que vous vous êtes préparés tous les deux cette nuit.

Horwood s'arrêta, soudain soupçonneux.

— Comment savez-vous que nous avons travaillé hier soir ? C'est Fanny qui vous l'a dit ?

— L'instant n'est pas opportun pour en discuter. Concentrez-vous sur votre présentation.

Ben savait que lorsque Karen adoptait un discours officiel ou des formules pompeuses, il y avait matière à creuser. Il insista :

— Répondez-moi : comment savez-vous que nous avons bossé sur les dossiers ? Vous nous avez espionnés ?

— Benjamin, ne vous énervez pas avant cette réunion.

Il plissa les paupières.

— L'appartement est truffé de micros, c'est ça ?

Karen tenta le mutisme mais comprit vite qu'il ne bougerait pas avant d'avoir sa réponse. Elle soupira.

— Étant donné les invités qu'on y loge d'habitude, c'est assez logique.

— Donc, vous écoutez tout. Il y a peut-être même des caméras...

Le silence de Karen valait tous les aveux.

— J'espère que vous n'avez pas poussé l'infamie jusqu'à écouter la partie personnelle de ma conversation avec Fanny ?

— Je n'ai rien écouté, monsieur Horwood. Je dormais. Par respect pour vous deux, j'ai fait classer « top secret » le fichier d'enregistrement et le compte rendu qui en a été fait. Ce moment restera le vôtre.

— Vous n'avez donc pas écouté mais vous avez lu le relevé. C'est scandaleux.

— Pour ma défense, puis-je vous rappeler que je savais que vous rôdiez sous ses fenêtres et que je n'en ai jamais rien dit ?

— Il faut que vous soyez vraiment mal pour vous retrancher derrière ce genre d'argument...

— Je ne devrais pas vous le dire, mais je savais aussi qu'ils essayaient d'avoir un enfant.

— N'en dites pas plus, je suis prêt à parier que vous avez appris qu'elle était enceinte avant la principale intéressée.

— S'il vous plaît, Benjamin, assurez cette réunion, bluffez-les, et vous m'infligerez tout ce que vous voudrez après.

La remarque le fit immédiatement réagir. Il haussa un sourcil.

— Tout ce que je veux ?

Karen hésita, mais finit par hocher la tête positivement en regrettant déjà ses paroles.

— Vous vous souviendrez que l'idée vient de vous. Ne venez pas vous plaindre.

Il se remit en marche d'un pas volontaire, en souriant comme il ne l'avait pas fait depuis longtemps.

56

Dans une ambiance étonnamment décontractée, une petite troupe de gardes du corps discutait devant la salle de réunion dont l'entrée aux angles massifs rappelait un bunker. Certains hommes portaient des uniformes militaires, d'autres des costumes sombres avec des oreillettes. L'endroit s'annonçait effectivement rempli de beau monde.

Sans se laisser impressionner, Karen se fraya un chemin entre les cerbères, brandissant son badge tout en les saluant. Ben la suivait en constatant que tous le dépassaient d'une tête.

Une fois franchi le sas à doubles portes isolantes, plus aucun son extérieur ne parvenait dans l'enceinte. L'historien découvrit une respectable table de conférence ovale subtilement éclairée, autour de laquelle, debout ou déjà assises, une douzaine de personnes conversaient par petits groupes et à voix basse. L'acoustique du lieu étouffait le moindre écho, créant une atmosphère clinique.

Sans être familier de ce genre de conciliabules, Ben avait pourtant l'impression d'en avoir déjà vu, notamment au cinéma dans des films à gros budget. C'est en général dans ce type de décor que d'improbables experts annoncent à des présidents d'opérette que la fin du monde va leur péter à la figure d'ici un quart d'heure. Pourtant, cette fois, loin de ces mises en scène caricaturales, Ben constata que les participants n'avaient pas l'allure de figurants et que leur tension était palpable.

Dans une précipitation à peine contenue, Jack se leva à leur rencontre. La discrétion avec laquelle il s'adressa à l'universitaire ne l'empêcha pas d'exprimer son agacement :

— Vous êtes en retard. Vous avez encore traîné sous la douche ?

— Le temps qu'il fallait pour avoir les idées claires après une nuit compliquée.

— Ne me foirez pas ce coup-là, monsieur Horwood...

Fanny s'immisça entre eux et, sans façon, fit directement la bise à Ben.

— Tu vas bien ?

— Aussi en forme que toi, j'imagine...

Le directeur leva les yeux au ciel.

— La moitié de l'exécutif sécuritaire du pays est là, et ils s'embrassent...

Il retrouva son attitude officielle en se tournant vers la petite assemblée.

— Puisque nous sommes à présent au complet, je vous invite à prendre place. Nous allons commencer. Pardonnez ce léger retard dû à l'actualisation des toutes dernières données.

Une fois l'auditoire installé, le patron du service déclara d'une voix docte :

— Madame la secrétaire, madame la directrice, messieurs les présidents de commissions, monsieur le représentant du cabinet, général, colonel, chers confrères, merci d'avoir répondu à mon invitation. Depuis que je suis en poste, jamais je n'avais eu à vous réunir tous. Le rapport que vous avez reçu vous a présenté les grandes lignes de l'affaire qui nous amène ici aujourd'hui. Je me doute que vous avez été surpris par bien des aspects, mais nous nous connaissons. Vous savez que je ne vous aurais jamais dérangés si cette histoire n'était pas sérieuse. Je préfère vous y associer avant qu'elle ne devienne dangereuse. Pour vous donner une idée de la situation dans laquelle je me trouve ce matin, je vais très modestement me comparer à sir Winston Churchill – d'ailleurs fondateur de notre unité – lorsqu'il dut informer et convaincre ses autorités de tutelle que les nazis possédaient des armes révolutionnaires qu'ils comptaient utiliser pour des attaques imminentes. Personne ne l'a pris au sérieux alors que lui, contrairement à nous, identifiait parfaitement l'ennemi et son arsenal. Quelques jours plus tard, les premiers V2 s'abattaient sur notre capitale, nous infligeant les dégâts humains et matériels que vous connaissez. J'espère qu'aujourd'hui vous nous entendrez et choisirez de nous appuyer.

Il joignit les mains et commença :

— Voilà donc près d'un an maintenant, nous avons été alertés – y compris par certains de vos services – d'une surprenante recrudescence de vols audacieux dont le but ne semblait pas être crapuleux. À chaque forfait, des objets d'une très grande valeur historique avaient été dérobés, ainsi que des éléments de haute technologie qui se sont tous avérés en lien avec l'archéologie. Notre vigilance renforcée nous a permis de découvrir que ces pillages étaient en fait bien plus nombreux que nous ne l'avions d'abord envisagé et que rien ne semblait pouvoir les empêcher. Aucune institution, aucun lieu, sur aucun continent, n'était à l'abri. Les malfrats ne cambriolaient pas au hasard. Ils ciblaient un butin précis et montaient de véritables opérations commando reposant parfois sur de brillantes machinations pour s'en emparer, s'offrant le luxe de délaisser certains trésors à portée de main qui auraient pu rapporter une fortune sur le marché clandestin. Notre action s'est alors structurée autour de deux axes : d'une part identifier les voleurs, et d'autre part comprendre pourquoi ils se donnaient autant de mal pour s'approprier ces objets en particulier.

« Afin de préciser la valeur des artéfacts disparus ainsi que le lien qui pouvait les unir, nous avons fait appel à l'un de nos plus éminents universitaires, le professeur Ronald Wheelan. Avec lui, nous avons d'abord émis l'hypothèse que l'auteur soit un richissime collectionneur désirant se constituer un musée idéal, mais l'importance des moyens mis en œuvre ainsi que les victimes émaillant les effractions nous ont rapidement dissuadés de suivre cette piste. Le professeur Wheelan étant tragiquement décédé dans un accident, nous nous sommes adjoint les services de l'un de ses meilleurs élèves, M. Benjamin Horwood ici présent, spécialiste en histoire des sciences au British Museum, et de Mlle Chevalier, experte en évaluation et acquisitions d'antiquités pour le musée parisien du Moyen Âge de Cluny. Ils sont les auteurs d'une thèse remarquable sur la fascination de certains tyrans pour les reliques ésotériques. Une copie de ce mémoire vous a été remise avec les documents préparatoires à notre rencontre. Je tiens à préciser que Mlle Chevalier et M. Horwood ont tous deux été directement menacés physiquement, y compris avec intention de tuer, et que nous avons été contraints de les placer sous le plus haut niveau de protection possible. Pendant ce temps, les vols se sont poursuivis et nous ont conduits à enquêter partout dans le monde, mais aussi sur notre propre sol.

Il fit une pause avant de poursuivre :

— Nous n'avons pour l'heure aucune idée de l'identité de ceux qui orchestrent ces exactions. Les moyens et l'expertise logistique déployés nous incitent à soupçonner une organisation très puissante. Aucune de celles que nous connaissons ne semble en être responsable. Nous avons par contre focalisé nos recherches sur un individu suspect, peut-être un des cerveaux de ce vaste plan, ou en tout cas l'un de ses principaux exécutants. Nous le soupçonnons d'être l'auteur d'au moins trois meurtres. Il est actuellement repéré par ses initiales, sa pointure et un mode opératoire particulier. Ce résultat – assez limité, j'en conviens – ne doit pourtant pas occulter quelques réels succès. À défaut d'appréhender des coupables ou de démanteler leur réseau, nous sommes parvenus à nous emparer avant eux d'éléments essentiels sur lesquels ils étaient prêts à mettre la main.

Un homme d'un certain âge coupa le directeur :

— Si ces énergumènes n'agissent ni par appât du gain ni par fétichisme, quelles peuvent être leurs motivations ?

— C'est une des questions qui nous préoccupe le plus, répondit le directeur. Et pour tenter d'y répondre, je cède la parole à M. Horwood, qui sera plus compétent que moi.

Il fit signe à Benjamin de prendre la suite. L'historien salua l'assistance d'un mouvement de tête et se lança sans la moindre hésitation :

— La clé de la motivation des voleurs se cache dans la nature même des biens dérobés. Comme l'a expliqué le directeur, ce qui a démarré comme une enquête sur des vols internationaux s'est bientôt doublé de recherches au sujet de la nature des artéfacts disparus. Nous n'avons pas affaire à des reliques mystiques, sacrées ou religieuses. Même si le champ d'investigation est immense, certains indices sérieux et des recoupements nous ont permis de dégager une théorie qui tient la route. Elle s'appuie non seulement sur des éléments archéologiques inédits, mais aussi sur une relecture de différents faits historiques remis en perspective. À ce stade, tout concorde, et même si des zones d'ombre subsistent, c'est une voie nouvelle et incroyablement cohérente qui s'ouvre à nous. Ceux qui volent les objets en sont certainement conscients, ce qui explique leur détermination.

« J'en viens maintenant aux faits dont certains ont été découverts si récemment qu'ils ne figurent pas dans la synthèse que vous avez pu lire : les analyses et études menées nous conduisent à croire que tous les artéfacts sont impliqués dans une expérience scientifique extrêmement importante qui se serait déroulée deux millénaires avant notre ère.

Une femme, cheveux courts et tailleur chic classique, intervint :

— J'ai lu vos conclusions. Je pensais le concept de science beaucoup plus récent.

— Loin de moi l'idée de vous faire un cours, mais permettez-moi de tenter de vous éclairer.

— Nous sommes ici pour cela.

Benjamin rassembla ses idées et commença :

— Depuis l'aube des temps, les êtres humains ont toujours observé le monde qui les entoure. Notre espèce appréhende son environnement comme n'importe quel animal, mais sa capacité d'abstraction et d'imagination supérieure l'a conduite plus loin. Longtemps avant d'être nommée, cette curiosité est devenue une forme de pratique de la science, au moment où les hommes ne se sont plus contentés d'être spectateurs mais ont essayé de reproduire ou d'influer sur les phénomènes dont ils n'avaient été jusque-là que témoins – la différence entre attendre que la pluie arrose les plantes et aménager une réserve d'eau pour les irriguer. Cette démarche spontanée s'est développée au fur et à mesure qu'ils prenaient conscience de l'intérêt des résultats produits, jusqu'à devenir une aptitude véritable à l'étude et à la mise au point.

« Dès lors, nous avons cherché à apprivoiser toutes les règles régissant la vie et les phénomènes naturels de notre monde pour les utiliser à notre avantage. Ce processus trouve un spectaculaire épanouissement en se combinant à un autre, plus circonstanciel. Certaines des premières sociétés structurées ont vu le jour en Mésopotamie, région se situant majoritairement sur l'actuel Irak. C'est dans ce creuset naturel, rendu propice à la vie par un climat équilibré et une fertilité des sols entretenue par deux fleuves, que se sont développés des groupes humains dépassant la taille des tribus habituelles. Avec l'extension du nombre d'individus, la spécialisation et la répartition des tâches nécessaires à la survie se sont peu à peu mises en place, accompagnées d'une hiérarchisation de leurs acteurs. Dans ce contexte favorable, au fil des siècles puis des millénaires, sont apparus les premiers schémas urbains, la compréhension et l'exploitation des cycles agricoles liés aux saisons, la mise au point d'équipements pionniers d'irrigation ascensionnels, les premiers attelages permettant d'exploiter la puissance animale et – entre autres – le tour de potier. Chacune de ces inventions provoqua de véritables révolutions du mode de vie, permettant à la population de croître et de passer à l'étape supérieure. C'est ainsi que naquirent ensuite la notion de fortification, de soldat, l'enseignement structuré, les tribunaux, mais aussi l'astrologie, la médecine et les rudiments des systèmes d'échanges commerciaux. Ces derniers entraîneront la nécessité de tenir des comptes et donc d'en garder une trace, ce qui engendrera les premières écritures. C'est dans ces sociétés que naîtront les cultes divins originels et maintes formes d'art. Sur ce terreau humain et culturel précurseur se fonderont les prémices des gouvernements, jusqu'à l'avènement des cités-États dont le modèle ne cessera d'inspirer, même après leur chute.

« Ces civilisations, sumérienne, assyrienne, babylonienne, sont aujourd'hui injustement méconnues parce que le temps a effacé leurs traces physiques. Là où l'Égypte, la Grèce et Rome nous offrent encore un spectaculaire héritage visible, Sumer ne propose plus que des collines battues par les vents dont la terre ne renferme que des briques millénaires, vestiges de monuments gigantesques disloqués, ou de trop rares objets. C'est donc tout naturellement que les premiers historiens, parfois plus avides de découvrir que de comprendre, se sont intéressés aux Égyptiens, aux Grecs et aux Romains, plus facilement accessibles, les imposant au sommet et au cœur de notre perception de l'Antiquité. Mais le fait est que les civilisations mésopotamiennes constituent le véritable berceau de nos débuts et l'authentique décor de nos premiers pas dans la plupart des domaines. Si de nos jours ce passé, ce patrimoine matériel, intellectuel et artistique est sous-évalué, il n'en reste pas moins vrai que c'est en lui que tous ceux qui sont arrivés après ont puisé pour asseoir leur grandeur. Pour vous donner un repère concret,

Sumer était au faîte de sa gloire plus de mille ans – dix siècles ! – avant l'apogée de l'Égypte.

— Les objets volés sont-ils tous sumériens ? demanda le général.

— Beaucoup renvoient à cette période. Je ne vais pas vous pointer la liste de tous les indices découverts et des recherches effectuées par Mlle Chevalier, certains laboratoires scientifiques du Royaume et moi-même. Vous avez contribué à monter l'expédition dans les vestiges immergés du temple d'Abou Simbel, dont nous avons rapporté des éléments de premier ordre. D'autre part, nous avons pu étudier une pièce essentielle – une petite pyramide de bronze enserrant une sphère de cristal qui n'en finit pas de nous surprendre.

« Plutôt que de vous faire le récit, certes passionnant, de notre cheminement, je préfère vous emmener là où il nous conduit : l'interprétation cumulée des différents éléments nous permet d'affirmer qu'aux environs de 2 300 avant notre ère, une expérience menée par les savants au service du roi sumérien Ur-Nammu ou de son fils Shulgi a provoqué une grave catastrophe. Cette expérimentation marquait certainement l'aboutissement de travaux plus anciens. Les monarques de Sumer, sans doute pour affirmer leur prestige, avaient convié leurs homologues issus d'autres régions parfois lointaines. Ils pensaient leur offrir le privilège d'assister à la toute première démonstration de leur maîtrise d'un pouvoir présenté comme divin. Pour la première fois dans l'histoire de l'humanité, tous les chefs, rois et maîtres ont voyagé des confins du monde connu afin d'être les témoins d'une puissance nouvelle. Mais l'événement tourna au drame. Un phénomène inconnu et inattendu survint. On parla de foudre, d'éclair, de lumière destructrice. L'accident tua plus de monde que toute autre action humaine connue à l'époque. Bien sûr, il convient de replacer ce record dans son contexte. Le fait est que sur ce point, nous avons fait d'immenses progrès... On peut raisonnablement estimer que quelques dizaines de victimes périrent sur le coup. Mais l'importance relative de cet épisode engendra une peur que les survivants colportèrent et répandirent une fois de retour dans leurs contrées respectives. Cette terreur se trouva renforcée lorsque certains des témoins présents qui se considéraient comme indemnes finirent par succomber dans d'affreuses souffrances aux symptômes inconnus. Il ne pouvait s'agir que d'une punition divine. Il est même possible qu'après avoir poussé les hommes à croire en un dieu, ce drame leur ait révélé l'existence du diable. Aujourd'hui, en analysant les récits, il est évident que ces décès postérieurs étaient dus à une violente irradiation.

Un murmure parcourut l'assistance.

— De l'expérience elle-même, continua Benjamin, nous savons qu'elle impliquait la lumière solaire, vraisemblablement concentrée en faisceaux à l'aide d'au moins quatre cristaux polis agissant comme des lentilles optiques. La lumière ainsi densifiée aurait agi sur une matière au point de la transmuter. La présence massive de traces de radioactivité sur les artéfacts indique que la réaction a techniquement déstabilisé la structure de l'élément chimique, jusqu'à engendrer une déflagration de type nucléaire.

Les réactions de l'assemblée se partageaient entre étonnement, incrédulité et curiosité.

— Vous parlez d'une expérience nucléaire déclenchée avec une simple lumière solaire ? s'étonna un participant.

— Tout indique que c'est ce qui s'est produit.

— Vous n'ignorez pas que même de nos jours, nous avons besoin de technologies et d'équipements exorbitants pour y parvenir ?

— Nous avons tous été aussi surpris que vous, mais la totalité des faits consignés accrédite cette version. Je ne suis pas physicien, mais je connais un peu l'histoire. Notre science s'inspire souvent de la vie, mais elle a généralement recours à des procédés violents et coûteux pour approcher ce que la nature accomplit seule. Ces chercheurs ont peut-être trouvé une voie par inadvertance.

Un autre intervenant demanda :

— Vous pensez raisonnablement que ces « scientifiques » auraient pu percer le secret de l'énergie avec leurs moyens rudimentaires alors que les ingénieurs du monde entier bénéficiant d'outils très sophistiqués arrivent à peine à l'approcher ?

Fanny monta au créneau :

— Nous n'avons pas la réponse à cette question. Notre but n'est pas de remettre en cause les travaux et conclusions de nos confrères scientifiques. Mais nous sommes au moins certains d'une chose : si nous nous retranchons derrière des certitudes condescendantes, nous ne découvrirons jamais la vérité. Nos résultats font vaciller nos repères. Nous devons nous montrer ouverts et les considérer avec pragmatisme pour démêler le vrai du faux. C'est toute la philosophie de la science : admettre que l'on ne sait pas tout, pour avoir une chance d'apprendre.

Benjamin enfonça le clou :

— Puis-je respectueusement faire remarquer que ce sont certains de ces prétendus scientifiques qui ont affirmé que la terre était plate, broyant au passage ceux qui ne partageaient pas leur vision et qui pourtant avaient raison ? Ce sont encore leurs semblables qui, en d'autres temps, ont prouvé grâce à de savants calculs qu'il était absolument impossible qu'un humain survive à un déplacement accompli à une vitesse supérieure à 30 kilomètres-heure. Encore récemment, en pleine révolution industrielle, les mêmes ont juré que les roues des trains en acier n'avaient aucune chance d'avancer sur des rails du même métal à cause de la « non-adhérence prouvée des matières ».

Il n'y avait pas un bruit dans la salle. Benjamin reprit :

— Le fait est que ces objets nous apportent des informations et des connaissances que nous n'avions pas. Il serait risqué de les écarter ou de tenter de les nier alors que d'autres s'efforcent manifestement d'en tirer parti. Nous devons tenir compte de ce que ces artéfacts révèlent avec le même sérieux que ceux qui vont jusqu'à tuer pour les posséder. Nous ne prétendons pas que les Sumériens ont découvert le secret de l'énergie. Mais nous affirmons qu'à travers au moins une de leurs tentatives scientifiques, ils ont été les témoins de sa puissance. Appelons cela le « hasard », comme celui qui conduisit Marie Curie à découvrir la radioactivité, comme celui qui fit tomber la pomme sur la tête d'Isaac Newton, comme l'expérience ratée qui permit à Charles Goodyear d'inventer le processus de vulcanisation du caoutchouc. La liste des expérimentations hasardeuses, voire douloureuses, qui ont conduit l'humanité à faire des progrès majeurs est longue : Alfred Nobel et la dynamite, Röntgen et les rayons X, le micro-ondes, le téflon, la colle cyanoacrylate, le kevlar... Au temps des Sumériens, le hasard prenait le visage d'un dieu. Et lorsqu'ils ont été témoins des effets spectaculaires de leur expérience, ils ont mis cela sur le compte de la colère divine. L'événement resta dans les mémoires, effrayant, surpuissant, sous le nom évocateur de « Premier Miracle ».

« Épouvantés par l'ampleur et la nature de la catastrophe qu'ils avaient provoquée, les Sumériens ont pris la décision de disperser tous les éléments qui l'avaient rendue possible afin d'empêcher qu'elle puisse se reproduire. C'est ainsi que les pyramides aux cristaux, les données géométriques et tous les éléments impliqués ont été envoyés aux quatre coins du monde, le plus loin possible les uns des autres. Ils ont été confiés à des gardiens qui devaient secrètement perpétuer la mémoire de ce drame et garantir qu'il ne se répète jamais.

« Le cheminement de chaque objet est ensuite lié aux vicissitudes de l'histoire – et sur près de cinq millénaires, elles ont été nombreuses –, mais nous en avons localisé au Japon, en Angleterre, peut-être en Irlande, et bien sûr en Égypte et en Grèce. Nous ignorions jusqu'à leur existence, mais tous témoignent de ce drame devenu légendaire dont les conséquences ont façonné les mentalités, les croyances et les peurs, jusqu'à faire partie de notre inconscient collectif.

Un homme à la diction sèche brandit un dossier.

— Dans votre rapport, vous avancez également que la fascination pour l'or pourrait découler de ce « Premier Miracle »...

— Effectivement. C'est un des aspects mis au jour lors de nos recherches. Il semble qu'à l'époque, ils aient remarqué que les survivants de la catastrophe avaient tous eu en commun d'être parés d'or. Les participants, puissants et venus d'horizons divers, en ont alors déduit le pouvoir protecteur de ce métal et l'ont adopté, l'élevant au rang de matière divine, pour leur propre usage d'abord, avant qu'il ne se répande auprès de leurs peuples, devenant le symbole de la richesse et une forme de talisman porte-bonheur. Nous n'avons pas encore eu le temps d'approfondir cette question, mais il est indiscutable historiquement que l'engouement pour l'or se manifeste avec une intensité inédite à partir de cette période-là, de façon simultanée dans des cultures parfois très éloignées géographiquement.

— Comment la mémoire d'un tel événement a-t-elle pu se perdre ?

— Elle ne s'est pas perdue, chère madame. Elle s'est transmise en secret. Auprès des proches de ceux qui ont assisté au drame dans un premier temps, mais ensuite de plus en plus largement au fil des siècles. À la faveur du développement des échanges, des migrations géographiques, dans l'entourage des gardiens, ce savoir, peut-être modifié ou altéré par l'oralité, s'est propagé grâce aux porteurs du secret et à leurs descendants. On en trouve trace jusqu'en Europe.

— En Europe ? s'étonna une autre femme.

— Jugez vous-même. Qui cherche à produire le trésor protecteur « dont l'éclat est d'or » ? Qui tente d'atteindre le secret d'une pierre absolue symbolisant tous les pouvoirs et tous les savoirs au point d'être nommée « philosophale » ? Qui pratique les sciences occultes orientées vers la chimie ? Qui rêve de transmuter la matière ?

La femme répondit :

— L'alchimie.

L'assistance bruissa à nouveau.

— Exactement. Et les correspondances sont trop nombreuses pour être fortuites. La plupart des textes fondateurs relatifs à l'alchimie trouvent leur source dans cette antique région. Nous avons découvert, voilà quelques jours à peine, un texte hermétique qui renvoie de façon troublante à notre théorie. Il nous faudra encore bien des recherches pour y voir clair, mais je suis certain que nous sommes à la veille de découvertes qui, loin de toute fable, vont contribuer à redessiner la perception que nous avons de l'histoire de l'humanité.

Un des militaires demanda :

— Avez-vous identifié la matière qui a réagi aux rayons de lumière ?

— Pas pour le moment. Nous pensons avoir en notre possession le récipient qui la contenait au moment de l'expérience. Mais les traces de résidus encore présents sont microscopiques et mélangées à d'autres éléments qui ont fondu pendant la réaction.

— Vous vous doutez que l'analyse de ce réactif est d'une importance capitale. Il s'agit là d'un enjeu stratégique de premier ordre. De quels moyens avez-vous besoin pour l'isoler et le définir ?

— À mon humble avis, nos moyens doivent d'abord être concentrés sur un aspect du problème bien plus dangereux. Ceux qui courent après ces objets s'intéressent sans doute aussi de très près à cette matière inconnue. Ils ont manifestement les moyens de leurs ambitions et une longueur d'avance sur nous. Je suis prêt à parier qu'en réunissant les artéfacts liés au Premier Miracle, ils cherchent à en percer le secret pour acquérir la capacité de le reproduire. Je redoute ce qu'ils comptent en faire si on leur en laisse le temps. Ce sont eux que nous devons arrêter au plus vite.

57

Sur la pointe des pieds, l'agent Holt avança jusqu'au canapé afin d'y déposer une pile de vêtements neufs. En se faufilant à travers le salon, elle gardait un œil sur Benjamin qui s'était assoupi à la table, le nez dans ses notes. Il dormait profondément, la tête posée sur son bras replié, tenant toujours à la main la feuille qu'il consultait lorsque le sommeil l'avait terrassé.

Trop occupée à le regarder, la jeune femme buta contre le pied de la table basse. Le choc le réveilla.

— Karen ?

— Je ne voulais pas vous déranger. Allez jusqu'à votre lit et rendormez-vous.

— Quelle heure est-il ?

— Presque midi.

Il se redressa en s'étirant.

— Plus l'heure de dormir.

— Vous n'avez pourtant pas l'air très frais. Vous passez vos nuits à travailler.

Benjamin se frictionna vigoureusement le visage et commença à remettre de l'ordre devant lui. Il regroupa ses feuillets puis referma les livres étalés avec cette délicatesse caractéristique des gens qui les respectent et ont l'habitude de les manipuler.

Karen hésitait à poser sa question, mais ne put s'en empêcher :

— C'est pour éviter de penser à Fanny que vous vous abrutissez sur vos recherches ?

Horwood reçut l'interrogation comme un seau d'eau froide. Il releva la tête.

— Étrange question... Une rectification s'impose : je ne m'abrutis pas, je m'acharne. Ensuite, merci de vous en inquiéter, mais tout va bien vis-à-vis de Fanny. Elle ne m'empêche pas de dormir. Par contre, l'approfondissement de nos récentes découvertes, si. J'aimerais d'ailleurs vous exposer certaines pistes et entendre votre avis.

— À votre disposition.

— J'attends d'aboutir à quelque chose de structuré avant de vous en faire part. Je m'approche, mais je tâtonne encore. L'impression d'avancer sur des sables mouvants. J'ai parfois peur de me faire engloutir par toutes ces informations. Hier soir encore, sur une des photos que Folker a prises des éléments nacrés du *Splendor Solis*, j'ai cru déchiffrer une allusion à la cité sumérienne d'Ur, fief d'Ur-Nammu et Shulgi.

— Dois-je m'attendre à ce que nous partions pour des fouilles ?

— Pas pour le moment. Je ne suis d'ailleurs pas sûr qu'il y ait grand-chose à trouver là-bas. La reconstruction du monumental palais, la ziggurat, séduit certainement davantage les touristes que les archéologues, et la nécropole royale a été régulièrement fouillée depuis le XIXe siècle. De plus, l'instabilité politique de la région complique tout.

— Raison de plus pour vous reposer. Profitez du répit que nos adversaires nous accordent.

— Êtes-vous certaine qu'il s'agisse d'un répit ?

— Que voulez-vous dire ?

— Voilà des jours qu'ils se tiennent tranquilles alors que nous-mêmes avançons à grands pas. Ils nous ont sans doute vus plonger à Abou Simbel et ils sont même certainement au courant que nous avons récupéré l'une des petites pyramides. Ils ne sont pas stupides, ils se doutent que nous sommes en train d'exploiter nos prises. Sachant qu'ils n'ont pas pour habitude de nous abandonner l'initiative, je me demande à quel moment ils vont contre-attaquer.

— Que pensez-vous qu'ils mijotent ?

— Aucune idée, mais je n'ai pas envie que vous ou moi prenions une balle. À moins qu'ils ne nous laissent avancer parce que ça les arrange...

— Comment ça ?

— Après tout, nous jouons un peu leur jeu.

Karen afficha son étonnement.

— Lorsque j'avais envisagé qu'ils puissent se servir de vous, vous m'aviez assurée qu'ils n'y arriveraient jamais.

— Peut-être avais-je tort. Imaginez qu'ils aient tout manigancé pour que l'on mette la main sur le plan du temple. Finalement, nous leur avons épargné une plongée dont ils n'avaient pas forcément les moyens techniques. Avec l'aide des forces spéciales et du matériel de pointe, en risquant notre peau, nous sommes gentiment allés collecter les objets à leur place. Il ne leur reste plus qu'à attendre tranquillement le bon moment pour nous les subtiliser, ce qui est nettement plus simple que d'aller s'en emparer au fond du lac...

— Le directeur serait fier d'un raisonnement aussi retors, mais j'ai du mal à y croire.

— Réfléchissez objectivement. Ne trouvez-vous pas suspect que certaines informations arrivent à point nommé pour nous permettre d'avancer ? D'abord ce fameux plan, puis la note de Wheelan apparue comme par magie dans ma chambre, sans parler des révélations de Robert Folker sur les éléments cachés dans les illustrations...

— On nous manipulerait ?

— La question mérite d'être posée.

— Même Folker ?

— J'aurais tendance à le situer hors du coup, mais le doute est légitime.

— Méfiez-vous, Benjamin, vous allez finir encore plus parano que le boss. D'ailleurs, dans quel but nos adversaires s'amuseraient-ils à tirer les ficelles ? Où tout cela nous mènerait-il ?

— Je l'ignore encore, mais en attendant, j'essaie de ne plus me laisser distraire par ce qu'on nous place devant les yeux pour nous occuper. J'oriente mon attention ailleurs que là où l'on nous incite à le faire.

En s'étirant de plus belle, il se leva et contempla la carte murale. Il demanda soudain :

— Aviez-vous l'habitude d'espionner Wheelan autant que vous le faites avec moi ?

Le ton direct perturba l'agent Holt.

— Votre remarque est injuste. J'ai personnellement demandé à ce que tous les systèmes d'écoute de l'appartement soient désactivés afin de respecter votre intimité.

— J'apprécie le geste, même s'il arrive un peu tard. Je reformule ma question : aviez-vous la possibilité de suivre le professeur à la trace, même lorsque vous n'étiez pas avec lui ?

— Pour sa propre sécurité, oui.

— Y compris pendant son dernier périple ?

— Bien sûr.

— Est-il possible de jeter un œil au relevé des déplacements qui ont précédé son accident ?

— Aucun problème. Qu'espérez-vous y trouver ?

— Je ne sais pas. Peut-être une occasion de partir en balade, vous et moi.

Ben revint vers le centre de la pièce. En apercevant la pile de vêtements, il s'en approcha et passa chemises, polos et autres en revue.

— Vous les avez choisis pour moi ?

— J'ai donné quelques directives, de loin.

— Merci.

Horwood savait que la jeune femme minorait volontairement son implication. Il la sentait pudique sur le sujet, presque fragile.

— Je dois retourner à mon bureau, s'excusa-t-elle en se dirigeant vers la sortie.

En quelques pas, Horwood atteignit la porte avant elle. Il s'appuya nonchalamment sur le montant et d'une voix exagérément suave, déclara :

— Miss Holt, nous n'avons pas eu l'occasion de reparler de notre petite affaire.

— Pardon ?

Ben se délectait de jouer au jeu du chat et de la souris, surtout que pour cette fois, il avait la main.

— Vous ne vous souvenez vraiment pas ?

— Rafraîchissez-moi la mémoire.

— La réunion avec vos grands chefs. Vous m'aviez demandé de les convaincre. Diriez-vous que j'ai été à la hauteur ?

— Sans doute.

— Les ai-je bluffés ?

— Il est vrai que...

— ... j'ai été brillant ?

— Dites à votre ego de ne pas trop en faire même si je suis là.

En découvrant le superbe sourire qui se formait sur le visage d'Horwood, Karen comprit où il voulait en venir. Elle tenta d'esquiver :

— Vous n'avez pas pris ce marché ridicule au sérieux ?

— Une promesse est une promesse, miss Holt. « Vous infliger tout ce que je veux. » Ce sont vos propres mots.

Pour s'en sortir, Karen hésita entre plusieurs options : lui tirer une balle dans le genou, s'enfuir à toutes jambes puis démissionner et disparaître pour toujours, ou alors négocier l'immunité contre la non-divulgation d'informations embarrassantes concernant son adolescence. Elle était prête à tout, mais la seule chose qu'elle trouva à lui répondre fut :

— Benjamin, s'il vous plaît, soyez gentil.

58

La nuit était déjà bien avancée. Fixant la page enluminée représentant un homme démembré, Robert Folker inclina progressivement la tête pour déterminer l'angle le mieux adapté à sa recherche des symboles cachés. Malgré l'effort que cela demandait à ses yeux fatigués, il était obligé de travailler dans la pénombre, sous peine de perdre l'effet révélateur. Insatisfait du rendu, il grommela et se leva pour aller modifier l'orientation de la lampe qui l'éclairait depuis le poste voisin. Il lui sembla soudain entendre un déclic étouffé provenant de l'entrée de la salle.

— Nancy, c'est vous ?

Sa voix résonna dans le labo sombre et désert sans obtenir de réponse. Il regagna sa place en traînant les pieds.

Concentré sur son étude avec un éclairage enfin efficace, il poussa bientôt une exclamation de satisfaction. Il venait de repérer deux nouveaux signes, qu'il s'empressa de reproduire et de répertorier dans son petit carnet.

Chaque nuit, jusqu'à l'épuisement, il se consacrait avec exaltation au déchiffrement des illustrations du *Splendor Solis*. Plus rien d'autre ne l'intéressait. Il était incapable de se détacher des signes et des mots qu'il débusquait avec l'ivresse d'un chercheur de trésors. Ses découvertes l'obsédaient. Il passait ses journées à ronger son frein, attendant que l'équipe des manuscrits rentre chez elle pour se retrouver enfin seul dans sa quête.

Une sorte de raclement bref l'obligea à lever le nez du codex. Pour autant que le vénérable conservateur puisse en juger avec l'ouïe de son âge, le son semblait provenir d'une allée sur la droite.

— Il y a quelqu'un ? Je suis Robert Folker, inutile d'alerter la sécurité. Ils savent que je travaille tard.

Il demeura un instant à l'écoute, mais tout paraissait calme. Il se replongea dans son travail. Bientôt, il aurait fini de passer au crible l'image de l'homme découpé dont la violence le mettait vaguement mal à l'aise. C'était l'illustration la plus sanglante de l'ouvrage. Au rythme où il progressait, il espérait avoir achevé l'examen complet du volume dans deux semaines. Il comptait remettre ensuite le fruit de son labeur à Benjamin.

— Bonsoir, monsieur Folker.

Un frisson de terreur lui parcourut l'échine. La voix était terriblement proche, épouvantablement calme. Il sentit une présence par-dessus son épaule, mais n'osa pas se retourner.

— Qui diable êtes-vous ?

— Le professeur Wheelan avait raison, vous êtes bien plus qu'un assistant de recherche. Je vous félicite pour votre inestimable trouvaille.

— Que voulez-vous ?

— La même chose que vous, monsieur Folker : savoir.

Le vieil homme ferma les yeux. Le visiteur surgi de nulle part s'approcha encore. Le conservateur pouvait maintenant sentir son souffle sur sa nuque.

— Qui que vous soyez, je ne peux rien pour vous. Je ne sais rien.

— Vous vous sous-estimez. C'est injuste envers vous-même et je n'apprécie pas l'injustice.

Une main passa devant Folker et, sans la moindre gêne, feuilleta son carnet.

— Vous avez déjà bien avancé. C'est excellent.

Folker se recroquevilla un peu plus sur lui-même. Il voulait à tout prix éviter de se retrouver face à l'inconnu. Un mélange d'instinct de survie et de superstition naïve lui soufflait qu'en évitant de le voir, il augmentait ses chances de salut.

— Que vous ont appris les symboles ?

— Pas grand-chose pour le moment, ils sont codés. Je compte les décrypter plus tard.

— Vous mentez.

Folker était tétanisé par la peur. La présence recula légèrement.

— Vous aimez votre petite Laureen ?

— Ma petite-fille ? Laissez-la tranquille !

— Quel âge a-t-elle déjà ? Dix ans ? Vous avez bien raison de lui répéter de ne pas se pencher au bord du quai.

Folker ne supporta pas que l'on ose menacer celle qu'il surnommait son « petit bonheur ». Outré, il se retourna brusquement. La pénombre et sa mauvaise vue l'empêchèrent de distinguer précisément à qui il avait affaire. L'homme était plutôt grand, mais il était impossible d'évaluer son âge ou ses caractéristiques physiques. Un éclat de lumière joua sur ses yeux, le rendant encore plus effrayant et coupant court à la pulsion de révolte du conservateur.

— J'ai besoin de vous, monsieur Folker. Je ne vous ferai cette offre qu'une seule fois. Dites-moi tout et je vous promets que vous et votre famille n'aurez rien à redouter, bien au contraire.

Le conservateur baissa les yeux.

— Tuez-moi, mais laissez Laureen et ma famille tranquilles.

— Ce n'est jamais aussi simple, et vous le savez bien. Voilà donc le marché que je vous propose : confiez-moi ce que vous avez découvert sans rien omettre et en retour, au nom de l'amitié que le professeur Wheelan vous portait et bien que vous ayez vu mes traits, vous survivrez.

59

Benjamin accéléra pour doubler une enfilade de poids lourds. Il apprécia la puissance avec laquelle le moteur réagit. Tout en restant concentré sur sa conduite, il lança un bref regard à Karen :

— Vous saviez que le professeur n'avait pas de famille au nord de l'Écosse et pourtant, son excursion ne vous a pas interpellée ?

— Il était en vacances. Il avait le droit d'aller là où bon lui semblait. Il n'a jamais prétendu qu'il se contenterait de rendre visite à ses proches.

— Trois jours sur la côte nord, au milieu de nulle part, sans bouger. Vous ne trouvez pas cela curieux ?

— Que voulez-vous que je vous dise ? Je n'étais pas dans sa tête. Peut-être un souvenir avec sa femme, la vue, la plage, la mer...

— Vous connaissez l'Écosse ?

— J'y ai fait de la marche avec des copains quand j'étais plus jeune. Le West Highland Way. Sublime, mais éprouvant.

— Vous n'aimez pas la randonnée ?

— Si, mais je n'aime pas me faire doucher huit heures par jour en plein été. Trempée, tout le temps. Faire du feu relevait de l'exploit. Même les biches nous regardaient avec pitié, c'est dire.

D'une certaine façon, c'était mon premier stage commando.

— Avec mes parents, j'ai eu l'occasion de faire du camping en Écosse. On est allés à l'est, à l'ouest, le plus souvent en restant le long des côtes. J'en garde de très beaux souvenirs. Par contre, nous ne sommes montés à l'extrême nord qu'une seule fois, et nous n'y avons jamais remis les pieds. Un cauchemar dans des paysages somptueux. À peine le soleil couché, les *midges* passent à l'attaque en nuées. Ces saletés de bestioles vous prennent pour un buffet à volonté. Quant aux plages... L'eau est glaciale et avec le vent à plier les moulins, vous recevez en pleine figure tout ce qui n'est pas solidement arrimé. Lambeaux d'algues, embruns, mousses et fragments de tourbe séchée. Une thalasso minute avec enveloppement ! Une fois, je me suis même pris un crabe crevé en pleine tête. La baie où nous avions séjourné portait le surnom évocateur de « Chaudron de l'enfer ». Pas besoin d'y rester longtemps pour saisir à quel point l'appellation était justifiée. Alors, à moins d'un pari perdu – ce qui n'était pas son genre –, l'idée que Wheelan ait pu passer trois jours face à ce spectacle wagnérien me laisse dubitatif.

Horwood accéléra à nouveau. Karen se crispa.

— Benjamin, vous devriez ralentir. Vous conduisez depuis Londres et on a bien dû faire 700 bornes. Si vous fatiguez, je peux reprendre le volant...

— Pas question. Je trouve déjà que vous vous en sortez bien. Quand je pense à ce que j'ai imaginé vous infliger, vous devriez vous estimer chanceuse de n'avoir qu'à me laisser conduire cette petite bombe. Vous auriez préféré être obligée d'aboyer sur mon ordre pendant toute une journée ?

— Vous êtes-vous déjà fait frapper par un chien ceinture noire ?

— Sale bête.

Arrivés au bout de l'autoroute M6, ils continuèrent vers le nord et Glasgow. Alors qu'ils contournaient la ville par l'est, Ben commenta :

— Nous ne sommes qu'à quelques kilomètres de l'endroit où Rudolf Hess s'est écrasé avec son avion.

— Essayez de ne pas finir comme lui, cette voiture n'est pas une fusée et nous ne sommes plus sur une voie rapide…

Après avoir dépassé les faubourgs nord, ils poursuivirent vers Stirling, dont ils aperçurent bientôt le château perché sur son éperon rocheux.

Au fil des kilomètres, les paysages devenaient de plus en plus vallonnés et sauvages. Plus question de faire des pointes de vitesse, mais Benjamin ne s'en trouvait pas frustré. Les routes serpentaient à travers de vastes étendues de landes et de forêts. Voir défiler ces panoramas sans cesse redessinés par les variations de lumière et le relief changeant l'apaisait. Le pays dégageait une puissance sereine. L'impression de se trouver partout au cœur d'un écrin bienveillant à l'horizon protégé par des remparts de collines aux formes douces où glissaient les ombres des nuages. Ben aimait rouler dans ce décor en compagnie de Karen. Pour la seconde fois depuis qu'il la connaissait, il avait la sensation d'être en vacances avec elle. L'idée lui plaisait.

Horwood avait décidé de rallier Inverness, leur point d'étape, en coupant au plus court, par Newtonmore. Karen insista cependant pour qu'ils fassent une pause. Ben finit par céder lorsqu'ils atteignirent Aviemore, vivante bourgade marquant l'entrée vers le parc national des Cairngorms.

La structure de la petite ville rappelait le Far West : tous les commerces s'alignaient le long de l'unique rue principale. L'artère centrale, les magasins et les terrasses des bars étaient envahis de sportifs en tous genres venus dans la région pour marcher, pagayer, pédaler ou escalader. Le spectacle de cette effervescence bon enfant produisit un étrange effet sur Karen et Ben.

Ils trouvèrent une place de parking face à la petite gare et quittèrent leur véhicule. Sans prononcer une parole, Holt désigna le pub qui lui sembla le plus authentique. Ben acquiesça. Sans doute à cause de la fatigue de la route, certainement aussi en raison de l'ambiance, tous deux se sentaient en décalage vis-à-vis de l'environnement estival. Ils traversèrent la rue, sur leurs gardes, comme s'ils redoutaient qu'un tireur ne sorte du saloon pour les provoquer en duel.

En pénétrant dans le pub, la sensation fut encore plus frappante. Le brouhaha des voix, les rires, le tintement des couverts et le choc des verres formaient un territoire étranger, celui de la paix, celui de la liberté, de l'insouciance.

Une jeune femme les accompagna à une table et leur indiqua le tableau des menus accroché au mur entre des drapeaux et une collection de billets de multiples monnaies. Karen ne réussit pas à se concentrer sur la liste des plats, trop longue à son goût. Par défaut, elle opta pour un *fish and chips* peu imaginatif. Ben s'empressa de l'imiter sans même avoir consulté ce que la maison proposait d'autre. L'agent et l'historien éprouvaient à présent un curieux sentiment d'irréalité à se retrouver dans cette ambiance aux antipodes de leurs préoccupations. Ils regardaient autour d'eux en se demandant ce qu'ils faisaient là, prisonniers d'un film mettant en scène des vies normales. À leur droite, une tablée de potes se retrouvaient autour d'un verre après avoir baroudé. En face, un couple qui, en dépliant des cartes, se demandait ce qu'il ferait le lendemain. Juste à côté, deux jeunes s'embrassaient en se foutant royalement de l'endroit où ils se trouvaient. Holt et Horwood mangèrent rapidement, sans échanger le moindre mot. Aucun des sujets dont ils auraient pu discuter ne devait être évoqué dans un lieu public.

60

La nuit était tombée lorsqu'ils atteignirent le *bed and breakfast* réservé au nord d'Inverness. Une sorte de petit manoir de pierre grise, auquel on accédait par une allée d'ardoise. La berge du Dornoch Firth était si proche que l'on pouvait entendre le ressac. La propriétaire, charmante, fut désolée d'apprendre que ses deux voyageurs ne pourraient pas profiter de son « incroyable petit déjeuner » le lendemain matin.

Dans l'escalier montant à l'étage, une moquette aussi épaisse que fleurie étouffait les pas. La décoration chargée associait des figurines en porcelaine kitsch et des galets sans doute peints par des enfants très jeunes ou peu doués.

Karen et Ben se retrouvèrent chacun devant la porte de leurs chambres voisines.

— Vous allez dormir tout de suite ? demanda la jeune femme.

— Quelques notes à relire, mais je ne vais pas faire long feu. Je suis exténué.

— Vous auriez dû me laisser conduire. Il vous serait resté un peu d'énergie pour ressortir et nous changer les idées.

— Miss Holt essaierait-elle de m'inviter à prendre un dernier verre ?

La jeune femme sourit mais n'insista pas. Elle se retira dans sa chambre.

Ben pénétra dans la sienne. Il prit le temps de contempler l'endroit aussi surchargé que le reste de la demeure. Des rideaux de chintz à gros motifs colorés. Des coussins sur le lit, des coussins sur le fauteuil, des coussins sur le banc supposé accueillir les valises. Benjamin détestait les coussins. Sa grand-mère paternelle l'en avait dégoûté. Jamais eu le droit de les balancer sur ses cousines ni de se vautrer dessus. Juste bons à rester posés pour rien en prenant la poussière.

Il s'approcha de la fenêtre et se rendit compte qu'elle ouvrait sur un balcon. Avec la nuit, on ne distinguait plus la frontière entre la terre et les flots. Quelques lumières çà et là dans l'obscurité, les feux des bateaux amarrés ou les habitations sur la rive opposée.

Ben sortit ses documents, mais la fatigue l'empêcha bientôt de se concentrer. Espérant s'éclaircir les idées, il s'aventura à l'extérieur. il inspira profondément et alla s'appuyer contre la rambarde de bois dont la peinture s'écaillait.

— Vous étiez supposé travailler ou dormir.

Karen était elle aussi sortie sur le balcon de sa chambre. Surpris, Ben ne sut trop comment réagir à sa remarque.

— Vous prenez l'air ? fit-il.

— Puisque nous sommes condamnés à passer la soirée ici...

— Navré, Karen. Je ne fais pas un très bon compagnon de voyage. J'ai la tête en vrac...

— Ne vous en faites pas. Ce n'est pas si grave. Simplement, après notre repas dans ce pub, je me suis prise à rêver d'un moment plus léger.

— Seriez-vous seulement capable d'en profiter ? En ce qui me concerne, je n'en suis pas certain.

Avec un air inspiré, chacun des deux tenta de se donner une contenance en faisant mine de chercher les rares étoiles visibles dans le ciel nuageux. Que pouvaient-ils en avoir à faire ? Lequel des deux avait le premier trouvé refuge dans cette posture ?

Karen relança finalement la conversation. Elle n'avait pas choisi un sujet anodin.

— Vous faites toujours votre rêve égyptien ?

— De plus en plus précis chaque nuit.

— À force, saisissez-vous enfin les paroles d'Ânkhti ?

— Toujours pas. Je suis d'ailleurs convaincu que lorsque j'aurai compris ce qu'elle cherche à me dire, elle ne me rendra plus visite.

— Ce qu'elle cherche à vous dire ?

— Si tel n'était pas son but, pourquoi reviendrait-elle ainsi en me le répétant ?

— On dirait que l'idée de perdre ce rendez-vous vous attriste.

— Un peu. Je sais que ces moments passés avec elle ne sont pas réels. Ils font pourtant partie de ma vie.

Il marqua une pause.

— Karen, est-ce que vous croyez à la réincarnation ?

La jeune femme prit son temps avant de répondre.

— Même si c'est déprimant, je suppose que nous n'avons qu'une vie.

— Avant ce rêve, j'aurais sans doute fait la même réponse que vous. Mais je ne sais plus quoi penser.

— Ce que vous avez vécu au fond du lac suffirait à faire disjoncter n'importe qui. Le choc a été autant physique que psychologique. Votre esprit tente sans doute à sa façon de donner un sens à tout ce qu'il a reçu.

— Possible. L'autre soir, Fanny m'a confié qu'après avoir vu les images de ce à quoi nous avons survécu dans le tombeau, elle-même, d'ordinaire si cartésienne, était tentée de croire à la bienveillance divine.

— Vous êtes un grand romantique, monsieur Horwood. Vous rôdez sous les fenêtres de femmes qui vous manquent, d'autres vous rendent visite chaque nuit dans vos songes...

— ... pendant qu'une autre pioche dans les éléments confidentiels de mon dossier en les recoupant avec ce que j'ai pu lui confier pour essayer de me percer à jour. Je vais finir par en conclure que vous vous intéressez à moi autrement que sur un plan strictement professionnel... quitte à utiliser l'espionnage, les micros et toutes ces sortes de choses.

— Étant donné le peu que disent les hommes et les pièges qu'ils nous tendent, chaque femme devrait pouvoir disposer de cet arsenal pour découvrir à qui elle a affaire.

— Avant de s'engager.

— Exactement.

Prenant conscience de ce qu'elle venait de se laisser aller à dire, Karen se mordit les lèvres. Elle tenta de jauger discrètement la réaction de Benjamin et se rendit compte qu'il la regardait, goguenard. La faible lumière qui s'échappait de sa chambre suffisait à révéler son sourire.

L'agent s'administra une gifle magistrale.

— Ne vous mortifiez pas, commenta sobrement Ben. Je comprends votre point de vue. Je vous épie aussi.

— Je ne me mortifie pas. Je viens de me faire piquer par une saleté de mini-moustique.

— Un *midge*. La pire spécialité du coin. Mauvaise nouvelle : il n'est que le premier de la horde.

Karen en explosa un autre sur son front, puis dans son cou.

— Ça fait super mal !

— Ils sont réputés pour cela.

Elle se frictionna la tête, se décoiffant complètement. Le contraste entre les deux balcons était saisissant : sur l'un, une jeune femme sautillait sur place en se débattant comme une folle pendant que sur l'autre, les mains dans les poches, l'homme la regardait.

— Pourquoi ne vous piquent-ils pas ? protesta Karen.

— Ils ont bon goût, ils vous préfèrent. À leur place, je me jetterais aussi sur vous.

— Vous rigolez ?

— Bien sûr. En fait, ils repèrent leurs proies à la chaleur. Vous devez être bouillante.

— Pardon ?

Karen se débattait au milieu de ce qu'il était désormais raisonnable d'appeler un nuage de bestioles.

— Je ne vais pas rester sur ce balcon à me faire bouffer.

— D'autant que chacune de leurs piqûres laisse un assez gros rond rouge. Demain, vous aurez la tête d'une pizza.

— Comment on s'en débarrasse ?

— Essayez donc de les menacer avec votre arme, on ne sait jamais.

L'agent Holt battit en retraite dans sa chambre.

— J'abandonne. Bonne nuit ! lança-t-elle en refermant.

— À vous aussi. J'ai été très heureux de notre conversation.

De retour chez lui, à travers le mur, Ben crut entendre Karen qui s'administrait quelques claques supplémentaires.

Pour lui-même, il murmura : « Ne vous mortifiez pas, je vous épie aussi. »

61

La voiture filait sur la route déserte, longeant la côte rocheuse déchiquetée.

— Si vous faites la moindre réflexion au sujet de mon visage, je ne réponds de rien.

— Compris. J'espère quand même que vous avez réussi à faire payer l'infâme insecte qui vous a piquée juste au bout du nez.

— Benjamin...

— N'importe qui comprendra que vous ayez essayé de le torturer.

— Je pensais avoir été claire.

— Connaissez-vous l'histoire, assez touchante d'ailleurs, de ce petit renne au nez rouge...

— Taisez-vous.

— On ne peut rien vous dire. Pouvons-nous au moins discuter du temps qu'il fait sans risquer l'incident diplomatique ?

— Ce sera toujours mieux.

— Soit. Alors le conseil du jour : profitez de ce soleil matinal qui ne sera plus là dans dix minutes, mais qui reviendra après l'averse torrentielle, avant de disparaître à nouveau derrière un ciel de fin du monde, puis brillera derechef jusqu'à ce que les *midges* mènent leur deuxième vague d'assaut. C'était le bulletin météo. Bienvenue en Écosse.

Karen détourna le visage pour sourire.

Passé le village de Crosskirk, le paysage évolua pour devenir encore plus âpre. La route montait régulièrement, accompagnant l'élévation progressive des falaises côtières creusées de profondes entailles. Sur les landes de bruyère battues par les vents, les rares arbustes ayant réussi à survivre tendaient désespérément leurs branches vers les terres, comme des bras suppliants.

Horwood vérifia le GPS embarqué.

— Nous approchons, annonça-t-il. J'ai hâte de découvrir où Wheelan s'est rendu.

Sur l'écran de l'appareil de guidage, le dessin sommaire de la côte en dentelle suffisait à se faire une idée des environs.

En apercevant les prémices d'un chemin de terre qui filait vers la falaise, Benjamin ralentit.

— Même si ce passage n'est pas cartographié, j'aurais tendance à tenter de le suivre. Qu'en dites-vous ?

— Essayez de freiner avant le précipice.

— La voiture est louée avec une assurance tous risques ?

— Étant donné l'état dans lequel vous rendez le matériel, j'ai préféré.

Ben embraya et s'engagea sur le chemin à peine carrossable.

Il était difficile de savoir qui du vent ou des ornières était responsable des secousses infligées à la voiture. Le tracé se résumait aux bandes de roulage des pneus, suivant les courbes du sol les plus favorables en évitant les affleurements rocheux. Les oiseaux passaient en volant au ras du sol pour échapper aux bourrasques. À l'abri du moindre relief, des ajoncs avaient pu se développer dans cet environnement hostile.

— Vous souhaitez vraiment aller plus loin ? demanda Karen. Il n'y a manifestement rien à voir dans les parages. Faisons demi-tour avant de casser un essieu.

— Puisque nous avons fait le voyage, permettez-moi d'aller jusqu'au point exact. Nous n'en sommes plus loin.

La voiture progressa encore laborieusement, de plus en plus malmenée par le sol très rocailleux. La caillasse était partout. Un bloc incontournable obligea bientôt Benjamin à renoncer. Devant l'obstacle, il serra le frein à main et coupa le contact. Ils avaient pratiquement atteint l'extrémité d'un bras de falaise qui pointait vers le large. Dans l'habitacle, le vent sifflait, s'immisçant par les plus infimes ouvertures.

— Je vais aller faire un tour. Restez au chaud.

Karen ne se fit pas prier. Benjamin ouvrit sa portière en la retenant à deux mains pour ne pas se la faire arracher. Une fois dehors, la tête rentrée dans les épaules et le col remonté, il fit signe à son équipière que tout allait bien à la manière des plongeurs, le pouce et l'index formant un « o ».

Déséquilibré par les bourrasques, il avança en direction du précipice. Il escalada un plateau de granit et soudain, la vue s'offrit à lui. Il fut aussitôt saisi par l'ampleur et la sobre beauté du paysage. Les landes aux nuances de terre nappaient les falaises voisines dominant la mer. À leurs pieds, l'étendue moutonnante ondulait jusqu'à se perdre au loin dans les brumes de l'horizon. Sur la surface d'un gris métallique, des taches de lumière fuyaient en se déformant sans cesse. L'alliance de ces mouvements rapides caressant les immensités immuables créait le sentiment qu'ici, l'éternité allait vite et l'instant durait.

Le vent était si puissant que Benjamin avait du mal à se maintenir immobile. Ses yeux déjà desséchés pleuraient. Il se tenait sans doute à l'endroit même qu'avait occupé Wheelan lors de son dernier voyage.

— Bon sang, qu'est-ce que tu as bien pu venir foutre ici ?

— C'est plus fort que vous. Il faut que vous papotiez avec les morts.

Benjamin sursauta.

— Vous ne pouvez plus vous passer de moi ?

— Je n'ai pas envie que vous tombiez.

— Vous avez fait gaffe à la portière en sortant ?

Karen ne répondit pas. Elle était subjuguée par le panorama.

Entraîné par le vent, Horwood s'approcha du bord et le longea. Karen protesta, mais les rafales offraient à Ben une excellente excuse pour faire comme s'il n'entendait pas. Le moindre rocher modifiait l'exposition aux courants d'air de façon spectaculaire. Alors qu'il se penchait pour essayer d'apercevoir la petite baie en contrebas, un élément inattendu attira immédiatement son attention.

Il fit de grands signes à Holt pour qu'elle le rejoigne.

— Jetez un œil en bas. N'ayez pas peur, je vous retiens.

Karen ne fut pas longue à repérer ce qui avait surpris Ben. Elle demanda :

— Qu'est-ce qu'un bateau comme celui-là fabrique dans un endroit pareil, et sur un quai qu'aucune carte n'indique ?

— Je ne sais pas. Le mieux est d'aller voir.

62

Karen et Ben ne furent pas longs à repérer l'escalier taillé à flanc de falaise qui descendait vers la baie enclavée. Une grosse chaîne rouillée faisait office de rampe, courant d'anneau en anneau rongés par l'air salin.

Après seulement quelques marches, ils se trouvèrent à l'abri du vent. Protégés du souffle, la perception de leur environnement s'en trouva apaisée. Le roulement régulier des vagues battant le pied des parois rocheuses montait dans un écho adouci. Dominant la rade, Karen observait le bateau. Deux membres d'équipage s'activaient sur le quai.

— Ça ne ressemble pas à un chalutier, commenta Horwood.

— Ce n'est pas un bateau de pêche. C'est un navire des garde-côtes, un remorqueur de sauvetage.

Alors qu'ils atteignaient un palier, un fou de Bassan dérangé s'envola de son nid en criant. Karen émit à voix haute la question qui lui occupait l'esprit :

— Vous pensez que Wheelan a pu s'aventurer jusqu'ici ?

— Cela aurait déjà plus de sens que de rester là-haut des jours durant à contempler le panorama.

Le parfum iodé de la marée se faisait plus présent à mesure qu'ils descendaient. La dernière marche atteinte, Ben réalisa à quel point les falaises étaient hautes. D'en bas, bien que grise et chargée, la portion de ciel encore visible était aveuglante. Dans ce décor brut en noir et blanc, quelques oiseaux décrivaient des cercles en hurlant.

Karen avançait déjà sur la longue jetée qui s'étirait jusqu'à disparaître en pente douce sous la mer. Le béton était tellement abîmé qu'il laissait affleurer les fers d'armature gonflés par l'oxydation. Le flanc de l'ouvrage était tapissé d'algues et de coquillages. Deux marins en uniforme s'affairaient autour des amarres. Karen les salua :

— Bonjour, messieurs.

Ils répondirent a minima, sans interrompre leur manœuvre. Elle s'approcha encore et leur présenta sa carte d'agent du gouvernement.

— Pourriez-vous nous accorder votre attention quelques instants ? Nous enquêtons sur un homme disparu.

L'un des deux vérifia le document. Désignant les falaises d'un mouvement du menton, il déclara :

— S'il a chuté de là-haut, il y a peu de chances que vous en retrouviez quoi que ce soit. Nous n'avons ramené aucun corps ces derniers temps.

— Peut-être l'aurez-vous aperçu malgré tout ?

Comprenant qu'ils n'allaient pas s'en sortir avec une réponse toute faite, le plus grand des deux décida :

— Je vais chercher le capitaine.

— Merci.

Lorsqu'il arriva, le gradé s'adressa au tandem depuis son bastingage.

— Bien le bonjour. Que puis-je pour vous ? On me signale que vous cherchez un disparu...

— Effectivement.

Karen lui tendit sa carte en se hissant sur la pointe des pieds.

— Vous tombez mal, reprit le capitaine. Nous sommes sur le point de partir en patrouille vers les îles.

— Nous n'avons qu'une question.

Karen lui montra la photo du professeur qu'elle avait affichée sur son téléphone.

— Ce visage vous dit-il quelque chose ?

Le capitaine se pencha pour l'étudier. En découvrant le cliché, il réagit aussitôt :

— Je m'en souviens très bien. Il était ici voilà deux ou trois mois.

Ben commenta :

— Belle mémoire, même s'il est vrai que vous ne devez pas voir passer beaucoup de promeneurs dans le coin...

— Ce n'était pas un promeneur.

— Comment ça ?

— Il était venu exprès nous rendre visite.

— Vous lui avez parlé ?

— Mieux que ça. On nous avait prévenus de son arrivée. Un ponte de la Maritime and Coastguard Agency d'Inverness nous avait demandé de l'embarquer avec nous pour le déposer.

Ben et Karen se regardèrent.

— Le déposer ? Où ça ?

— Votre homme tenait absolument à se rendre sur une île de l'archipel des Shetland, dans la baie de St Magnus précisément. Il voulait aller prendre des photos d'oiseaux rares qui y nichent.

— Des oiseaux ? s'étonna Ben.

— Je ne me souviens plus du nom de l'espèce, un truc de spécialiste, en latin. Il nous a expliqué qu'il était ornithologue. Il lui est arrivé quelque chose ?

— Il s'est tué dans un accident. Vous êtes sans doute l'un des derniers à l'avoir vu vivant. Il était témoin dans une de nos enquêtes. On cherche à reconstituer son emploi du temps dans les jours qui ont précédé son décès.

— Pauvre bougre. Il m'avait fait l'effet d'un gentil pépé, avec tout de même un sacré caractère. J'ai rarement vu quelqu'un avoir le mal de mer à ce point, et pourtant dans ce job, on en voit passer...

— Vous l'avez donc emmené ?

— Il nous arrive parfois d'embarquer des « colis », de faire le taxi pour des passagers spéciaux hors ferry, alors pour rendre service au collègue d'Inverness, on a accepté.

— Pourriez-vous nous donner le nom du responsable qui a demandé cette faveur ? interrogea Karen.

— Je dois pouvoir retrouver ça. Mais si vous devez lui taper sur les doigts, soyez assez gentille d'oublier de lui préciser d'où vous tenez votre info.

— Entendu.

Ben était réellement perturbé de découvrir que Wheelan avait effectué une traversée dont il ne savait rien en se faisant passer pour un ornithologue. Il détestait ne pas comprendre. Sans vraiment réfléchir, il demanda :

— Vous serait-il possible de nous emmener là où vous l'avez conduit ?

Le ton très direct de la question surprit le capitaine, qui se redressa dans une posture plus officielle.

— C'est compliqué. Nous avons une feuille de route à suivre. Il nous faudrait une demande d'en haut...

Comprenant la valeur que ce périple prenait pour Horwood, Karen décida aussitôt de l'appuyer :

— Capitaine, vous savez ce que c'est... Passer par la voie hiérarchique prendra des jours. Nous n'en avons pas le temps. Vous nous aideriez beaucoup en nous embarquant. C'est important. S'il vous plaît.

63

Engoncé dans un gilet de sauvetage fluo, Ben, hypnotisé, observait le gobelet de café qui, malgré la forte houle, se maintenait parfaitement horizontal dans son support gyroscopique.

— Je vous en sers un ? proposa le capitaine.

— Non, merci.

La cabine dansait autour d'Horwood, qui se cramponnait à une barre d'inox verticale. Suivant un cycle régulier, le bateau s'élevait dans les airs avant de replonger au creux des grandes vagues. Chaque fois que l'étrave entamait l'un de ces murs d'eau, on entendait les moteurs augmenter leur régime pour forcer le passage au travers. À l'abri derrière les vitres fouettées par des paquets d'embruns, le pilote vérifiait régulièrement son cap.

— Vous avez de la chance, la mer est plutôt bonne ce matin.

— Tant mieux. Je ne tiens pas à voir ce que ça donne quand elle est mauvaise...

— Si tout va bien, nous serons à Papa Stour dans environ deux heures.

— C'est sur cette île que vous avez accompagné notre homme ?

— Déposé et repris.

— On ne trouve que des oiseaux là-bas ?

— C'est une réserve naturelle, alors forcément, ils sont tranquilles. Il y a aussi quelques vestiges néolithiques mais à part ça, pas grand-chose. Une poignée d'habitants s'accroche à l'ouest, sur le versant le plus abrité, mais ils ne sont pas nombreux. Il faut des tripes pour vivre là-bas. Dès l'automne, quand la mer est grosse, ils sont souvent coupés du monde. Pas de ravitaillement, pas de téléphone, même cellulaire. Il faut se débrouiller en autonomie complète. Il n'y a qu'un ornithologue pour aller se risquer sur un caillou pareil !

— Ou des agents obligés d'enquêter sur ses derniers jours...

Karen s'était repliée au fond de la cabine, calée dans un des supports de maintien qui permettent à l'équipage de se tenir debout pour surveiller les manœuvres même en pleine tempête. Pour la rejoindre, Ben se laissa emporter par la pente du bateau.

— Vous n'avez pas l'air dans votre assiette... Tout va bien ?

— Rappelez-vous, je n'ai pas la formation pour l'eau... En tout cas, je vous tire mon chapeau. Je trouvais déjà que vous aviez poussé la conscience professionnelle assez loin en allant au bout du bout de cette falaise mais là, vous faites encore plus fort. Nous embarquer sur ce rafiot, comme ça, au débotté, vers une île perdue...

— Vous ne trouvez pas surprenant que Wheelan ait voulu faire ce voyage ?

— Bien sûr que si. C'est d'ailleurs pour cela que je me sacrifie en vous accompagnant. Ce qui me surprend encore davantage, c'est qu'il ait pu organiser cette traversée sans que nous soyons au courant.

— Quelqu'un de votre service aura peut-être fait la demande via les affaires maritimes ?

— Impossible. J'aurais été avertie. Il faudra que nous remontions aussi cette piste-là.

— Wheelan avait forcément une bonne raison de se lancer dans ce périple.

— Surtout en secret.

— Cela démontre au moins qu'il ne vous disait pas tout.

— Apparemment...

— En êtes-vous déçue ?

— Disons que je ne suis pas surprise. Qu'espérez-vous trouver en suivant ses pas contre vents et marées ?

— Le capitaine a soulevé un point intéressant : l'île possède quelques monuments remontant à la préhistoire.

— Le professeur y serait allé pour une tombe ?

— Ou un lieu de culte ancien.

— Avez-vous le souvenir d'un passage dans ses notes qui en aurait fait mention ?

— Pas le moindre. Mais sur la pyramide au cristal, Fanny a identifié des motifs de spirales imbriquées similaires à ceux gravés à l'entrée d'un site funéraire irlandais. Nous n'en sommes pas si loin. Les îles regorgent de ce genre de lieux sacrés. Des monastères s'y sont même implantés, et on y a mis au jour quelques remarquables tumulus. Possible que l'un d'eux ait intéressé Wheelan.

— Peut-être était-il sur la trace d'autres artéfacts ?

— Nous verrons sur place.

— Je vous préviens que si vous comptez faire des fouilles, je n'ai qu'un canif et une lampe de poche.

Voyant que la jeune femme était de plus en plus pâle, un des hommes d'équipage s'approcha :

— Madame, vous devriez fixer la ligne d'horizon. Ne regardez pas le sol, sinon ça va mal finir... Respirez à fond.

Avec compassion, il lui tendit un sac en papier.

Décidé à prendre soin de Karen autant que possible tout en l'associant à sa réflexion, Ben se glissa dans le support voisin. Il lui souffla :

— Le moment n'est sans doute pas idéal, mais puisque nous évoquons les tumulus, j'aimerais profiter du répit que nous offre cette croisière enchanteresse pour vous faire part de ma théorie. Le permettez-vous ?

— Voilà des jours que je vous attends…, répondit-elle avec malice.

L'espace d'un instant, Ben se demanda si Karen faisait uniquement allusion à ses recherches archéologiques. La jeune femme ajouta :

— Ne vous formalisez pas si je devais tout à coup être malade comme une bête. Il arrive que mon corps fasse ce qu'il veut même si mon cerveau est captivé…

Ben préféra éviter le regard de sa voisine pour ne pas se déconcentrer.

— Merci pour l'info. Jusqu'ici, précisa-t-il, mes hypothèses n'ont jamais fait vomir personne. Mais j'avoue que celle-là est particulière. C'est la toute première fois que je la partage et je suis heureux que ce soit avec vous.

Alors que le bateau s'engageait dans une nouvelle série de montagnes russes, Karen éprouva un peu de réconfort à l'idée d'être la première à l'entendre. Ben se lança :

— Tout est parti d'une de ces idées que mes rêves déposent en moi. Cette réflexion-là m'a immédiatement paru évidente, comme ces vérités qui semblent couler de source à la seconde où vous en prenez conscience. Il est ensuite devenu impossible d'envisager notre enquête sans en tenir compte, tellement elle collait parfaitement. Dès lors, j'ai cherché ce qui pouvait la remettre en cause, en me demandant pourquoi personne n'y avait songé avant. J'ai beaucoup réfléchi au sujet de ces immenses sépultures qui sont apparues peu après l'époque du Premier Miracle. Car c'est effectivement juste après que l'on a vu fleurir des pyramides dans toute la partie orientale du bassin méditerranéen.

Il s'assura que Karen le suivait avant de poursuivre :

— L'analyse communément admise concernant les plus titanesques monuments funéraires – égyptiens mais aussi asiatiques, indiens et même sud-américains – nous les présente comme des témoignages de la puissance du défunt au-delà de sa vie terrestre. Ces tombeaux spectaculaires ne seraient que l'expression d'une orgueilleuse démesure. Or, j'ai des raisons de croire que c'est faux. L'expérience vécue dans la partie secrète du temple m'avait déjà poussé à remettre cette vision en cause. Mais ce qui m'est apparu dans mon rêve m'a définitivement convaincu en fournissant les prémices d'une autre explication.

« Le temple d'Abou Simbel n'a été créé ni pour impressionner ni pour effrayer. Il a été creusé pour contenir, cacher et protéger. Il a été pensé comme un sanctuaire destiné à recevoir ce qui avait trait au Premier Miracle, déposé auprès de celle qui en avait la garde jusque dans l'au-delà. L'hypothèse présentant les pyramides comme de fastueuses démonstrations de grandeur est donc à mon sens erronée. Notre interprétation de ces tombes gigantesques n'est que le reflet de notre propre vanité. Si par exemple les pyramides de Khéops, Khéphren ou Mykérinos ne sont que de titanesques mausolées, alors que l'on m'explique pourquoi des pharaons bien plus célèbres et bien plus puissants qu'eux n'en ont pas fait bâtir de plus grandes...

Karen était tellement attentive aux propos de l'historien qu'elle ne se rendit pas compte de la vertigineuse descente qu'effectua le bateau au creux d'une énorme vague.

— Avant le Premier Miracle, reprit Ben, rois et dignitaires étaient enterrés dans une vallée secrète, à l'abri, avec l'idée de leur assurer une paix éternelle sans aucune ostentation extérieure. Si construire des tombes géantes avait été une simple évolution des coutumes, alors celle de Cléopâtre aurait dû être la plus grande de toutes. Pourtant sa sépulture reste introuvable à ce jour.

— Où cela nous mène-t-il ?

— J'ai la conviction que ces tombes sont en réalité d'énormes coffres-forts, des boucliers de plusieurs milliers de tonnes destinés à isoler les reliques du Premier Miracle. Elles ont la double mission de les protéger du monde, mais aussi de protéger le monde de leur pouvoir considéré comme destructeur. Tous les indices vont dans ce sens, à commencer par la forme de ces monuments qui s'inspire de celle des pyramides aux cristaux. Les pyramides sont la version géante des outils permettant de canaliser la lumière pendant l'expérience réalisée à Sumer. La symbolique s'impose d'elle-même.

— Intéressant...

— Ce n'est pas tout. En effet, comment expliquer les labyrinthes et les passages secrets qui protègent le cœur de ces constructions ? Pourquoi, pour préserver ces défunts-là, les hommes ne se sont-ils pas contentés de s'en remettre aux dieux comme ils le faisaient d'habitude ? Pourquoi ont-ils déplacé des montagnes et mis au point quantité de stratagèmes jusqu'alors inédits afin de les abriter et les confiner ? Ils se sont donné trop de peine pour que leurs efforts soient uniquement justifiés par la recherche de faste ou de grandeur. Ils ont mobilisé des milliers d'ouvriers, utilisé des techniques de construction qui nous laissent encore perplexes. Ils sont allés si loin dans la conception de ces sanctuaires que même avec les moyens technologiques dont nous disposons aujourd'hui, les pyramides de Gizeh n'ont toujours pas livré leurs secrets. Les plus récentes études ont révélé que des salles inexplorées existent – elles ont été formellement repérées – mais nous n'avons aucune idée de la façon d'y accéder, ni de leur fonction ou de ce qu'elles peuvent renfermer. Notre science n'arrive pas à maîtriser les principes créés voilà plus de 4 000 ans pour protéger ce qui devait rester inaccessible aux profanes. Ces tombes particulières constituent les dernières demeures de ceux qui ont assisté au Premier Miracle ou de leurs descendants ayant reçu le secret et la garde des éléments dispersés de l'expérience. Peut-être leur forme a-t-elle été copiée par la suite, mais jamais avec la même ampleur ni le même impératif d'inviolabilité.

La voix de Benjamin se fit plus grave pour conclure :

— Je suis certain que ces tombeaux étaient ce que les hommes pouvaient alors imaginer de mieux pour emprisonner le pouvoir le plus puissant et le plus dangereux auquel ils aient jamais été confrontés.

Karen et lui se regardaient dans les yeux. Elle avait tout oublié de son mal au cœur. Son esprit galopait sans qu'elle puisse imaginer jusqu'où cela risquait de la conduire. Ben avait déjà raison sur un point : une fois cette idée en tête, il n'était plus possible de l'ignorer.

64

La forme massive finit par émerger des flots, large trait d'union de roc sombre imperturbablement posé entre l'étendue marine agitée et les nuages gris ardoise filant dans le vent. Seul élément immobile d'un horizon mouvant à perte de vue, l'île de Papa Stour se profilait enfin.

Pour l'atteindre le plus rapidement possible, le navire des *Coast Guards* avait affronté tous les temps de la création pendant que Karen passait par autant de couleurs que l'arc-en-ciel aperçu au large des Orcades. Bravant averses violentes et crêtes de vagues très actives, il était impossible de savoir si l'eau qui s'abattait sur les vitres du poste de pilotage provenait du ciel ou de la mer.

Le capitaine annonça :

— Nous allons vous déposer près d'Aesha Head, sur l'ancienne jetée aménagée pendant la guerre. Elle reste accessible quelle que soit la marée.

— Merci beaucoup de votre aide.

L'un des hommes d'équipage proposa cirés et bottes aux deux passagers. Devant leur réaction hésitante, le capitaine s'amusa :

— Vous devriez accepter. Vos beaux habits de citadins ne tiendront pas longtemps une fois dehors...

Ben et Karen obtempérèrent et enfilèrent les équipements. En achevant de boutonner sa vareuse, Horwood demanda :

— Savez-vous dans quel secteur de l'île se trouvent les vestiges néolithiques ?

— Les vestiges ?

— Oui. Si vous aviez une carte, ce serait parfait. Faut-il marcher longtemps pour les atteindre ?

Le commandant de bord parut surpris par la question.

— J'avais cru comprendre que vous souhaitiez aller là où votre ornithologue s'est rendu...

— C'est le cas.

— Il ne s'intéressait pas aux monuments, qui sont situés de l'autre côté de l'île. Nous l'avons déposé au pied des falaises de l'ouest, au plus près des grottes qui donnent sur la mer.

— Vraiment ?

— Il a dit que ses oiseaux y nichaient. C'est là qu'il voulait se rendre.

— Des grottes dans la falaise ?

— Un réseau d'arches et de cavités immenses dans lesquelles même avec mes trente années d'expérience, je n'engagerais pas mon embarcation. Trop de récifs. Jusqu'à l'îlot de Fogla plus au nord, ce n'est qu'un dédale de roches qui vous éventrent une coque en moins de deux. Un vrai repaire de pirates ! De tout temps, nombreux sont les bateaux qui s'y sont échoués pour s'en être approchés trop près. Les tempêtes y ont aussi précipité bon nombre de malheureux. Plus personne ne s'y risque.

— Hâte d'y être...

— C'est un endroit vraiment spécial. Au tout début de la Seconde Guerre mondiale, l'amirauté avait envisagé de transformer le site naturel en base navale secrète pour contrer les attaques des sous-marins allemands qui harcelaient et coulaient les convois de ravitaillement venus d'Amérique, mais les travaux se sont révélés trop complexes à mener. Ils ont préféré installer des batteries de canons plus au nord, sur des îles davantage accessibles. De cette époque, il ne reste qu'une jetée et quelques aménagements à l'intérieur des grottes.

— Des grottes..., répéta Benjamin, incrédule, alors que sa version du périple de Wheelan partait en fumée.

Le second annonça :

— Point d'accostage en vue.

Le capitaine reprit la barre.

— Préparez-vous. On va vous allonger la passerelle mais il ne faudra pas traîner pour débarquer, ça secoue un peu. Nous irons ensuite faire le plein sur l'île principale, et on passera vous reprendre, disons vers seize heures. C'est la dernière limite pour réussir à rentrer à l'abri avant la nuit. Tâchez d'être à l'heure.

— Sans faute.

— Soyez prudents. L'endroit a la réputation d'être beau mais dangereux. La marée est montante, ne vous faites pas piéger. Certains n'en sont jamais ressortis. Toutes sortes de légendes circulent sur ces cavernes. À l'époque des naufrages, qui n'est pas si éloignée, marchands et pêcheurs racontaient que le diable s'y terrait pour n'en sortir que lorsqu'il avait trop faim, décidé à récolter quelques âmes perdues.

— Point d'accostage dans trois minutes, lança le second.

Un marin déverrouilla la porte étanche de la cabine. Il fit signe à Ben et Karen de le suivre sur le pont extérieur et les accrocha à une ligne

430

de vie avant de les laisser faire le moindre pas. À peine exposés, le vent s'empara d'eux. Karen avait noué ses cheveux le plus serré possible, mais le souffle les décoiffait en les reprenant mèche après mèche.

Face à eux, dans un décor dantesque, s'élevaient les falaises de l'île. Trois immenses arches s'y découpaient. Un chaos rocheux acéré surgi des flots en barrait l'accès. Les vagues se fracassaient contre les pics sombres, se dispersant en écume. À la moindre trouée de soleil, la mer se parait d'une couleur émeraude paradisiaque, mais à la seconde suivante, des nuages noirs et lourds lui rendaient son apparence infernale.

Le navire dévia bien avant d'arriver dans les eaux bouillonnantes. Il gagna le côté du site, plus calme. La jetée s'y étirait, léchée par l'onde.

Le marin positionna le portique à palan pour amener la passerelle au-dessus du flanc du bateau.

— Au signal du capitaine, l'un après l'autre, vous avancerez jusqu'à l'extrémité et sauterez sur le quai. Méfiez-vous des algues, elles sont glissantes.

À mesure que le bateau accomplissait son approche finale, les cavernes prenaient toute leur dimension.

— C'est donc pour voir cela que Wheelan est venu jusqu'ici..., commenta Ben, songeur.

Karen s'émerveilla :

— On pourrait caser un petit immeuble dans chacune de ces ouvertures.

— Je ne sais pas ce que le professeur espérait trouver dans cet enfer du bout du monde, mais nous pouvons au moins avoir une certitude : étant donné l'effort que représentait le trajet, s'y rendre devait être extrêmement important pour lui. Pas vrai ?

— C'est sûr. Il y a également un autre point dont on peut être certains.

— Lequel ?

— Il se moquait éperdument des oiseaux.

La voix du marin à la manœuvre résonna jusqu'à la falaise désormais toute proche :

— Tenez-vous prêts.

Le capitaine inversa la poussée des moteurs pour freiner l'inertie de navigation. Il enclencha ses propulseurs d'étrave pour affiner sa position. Près de la côte, les vagues étaient moins virulentes, mais la houle n'aidait pas à stabiliser.

Ben s'avança. Au signal, il s'élança.

65

— Vous êtes sortie la dernière, c'était à vous de prendre les clés.

— Je suis désolée, je ne pensais pas que sur un coup de tête, on allait s'embarquer pour cette île perdue.

— Si au retour, on se retrouve sans voiture et sans réseau pour demander de l'aide...

— ... Alors j'irai faire du stop et on s'en sortira.

— Je ne doute pas qu'en vous apercevant au bord de la route, n'importe qui s'arrêterait. Encore faut-il que quelqu'un passe...

Touchée de ce qu'elle interpréta comme un discret compliment, Karen tenta :

— Vous vous arrêteriez pour me porter secours au milieu de nulle part ?

— Bien sûr, de la même façon que si je voyais un border collie ou une statue d'Aphrodite.

— Vous avez déjà vu une statue faire du stop ?

— Qu'une statue fasse du stop vous fait réagir, mais ça ne vous étonne pas venant d'un chien ?

— Ce n'est pas la même chose.

— Ils ont pourtant un indéniable point commun.

— Lequel ?

— Cherchez et faites-moi signe quand vous aurez trouvé.

Tant bien que mal, Benjamin et Karen avançaient, sautant de rocher en rocher, les bras tendus pour garder l'équilibre. Ils prenaient soin de longer le pied de la falaise en se tenant suffisamment loin du rivage pour éviter les surfaces détrempées ou envahies d'algues.

Soudain, au détour d'une colonne de roches déchiquetées par des millénaires d'assaut marin, l'entrée de la première des grottes leur apparut, étourdissante par ses proportions. La puissance du spectacle les arrêta dans leur élan.

— Un repaire de géants, lâcha Karen.

— L'antre du diable, ironisa Benjamin.

L'immense bouche basaltique semblait capable d'avaler la mer. En s'engouffrant dans l'ouverture béante, le vent soufflant du large se muait en mugissement surnaturel.

Le long de la paroi rocheuse, un passage grossièrement taillé en surplomb s'enfonçait vers l'obscurité du fond de la grotte. On pouvait encore voir la trace des barres à mine dans la pierre brute.

— Savoir que Wheelan est passé par ici me fait un drôle d'effet, confia Ben.

Karen sortit sa lampe torche et l'alluma.

— Je ressens la même chose. Allons-y et ouvrons l'œil.

Lorsqu'ils franchirent le seuil, le souffle se fit plus violent. À l'intérieur, l'eau n'avait plus rien de paradisiaque ; elle ressemblait à un lac sombre des profondeurs duquel des créatures monstrueuses pouvaient surgir à tout instant. Après la luminosité extérieure, les yeux devaient s'acclimater à la relative pénombre. Chaque pas supplémentaire sous cette cathédrale de pierre révélait ses dimensions. La voûte s'élevait à des dizaines de mètres, couvrant l'onde parfois soulevée par une vague déferlante venue de l'extérieur. L'endroit avait tout du décor d'un roman de Jules Verne. Il s'en dégageait une sensation de gigantisme, une impression de monde oublié et de mystère. Quand Karen éclaira le point le plus haut, la lueur de son faisceau se perdit sur l'immense dôme rocheux, révélant la trajectoire des gouttes d'eau infiltrées qui tombaient des arêtes. Libérée du harcèlement du vent, Karen remit de l'ordre dans ses cheveux et les rattacha soigneusement.

S'enfonçant davantage, Ben découvrit bientôt que les trois grottes visibles depuis la mer communiquaient entre elles à travers de titanesques passages. Les cavités formaient un réseau souterrain dans lequel résonnait l'incessant élan des vagues. Plus ils progressaient dans la caverne, plus l'air devenait humide et pénétrant.

— Qu'est-il venu chercher ici ?

L'interrogation de Ben retentit en un écho différent. L'agent Holt et lui scrutaient les parois, espérant y déceler un signe ou un passage susceptible d'attirer leur attention.

Au fond de la grotte, l'étroite corniche aménagée à flanc de paroi débouchait sur une fine plage de sable noir jonchée de débris arrachés aux bateaux et rejetés là par les vagues.

Karen promena sa lampe sans rien remarquer de suspect. Pour continuer leur exploration plus avant, deux options s'offraient au tandem : suivre la plage sur sa longueur et passer vers la grotte suivante, ou s'aventurer dans l'étroit boyau qui semblait s'enfoncer dans les entrailles de la roche.

— Que vous conseille votre flair ? demanda Ben.

Karen éclaira les abords plus en détail et désigna la zone sèche de la plage, au-delà de celle léchée par les flots.

— Plus que mon flair, je suis tentée de suivre ces traces de pas. Les visiteurs ne doivent pas être légion. Il se pourrait fort bien qu'elles aient été laissées par notre cher professeur.

Les deux explorateurs se remirent en route, bénissant le capitaine de les avoir convaincus de prendre des bottes...

Par moments, le tonnerre des vagues venues se fracasser sur les piliers d'entrée des grottes parvenait jusqu'au fond des cavités dans un grondement peu rassurant. En évaluant l'espace autour de lui, Benjamin commenta :

— L'idée d'établir une base secrète ici n'était pas dénuée de bon sens, mais cela aurait effectivement demandé d'énormes travaux. Il y a du volume.

La seconde grotte, plus petite et plus étroite, ne révéla rien de plus. À son extrémité, le chemin taillé à flanc de paroi reprenait en direction de la troisième.

— J'ai l'impression que l'eau de cette caverne-là est beaucoup plus profonde, annonçca Karen. Elle paraît encore plus obscure...

L'ancien chemin de ronde serpentait en épousant la paroi, jusqu'à disparaître dans des ténèbres dont la lampe était loin de pouvoir éclairer les limites.

— Que ferons-nous si nous ne trouvons rien ? demanda-t-elle.

— Il faudra faire le trajet de retour avec encore plus d'attention. Nous avons toujours le boyau de la première grotte à fouiller. Il se peut aussi que Wheelan n'ait pas trouvé ce qu'il cherchait.

Karen avançait, balayant le plus loin possible devant elle. Tout à coup, il lui sembla apercevoir une forme dont l'épure n'avait rien de géologique.

Son cœur battit plus vite. Elle pressa le pas jusqu'à courir.

— Benjamin, vous voyez ça ?

Horwood l'avait repéré lui aussi et s'élança à son tour. La faible lumière leur dévoila progressivement une structure imposante. Lorsqu'ils furent en mesure de comprendre ce dont il s'agissait, ils s'immobilisèrent sans oser y croire.

Devant eux, dans l'obscurité de la grotte, se dressait une étrave caractéristique, aussi haute qu'effilée, uniformément rouillée. Elle était si élevée que le faisceau de la lampe ne parvenait pas à la saisir dans son ensemble. La gigantesque forme couchée contre la paroi se prolongeait sur une bonne partie de la longueur de la caverne.

— Bon sang ! s'exclama Ben.

— On dirait qu'il n'y a pas que des bateaux qui se sont échoués dans les parages. Depuis quand ce monstre est-il ici ?

Ben identifiait parfaitement ce type de sous-marin. Il fit quelques pas sur le côté pour y jeter un coup d'œil.

— Il date de la Seconde Guerre mondiale.

— Vous croyez qu'il a pu être abandonné ici lorsque la Navy envisageait d'y construire une base ?

— Je ne pense pas. Ce submersible n'est pas de chez nous. C'est un U-Boot allemand, apparemment de type VII C. Une terrifiante machine de guerre nazie.

66

Impressionnée par le monstre d'acier, Karen posa la main sur sa proue finement profilée. Le métal, dont la peinture avait été attaquée par la rouille, était froid et râpeux. Il déposa sur sa paume une poudre d'oxyde brune. La jeune femme caressa la tôle comme la joue d'un cheval sauvage qu'elle aurait tenté d'apprivoiser tout en redoutant ses ruades. Toujours se méfier, même si la bête semble endormie.

Il était facile d'imaginer cette étrave offensive fendant les flots au plus fort des affrontements, les torpilles jaillissant par les bouches latérales comme des chiens d'attaque. La jeune femme n'en revenait pas.

— Qu'est-ce qu'un sous-marin nazi fabrique planqué au fond d'une grotte de l'extrême nord des îles Britanniques ?

L'immense machine de guerre, dont seul le tiers avant émergeait de l'eau, reposait accotée contre la paroi rocheuse. Sa légère inclinaison lui donnait l'allure d'un titan fatigué qui, après avoir livré son dernier combat, aurait cherché un appui. La partie de la coque dégagée par la marée encore basse était constellée de coquillages.

— Karen, vous permettez que j'emprunte votre lampe ?

Benjamin balaya le côté visible du submersible, espérant y découvrir un numéro d'identification, mais avec le temps, ce qui subsistait du marquage n'était plus lisible. Horwood inspecta les parois soudées. Régulièrement, des vagues venues de loin venaient mourir contre le flanc de l'engin. Lorsque l'historien repéra l'échelle de coque, il n'hésita pas.

— Benjamin, faites attention, tout est rongé.

— Il faut que j'en aie le cœur net.

Ben agrippa les barreaux encastrés dans l'épaisseur de la double paroi. Sur le métal rouillé, il remarqua des traces fraîches d'abrasion, comme si quelqu'un l'avait récemment précédé. Il escalada la coque dans toute sa hauteur, se retrouva sur le plateau supérieur du sous-marin et inspecta les abords en prenant garde où il mettait les pieds. À l'avant, il identifia les restes des célèbres lames coupe-filets. Il remonta ensuite vers le kiosque dont subsistaient les tiges périscopiques, même si la plus grande était tordue. Le canon installé au pied était bloqué par la corrosion, pointant un ennemi depuis longtemps victorieux. Dans le faisceau de lumière, la nuit de la grotte livrait ses secrets.

— Montez, Karen, lança Ben. Il faut que vous voyiez ça.

L'écho de sa voix se perdit dans le lointain roulement des vagues. La jeune femme ne tarda pas à le rejoindre. Il l'accueillit en lui tendant la main.

— Ça mérite le coup d'œil.

Sous l'effet du mouvement des flots, la structure oscillait très légèrement. En se tenant aux équipements fragilisés par l'air marin, Benjamin se déplaça sur le monstre penché. Il se dirigea directement vers l'écoutille d'entrée.

Karen se tenait sur ses gardes. Elle se sentait comme une Lilliputienne escaladant un dragon assoupi dont la marée rythmait la respiration. Elle éprouva une sorte de soulagement en voyant Ben incapable de manœuvrer l'écoutille d'accès. Étrangement, il n'avait pas l'air déçu. Il descendit de la tourelle et s'intéressa à une petite trappe qu'il débloqua à grands coups de pied.

— Qu'est-ce que vous faites ?

— Les U-Boote étaient équipés d'un système de fermeture qui pouvait être déverrouillé de l'extérieur grâce à un mécanisme secret. Ce détail a été ajouté entre la Première et la Seconde Guerre mondiale pour pouvoir porter secours aux équipages qui n'auraient plus été en situation d'ouvrir de l'intérieur.

— Comment savez-vous ça ?

— Ce détail n'était connu que des sous-mariniers allemands, mais après la guerre, la technique a été dévoilée.

L'universitaire s'accroupit, glissa la main à l'intérieur du logement et tira sur la poignée.

— Savez-vous qui m'en a parlé ?

— Un de vos professeurs d'histoire ?

— Pas n'importe lequel.

— Wheelan ?

— Tout juste.

Ben s'acharna sur le mécanisme qui résistait. Le déclic sourd qui résonna dans la grotte lui provoqua un franc sourire. Il remonta jusqu'à l'écoutille et réussit cette fois à l'ouvrir.

— Vous n'avez pas l'intention d'entrer là-dedans ?

— Donnez-moi une bonne raison de ne pas le faire.

— Parce que ce gros machin bouffé de partout est instable, parce que, avec le temps, il est peut-être inondé, parce que votre dossier indique clairement que vous n'êtes pas à jour de vos vaccins, et parce que personne ne sait où nous sommes.

— Karen, il est hors de question que je reparte sans essayer de savoir ce que ce U-Boot fait là.

— Ben, je vous rappelle que le diable habite ici et que vous êtes en train de jouer sur son sous-marin.

— Ni vous ni moi ne sommes des âmes perdues. S'il se pointe, tirez-lui dessus.

Horwood lui fit un clin d'œil et se glissa dans l'ouverture.

67

En posant le pied sur le sol de la passerelle d'opération, Benjamin sentit un frisson lui parcourir l'échine. Il était galvanisé à la fois par une excitation quasi juvénile et par une dévorante soif de comprendre. Par où commencer ? Hormis cette odeur âcre de renfermé et le voile de poussière qui recouvrait tout, le faisceau de sa lampe révélait un intérieur du sous-marin presque intact. Aucune trace d'humidité ou de voie d'eau. Ben s'attarda sur des baies techniques. Les séries de vu-mètres et les instruments de navigation étaient en parfait état. Il nettoya la vitre d'un témoin de tension électrique gradué et tapota dessus. L'aiguille réagit mollement à la secousse. Les leviers de commande des gouvernails de plongée et de direction étaient alignés, prêts pour un prochain départ en mission. Même les sangles des tabourets pivotants pendaient comme si l'équipage allait revenir s'y attacher d'une seconde à l'autre.

Ben se faufila entre les équipements, s'attarda devant la barre du périscope. Il chercha la plaque d'identification de l'engin et finit par la découvrir. Frottant énergiquement avec sa manche pour retirer la couche verdâtre qui l'empêchait de déchiffrer, il réussit à lire le code U-296, K VII C/41, ainsi que ce qui devait correspondre à la date de lancement du sous-marin – le 5/09/1943 – et sans doute le chantier naval où il avait été fabriqué, Bremer Vulkan – Bremen – Vegesack – Deutschland.

En éclairant autour de lui, il prit soudain conscience que rien ne traînait, ni sur les tablettes ni dans les espaces de rangement. Plus aucun objet ni document. Tout ce qui n'était pas fixé ou ne faisait pas partie des équipements intégrés au submersible avait disparu. Ni cartes ni règles sur la plaque d'étude, pas une seule feuille accrochée au panneau de consignes, aucune liste d'équipage, pas la moindre arme ou munition dans le râtelier près de l'échelle d'écoutille. Intrigué, il ouvrit le premier tiroir venu, qui se révéla vide. En fouillant plus avant, il se baissa pour vérifier un placard, mais là encore, le contenu avait été enlevé. Ne restaient que les étagères nues.

En se relevant, Ben tressaillit. Une ombre venait de faire irruption devant lui. Il étouffa un cri et recula, heurtant violemment la porte du compartiment des machines.

— Bon sang, Karen, dans mon appart ou dans un sous-marin, c'est à chaque fois la même chose... Vous allez finir par me faire crever !

— Vous m'avez plantée là-haut, toute seule dans le noir, et vous ne répondez pas quand on vous appelle...

Benjamin l'invita à regarder en éclairant autour d'elle.

— Si vous n'êtes jamais entrée dans une leçon d'histoire, voilà une belle occasion de commencer...

En suivant la course du faisceau, la jeune femme pivota sur elle-même. Dans son mouvement, l'exiguïté de l'espace l'obligea à se serrer contre Horwood. Elle se retrouva le dos plaqué contre sa poitrine. Elle était trop occupée pour y prêter attention, mais lui le remarqua.

— Aucun cadavre ?

— Je n'ai pas eu le temps d'explorer, mais je vous parie qu'il n'y en aura pas. Le ménage a été fait. J'allais inspecter les cabines, vous venez ?

Alors qu'ils traversaient la passerelle, le mastodonte se trouva légèrement déstabilisé par une vague sans doute plus puissante que les autres. Le sous-marin s'anima doucement en émettant un long grincement lugubre qui se propagea dans toute la structure.

— Je déteste ce genre de bruit, Benjamin. Ne traînons pas ici.

— Ce tas de ferraille est coincé là depuis au moins soixante-dix ans, il doit encore pouvoir tenir quelques minutes.

Il s'engagea dans la coursive avant et ouvrit la porte du local radio. Chaque appareil était à sa place, mais les casiers et plans d'écriture étaient vides. Aucun rapport, aucun relevé. Même les messages à la craie sur le petit panneau d'ardoise avaient été soigneusement effacés. Ben actionna l'interrupteur général des systèmes de communication. Au déclic sec, il s'attendait presque à voir les voyants s'allumer, mais rien ne se produisit.

— Je donnerais cher pour avoir le relevé des dernières conversations…

La porte suivante ouvrait sur la cabine des sous-officiers. Deux couchettes superposées, les lits impeccablement faits mais l'intérieur des placards évaporé. Le contenu de l'armoire des soins d'urgence n'était plus là non plus. Sur la paroi, un drapeau nazi.

444

— J'ai l'étrange impression que le temps s'est arrêté, frissonna Karen.

— Toute la question est de savoir précisément quand et pourquoi...

Elle saisit le coin du drapeau. À peine avait-elle pincé le tissu qu'il tomba aussitôt en lambeaux.

— À l'époque, vous auriez été fusillée pour cet affront au Reich, ironisa Ben.

— À l'époque, je ne me serais pas contentée de leur déchirer un drapeau...

La cabine d'après était celle du commandant de bord. Un seul lit, aux draps poussiéreux parfaitement tendus. Sur son secrétaire et les étagères voisines, plus aucun registre, document d'archives ou effet personnel.

Le sous-marin grinça à nouveau.

— Que sont devenus les membres d'équipage ? demanda Karen.

— S'ils ont été capturés, nous devrions pouvoir retrouver leur trace dans les archives de guerre, mais je doute qu'ils aient connu ce sort. L'état dans lequel ils ont laissé leur bâtiment m'étonne. S'ils avaient été appréhendés, personne ne leur aurait jamais laissé le temps de tout vider et de ranger leur sous-marin avec un tel soin.

En pénétrant dans la cabine opposée, Ben eut un violent mouvement de recul. Un homme le regardait fixement, sévèrement. Dans son uniforme, Benjamin le reconnut aussitôt. N'importe qui dans le monde était d'ailleurs capable de l'identifier. Très brun, l'air austère avec sa mèche plaquée et sa petite moustache si particulière.

En voyant réagir Ben, Karen avait aussitôt dégainé son arme.

— Inutile de lui tirer dessus, ironisa l'historien, il est déjà mort.

— Adolf Hitler...

La cabine était remplie de portraits du Führer, de toutes tailles et dans différentes attitudes. Saluant ses troupes bras tendu, fixant le ciel dans une attitude martiale, et même entouré d'enfants radieux à la pure blondeur, au milieu desquels il paraissait presque incongru.

— Charmante collection, constata Ben.

La porte de la cabine suivante résista. Ben crut d'abord que la vétusté était la raison du blocage, mais il constata que le battant avait été soudé. Il grogna, contrarié. Voyant sa tête, Karen s'en amusa.

— Je vous connais. Le simple fait que l'on vous barre le passage décuple votre envie d'y aller quand même.

— Pas vous ?

— Évidemment, mais je suis raisonnable. Ils n'ont laissé aucun outil dans les parages et je n'ai qu'un canif. Porte 1, visiteurs 0.

— Vous me conseillez donc d'accepter mon sort et de quitter ce sous-marin sans découvrir ce qu'ils ont mis tant de soin à enfermer là-dedans ?

— J'en ai bien peur.

Karen consulta sa montre et ajouta :

— D'autant que si nous voulons être à l'heure au rendez-vous des garde-côtes, nous devons prendre le chemin du retour sans tarder.

— Karen, s'il vous plaît, prêtez-moi votre couteau.

— Il ne vous sera d'aucune utilité pour ouvrir cette soute.

— Si je vous l'abîme, vous m'infligerez ce que vous voudrez.

L'agent Holt posa sur son compagnon un regard méfiant.

— Ce que je voudrai ?

— Je n'ai qu'une parole.

— Soit. C'est vous qui l'aurez dit.

Elle lui tendit ce qu'il demandait.

68

Karen était soulagée de conduire. Mieux, elle en était heureuse. Elle se sentait nettement plus à l'aise sur le plancher des moutons. Alors que la nuit était tombée, la voiture avalait les kilomètres, de moins en moins malmenée par le vent à mesure qu'elle s'éloignait de la côte. Le brouillard prenait le relais, en recouvrant la région de nappes de plus en plus denses. Ben essaya à nouveau de composer le numéro sur son téléphone.

— Toujours pas de réseau.

— Ne vous plaignez pas, on a déjà eu de la chance de retrouver notre véhicule.

— Il faut prévenir au plus vite de ce que nous avons découvert. En allant sur cette île, Wheelan n'enquêtait pas sur les reliques, mais sur ceux qui les volent.

— Vous songez à ses notes sur le Troisième Reich ?

— Je ne pense qu'à cela. J'ai du mal à croire que le voyage secret de Hess en Écosse n'ait eu aucun lien avec la présence de ce U-Boot.

— Quel lien pourrait-il y avoir ?

— Tellement de scénarios sont possibles que j'en ai la tête qui chauffe.

— Le professeur a peut-être essayé de retrouver les résultats des fouilles pratiquées par les nazis ? Celles menées par Himmler et poursuivies par ce groupe de soldats après la fin de la guerre.

— Possible, mais cela ne nous dit pas comment ce submersible est arrivé là... Si seulement on captait du réseau, je pourrais au moins vérifier ce que l'on sait du U-296. A-t-il été officiellement coulé ? A-t-il disparu des radars ? Et quand ?

Ils restèrent perdus chacun dans leurs interrogations, jusqu'à ce que Karen fasse remarquer sur un ton plus léger :

— Vous ne m'avez pas rendu mon couteau...

Ben fouilla dans sa poche et le lui tendit.

— Il est en parfait état. Pas la moindre égratignure. Vous ne pourrez rien m'infliger. Je suis certain que quelque part, vous le regrettez...

— D'autres occasions viendront. Si j'avais su que c'était pour découper ces deux portraits d'Hitler... Qu'est-ce qui vous a pris de les ramener ?

— Ce sont les seuls objets que nous ayons trouvés dans ce sous-marin. L'équipage n'a rien laissé derrière lui, sauf cette collection de toiles improbables. Leur étude nous sera certainement utile.

— Vous imaginez la tête du capitaine des Coastguards s'il les avait vus au retour ?

— Il n'a rien remarqué sous mon blouson, c'est l'essentiel.

— Vous l'avez entendu pendant qu'il nous ramenait, il nous a trouvés aussi amorphes que Wheelan.

— Observer les oiseaux fait toujours cet effet-là... Blague à part, je pense que le professeur avait lui aussi découvert le sous-marin et qu'il devait être dans le même état que nous. C'est quand même un choc.

Alors que la route s'enfonçait dans un bois, Ben ajouta :

— Méfiez-vous, avec ce brouillard, si une bête sauvage traverse...

— Faites-moi confiance et arrêtez d'appuyer sur la pédale de frein qui n'existe pas sous votre pied. Pour la conduite, je vous rappelle que j'ai la formation...

— Quelle nuit... Une ambiance idéale pour se faire enlever par les extraterrestres.

Au détour d'un virage, Ben tendit tout à coup le bras pour désigner un minuscule hameau. Une seule maison était illuminée.

— Regardez, c'est un pub ! Ils doivent avoir un téléphone.

— Vous m'avez fait peur.

— Garez-vous et je fonce prévenir le service.

Karen décéléra et, dans une courbe digne d'une championne de rallye, s'engagea sur le parking désert aménagé devant l'établissement.

Une clarté diffuse s'échappait par les fenêtres à petits carreaux. Sur la façade de granit, l'enseigne n'était plus éclairée que par quelques lampes. Crosskirk Inn. La dorure des lettres était aussi écaillée que le fond noir sur lequel elles étaient fixées.

En quittant le véhicule, Benjamin remonta son col pour se protéger de l'humidité de l'air. Karen lui lança :

— Dépêchez-vous, je laisse le moteur tourner. Ma douche chaude me réclame d'urgence !

Benjamin pressa le pas entre les tables d'extérieur. Les rares maisons voisines semblaient abandonnées ou assoupies.

En poussant la porte, Ben se trouva aussitôt plongé dans le décor de ces petits pubs typiques d'Écosse qui contribuent tant à sa réputation. S'il n'avait pas été aussi pressé, il aurait été tenté d'y inviter sa partenaire. Lumière chaleureuse, répertoire de variétés récentes revisitées à la cornemuse et, derrière le bar, profusion de bouteilles de whisky et autres Drambuie presque vides. Quelques clients étaient attablés, le plus souvent seuls devant une pinte de bière. Ben ne s'attendait pas à trouver autant de monde dans un endroit aussi perdu.

— Bonsoir, lança-t-il à la cantonade, sans obtenir d'autre réponse que des monosyllabes jetées machinalement.

L'historien nota que tous les clients étaient des hommes et que, pour autant qu'il puisse en juger, la plupart étaient plus jeunes que lui. Que faisaient-ils dans ce trou paumé ? Derrière le comptoir, un grand type en tablier essuyait des verres.

— Bonsoir, j'ai besoin de passer un appel urgent.

L'homme parut ne pas comprendre. Il regardait Benjamin avec un drôle d'air.

Imaginant que son accent anglais passait peut-être mal sur ces terres gaéliques, Benjamin répéta sa demande en multipliant les formules de politesse et en articulant davantage. Le barman resta figé dans son mutisme, mais une voix monta de la salle.

— Bonsoir, monsieur Horwood.

Benjamin fit volte-face. Tous les clients le regardaient, sauf un. Un homme à casquette de tweed qui releva lentement la tête.

— Je vous attendais. Nous avons beaucoup à nous dire.

En le reconnaissant, Ben ne fut ni surpris ni effrayé. Il n'en eut pas le temps. Trop de pièces du puzzle trouvaient soudain leur place.

69

Ben était incapable de prononcer le moindre mot. Le professeur Wheelan fit signe au patron d'apporter un deuxième verre pour son invité. Horwood dévisageait son ancien mentor, à peine plus vieux que dans son souvenir, les cheveux blancs parfaitement coupés encadrant ce visage noble si longtemps redouté. Peut-être légèrement amaigri, les joues creusées. Le vieil universitaire replaça ses lunettes et s'efforça de sourire en joignant ses mains, comme chaque fois qu'il avait un message important à faire passer.

— Asseyez-vous, mon garçon. Je vous dois quelques explications.

Ben resta debout. Son ex-enseignant en prit acte d'un geste fataliste mais ne s'en offusqua pas.

— Félicitations, Benjamin. Je suis très fier de vous. Je ne me suis pas trompé en pariant sur vos talents. Je savais que vous auriez à la fois la capacité de comprendre ce que j'avais déjà accompli et de le prolonger. Vous étiez le seul à pouvoir réussir. Déjà, pendant vos études, ce mélange d'intuition et d'intelligence transversale faisait merveille. Vous vous êtes montré à la hauteur. Sauf sur un point cependant : je dois avouer que votre absence à mon enterrement m'a attristé.

— J'essaierai de venir au prochain.

— Je comprends que vous puissiez m'en vouloir. Tâchons de dépasser cela. Vous avez sans doute de nombreuses questions à me poser. Je suis ici pour y répondre.

— Pourquoi avoir mis en scène votre mort ?

Wheelan répliqua sans hésiter :

— Pour être enfin libre ! Pour agir en conscience, affranchi de ce système qui nous utilise dans son seul intérêt. Je suis certain que vous-même, malgré votre jeunesse, éprouvez déjà ce sentiment. L'impression que quoi que l'on fasse, quoi que l'on dise, cela ne changera rien. Alors j'en ai eu assez que l'histoire se répète sans que personne n'en retienne les leçons. N'êtes-vous pas fasciné par ce que vous avez appris depuis que vous avez repris mes dossiers ? Les merveilleuses connaissances mises au jour ne vous ouvrent-elles pas des horizons inédits ? N'avez-vous pas envie de balayer ces fables perverties que l'on s'acharne à nous rabâcher pour aller vers plus de vérité ?

— Vous travaillez pour ceux qui volent les reliques ?

Wheelan se mit à rire.

— Je retrouve avec plaisir votre style direct. La réalité est cependant plus complexe que votre raccourci. Je travaille pour ceux en qui je crois. Personne ne m'y oblige. En étudiant ce Premier Miracle dont vous connaissez désormais l'existence, j'ai ouvert les yeux sur de nombreux points. J'ai appris à relativiser les prétendues certitudes généreusement répandues. À vrai dire, mon érudition ne me sert qu'à mesurer à quel point on nous fourvoie.

— Que fait ce sous-marin dans cette grotte ?

— Vous aurez la réponse. Vous aurez toutes les réponses.

Le barman déposa le whisky sur la table et se retira rapidement. D'un geste, le professeur invita Ben à boire et lui demanda :

— Avez-vous lu mes notes ?

Benjamin décida de ne pas répondre et de laisser le scotch là où il était. Wheelan enchaîna :

— Connaissant les agents du gouvernement, je suis certain qu'ils vous les ont remises et, si je ne me trompe pas, vous les avez soigneusement compulsées. J'avais cependant pris soin d'en retirer quelques-unes... Mais ce temps-là est révolu. À compter de ce jour, je partagerai avec vous tout ce que je sais. Je suis sûr que vous avez aussi beaucoup à m'apprendre. Avez-vous obtenu les résultats des prélèvements effectués dans cette adorable église d'York ? Je suis également impatient d'entendre le récit de votre visite au *kofun*, ou mieux encore, celui de votre plongée à Abou Simbel. Vous avez dû vivre des moments extraordinaires. J'en aurais été incapable physiquement, mais peu importe puisque vous l'avez fait. Avouez que c'est amusant ! L'élève et le maître se retrouvent pour unir leurs forces.

— Qui vous dit que je vais vous aider ?

— Allons, Benjamin, vous êtes intelligent. Les hommes de notre trempe ne restent jamais insensibles aux faits et aux bons arguments. J'ai de quoi vous convaincre sur tous les plans, historiquement, humainement et scientifiquement. Vous avez su accepter ce que vous avez découvert sans vous en tenir au discours habituel de ceux qui prétendent savoir. Vous allez en avoir d'autres occasions. Vous n'imaginez pas le pouvoir de ceux qui œuvrent dans l'ombre. N'avez-vous pas deviné la main qui parfois vous guidait ?

— Assez pour m'en méfier. Ceux avec qui vous collaborez ont tenté de tuer Fanny.

— Une regrettable erreur. Qui n'en commet pas ? L'important est de les admettre.

— Comment saviez-vous que j'allais venir ici ?

— Je n'avais aucune certitude mais je l'espérais. Exactement comme vous, au retour de cette île perdue, je me suis arrêté ici pour téléphoner en urgence. Un homme m'attendait, assis précisément là où je me tiens ce soir. Qui sait ? Peut-être à votre tour attendrez-vous notre prochaine recrue pour la convaincre de nous rejoindre ?

Ben sentait sur lui le regard de Wheelan telles les serres d'un aigle tenant sa proie. Il espérait que Karen allait le trouver trop long à revenir et finirait par débarquer avec son énergie débordante et son arme. Il l'imaginait déjà reprendre le contrôle de cette situation insensée. L'idée de la savoir proche lui redonna du courage.

— Qu'attendez-vous de moi, professeur ?

— Je veux que nous partagions nos découvertes. Je veux qu'ensemble, nous puissions poursuivre nos travaux. Je souhaite aussi vous présenter des gens qui vous donneront les moyens de porter avec moi l'ambition des sages de Sumer – des hommes qui, dans le respect du pur esprit de ces anciens, continuent leurs recherches et leurs apprentissages. Ils ne méprisent ni le savoir des débuts de la science, ni l'alchimie. Avec eux, vous pourrez progresser jusqu'où vous le voudrez, en toute indépendance, loin des diktats de ce monde corrompu par l'appât du gain.

— Au nom de quoi se battent ces gens si exceptionnels ?

— Au nom de l'avenir. Pour le mieux. Pour des idéaux. Qui est encore capable de cela aujourd'hui ?

Benjamin jeta un rapide coup d'œil en direction de la fenêtre. Wheelan le remarqua.

— Au fait, comment se porte notre délicieuse miss Holt ?

Horwood ne répondit pas.

— Ne prenez pas cet air outragé, je l'ai connue bien avant vous. Une personne remarquable. Si vous le souhaitez, elle aura sa place à nos côtés.

Un sourire froid se dessina sur le visage ridé de Wheelan – un de ces rictus que Ben détestait lorsqu'il était étudiant, le petit air suffisant de celui qui en sait plus que vous teinté d'un soupçon d'ironie.

Certain de son effet, le professeur déclara :

— À votre place, je ne compterais pas trop sur l'intervention de votre ravissante garde du corps. À la seconde où nous parlons, elle est déjà ailleurs, en route vers le lieu où vous avez rendez-vous avec l'histoire.

L'idée que Karen puisse être en danger déclencha en Ben une rage instantanée. Sans réfléchir, il se jeta sur le professeur, mais avant qu'il ait pu l'empoigner, trois des hommes qu'il avait pris pour des clients le stoppèrent dans son élan. Tous les autres « consommateurs » dégainèrent leurs armes et le mirent en joue.

Ben se retrouva aussitôt plaqué au sol et maintenu par la force. Tranquillement, Wheelan se leva et vint se pencher au-dessus de lui.

— Benjamin, ne soyez pas stupide. Vous en savez beaucoup trop. Si vous décidez d'avancer avec nous, c'est une chance. Sinon, ce sera votre malédiction. J'attends votre réponse.

70

Karen gisait sur un lit métallique, inconsciente. Benjamin avait passé la nuit à la veiller, inquiet de la trace d'injection qu'elle portait au cou. Bien que tout près d'elle, il la sentait absente, loin. Il avait rarement autant détesté un sentiment. Pour tuer le silence et se rapprocher d'elle malgré tout, il lui avait parlé, longuement. Même si cet échange à sens unique s'était révélé frustrant, son monologue lui avait au moins permis de comprendre à quel point la jeune femme comptait désormais pour lui. Il lui avait parlé de tout – même de lui – avec une liberté qui pour une fois, n'était pas teintée de nostalgie ou de regret. Pourtant, il ne savait finalement presque rien d'elle, ni de son passé ni de ceux qui faisaient sa vie. Trop souvent dans leurs rapports, il avait le sentiment que la jeune femme se limitait à son devoir de réserve d'agent gouvernemental alors qu'au-delà des convenances, il détectait en elle autre chose.

Lorsque, en haut du mur, par l'inaccessible fente horizontale qui faisait office de fenêtre, les premiers rayons du jour filtrèrent, la jeune femme n'était toujours pas revenue à elle. Ben reçut l'apparition de l'aube comme une gifle : toute la nuit avait passé, et toujours aucun signe d'amélioration. L'angoisse le submergea. Il s'affola, appela à l'aide, tambourina à la porte, mais l'écho de son vacarme se perdit dans le dédale de cette forteresse inconnue sans que personne ne vienne.

Il avait déjà vu Karen dormir, mais jamais encore il ne l'avait vue inerte. Ne plus percevoir son énergie, ce mélange de conviction profonde et de volonté, le perturbait au plus haut point. Tout ce qui faisait la personnalité de la jeune femme – en premier lieu sa voix et ses regards aussi pétillants que son esprit – lui manquait. Acceptant mal son impuissance à la secourir, il avait accompli le seul soin dont il était capable en la circonstance, à savoir prendre son pouls. Cela lui avait permis de vérifier si son cœur battait régulièrement, mais surtout de sentir la chaleur de son bras et de se rassurer lui-même. Ce dérisoire alibi médical l'avait apaisé. Incapable de lâcher sa main et de s'éloigner jusqu'à son propre couchage, il était demeuré depuis assis par terre, adossé au mur, près de sa complice, caressant ses doigts fins.

Il regarda pour la énième fois autour de lui. Il avait eu tout le temps de détailler leur cellule. Une porte d'acier, un cabinet de toilette sommaire, un mobilier de fer minimal boulonné au sol et peint du même gris que les parois.

Tout à coup, au creux de sa paume, les doigts de la jeune femme remuèrent. Il fut soulevé par l'enthousiasme et tenta de la tirer de sa torpeur :

— Karen, vous m'entendez ? C'est Ben. Je vous en supplie, réveillez-vous...

Elle gémit, tendit un bras qui vint heurter l'épaule de l'historien. Le contact la fit réagir.

— Vous revoilà enfin, murmura Horwood. Bon sang, ce que j'ai pu avoir peur pour vous...

Soulagé, il lui caressa le front. Plusieurs expressions se dessinèrent sur son visage avant qu'elle n'ouvre lentement les yeux. Elle le dévisagea comme si elle le découvrait pour la première fois. Ben la trouva d'une lumineuse beauté, mais elle ne semblait toujours pas le reconnaître. Il redouta aussitôt qu'elle n'ait perdu la mémoire. Elle eut un mince sourire.

— J'ai rêvé ou je vous ai entendu me parler ? J'adore votre voix quand vous me suppliez...

Ben comprit que l'agent Holt n'avait rien oublié du tout. Elle se redressa avec difficulté.

— J'ai soif, dit-elle simplement.

Horwood se précipita dans le cabinet de toilette et lui ramena un quart en aluminium rempli d'eau. Elle but à petites gorgées en découvrant leur prison.

— Où sommes-nous ?

— Aucune idée, ils m'ont bandé les yeux en sortant du pub. Je sais juste qu'ils m'ont embarqué en hélico. Le vol n'a pas duré très longtemps et à l'arrivée, le vent soufflait en rafales. J'ai cru sentir des embruns. Peut-être une côte, ou une île.

— Vous aviez raison hier soir.

— À quel sujet ?

— C'était une nuit à se faire enlever par les extraterrestres.

Elle frictionna son cou à l'endroit de l'injection et grimaça.

— Des Klingons ne m'auraient peut-être pas fait aussi mal... En tout cas, la prochaine fois, c'est moi qui choisis le pub où on s'arrête pour téléphoner.

— Puisqu'on en est aux reproches sournois, la prochaine fois, je ferai appel à des professionnels si je dois faire identifier un cadavre, parce que Wheelan est bel et bien vivant.

Cette révélation acheva de sortir Karen de sa léthargie.

— Comment est-ce possible ? J'ai moi-même validé l'identification des restes de sa dépouille à la morgue. Tout concordait, même les empreintes dentaires.

— À croire que nos adversaires sont encore plus forts qu'on ne le pensait. Mais le fait est que j'ai parlé au professeur hier soir. Très en forme d'ailleurs. Il n'a rien dit sur ceux qui l'ont endoctriné mais une chose est sûre : il est convaincu d'avoir pris le parti des meilleurs.

La jeune femme remarqua la tenue de Ben.

— Que faites-vous en combinaison militaire ?

Ben lui désigna ce qu'elle-même portait.

— Vous avez la même...

Karen baissa les yeux vers sa propre tenue kaki et demanda immédiatement sur un ton suspicieux :

— Qui m'a habillée ?

— Ils m'ont obligé à enfiler la mienne à mon arrivée ici, en me confisquant au passage mes fringues offertes par le gouvernement, ma montre et mon téléphone. Pas vous ?

— J'étais droguée. Je ne sais pas qui m'a enfilé ça...

Ben leva les mains pour se disculper.

— Je n'y suis pour rien. Jamais je ne me serais permis de vous déshabiller sans votre permission.

— En général, vous sortez ce genre de blague un peu lourde dans les cas désespérés...

— La situation est grave, mais ce n'est pas une blague. Jamais je ne vous aurais retiré vos...

Plongée dans ses pensées, Karen ne l'écoutait plus. Elle lâcha soudain :

— C'est sûr, ils vont me tuer.

La remarque tétanisa Horwood.

— Pourquoi dites-vous une chose aussi horrible ?

— Soyez réaliste. En tant qu'agent, je suis une menace pour eux. Le simple fait de savoir que Wheelan est encore en vie me condamne. D'ailleurs pourquoi s'encombreraient-ils de moi ? Ils n'ont besoin que de vous. Je suis le pion, vous êtes le cavalier. Je ne vais pas faire long feu. Le manuel est clair, celui qui en sait le plus survit le plus longtemps. L'autre ne sert qu'à faire pression sur lui.

— Ils n'ont peut-être pas lu ce manuel-là...

— Rigolez, mais en attendant, ils appliquent la procédure à la lettre. Ils nous retirent nos effets, nous isolent, nous suppriment tout repère temporel et nous laissent mijoter.

— J'en viens presque à regretter les brutes qui travaillaient pour ce bon vieux Walczac. Mon sac de croquettes pour chat me manque aussi...

— Benjamin, ils vont sans doute se servir de moi pour vous contraindre. Vous ne devez pas leur céder. Quoi qu'ils me fassent, ne vous laissez pas manipuler.

— Nous n'en sommes pas là.

— Nous y serons vite. Vous verrez. Ils ne reculeront devant rien.

— Je n'aime pas vous entendre parler ainsi.

— Il le faut pourtant. Nous avons affaire à bien plus que des professionnels. Ceux qui me sont tombés dessus pendant que j'attendais dans la voiture étaient parfaitement rompus à ce genre d'opération. Des soldats, sans doute sortis du même moule que ceux qui avaient tenté de dérober la pyramide à Oxford. Ces gars sont entraînés et, plus grave encore, ils sont motivés. Ils sont prêts à tout pour assurer la victoire à leur camp. Des mercenaires ne se suicident pas comme l'a fait le captif d'Oxford. Ces types agissent pour une cause à laquelle ils croient. Ces ennemis-là sont les pires.

— Hier soir, lorsque le professeur m'a annoncé que vous étiez déjà prisonnière, j'ai voulu lui casser la figure. Je n'ai même pas eu le temps de poser la main sur lui que trois de ces types m'avaient déjà ceinturé.

— Vous avez voulu lui casser la figure ? C'est trop mignon.

— Foutez-vous de moi.

Karen observa soudain la pièce avec suspicion. À voix basse, elle glissa :

— Pourquoi nous ont-ils laissés ensemble ? Logiquement, nous devrions être séparés.

Ben allait lui répondre, mais elle l'en empêcha en lui posant un index sur les lèvres. Dans un de ces mouvements dont elle avait le secret, elle s'assit avec souplesse sur le rebord du lit. Elle glissa ensuite doucement sa main derrière la tête de l'historien pour l'attirer à elle. Ce geste presque tendre, pour ne pas dire intime, avait quelque chose d'incongru, surtout dans le contexte de leur captivité. En d'autres circonstances, il aurait pu être l'expression d'un lien amoureux. La confusion s'empara d'Horwood alors que Karen se penchait pour lui murmurer à l'oreille :

— Ils nous espionnent. Ils espèrent que nos conversations les renseigneront.

Bien que ces deux phrases soient assez simples, Ben n'en comprit même pas la moitié tant il était troublé. Sentir la joue de Karen effleurer la sienne, le contact de sa peau tandis que son souffle lui réchauffait le cou l'empêchait de réfléchir. Jamais leurs visages n'avaient été aussi proches. Ils se tenaient si près que leurs cheveux se mêlaient.

Ben s'écarta légèrement pour mieux revenir à lui. Karen crut qu'à son tour, il allait lui faire une confidence, mais il se contenta de lui déposer un baiser à la commissure des lèvres en soufflant :

— Il arrive que mon corps fasse ce qu'il veut même si mon cerveau est captivé.

En croisant le regard de la jeune femme, Benjamin comprit immédiatement qu'elle n'était au mieux pas réceptive, et au pire, choquée. Il recula et changea aussitôt de ton :

— Je suis désolé, je ne sais pas ce qui m'a pris. Mon comportement est tout à fait inapproprié. Je vous prie de m'excuser. Je vais me contenter de continuer à faire des vannes. Sentez-vous libre de coller votre tête contre la mienne pour me murmurer ce que vous voudrez et je vous promets de garder une attitude parfaitement professionnelle.

La surprise passée, Karen lui offrit un sourire éclatant accompagné d'un clin d'œil.

— Vous n'avez pas le droit de jouer avec moi, protesta Ben, c'est cruel.

Elle lui désigna l'ouverture en haut du mur et s'approcha à nouveau tout près de lui.

— Prenez-moi dans vos bras, monsieur Horwood... et faites-moi la courte échelle pour que je monte voir ce que l'on peut repérer.

Puis, lui enserrant délicatement le visage de ses deux mains, elle ajouta :

— Il n'y a donc pas que les momies, les statues ou les chiens qui vous intéressent ?

Horwood s'efforça de contenir le cyclone qui le traversait. Il se crispa pour bloquer toute manifestation d'émotion et, se relevant en vacillant, se mit en position avec la grâce d'un artiste de cirque ivre mort.

Petit sourire en coin, Karen posa le pied au creux de ses mains jointes puis se hissa jusqu'à se jucher sur ses épaules. Elle se dressa sur la pointe des pieds pour mieux voir, le labourant au passage. Ben serra les dents de douleur, mais il n'était pas question qu'il se plaigne.

Lorsqu'elle redescendit, Benjamin avait mal mais s'en moquait. De façon assez peu responsable, il était bien plus heureux de faire l'acrobate avec Karen – à qui cette combinaison allait fichtrement bien – qu'inquiet des dangers encourus. Elle se colla presque à lui pour lui murmurer :

— Je n'ai pas vu grand-chose à part des rochers et des oiseaux marins. Par contre, la forme de la fenêtre et l'épaisseur des murs me font penser à un blockhaus.

Le bruit de l'ouverture des verrous de la porte ne leur laissa pas le temps de s'en dire davantage.

71

Au cœur d'un paysage escarpé et sauvage, l'étroit sentier montait en dominant la mer. Sous le soleil éclatant, l'étendue bleue se mouchetait d'innombrables pointes d'écume immaculée. Au gré du vent apaisé, les odeurs de tourbe se mêlaient aux parfums du large. Entre deux souffles de brise, Benjamin sentait les rayons solaires lui chauffer le visage. Devant lui, un homme ouvrait la marche.

— Savourez ce temps magnifique, monsieur Horwood. Le charme et la force de ce lieu unique tiennent aussi à sa météo : tantôt le paradis, tantôt l'enfer, plusieurs fois par jour. Jamais le temps de s'habituer. Toujours des raisons de s'abriter ou de s'exposer, de craindre ou de s'émerveiller. Ces terres vierges nous offrent sans cesse les deux émotions les plus extrêmes qui soient. C'est un environnement trop exigeant pour ceux qui n'aspirent qu'à une vie facile, mais un exceptionnel creuset pour ceux qui sont convaincus d'avoir quelque chose à faire de leur existence.

— Où me conduisez-vous ?

— Là où vous pourrez comprendre.

Benjamin suivait son guide en l'observant exactement sous le même angle que lors de leur brève entrevue à la vente aux enchères de Johannesburg.

Trois quarts dos, offrant la même vision de ces cheveux tellement brillants et bien coiffés qu'il aurait pu s'agir d'une perruque. Cette fois, l'homme ne portait plus un costume d'excellente coupe, mais un épais pull de laine avec des empiècements de cuir aux coudes et un pantalon de velours côtelé qui lui dessinait la silhouette rustique d'un gentleman-farmer. Il fallait qu'il soit sacrément sûr de lui pour être seul et apparemment sans arme en compagnie de Benjamin, libre de ses mouvements. À défaut de l'attaquer, Horwood envisageait de s'échapper si le terrain devenait plus favorable.

La pente ascendante s'accentua, le tracé sinueux du chemin se faufilant entre reliefs granitiques et belles étendues de bruyère.

— Vous comptez m'enrôler comme vous l'avez fait avec le professeur ?

— J'en ai l'espoir. Votre expertise serait très utile à notre groupe, mais je suis lucide. Votre formation et votre parcours ne vous ont pas préparé à notre rencontre. Je le sais et je vous respecte.

— Vous kidnappez de manière aussi brutale tous ceux pour qui vous avez du respect ?

— M'auriez-vous écouté sans cela ? Nous devons apprendre à nous connaître, à nous apprivoiser. Il ne s'agit pas de vous forcer. Vous avez sans doute des demandes, peut-être des conditions à formuler, et nous serons à votre écoute.

— Chaque homme a son prix, c'est ça ?

— Je préfère considérer que chaque homme a ses raisons. L'argent n'est jamais une fin en soi – sauf pour les imbéciles, ce que vous n'êtes pas.

Le sentier bifurqua, offrant un panorama complètement renouvelé. Benjamin lança :

— Comment pourrais-je travailler avec quelqu'un dont je ne connais même pas le nom...

L'homme se retourna aussitôt et lui fit sereinement face. Plus encore dans cet environnement âpre que dans celui policé de la salle des ventes, son regard limpide s'avérait impressionnant, presque intimidant. Ben et lui ne devaient avoir que quelques années d'écart.

— Je me nomme Kord Denker, annonça-t-il en tendant la main.

Ben ne la saisit pas et, le regardant droit dans les yeux, énuméra calmement :

— Nathan Derings, Nikolaï Drenko, Niels Debner, Nino Daelli... Pourquoi ce nom-là serait-il plus authentique que les autres ?

— Parce que le professeur m'a prévenu qu'être honnête avec vous était le seul moyen de vous convaincre.

— Pourquoi tous vos noms d'emprunt commencent-ils par les initiales « N.D. » contrairement à celui que vous prétendez être le vrai ?

— Chacun accorde à ses affections la place qu'il peut dans sa vie. Il m'est souvent nécessaire d'endosser toutes sortes d'identités, mais en utilisant les initiales de ma mère, j'aime l'idée de lui rendre hommage tout en restant fidèle à moi-même.

Non sans provocation, Ben demanda :

— Est-elle fière de ce que vous faites ?

L'homme répondit avec calme et assurance :

— Elle n'a pas eu l'occasion d'en être témoin. Elle s'est sacrifiée pour que je puisse grandir et survivre à notre famille, que je qualifierais sobrement de dysfonctionnelle. Elle fut mon rempart, mon filtre entre la part infernale de notre héritage et la fabuleuse chance qu'il représente. C'est en son honneur que j'ai choisi de porter son nom et pas celui de mon père. Mais pour répondre à votre question, je crois qu'elle approuverait mes choix.

— Y compris les moyens violents que vous n'hésitez pas à employer ?

— Est-ce à un historien que je dois rappeler que même les desseins les plus nobles font malheureusement toujours quelques innocentes victimes ?

Denker prit son temps avant d'ajouter :

— Par contre, en ce qui vous concerne, je ne doute pas un seul instant que votre mère soit très fière de vous. J'espère que vous la retrouverez vite. Habite-t-elle toujours cette charmante maison couverte de glycine près de Watford ?

Benjamin s'efforça de se contrôler. Denker détourna le regard vers le large et confia sur un ton plus personnel :

— Je vous envie de pouvoir encore la serrer dans vos bras. Je souhaite sincèrement que vous puissiez le faire très longtemps. Votre mère, comme la mienne, a épousé un homme par amour et s'est aperçue plus tard qu'il n'était pas ce qu'il paraissait être. J'ai retenu la leçon. J'imagine que vous également...

Denker se remit en marche, laissant son visiteur à ses réflexions. Ben était écartelé entre les sentiments paradoxaux que lui inspirait l'individu. Cet homme dégageait un indéniable charisme et son intellect pouvait séduire. Mais lorsque Benjamin songeait à tout ce que ce probable cerveau des opérations commando criminelles savait de lui et de sa famille, il ne se faisait aucune illusion sur la façon dont il risquait de s'en servir. Ben le laissa prendre quelques pas d'avance pour mieux l'observer. Vêtu comme un homme d'un certain âge, mais se déplaçant avec la démarche féline d'un sportif parfaitement entraîné. Un ton pondéré et une absolue maîtrise de son vocabulaire, mais des intonations et un regard qui trahissaient la fougue intérieure, jusqu'à la rage. Le moins que l'on puisse dire était que Denker échappait aux archétypes.

Lorsque le sentier s'élargit, le maître des lieux se retourna pour attendre celui qui, malgré ces civilités, restait son prisonnier.

— Je sais que votre nuit a été courte. Rassurez-vous, nous ne sommes plus très loin. Concernant votre hébergement, je vais donner des instructions pour que miss Holt et vous soyez logés de façon plus confortable.

Bien que s'exprimant avec une diction soignée qui attestait de son excellente éducation, l'homme ne faisait preuve d'aucune affectation, d'aucun maniérisme. Ben hâta le pas, résolu à entrer dans le vif du sujet.

— Dans quel but volez-vous toutes ces antiquités ?

— Épargnons-nous les circonvolutions inutiles, monsieur Horwood. Vous savez parfaitement que je m'intéresse au Premier Miracle.

— Soit, gagnons du temps. Pourquoi y mettez-vous un tel acharnement, quitte à faire quelques « innocentes victimes » ?

— Au nom d'un rêve. Pour reprendre le contrôle d'un monde qui se perd. Il nous faut le secret de ce miracle-là pour en accomplir un autre et contrer ceux qui nous étouffent et nous conduisent à notre perte. L'expérience des savants sumériens nous en offre la chance. Grâce à ce pouvoir, nous ferons en sorte que les progrès ne soient plus uniquement des sources de profit. Grâce à cette puissance, nous pourrons empêcher les entreprises et les gouvernements d'asservir avec cynisme ceux qu'ils sont censés servir. Grâce à cette énergie, nous arrêterons ceux qui détruisent pour produire toujours plus. Il le faut, car le temps presse. Nous sommes en sursis. Notre environnement se dégrade plus rapidement que les mentalités ne progressent. Si personne ne fait rien, nous disparaîtrons avant d'avoir corrigé les erreurs que certains persistent à commettre par pur égoïsme. Pour qu'un futur soit possible, d'autres forces doivent s'imposer. Il faut qu'elles surpassent les mauvaises excuses et les vaines promesses. Devant la puissance de ce miracle, ceux qui se cachent derrière des idéaux pour mieux les pervertir devront s'incliner.

— J'avoue que j'ai toujours eu un faible pour les idéalistes. Quel programme ! Il ne me déplaît pas mais, sans chercher à vous offenser, je le trouve un brin naïf.

— Quelle importance ! Chacun peut penser ce qu'il veut, cela ne m'empêche pas d'éliminer ceux qui se dressent en travers de mon chemin et de continuer à avancer. J'en ai les moyens.

— Qui vous finance ?

Denker éclata d'un rire sincère.

— Le professeur m'avait prévenu que vous pouviez être très direct.

— Pas de circonvolutions entre nous, monsieur Denker, vous l'avez dit vous-même. Vos spectaculaires opérations et les hommes très entraînés que vous employez doivent vous coûter une fortune. Qui paie ?

L'homme revint sur ses pas pour s'approcher de son interlocuteur. Comme s'il partageait un secret, il murmura :

— Le diable, monsieur Horwood. Le diable me paie tout ce que je veux. Un de ces jours, si vous êtes gentil, je vous emmènerai sur sa tombe.

72

Au point culminant, la vue était stupéfiante. Pour embrasser le panorama, Benjamin tourna lentement sur lui-même avec la sensation enivrante de découvrir un nouveau continent.

— Bienvenue au sommet de mon humble royaume, plaisanta Denker avec une emphase assumée.

— Nous sommes sur une île ?

Les espoirs de fuite d'Horwood tombèrent à l'eau – au sens propre. Si d'autres terres se profilaient au loin, elles étaient de toute façon trop éloignées pour qu'il puisse espérer les rallier par ses propres moyens.

— J'ai grandi ici, expliqua Denker. Mes dix premières années sans dépasser ces côtes. Je ne le regrette pas. Sur ces sentiers, je courais avec mon chien. Dans ces eaux tumultueuses, j'ai appris à nager et à pêcher. Au creux de ces rochers, j'ai joué à cache-cache. C'est dans les bois que vous apercevez là-bas que j'ai appris à ne plus avoir peur du noir. Ici, j'ai appris à me perdre et à me retrouver. Ceux avec qui je vivais m'ont formé, entraîné, pendant que ma mère me protégeait de son affection. À leur contact, j'ai découvert la dureté de la vie, sa vraie beauté, et ce que j'avais dans le ventre.

— Jamais un ciné entre potes ou un resto avec une petite amie ? Je vous plains.

— Gardez votre pitié. Nous avions notre propre salle de projection et je n'étais pas le seul élève de cette fabuleuse ruche. Je peux vous assurer que je n'ai manqué ni de camarades ni de copines, et elles étaient jolies ! À bien y réfléchir, je n'ai jamais été aussi libre que sur cette île. J'ai rapidement eu l'occasion de comparer mon petit univers à votre vaste monde, et il n'a rien à lui envier. Vos champions ne m'impressionnent pas.

Benjamin cherchait à se situer géographiquement.

— On est au large de l'Écosse, n'est-ce pas ? Ouest ou nord. À moins que votre position ne soit secrète...

— Nous nous trouvons dans l'archipel des Shetland, sur une île privée qui abrite officiellement un laboratoire de biologie marine et une réserve naturelle. De quoi tenir les importuns à bonne distance.

La franchise de la réponse étonna Horwood. En pointant l'horizon, Denker indiqua :

— Pas plus tard qu'hier, vous étiez quelques milles nautiques plus au sud, sur un autre de ces îlots oubliés des hommes.

— Vous n'avez jamais cessé de nous surveiller ?

— Si vous en aviez eu les moyens, vous auriez fait exactement pareil.

En contrebas, un grondement monta, rapidement amplifié par l'écho. Un hélicoptère décollait du flanc de l'île. Non loin du point d'où l'engin s'élevait, Ben aperçut un ensemble de bâtiments discrètement intégrés aux reliefs naturels. Certains semblaient fortifiés, comme l'avait deviné Karen. Sur une colline voisine, des moutons, peu impressionnés par le bruit de l'appareil, avançaient paisiblement en diagonale en tondant méthodiquement leur prairie. Au-delà, sur un chemin qui longeait un muret de pierres sèches, une formation d'une douzaine d'hommes courait en tenue de sport. L'île offrait quantité de décors d'une surprenante variété dont il n'était possible de percevoir que les parties les plus élevées. Un paradis préservé. En balayant la vue, plus bas, Horwood remarqua un éperon sur lequel quelques pierres tombales s'alignaient face au large. L'hélicoptère n'était déjà plus qu'un point à l'horizon.

— Pas étonnant que l'on n'ait jamais réussi à vous localiser, commenta-t-il. Vous vous êtes aménagé une véritable base loin de toute civilisation.

— Êtes-vous certain que le monde d'où vous venez mérite encore l'appellation de civilisation ?

— Vaste débat. Je commence à saisir pourquoi vous vous entendez si bien avec Wheelan. Il m'a raconté que sa première rencontre avec vous avait eu lieu juste après sa découverte du sous-marin caché dans les grottes de Papa Stour. Exactement comme moi. J'ai du mal à croire au hasard. Quel rapport avez-vous avec ce U-Boot allemand ?

— Je dois avouer que vous m'avez impressionné sur ce coup-là. J'avais amené le professeur à le découvrir, mais je n'avais pas prévu que vous y arriveriez tout seul.

— Vous n'avez pas répondu à ma question, monsieur Denker. Êtes-vous un descendant du Reich ?

— D'un point de vue idéologique, aucunement. Mais je ne peux nier des liens de sang. Ma famille est arrivée ici grâce au submersible que vous avez découvert.

Horwood se raidit.

— Êtes-vous allemand ?

— Aussi britannique que vous.

Ben était décontenancé. Denker le remarqua et saisit la balle au bond.

— Vous semblez surpris. Pour être conforme à l'idée que vous commencez à vous faire de moi, je devrais peut-être marcher au pas de l'oie, en faisant le salut nazi et en parlant avec cet accent ridicule qui caricature les Allemands conformément au cliché dans lequel on les a enfermés au sortir de la guerre.

— Je n'ai rien pensé de tel. Mon métier et quelques expériences récentes m'ont appris à me méfier des idées toutes faites. J'étudie d'abord les faits, et ensuite j'avise.

— Tant mieux. Vous êtes donc capable de vous extraire des mensonges que la version mise au point par les « vainqueurs » colporte au sujet du Reich.

— N'essayez pas de me convaincre que les nazis constituaient une race supérieure, qu'Hitler était un visionnaire incompris, ou ce genre de foutaises. Figurez-vous que j'ai lu quelques livres, y compris certains que vos petits camarades ont tenté de brûler.

— Aucun de ces barbares n'était de mes camarades. Hitler était un malade névrotique dont les délires haineux ont mis le feu à l'Europe.

— N'oubliez pas d'imputer à son bilan les millions d'innocents sur lesquels il s'est acharné au seul motif qu'ils étaient juifs, homosexuels, ou simplement décidés à vivre libres.

— Je sais tout cela, répondit sèchement Denker. Vous n'imaginez pas à quel point. Je ne cautionne en aucune manière ses actes, mais je n'approuve pas non plus le cynisme avec lequel ceux qui s'en sont sortis ont tiré parti de ses excès et de ses crimes. Le nazisme était un cancer qui a proliféré parce que les tissus auxquels il s'est attaqué étaient en déliquescence. La chimiothérapie a marché, tant mieux, mais comme toujours avec ce genre de traitement, on se demande parfois si à long terme, le remède n'est pas aussi mauvais que le mal. Combien de fortunes se sont construites sur les souffrances que les nazis ont engendrées ? Combien d'intérêts ont été servis hypocritement au prix de toutes ces vies détruites ? Combien d'empires encore florissants aujourd'hui se sont bâtis dans son sillage honteux ? Où est la justice ? Qui peut se targuer d'être intègre ? Pourquoi les Américains ont-ils fait de Wernher von Braun, l'inventeur des propulseurs révolutionnaires des missiles V2 qui ont fait tant de morts et de dégâts, l'un des principaux directeurs de leur NASA plutôt que de le traduire en justice ? Pourquoi le nom du proche d'Hitler qui a produit des uniformes nazis est-il aujourd'hui synonyme de luxe et de vêtements à la mode ? Pourquoi les firmes qui ont fait fortune sur l'horreur des contrats de guerre et sur l'exploitation de la main-d'œuvre des camps de concentration corvéable jusqu'à la mort sont-elles aujourd'hui mondialement admirées et citées en modèles économiques ? Je suis chaque jour stupéfait de découvrir le nombre de dignitaires nazis qui, après la guerre, ont échappé à cette parodie de justice qui s'est cristallisée sur une poignée d'exemples pour mieux profiter de ce qui pouvait encore servir ailleurs. Je suis écœuré de voir que beaucoup de criminels de guerre ont été recrutés dans les domaines les plus variés alors que tant de gens pleuraient leurs morts. Saviez-vous que le fondateur des Jeunesses hitlériennes s'en est tiré avec une « dénazification » et une amende avant de devenir un spécialiste réputé du commerce avec les pays de l'Est ? Trouvez-vous cela juste et digne ? Trouvez-vous normal que ce soit – selon votre propre expression – « un descendant du Reich » qui s'en offusque alors que tout le monde se tait pour en tirer profit ? De tout ceci, je ne retiens qu'une leçon, monsieur Horwood : l'honneur n'est au mieux que la façade des intérêts.

Alors que dans le ciel les nuages s'étaient accumulés rapidement sans qu'ils s'en soient rendu compte, Denker toisa Benjamin.

— Venant d'un historien, je suis assez déçu par votre manque de rigueur.

— Soyez plus précis.

— Vous m'avez demandé mon nom, mais vous ne savez pas qui je suis. Vous qui aimez découvrir la vérité de l'histoire, entendez les faits, et avisez.

— Cela ne changera pas ce que je pense.

— À vous de juger. Mes hommes ont trouvé deux portraits de mon grand-père dans le coffre de votre voiture. Vous les avez volés dans son sous-marin.

73

Présentation comparée des versions de la mort et de la survie d'Adolf Hitler, par le professeur Ronald Wheelan.

Pour davantage de clarté, nous présenterons les deux scénarios successivement, en commençant par la version officielle, afin que chacun puisse se forger sa propre évaluation de leur crédibilité respective.

*
* *

Version historique :

Les dernières images connues d'Adolf Hitler ont été réalisées le 20 avril 1945, en fin de matinée, dans la cour de la chancellerie à Berlin, alors qu'il passait en revue un détachement de jeunes recrues nouvellement affectées à la défense de la ville face à l'approche de l'Armée rouge. C'est ce même jour que, selon celle qui fut sa secrétaire particulière pendant douze ans, Christa Schroeder, il organise la fuite de plusieurs de ses proches collaborateurs, dont elle-même. Cela prouve qu'il est pleinement averti de l'inéluctable arrivée des Russes. Pendant les dix jours qui suivront, entre le 20 et le 30 avril 1945, date de son suicide, le Führer ne fera plus aucune apparition officielle ou publique, et plus aucune photo ou film ne seront produits.

Le 30 avril 1945, entre 14 h 30 et 16 heures suivant les différents témoins présents sur les lieux, dans la partie la plus profonde et la plus sécurisée du bunker souterrain qu'il a fait aménager sous la chancellerie et ses jardins, Adolf Hitler met fin à ses jours en compagnie d'Eva Braun, qu'il a épousée deux jours plus tôt. Bien qu'ayant d'abord opté pour un suicide par absorption de cyanure de potassium, poison qu'il aurait testé la veille sur sa chienne Blondi, il se tire une balle dans la tête sur un canapé que l'on photographiera taché de sang, mais sans cadavre. Deux Walther sont retrouvés à ses pieds, un de calibre 7,65 mm près de son pied droit et un de calibre 6,35 près de son pied gauche. Ont notamment assuré avoir vu le cadavre d'Hitler : Heinz Linge (SS-Obersturmbannführer, majordome personnel d'Hitler et chef de son service particulier), Martin Bormann (ancien homme de liaison entre Hitler et Rudolf Hess, secrétaire du Führer depuis 1943), Joseph Goebbels (tout-puissant ministre du Reich à l'Éducation du peuple et à la Propagande, entre autres), Hans Krebs (chef de l'état-major de l'armée de terre), Artur Axmann (fondateur du premier groupe des Jeunesses hitlériennes, chef de la jeunesse du Reich), Johann Rattenhuber (SS-Gruppenführer, en charge du détachement d'élite à la disposition spéciale d'Hitler) et Otto Günsche (aide de camp personnel d'Hitler). Aucun cliché n'a officiellement été réalisé des corps sans vie.

Conformément à ses ultimes instructions, sa dépouille, celle de la femme qui n'aura été son épouse que deux jours, et celle de sa chienne seront incinérées dans la cour de la chancellerie pour empêcher qu'elles puissent être récupérées ou exhibées comme trophées par les Russes désormais tout proches.

Lorsque, après avoir percé les ultimes lignes de défense et poches de résistance de Berlin, les troupes de l'Armée rouge envahissent la capitale dans un chaos absolu, leur principal objectif – assigné par Staline lui-même – est de capturer Hitler vivant. Ils prennent la chancellerie cernée de toutes parts et traquent son maître déchu. Ce n'est qu'après des heures de fouilles que les corps calcinés supposés être ceux d'Hitler, d'Eva Braun et de la chienne sont découverts dans un cratère d'obus. Environ treize heures après le coup de feu fatal qu'Hitler se tira dans la tempe droite, Joseph Staline, secrétaire général du Parti communiste de l'Union soviétique, est informé de sa mort par un téléphonogramme confidentiel du maréchal Georgi Joukov. Malgré l'absence de preuves indiscutables, la disparition de l'ennemi du monde libre est alors officiellement proclamée et la nouvelle se répand, frustrant ses adversaires et ses victimes de leur légitime désir de le traduire en justice.

Les services secrets soviétiques saisissent les restes calcinés qui, après une série d'examens post mortem dont les Alliés seront écartés, sont enterrés dans le plus grand secret au cœur de la forêt de Rathenow. Quelque temps plus tard, ils sont exhumés sur ordre de Staline qui, doutant de plus en plus de la réalité de la disparition d'Hitler, souhaite faire procéder à de nouveaux examens. À défaut de tests scientifiques et de références fiables à l'époque (type ADN), ces nouvelles autopsies ne donneront pas davantage de résultats concluants. Les soupçons de Staline concernant la fuite secrète d'Hitler sont si grands qu'il ordonne de reprendre toute l'enquête en mobilisant chacune des branches des services *de renseignement soviétiques, qui seront mises en concurrence pour provoquer une émulation censée garantir efficacité et rapidité. Un volumineux rapport sera rédigé à son attention exclusive, sous la direction du lieutenant-colonel Fiodor Karpovitch Parparov, notamment basé sur les interrogatoires des proches du Führer capturés, au premier rang desquels Otto Günsche, l'aide de camp personnel d'Hitler, et Heinz Linge, son majordome. Les deux hommes seront placés au secret et interrogés par les services secrets soviétiques, le NKVD, durant plusieurs années. Ce qu'il reste des deux dépouilles du couple Hitler est ensuite placé dans une seule caisse, ensevelie cette fois près d'une cour d'usine à Magdebourg. À nouveau déterrés dans les années 70, les restes seront finalement totalement incinérés et bien qu'aucun témoin direct ne puisse en attester, il est dit que les cendres auraient été jetées aux égouts. Les Russes conserveront toutefois quelques effets personnels du chef nazi, dont un uniforme et un pistolet. Ils exhiberont le tout en 2000, lors d'une exposition comprenant en prime un fragment de crâne troué par balle présenté comme celui d'Hitler – dont des analyses modernes révéleront par la suite qu'il ne s'agissait même pas d'un crâne masculin. De nombreuses voix s'élèveront pour dénoncer la version du suicide, imaginant toutes sortes d'alternatives et de complots. Parmi les moins farfelus, retenons le témoignage qui, à l'appui de photos floues, prétend qu'Hitler aurait réussi à s'enfuir jusqu'en Argentine, où il aurait été repéré par des agents de la CIA à la fin des années 50. Citons aussi cette version étayée par des hasards troublants qui raconte que le Führer aurait été capturé vivant par les Russes, puis placé au secret dans des conditions très avantageuses en échange de certains secrets techniques liés aux inventions nazies dont l'URSS se serait servie lors du développement de son programme spatial.*

À ce jour, objectivement, aucune preuve indiscutable n'établit qu'Adolf Hitler s'est bien donné la mort le 30 avril 1945. Le fait est que seuls les témoignages de ses anciens complices accréditent cette thèse. Aucun de ceux d'entre eux qui seront traduits en justice, notamment au procès de Nuremberg, ne le reniera.

*
* *

Version reconstituée sur la foi des documents en possession de Kord Denker :

Le 17 avril 1945, en début d'après-midi, alors qu'une série de victoires russes vient confirmer la percée décisive de l'Armée rouge vers Berlin, les plus proches collaborateurs d'Hitler, rassemblés dans la salle de réunion de l'extension du bunker de la chancellerie, arrivent à convaincre le Führer qu'il doit s'enfuir pour garantir un avenir au Reich qu'il incarne.

Onze personnes sont dans le secret de cette décision qui prendra le nom d'opération Phénix. Parmi elles, Heinz Linge (son majordome personnel et chef de son service particulier), Martin Bormann (son secrétaire personnel depuis 1943 et ancien homme de liaison entre Hitler et Rudolf Hess), Joseph Goebbels (ministre du Reich à l'Éducation du peuple et à la Propagande), Hans Krebs (chef de l'état-major de l'armée de terre), Artur Axmann (chef de la jeunesse du Reich), Johann Rattenhuber (en charge du détachement d'élite à la disposition spéciale d'Hitler) et Otto Günsche (aide de camp personnel d'Hitler).

Le 20 avril, l'opération Phénix est lancée. La date a été choisie pour coïncider avec l'anniversaire d'Hitler, qui fête ses cinquante-six ans ce jour-là. Conformément au plan mis au point, Hitler effectue sa dernière apparition publique sous l'œil des photographes. Dans la soirée, Hitler, sa compagne et son chien sont évacués lors d'une relève de la garde et quittent la ville au sein d'un transport de troupes. Pour la circonstance, le Führer a rasé sa moustache, mais il refuse de revêtir un autre uniforme que le sien. Il est donc recouvert d'un long manteau de cuir SS. Seule concession à son apparence vestimentaire, il accepte de porter le casque. Eva est habillée en officier et tient en laisse le berger allemand femelle de son mari. Escortés par deux gardes d'élite choisis conjointement par Axmann et Rattenhuber, ils circulent dans un fourgon d'assistance médicale piégé qui sera intégré à un convoi de troupes sans qu'aucun commandement soit averti de leur présence. Au même moment, l'un des deux sosies du Führer recrutés prend sa place auprès des derniers fidèles qui jouent le jeu et empêchent quiconque de l'approcher. Officiellement, Hitler est fatigué et réfléchit aux options politiques et militaires qui s'offrent encore à lui. À compter de cette date, plus personne ne parviendra à le joindre ou à le rencontrer à la chancellerie.

Le 23 avril, à 18 h 20, l'amiral Karl Dönitz (commandant en chef de la flotte sous-marine depuis 1939, depuis devenu commandant en chef de la redoutable Kriegsmarine) accueille le Führer sur la base navale de Kiel, implantée sur la mer Baltique et située à environ 200 kilomètres au nord-ouest de Berlin. Dönitz a personnellement sélectionné les équipages qui escorteront Adolf Hitler, Eva Braun et plus de cinquante soldats d'élite du bataillon personnel du Führer jusqu'à une destination où ni les Russes ni les Alliés ne les chercheront jamais. Le soir même, alors que Berlin ne résiste plus que pour un honneur perdu, trois U-Boote appareillent. À 23 h 17, quittant le gigantesque bunker Kilian qui les abrite dans le port, le U-296, commandé par Karl-Heinz Rasch avec quarante-deux hommes d'équipage, disparu des systèmes de surveillance alliés depuis le 12 mars ; le U-396, qui avait déjà effectué des repérages entre les îles Féroé et les Shetland un mois plus tôt, avec un équipage réduit pour accueillir les troupes d'élite d'Hitler ; et le U-398 avec un équipage réduit pour les mêmes raisons, prennent la mer. L'opération est risquée, mais plus aucun autre choix, terrestre ou aérien, n'est possible.

Les trois sous-marins remontent les eaux danoises pour mettre le cap vers l'ouest de l'Écosse, où des complices doivent les ravitailler en ignorant tout de la nature du voyage. Les trois submersibles ne peuvent en effet pas compter sur la base secrète initialement planifiée au large de l'Irlande ou de l'Écosse, base envisagée dès 1941 et pour les repérages de laquelle Rudolf Hess s'envola au soir du 10 avril avant d'être abattu par les défenses antiaériennes, avec les conséquences que l'on sait.

Les trois U-Boote font route à quelques milles nautiques d'écart lorsque le U-396, qui circule entre les deux autres, est accroché par le destroyer anglais HMS St James en transit à l'est des Orcades. Au terme d'une chasse dans laquelle le navire britannique se trouve rejoint par des renforts, le U-396 est coulé. Le U-398, transportant Hitler, est touché. Une fois les navires alliés semés grâce à des plongées profondes simulant leur perte, c'est une incroyable opération de transbordement en haute mer qui s'organise. Hitler, sa femme, son chien ainsi que trente de ses soldats d'élite sont embarqués à bord du seul sous-marin encore intact. Le U-296 reprend alors sa route pendant que le U-398 se sacrifie et part jouer les leurres pour éloigner les patrouilleurs.

Au terme d'un périple à hauts risques, jugeant que le retard pris ne leur permet plus d'arriver au rendez-vous de ravitaillement, le commandant du U-296 décide de positionner son sous-marin non loin des récifs de Papa Stour, où la flotte alliée ne s'aventure pas. Ce répit laissera le temps d'adapter le plan initial désormais compromis et de communiquer les nouvelles instructions. Après deux jours, coupé de tout contact direct avec l'équipe de ravitaillement et privé de soutien logistique, il devient clair que le submersible complètement isolé ne pourra plus reprendre la mer sans courir des risques trop importants. Le commandant décide de cacher le U-Boot dans la plus grande des grottes, où il est échoué volontairement. En attendant l'hypothétique envoi d'un nouveau sous-marin, les soldats d'élite SS prennent le contrôle d'un îlot presque désert situé plus au nord dans l'archipel afin de consolider la position. Les commandos allemands envahissent une ancienne batterie de canons fortifiée, désarmée depuis le débarquement. Ils éliminent et remplacent les quelques gardes et les très rares habitants de l'île. Hitler, sa femme et son chien y seront conduits le 1er mai au matin, alors que le monde a les yeux tournés vers Berlin célébrant la fin du chef suprême du Reich. Tous ceux qui sont censés avoir été témoins de sa mort dans le bunker s'accordent sur une version, même si des différences techniques mettent à mal la cohérence de l'ensemble. L'épouse de Goebbels, Magda, qui a compris la substitution et menace de parler pour garantir sa survie et celle de ses enfants, est tuée avec eux.

En quittant son immense bureau de la chancellerie, Hitler a pris soin d'emporter le registre vert dans lequel sont répertoriées toutes les caches d'or et de valeurs facilement monnayables disséminées par ses services secrets en France, en Suisse, en Allemagne, mais aussi dans plusieurs pays de l'Est. Il a aussi emporté un carnet noir frappé de ses initiales dans lequel personne ne sait ce qu'il consigne depuis des années. Ce n'est pas le seul secret du Führer. Eva Braun Hitler est en effet enceinte. Huit mois plus tard, sur un îlot perdu au nord de l'Écosse dont le couple est désormais incapable de partir, elle donne naissance à un fils, Dietrich Wilhelm Hitler.

Piégé sur son île par la ruine du Reich, privé de moyens opérationnels lui permettant de fuir vers l'Amérique du Sud, Hitler n'aura de cesse de conforter son installation tout en reconstituant ses réseaux. Personne ne le débusquera jamais chez ses pires ennemis, dans l'une des régions les plus inhospitalières qui soit.

Si au fil des années, lui n'a plus la force d'œuvrer pour la résurrection du Reich, certains de ses proches en rêvent, et la lutte pour sa succession est violente. Le 11 décembre 1961, à l'âge de soixante-douze ans, Adolf Hitler meurt des complications d'une bronchopneumonie. Eva lui survivra trois ans. Dietrich Wilhelm a seize ans lorsque son père disparaît. Il ne l'a connu que reclus, et souvent amer. Le jeune homme est envoyé dans les meilleurs collèges anglais sous le nom de Ned Burelein (anagramme de Neue Berlin – « nouveau Berlin », renforcé du D

marquant l'initiale de Deutschland, la mère patrie).
Il y rencontre Nancy Denker, qu'il épouse avant de
l'emmener sur l'île, désormais reconnue comme bien
familial ancestral grâce à de faux documents. C'est
alors qu'il lui révèle la vérité. Devant les risques
de trahison évidents, Nancy ne sera plus autorisée
à quitter l'île. Ils auront malgré tout deux enfants,
Kord puis Eva, de deux ans sa cadette.

Ben reposa les feuilles sur la table de bois massive et se renversa en soupirant contre le dossier
de sa chaise. Sous le choc de sa lecture, il se
sentait flotter. Même s'il n'avait pas découvert le
sous-marin et l'île, la version de Denker lui serait
apparue plus vraisemblable.

Au cœur de l'étrange bibliothèque aménagée
dans une ancienne casemate d'artillerie, le passé et
le présent se confondaient. Les consignes militaires
peintes au pochoir côtoyaient les plus délicates
œuvres d'art. En fermant les yeux, Ben se souvint
soudain que pour l'un de ses premiers devoirs lors
de ses études supérieures d'histoire, un enseignant
leur avait demandé quel personnage historique ils
auraient aimé rencontrer. Chacun des étudiants
devait justifier son choix et dresser la liste des
questions qu'il aurait souhaité lui poser. Beaucoup
de ses condisciples avaient opté pour « Hitler ».
Lui avait répondu « l'homme le plus vieux du
monde en 1900, pour partager son regard sur
les révolutions et bouleversements en tous genres
qu'il avait pu connaître ». Il ignorait le nom de
l'homme le plus âgé de l'époque, mais par une
surprenante ironie du sort, il était peut-être en
mesure de poser les questions de ses camarades
au descendant direct de celui qu'il n'avait pas
sélectionné.

Assis face à Benjamin, le professeur Wheelan fit glisser une enveloppe matelassée vers lui.

— Voyez par vous-même. Examinez-le avec les plus grands égards, c'est un document historique d'une importance exceptionnelle.

Horwood s'empara de l'enveloppe et en extirpa un épais carnet noir frappé des initiales « A.H. ». Il souleva la couverture râpée aux angles. Les pages étaient couvertes d'une écriture serrée, régulière mais assez peu lisible. L'encre s'était éclaircie avec le temps.

— Hormis son propriétaire, expliqua le vieil universitaire, seuls cinq hommes ont tenu ce carnet entre leurs mains, en comptant nous deux. C'est un carnet auquel Hitler tenait tellement qu'il ne s'en séparait jamais.

Ben parcourut rapidement la succession de petits paragraphes datés et rédigés en allemand. Des notes, des extraits de citations entre guillemets, mais aussi des croquis.

— Il tenait un registre des fouilles archéologiques liées aux reliques ésotériques ?

Wheelan opina et fit signe à Ben de revenir au début.

— Dans les premiers temps, Hitler s'intéressait à toutes sortes de reliques, du Graal à la poussière sacrée des Tables de la Loi, en passant par la lance de Longinus ou le bouclier d'Alexandre le Grand. Pourtant, rapidement, ses notes se sont progressivement concentrées autour de Sumer et de ce que des archéologues indépendants avaient découvert dans la nécropole d'Ur. Leurs travaux l'ont amené à réorienter ses recherches. Les notes font ensuite de plus en plus référence aux fouilles orchestrées par Heinrich Himmler en Irak. Hitler en gardait les résultats sur lui et il semble que même en exil ici, il continuait à y réfléchir pendant de longues heures.

Horwood tourna les feuillets et tomba sur quelques illustrations.

— Il était aussi piètre dessinateur que peintre.

— Ouvrez le document à l'endroit du signet.

Ben s'exécuta.

— En bas à gauche, à la date du 6 octobre 1945. Il est fait mention de la réussite d'un premier percement et d'une visite au cœur des soubassements du temple solaire du roi Niouserrê, en Égypte, sur le site antique d'Abousir, là où une expédition d'archéologues anglo-américains a surpris un groupe d'une quinzaine de soldats SS et de quatre chercheurs allemands qui pratiquaient des fouilles clandestines.

— C'est donc pour Hitler que ces hommes travaillaient, même après la fin de la guerre...

— Vérifiez les dates qui suivent, vous constaterez qu'il a continué à recevoir des rapports de fouilles de différentes équipes envoyées dans de nombreuses régions du monde pendant plus de dix ans. C'est en découvrant le fruit de ces recherches – qui ne se limitent pas à ce carnet – que Kord s'est passionné pour le sujet et a décidé de se lancer à son tour dans cette quête. Il a recruté une équipe et accumulé des indices, des artéfacts, jusqu'à découvrir l'existence du Premier Miracle.

— Si les services de renseignement n'avaient pas remarqué les vols, il aurait continué en secret jusqu'à atteindre son but...

— Il va l'atteindre, Benjamin. Cela ne fait aucun doute. Une page d'histoire est en train de s'écrire.

Incapable de tenir en place, Horwood se leva. Il espérait s'éclaircir les idées et retrouver un peu de sérénité en faisant quelques pas. Il était partagé entre l'exceptionnel intérêt historique du flot d'informations qu'il recevait, et la situation de captivité que lui et Karen subissaient. Devait-il coopérer pour en apprendre davantage, ou chercher à s'enfuir pour faire arrêter l'auteur des vols meurtriers ? Ce dilemme devait ressembler singulièrement à ceux que beaucoup avaient dû affronter durant les heures les plus sombres de la guerre. Personne n'est jamais préparé à ce genre de choix, mais c'est pourtant face à eux que se révèle la véritable nature des hommes.

Il marcha en direction de la grande baie vitrée ouvrant sur l'océan. Elle avait été aménagée dans l'ancienne bouche de la batterie de canons. L'immense meurtrière horizontale perçant le mur de plusieurs mètres d'épaisseur était à présent fermée par une vitre blindée. À travers, Ben pouvait contempler les énormes vagues qui explosaient contre les récifs tout proches. Paradoxalement, il observait ce spectacle saisissant dans un silence absolu. Isolé de l'extérieur par la paroi transparente, il ne percevait rien du tonnerre des flots ou du vent, reléguant ainsi la violence de la nature au rang de superproduction irréelle dont on aurait coupé le son.

Ben se retourna et embrassa du regard ce qui avait été autrefois la salle des canons. Le sol de ciment brut était recouvert d'épais tapis et la coursive de manœuvre supérieure taillée dans le roc avait été reconvertie en galerie garnie de rayonnages. Les murs de béton portaient encore l'empreinte des planches de coffrage. Le bâti coulé laissait parfois affleurer les roches. Le contraste entre ces éléments bruts et les œuvres d'art raffinées accumulées dans chaque recoin était saisissant. Ben remarqua notamment deux superbes taureaux ailés assyriens à tête d'homme. Placés aux extrémités de la coursive à laquelle on accédait par un escalier en colimaçon métallique, ces antiques génies protecteurs au sourire bienveillant semblaient en garder les trésors. Répartis sur les deux niveaux, des statues grecques et romaines, mais aussi des toiles et un petit sarcophage de bois égyptien faisaient de cette salle à l'architecture atypique un véritable cabinet de curiosités.

Wheelan s'approcha de son ancien élève.

— Qu'en pense l'expert du British Museum ?

— Je suis obligé d'admettre que c'est une collection de premier ordre.

— Denker nous propose de travailler avec lui. Vous rendez-vous compte de la chance que cela représente ?

— L'offre est alléchante. Je me sens comme Pinocchio que l'on invite sur l'île des plaisirs pour mieux l'expédier à la mine.

— Vous vous trompez. Kord est sincère. Il n'a rien à cacher. Un manipulateur me laisserait-il libre de consulter la totalité de ses archives, y compris dans ce qu'elles révèlent de plus gênant pour sa famille, sans aucune restriction ?

— Nous sommes ses prisonniers, vous comme moi.

— C'est un homme traqué, qui subit l'héritage de son grand-père comme une malédiction. Si sa véritable identité venait à être connue, il serait condamné avant même d'avoir pu s'exprimer. Personne ne lui accorderait le bénéfice du doute.

— Ce n'est pas son grand-père qui a commis les meurtres et les vols qui lui permettent d'assouvir sa chasse au trésor. Bon sang, professeur, vous avez enquêté sur ces exactions avant moi ! Vous savez de quoi il est capable.

— Je comprends vos réticences. J'en ai eu également, mais je vous assure qu'il s'est toujours montré avec moi d'une parfaite franchise. S'il était aussi malhonnête que vous l'imaginez, il ne me laisserait pas non plus mener les recherches archéologiques en complète autonomie. Il n'est même pas au courant de tout ce que je sais. Il me laisse conduire tout cela à ma guise. Je venais d'arriver lorsqu'il a reçu les résultats des expertises des objets récupérés dans l'église de la Holy Trinity à York. Devant moi, il a demandé à ce qu'on me les remette, sans même les consulter.

— Il avait déjà ce qu'il convoitait : sa troisième pyramide au cristal.

— Sans doute, mais il y avait également des bibelots sacrés, dont des jetons gravés de symboles remontant à l'âge de bronze. Nous y avons aussi découvert ce qui ressemble à une météorite. Ces cailloux tombés du ciel devaient fasciner les anciens.

Ben revint vers sa chaise ; Wheelan l'y précéda.

— Nous sommes au cœur de l'histoire, Benjamin. Ne manquez pas ce rendez-vous. Cette table, par exemple...

Ben considéra le vaste plateau de bois posé sur quatre pieds trapus torsadés.

— ... C'est sur elle qu'Hitler a conçu la plupart de ses plans de bataille lorsqu'il travaillait dans son quartier général de la Taverne du Loup. Les chaises proviennent du Berghof, sa résidence secondaire dans les Alpes. Le lustre aussi. Tous ces objets ont été récupérés au fil des années par le père de Kord.

Ben observa la surface de travail sombre, imaginant le Führer y étudiant ses cartes et donnant ses ordres. Hitler s'était probablement assis sur le siège contre lequel lui-même s'appuyait.

— Benjamin, ensemble, nous serons plus forts pour conseiller Kord et l'empêcher de commettre des erreurs. Vous aurez accès aux documents sources. Vous ne le regretterez pas. Ici sont gardées d'inestimables pièces. Les voir ne vous tente pas ? Ne voulez-vous pas les tenir entre vos mains ? Moi qui pensais être un spécialiste de l'alchimie, il me manquait quelques documents essentiels pour savoir de quoi je parlais ! Denker les possède. Parce que son grand-père les collectionnait déjà, et parce que lui-même a su en rassembler d'autres. Vous verrez, c'est extraordinaire.

Benjamin s'assit et se prit la tête entre les mains. Il se posait tellement de questions qu'il en oublia qui avait pu s'installer à cette même place auparavant. Il soupira.

— En d'autres circonstances, j'aurais été honoré de travailler avec vous, professeur. Vous le savez, ce que vous évoquez me passionne.

— Raison de plus ! Je ne vous ai pas choisi au hasard.

— Mais je n'arrive pas à oublier qui vous commandite. Ces recherches sont financées grâce au trésor de guerre des nazis. Et je me demande dans quel but.

— Vous avez questionné Kord, il vous a répondu sans jamais se dérober. Vous commencez à le connaître. Fiez-vous à votre instinct.

— Mon instinct me dicte d'être prudent. Denker a séduit plus d'une personne qui l'ont ensuite payé de leur vie sans qu'il en éprouve le moindre remords. J'ai peur que nous ne soyons que des instruments au service de son plan.

— Il ne parle pas de plan, mais de rêve...

— Comme son grand-père en son temps. Que fera-t-il de ce pouvoir ? Un simple individu peut-il assumer pareille puissance ? Pourrait-il garder sa raison s'il se retrouvait investi de ce savoir ?

— Prenez le temps de réfléchir, Benjamin. Je me doute que vous êtes bouleversé par ce que vous découvrez depuis quelques jours. Faites ce que votre conscience vous dicte. Mais n'oubliez pas de vous demander si vous avez choisi ce métier pour rédiger des notices descriptives destinées à être posées dans des vitrines à côté d'objets du passé témoignant de l'histoire que d'autres ont écrite, ou bien, fort des erreurs et des succès de nos pairs, pour jouer un vrai rôle face à l'avenir.

74

Des photos de famille encadrées aux murs. Des portraits, quelques événements privés, Noël, des anniversaires. Une succession d'images qui, d'une génération à l'autre, racontaient le temps qui passe. Après le noir et blanc, les couleurs, de plus en plus vives. Plus les vues étaient récentes, moins elles étaient formelles. Après les poses solennelles apparaissaient des instants pris sur le vif. Au fil des années, les visages impassibles des aînés immobiles laissaient place aux sourires des jeunes qui vivaient. Une saga ordinaire déroulait ses passages obligés, ses mémoires banales, au cœur d'une dynastie qui ne l'était pas. C'était parce que ces images ne se distinguaient pas de celles que l'on peut voir chez tout le monde qu'elles en devenaient effrayantes. Car même dans des situations universelles, il était impossible de regarder la famille Hitler comme les autres. Karen observait, hypnotisée et incrédule.

Adolf, Eva et leurs animaux de compagnie sur la terrasse ensoleillée du Berghof. Ils avaient l'air un peu raides, mais rien ne laissait deviner ce qu'ils étaient. Si l'on s'en tenait à cette photo, ils auraient pu être des voisins, peut-être même des amis. On les retrouvait assis sur l'herbe des collines de l'île, un bébé dans les bras. L'anniversaire du petit, deux bougies sur un gâteau. Plus loin, la famille levant son verre alors que le patriarche, vieilli, restait assis et regardait ailleurs. Il avait laissé repousser sa moustache. Aucune photo en uniforme. Pas l'ombre d'un emblème nazi en arrière-plan. Plus loin, le jeune Kord tenait sa petite sœur dans ses bras. La mère les couvait du regard et le père n'était pas là. Une famille.

En découvrant leur nouveau logement, Karen et Ben avaient eu la surprise de voir s'afficher le destin d'un clan. Comment imaginer que le vieillard qui souriait en prenant appui sur le bras de son fils bien plus grand que lui avait été un despote sanguinaire ? Était-il concevable d'envisager que ce papy en train d'applaudir les premiers pas maladroits de son petit-fils avait tenté d'éradiquer un peuple et d'envahir un continent ? Le mariage de Dietrich Wilhelm avec Nancy Denker à Londres. La mariée souriait. Seuls ses parents à elle étaient présents. Une des rares photos prises en dehors de l'île avec celles du Berghof. Plus loin, la jeune femme, entre son beau-père et son mari. Elle ne souriait plus. Sur le mur suivant, une image de Kord torse nu dans la mer, avec un sourire éclatant. Quelque chose du bonheur.

Après avoir parcouru cet album à travers le temps, Holt et Horwood se retrouvèrent devant une photo d'Hitler marchant au milieu des landes au sommet de l'île. Ses cheveux étaient entièrement blancs, sa silhouette voûtée. Il était accompagné d'une jeune femme blonde. C'était le cliché sur lequel il était le plus âgé. La photo était en couleur. Il portait une écharpe verte, un pantalon bleu foncé. On se demandait s'il tentait de sourire ou s'il souffrait. Presque émouvant.

— Je digère mal qu'il ait pu vieillir si paisiblement, commenta Karen.

— Tout cela paraît tellement surréaliste.

— J'espère que vous n'avez pas été obligé de vendre votre âme au diable pour que nous ayons l'honneur de dormir dans ce musée ?

— C'était l'appartement des parents de Kord Denker, le seul qui comportait deux chambres. Je vais dormir dans celle qu'il occupait enfant.

— Dormir chez les Hitler... J'en frémis. Je me demande si je ne préférais pas notre prison.

Benjamin lui fit signe de parler moins fort, au cas où ils seraient écoutés ici aussi.

Karen lui prit la main et l'entraîna vers la salle de bains. Elle ouvrit tous les robinets en grand. Une fois que le bruit de fond fut suffisant, elle lui fit signe de s'asseoir à côté d'elle, sur le rebord de la baignoire émaillée d'une autre époque.

— Pardonnez-moi d'être franche, Benjamin, mais je m'inquiète de vous voir si calme. Vous ne semblez même plus en vouloir au professeur et quand vous parlez de ce Denker, je vous trouve bien indulgent.

— Vous avez peur que je les rejoigne ?

Entendre Horwood verbaliser cette conclusion avec une telle facilité la prit de court. Elle tenta de se justifier :

— Wheelan n'est pas un imbécile et ils ont bien réussi à le retourner.

— L'intelligence n'est jamais un gage d'intégrité.

Elle sourit. Comme lorsqu'elle était inconsciente, Benjamin lui prit la main et caressa ses doigts. Bien que surprise, elle ne s'en formalisa pas.

— Karen, depuis que l'on se connaît, même si vous m'avez tiré dessus, menacé et frappé, vous m'avez toujours protégé. Je vous ai fait confiance.

Hors de cette île, vous êtes mon ange gardien. Ici, vous ne l'êtes plus. Le monde est inversé. Les morts sont vivants, les criminels règnent en maîtres, et un modeste historien est plus à même de se battre pour défendre un agent aguerri que l'inverse. Sur ces terres, vos talents, tout ce dont vous êtes capable, ne nous sont plus d'aucune utilité. De nous deux, je suis le seul à pouvoir jouer les prochains coups de la partie. Il va falloir vous fier à moi.

— J'ai confiance en vous, mais j'ai peur. Je ne sais pas comment nous sortirons d'ici, ni même si nous y parviendrons.

— S'il existe un moyen, je le trouverai. Tant que j'en sais plus qu'eux, nous sommes en sécurité. Ce que nous avons découvert est notre meilleure assurance-vie. Il va falloir miser et y aller au bluff.

— Benjamin, une seule chose pourrait me faire plus de mal que de les voir réussir.

— Quoi donc ?

— Vous voir vous trahir.

— Rappelez-vous, Karen : nous jouons une partie d'échecs. Le cavalier doit pouvoir se sacrifier pour que le pion aille dans les derniers retranchements du camp adverse et redonne vie à la pièce qui le sauvera.

— Je me fiche de ressusciter qui que ce soit. Je veux que le cavalier vive.

75

Wheelan salua le garde d'un bref mouvement de tête. Sans répondre, l'homme composa le code de la porte pour les laisser pénétrer dans la bibliothèque.

Attiré comme un papillon par la luminosité et l'ouverture vers l'espace, Ben se dirigea vers la baie vitrée. Ce matin, le temps était couvert et la mer moins agitée.

— Installez-vous, Benjamin, j'ai une surprise pour vous.

Décidé à jouer la bonne volonté, l'ex-étudiant prit place tandis que son vieux professeur traversait l'ancienne casemate d'artillerie jusqu'à un secrétaire envahi de piles de livres de formats variables et de toutes époques. Il en rapporta un carton à dessins qu'il déposa sur la grande table, excité comme un enfant qui se réjouit du tour qu'il s'apprête à jouer.

— Êtes-vous prêt ?

— Tout dépend à quoi.

En guise de réponse, Wheelan ouvrit le rabat d'un geste théâtral, révélant la page disparue du *Splendor Solis*. Ben écarquilla les yeux. Sur le rectangle de parchemin aux bords richement enluminés, un diable aussi beau et athlétique qu'un dieu grec sortait d'un soleil ardent en portant dans ses mains une pyramide rayonnante. Le paradoxe entre sa sensualité virile et ses cornes démoniaques engendrait un sentiment ambigu. Son attitude suggérait une démarche conquérante et ne laissait aucun doute sur sa puissance.

La voix tremblante, le professeur souffla :

— La première fois que j'ai découvert cette illustration, les larmes me sont montées aux yeux. Quelle émotion ! L'exceptionnelle qualité de la mise en couleurs, la composition visuelle, tout ce qu'elle recèle de sens... J'en ai été bouleversé. Je n'en avais eu qu'un bref aperçu voilà un demi-siècle, quand j'étais moi-même étudiant. Bien des années plus tard, lorsque j'ai commencé à envisager un lien entre le Premier Miracle et l'alchimie, je m'en suis souvenu et j'ai cherché à l'étudier.

— C'est alors que vous vous êtes rendu compte qu'elle avait disparu de l'exemplaire de la British Library, en même temps que quelques autres pages de textes.

— Elle a été retirée des six exemplaires existant dans le monde. L'opération s'est jouée en quelques mois, pendant la Seconde Guerre mondiale. Hans Reinerth, archéologue engagé en faveur du Reich, a très tôt deviné que ces pages représentaient un intérêt stratégique, sans pour autant soupçonner à quel point. Alors que nombre de ses collègues s'évertuaient à crédibiliser les thèses raciales aryennes à coup de pseudo-preuves historiques, lui se consacra aux fouilles scientifiques qui le conduisirent vers Sumer.

Horwood détaillait l'enluminure. À travers les codes du Moyen Âge alchimique, l'essence de la mémoire secrète ancestrale s'y exprimait magnifiquement. La symbolique renvoyait sans l'ombre d'un doute à l'expérience sumérienne. La lumière, le démon représenté comme un dieu dans sa toute-puissance, la pyramide au cristal, et les deux fleuves coulant de part et d'autre de la base du soleil qui évoquaient la Mésopotamie.

S'efforçant d'avoir l'air naturel, Ben s'inclina pour tenter de voir si, dans les dorures, le pigment nacré révélait des motifs cachés. Bien que la lumière ne fût pas idéale, il lui sembla détecter un effet, notamment sur certains rayons solaires. Il se pencha encore davantage, mais Wheelan le remarqua.

— Vous cherchez la brillance sélective ?

Horwood se figea. Il ne savait pas s'il devait admettre ou nier. Le professeur précisa :

— Nous l'avons découverte très récemment. C'est un ami de Kord, un chercheur, qui nous en a fait part.

Ben songea immédiatement à Robert Folker, qui lui avait assuré n'en avoir parlé à personne. Sa droiture et son attitude bienveillante depuis toujours plaidaient en faveur de sa bonne foi. Face à Wheelan, la partie d'échecs virait au poker. Ben allait devoir abattre une carte pour obliger son interlocuteur à se découvrir. Encore devait-il choisir laquelle.

— Pour ma part, c'est votre ancien assistant et ami, M. Folker, qui me l'a révélée.

— Robert ? Vous l'avez revu ?

— J'ai eu ce plaisir.

— Comment va-t-il ? Je pense souvent à lui. Il me manque. Figurez-vous que j'ai plusieurs fois hésité à le mettre dans la confidence de ma survie, mais Kord m'en a dissuadé. Trop risqué, selon lui. Vous dites qu'il a découvert ce subterfuge caché dans les pages ?

— Il n'y a pas si longtemps.

— J'en suis épaté.

Le professeur semblait sincère. Ben se demanda aussitôt comment un « ami chercheur » de Denker aurait pu mettre au jour le procédé sans avoir accès à l'exemplaire qu'étudiait Folker. Il flaira aussitôt le mensonge et voulut s'en assurer.

— M. Denker est-il en contact avec Robert ?

— En aucune façon. Il m'en aurait parlé.

Wheelan avait répondu très vite, pressé de continuer à s'enthousiasmer sur l'illustration.

— Savez-vous que par recoupements, ce document m'a permis de comprendre une des énigmes qui me préoccupait le plus ?

— Vraiment ?

— Voyez ces pierres précieuses qui ponctuent la frise de la bordure.

— Des émeraudes.

— Vous souvenez-vous de ma note sur la découverte d'un long tunnel souterrain, sous la grande pyramide de Quetzalcóatl, près de Mexico ? Dans les salles les plus profondes, parmi des objets rituels dédiés au culte du soleil, une équipe de chercheurs avait retrouvé six masques couverts d'émeraudes que nous avons supposés être des parures mortuaires.

— Je m'en rappelle effectivement.

— En croisant mes recherches avec celles de Kord, je sais aujourd'hui que ces masques n'avaient rien d'ornements funéraires sacrés. Ils étaient destinés à protéger les prêtres qui, à leur façon, poursuivaient les expériences transmises au fil des siècles par les gardiens des reliques du Premier Miracle. Les émeraudes étaient réputées protéger des mystérieux rayonnements « qui rongent la vie », mieux encore que l'or.

— Brillant – sans jeu de mots.

Ben avait répondu sans grand enthousiasme, presque machinalement, car il réfléchissait encore à la façon dont Kord avait pu s'emparer de l'info sur les zones de brillance particulière du traité d'alchimie. Tout à coup, il se remémora les peurs de Folker et son impression d'être épié jusque dans la salle consacrée aux restaurations. Il espéra de tout son cœur que le conservateur n'avait pas eu affaire à Denker, mais il ne devait surtout rien laisser paraître de son inquiétude.

— Dites-moi, Benjamin, lors de votre plongée dans le temple d'Abou Simbel, vous avez certainement trouvé quelques clés relatives à l'expérience ?

Bien que posée sur un ton anodin, la question ne l'était pas. Wheelan avait jusque-là livré beaucoup d'informations, sans doute dans le but de placer Ben en situation de réciprocité. Il n'avait révélé que pour mieux apprendre. La partie se poursuivait, avec une mise nettement plus élevée. Pour continuer à voir le jeu de son adversaire, Ben allait devoir lui dévoiler un peu du sien.

— Nous avons trouvé quelques objets réellement intrigants mais pour le moment, nous avons du mal à définir leur utilité. Il est probable que certains d'entre eux ont joué un rôle direct au moment de l'expérience, mais j'ignore encore lequel. Si cela vous intéresse, je vous ferai part du peu que nous savons, et vous y verrez peut-être plus clair que nous.

— Avec plaisir ! C'est ainsi que nous progresserons.

Wheelan se frotta les mains de satisfaction. C'était au tour de Ben de jouer.

— J'imagine que Kord cherche à reproduire les conditions matérielles du Premier Miracle ?

— Avec la plus grande précision possible. Il ne lésine pas sur les moyens. Pour y parvenir, il s'est donné la peine de construire des installations spéciales. Vous vous rendrez compte très bientôt par vous-même à quel point le résultat est impressionnant. Il s'agit d'un véritable laboratoire comprenant une vaste salle circulaire tapissée de miroirs dont le plafond s'ouvre pour capter les rayons du soleil.

— Il ne doit pas en profiter souvent sous ces latitudes...

— Ce n'est pas son principal problème. Mais il travaille à résoudre chacun des obstacles l'un après l'autre. Il lui a fallu des années, c'est l'œuvre d'une vie. Je suis heureux de le rejoindre alors qu'il touche au but. J'essaie modestement de lui apporter le peu que j'ai pu saisir. Avez-vous par exemple compris l'utilité des petites pyramides aux cristaux ?

— Elles concentrent la lumière afin d'en focaliser le flux vers la cible placée au centre du périmètre qu'elles forment.

— Formidable ! Comme nous, vous avez décrypté cela ! Mais savez-vous que seule la lumière solaire fonctionne ?

— Je l'ignorais.

— Kord a fait beaucoup d'essais, et aucune lumière artificielle ne donne de résultat. Alors malgré toute sa technologie, il se retrouve comme les anciens, à attendre les jours où il fait beau pour expérimenter !

Wheelan s'en amusa. Emportés par leur sujet, le maître et l'élève en avaient presque oublié qu'ils ne devaient distiller leurs informations qu'au compte-gouttes, dans un duel feutré où les incertitudes le disputaient aux promesses. Ben s'en souvint le premier et reprit la partie.

— Vous possédez trois des pyramides, n'est-ce pas ? Celle d'York, celle du *kofun* et celle du musée du Caire.

— Exactement. Mais plus important encore, nous savons comment les disposer. Nous avons trouvé les données géométriques sur un cube métallique exhumé de la tombe d'un alchimiste italien.

Ben en conclut que le cube qui avait tant fasciné Fanny existait en plusieurs exemplaires. Il enchaîna rapidement afin de ne pas laisser soupçonner qu'il réfléchissait en parallèle.

— Il ne vous manque plus que la quatrième pyramide pour que le dispositif soit complet...

— C'est un collectionneur qui la possède. Nous ne devrions pas tarder à réussir à la lui racheter. Kord est prêt à lui verser une fortune pour l'obtenir. Il sait se montrer généreux.

Une fois encore, la confidence de Wheelan tendait à prouver que Kord ne lui disait pas toute la vérité. Pour s'approprier la pyramide à Oxford, ce n'était pas de l'argent que Denker avait envoyé mais des tueurs. La conversation prenait une tournure encore plus dense. Horwood récoltait des indices qui concernaient aussi bien l'expérience elle-même que l'homme qui tentait de la reconstituer. Alors que les réflexions jaillissaient de toutes parts dans son esprit, Benjamin devait veiller à garder les idées claires et à ne pas trop en dire.

Par chance, le professeur joua avant son tour.

— Savez-vous, mon garçon, ce qui m'a le plus étonné dans l'agencement physique de l'expérience ?

Ben n'avait aucun mal à feindre l'auditeur passionné, car il l'était bel et bien.

— C'est la forme géométrique qu'elle adopte. Avec le jeu des miroirs et des pyramides, vue

504

du dessus, la déviation des rayons dessine une croix gammée. Incroyable hasard, n'est-ce pas ? Je me demande si le grand-père de Kord en était conscient lorsqu'il a choisi ce symbole ancestral comme emblème.

— Étrange, en effet. J'ai hâte de voir ce que cela donnera si M. Denker parvient à racheter la pyramide manquante.

— Il y arrivera, c'est certain. Je le connais. Mais il nous manquera encore un élément essentiel pour mener l'expérimentation à bien.

— Lequel ?

— C'est sur ce point que je souhaite bénéficier de votre aide.

Wheelan s'assit face à Ben et prit le temps de lui expliquer le problème :

— Si nous savons comment mettre en place les pyramides, nous ignorons ce qu'elles sont supposées bombarder pour répéter la réaction survenue à Sumer. Quelle matière réagit ainsi aux faisceaux de lumière ? Pour le moment, nous n'en savons rien, et c'est pourtant une donnée primordiale. Kord en est réduit à envisager toutes sortes d'éventualités et à faire des tests au hasard.

Alors qu'ils touchaient au cœur du sujet, Ben choisit de mettre le professeur en confiance.

— Lors de ma plongée, j'ai récupéré un large bol de bronze doré. Il contenait des résidus de substance dont les analyses n'ont pour le moment rien donné. Mais je parie que lorsque nous aurons trouvé, vous tiendrez la réponse à votre question.

— Un large bol de bronze, dites-vous ?

Ben lui indiqua la taille en formant un cercle avec ses mains. Il confia :

— Ce réceptacle trouvait certainement sa place au point de convergence des faisceaux lumineux.

— Remarquable ! s'enthousiasma Wheelan. Votre bol nous permet déjà de déduire que la mystérieuse matière nécessaire à la réaction n'était pas présente en grande quantité.

— Vous n'avez rien perdu de votre perspicacité.

— Merci. La clé réside donc dans la nature de la substance qui réagit en déclenchant cette explosion d'énergie. J'ai hâte que nous puissions réunir les quatre pyramides et que le soleil se mette à briller.

76

Benjamin trouva miss Holt devant la seule véritable fenêtre de leur logement, qui donnait sur un jardin depuis longtemps abandonné. Une table et des chaises rouillées perdues au milieu des herbes hautes, un portique bancal menacé par un pin qui avait poussé entre ses pieds, les restes d'une balançoire aux cordes effilochées oscillant au gré du vent. En arrière-plan, un mur surmonté de barbelés. Au-delà, on pouvait distinguer le sommet des collines.

— Comment vous sentez-vous ?

— Je passe mon temps à regarder dehors pour ne pas étouffer. Parfois, j'aperçois des moutons tout là-haut. Avec les soldats, ce sont les seules créatures vivantes de l'île. L'horizon est limité.

— Vous n'avez pas eu votre promenade aujourd'hui ?

— Si, comme les taulards. Je vois bien qu'ils font tout pour éviter que je regarde de trop près leurs installations. Ils ne me laissent jamais toute seule. Ils se gardent bien de montrer leurs armes, mais je sens qu'elles ne sont pas loin. Obligée de rester dans une cour et de tourner en rond. Une vraie lionne en cage. Le reste du temps, cet appartement me fout le cafard. Je ne sais même plus quel jour on est. Tout se mélange, les époques, les lieux...

Entre les photos, la décoration inchangée depuis les années 60 et le mobilier récent, il y avait de quoi brouiller les repères. C'était la première fois que Benjamin entendait Karen se plaindre.

— Je vais demander à ce que vous restiez avec moi dans la journée.

— Ne vous compliquez pas. J'arrive à me calmer. J'ai fait des pompes dans le couloir, des tractions à la porte de votre chambre et des abdos au pied de mon lit. Et vous, quoi de neuf ?

Ben fit signe à sa complice de le suivre jusqu'à la salle de bains. Selon le rituel désormais bien rodé, il ouvrit les robinets en grand pour créer un bruit de fond et s'assit à côté d'elle.

— Wheelan affirme que Denker est sur le point de racheter la pyramide de Walczac, mais il se fait des illusions. Selon lui, ce type serait prêt à payer une fortune pour l'obtenir. Visiblement, ils ignorent que la pyramide se trouve toujours sous notre garde. De toute façon, j'imagine mal Walczac vendre ce qu'il désire à l'homme qui a tué son ami.

— Sauf à lui faire croire qu'il l'a en sa possession pour l'attirer dans un piège.

Ben se massa les tempes, préoccupé.

— C'est bizarre, lorsque le professeur parle de Denker, il semble perdre toute objectivité. Comme s'il était sous son charme. Il me fait l'effet d'un vieux savant complètement déconnecté de la réalité qui se serait fait envoûter. Il est paumé dans son monde et avale tout ce que l'autre lui raconte en jouant sur un mélange d'idéalisme et de grands principes. L'essentiel, c'est que nos discussions me permettent d'en apprendre le maximum. Pour donner le change, je lui lâche aussi quelques bribes d'infos dont il ne peut rien faire. À ce petit jeu, j'ai l'impression de m'en sortir plutôt bien. Et vous, qu'avez-vous réussi à glaner ?

— On emprunte toujours le même chemin pour sortir. C'est un véritable camp retranché. Tout est sécurisé. Codes sur les portes, caméras, chicanes. Personne ne répond à mes questions, impossible de discuter avec qui que ce soit. J'ai l'impression que le complexe est une véritable fourmilière. Quand on se déplace dans les couloirs, j'entends souvent des conversations derrière les portes. Des hommes, des femmes. Parfois des langues étrangères. Par contre, je ne sais pas ce qu'ils ont fabriqué aujourd'hui avec leur hélico, mais je l'ai entendu décoller et atterrir à trois reprises. C'est beaucoup par rapport aux autres jours. Si seulement j'arrivais à mettre la main sur cet engin...

— Vous savez piloter ?

— Je vous l'ai dit, pour les airs aussi, j'ai la formation.

— Karen, pour cela également, je ne doute pas que vous soyez très douée, mais je ne veux pas que vous tentiez de vous évader. Ils ne vous laisseront jamais décoller et sur l'île, vous ne réussirez au mieux qu'à vous cacher un temps. Ils finiront par vous reprendre. Je ne veux pas imaginer ce qu'ils pourraient alors vous infliger...

— Je ne vais pas rester ici en attendant sagement qu'ils décident de mon sort. Personne ne sait que cet endroit existe, et encore moins que nous y sommes retenus. Personne ne viendra nous en sortir. Nous ne pouvons compter que sur nous-mêmes.

— Je sais. C'est pourquoi je fais tout ce que je peux.

— Je le vois bien et je vous en suis reconnaissante. Si vous n'étiez pas là, je deviendrais folle. Dès que le jour décline, j'attends que vous reveniez. À chaque bruit dans le couloir, je me réjouis, impatiente de vous voir entrer. Et mon moral s'effondre lorsque les pas ne s'arrêtent pas devant la porte et s'éloignent. Dans ce cauchemar, mon seul bonheur se résume à m'asseoir avec vous sur cette baignoire.

— J'apprécie aussi beaucoup ces moments-là.

Ils échangèrent un regard.

— Benjamin, soyez honnête : vous croyez vraiment qu'on quittera cette île un jour ?

Sans prononcer un mot, il passa son bras autour des épaules de sa partenaire et la serra contre lui.

77

Sept sépultures alignées face à la mer dans un décor vertigineux. Sept stèles taillées dans les roches sombres de l'île, dressées contre le vent. Aucun nom, aucune date. Uniquement des initiales.

Denker s'inclina devant celle gravée « N.D. ». Il demeura un moment silencieux avant d'y déposer le petit bouquet de bruyère qu'il avait cueilli sur le chemin. Pour être certain que les fleurs ne s'envolent pas, il les coinça sous une pierre. Lorsqu'il se releva, il ne porta pas la moindre attention aux autres tombes, pas même un regard. Il désigna la pierre la plus à gauche, légèrement inclinée, marquée « A.H. ».

— Je vous avais promis de vous emmener sur la tombe du diable. Je tiens toujours mes promesses.

Devant le monticule herbeux, Horwood sentit le poids de l'histoire descendre sur ses épaules jusqu'à l'écraser. Comment pouvait-il éprouver tellement devant si peu ? Des millions de femmes et d'hommes, de tous âges et de toutes origines, avaient maudit l'individu étendu sous terre à ses pieds. Des centaines d'entre eux, y compris dans ses propres rangs, l'avaient tellement haï qu'ils étaient allés jusqu'à donner leur vie pour essayer de le tuer de leurs mains. Contre lui, les Alliés avaient lancé la plus grande armada de tous les temps. Pour l'écraser et le capturer, Staline avait mobilisé plus de soldats, de blindés et de bombardiers qu'aucune armée auparavant. Pourtant, le coupable reposait là, paradoxalement en paix.

Le monde est davantage façonné par les tyrans que par les saints. C'est une cruelle leçon que l'histoire nous enseigne. De leur vivant, ces despotes peuvent paraître invincibles, mais dès leur trépas, la mort semble prendre un malin plaisir à leur faire payer le culte dont ils aimaient s'entourer. Le sort réservé à leur dépouille n'a rien de commun avec leurs ambitions de grandeur et d'éternité. L'histoire méprise les restes de ceux qui ont piétiné les peuples. Lorsque l'on songe à ce que sont devenus les corps de Néron, Attila, Caligula, Gengis Khan ou Pol Pot... Conspués et exhibés jusqu'à leur putréfaction, honteusement cachés, démembrés, volés, jetés en pâture aux bêtes, empalés... L'imagination des hommes est sans limite lorsqu'il s'agit de se venger, même d'un mort. Ben finit par se dire qu'Adolf Hitler s'en sortait scandaleusement bien. Même reclus sur une île comme Napoléon, il avait pu vieillir et garantir un avenir à sa descendance, alors qu'il avait refusé ces droits fondamentaux à des millions d'autres. Même face à un défunt, y compris sur ces terres vierges, la sérénité peut s'avérer révoltante.

Denker rompit le silence.

— Le professeur m'a fait part des progrès constants de vos échanges. Vous me voyez très satisfait de cette mise en commun de vos connaissances.

— Il m'a dit le plus grand bien de l'écrin que vous avez bâti pour reconstituer l'expérience.

— Vous ne tarderez pas à visiter cette partie du complexe. Il m'aura fallu des années pour en faire une réalité. J'ai constamment dû l'adapter à la lumière des découvertes que nous faisions.

— À la lumière... L'expression semble tout indiquée.

— Le professeur m'a également confié que vous aviez en votre possession cette large coupelle de bronze sur laquelle était déposée la substance réactive.

— Je ne fais que supposer qu'elle avait cette fonction.

— Vos hypothèses de travail se révèlent souvent justes. Vous ne savez vraiment rien de cette matière ?

— Les tests pratiqués sur les traces de résidu n'ont rien donné d'exploitable.

— Vous n'avez même pas réussi à déterminer s'il s'agissait d'une roche, d'un minerai radioactif, d'un métal rare, d'un oxyde ou de quelque chose de ce genre ?

— Les chercheurs ont pu isoler un unique élément qui nous renvoie à une fibre végétale. Je n'ai aucune compétence en chimie, mais le directeur des études m'a assuré qu'il s'agissait d'une erreur d'interprétation due au vieillissement moléculaire.

Denker suivit des yeux un oiseau qui passait.

— Si vous saviez ce que contenait ce bol, me le diriez-vous ?

Horwood sourit. Même si la question le plaçait dans une situation gênante, il était obligé d'admettre que Denker jouait un coup remarquable en la posant.

— Votre question est sans objet puisque je l'ignore.

— Elle nous offre au moins l'occasion d'évoquer votre allégeance.

— Je ne pratique pas l'allégeance. Je n'ai que des loyautés.

— Vis-à-vis de qui ?

— Personne. Je suis comme vous, monsieur Denker. Ce ne sont pas les gens à qui nous devons une obéissance aveugle. Ce sont nos convictions qu'il importe de ne jamais trahir.

L'homme fit quelques pas, pensif.

— En quoi croyez-vous, monsieur Horwood ?

Le dialogue prenait un tour très personnel.

— Je ne suis pas encore assez sage ou assez instruit pour vous répondre. Mais je sais depuis longtemps ce qui m'attire, comme ce qui me révolte.

— Pour quoi êtes-vous prêt à mourir ?

— Qui peut le savoir avant d'y être confronté ? N'est-ce pas pure vanité de le prétendre ? Ceux qui le clament haut et fort agissent rarement comme ils l'ont annoncé. Pour ma part, je préfère de loin savoir pour quoi je veux vivre.

Benjamin désigna la tombe d'Hitler.

— Prenez cet homme, par exemple. Il a marqué l'histoire comme aucun autre. Pensez-vous que lui-même aurait pu répondre à vos questions ? Vis-à-vis de qui était-il loyal ? Pour quoi était-il prêt à mourir ?

Denker salua l'argument. Horwood demanda :

— Avez-vous envisagé de ne jamais découvrir ce qu'était la substance qui a déclenché le Premier Miracle ?

— Comment pourrais-je y renoncer ? La vérité me l'interdit. Cette matière existe. Ce n'est ni une chimère ni un mythe. Son pouvoir a forgé notre inconscient et fait de l'or un trésor. Puisque c'est une réalité, nous devons pouvoir la trouver. Ce n'est qu'une question de temps et de moyens. J'ai les moyens et, depuis peu, le temps joue pour moi.

— Vous êtes fou.

— N'est-ce pas Winston Churchill qui a dit :
« La vie nous enseigne que parfois, ce sont les
fous qui ont raison » ?

— Puisque vous aimez les pensées d'hommes
illustres, j'en ai une à vous soumettre ; en 1924,
votre grand-père a écrit : « Ici-bas, le succès est
le seul juge de ce qui est bon ou mauvais. » Les
rois de Sumer ont estimé que ce qu'ils avaient
découvert par hasard était trop dangereux pour
être confié aux hommes. Prétendez-vous leur donner tort ?

Denker cessa de regarder les alentours pour
faire face à son interlocuteur.

— Vous me rassurez, monsieur Horwood, car
si la justesse des actes se mesure à leur succès, je
suis sur la bonne voie. J'ai deux bonnes nouvelles
à partager avec vous. Les données satellites sont
formelles : demain, nous aurons du beau temps.

— Même si cela ne changera pas la face du
monde, ironisa Ben, je m'en réjouis. Il faut savoir
profiter de ces petits bonheurs que la vie nous
offre.

— J'ai aussi le grand plaisir de vous annoncer
que nous avons enfin récupéré la quatrième pyramide. Elle est arrivée sur l'île ce matin, livrée par
porteur spécial. Plus rien ne s'oppose à la réinven-
tion du Premier Miracle. Un vrai succès, n'est-ce
pas ? Sans doute parce que c'est une bonne chose.

78

Dans les souterrains fortifiés de l'île, une longue galerie conduisait au pied d'un escalier de béton. Denker s'effaça pour inviter Horwood à monter. Wheelan suivait, accompagné de deux hommes.

Arrivé en haut des marches, Ben découvrit l'entrée d'une salle dont les murs étaient bien plus massifs que ceux d'un blockhaus. Il lui fallut compter plus de dix pas pour en franchir l'épaisseur. Une porte blindée sur rail permettait de bloquer le passage.

En débouchant sur le seuil, c'est un laboratoire complet qui s'offrit à sa vue, équipé d'une quantité phénoménale d'instruments et d'outils de mesure en tous genres. L'accumulation de matériel surpassait tout ce qu'il lui avait été donné de voir, y compris dans les centres d'études gouvernementaux. Assembler cette technologie avait dû coûter le budget de recherche d'un petit pays.

Une femme et trois hommes en civil saluèrent l'entrée des nouveaux venus sans interrompre leurs activités. Le maître des lieux expliqua :

— Nous avons conçu cet endroit selon des standards de sécurité nucléaire qui excèdent les normes les plus drastiques. Nous sommes à même de contenir la puissance de la réaction tout en l'analysant.

Il fit signe à son visiteur de le rejoindre devant une maquette du site. Désignant la représentation miniature du labo, il précisa :

— Nous nous trouvons ici, dans la salle de contrôle. Mais le cœur du dispositif, le joyau d'ingénierie qui va nous permettre de recréer l'événement fondateur, se situe juste à côté, derrière ces murs plombés.

Sur le modèle réduit, Ben identifia la vaste salle circulaire dont le professeur avait parlé : une parabole géante orientée vers le ciel, tapissée de miroirs, et traversée de passerelles aériennes qui permettaient d'accéder à son centre ainsi qu'aux emplacements destinés à accueillir les pyramides.

— Les huit cents miroirs répartis sur toute la surface relaient la lumière solaire en direction des quatre cristaux dans leur support de bronze. Depuis l'achèvement des travaux, voilà deux ans, nous avons multiplié les essais avec les pyramides dont nous disposions – une, deux, puis trois – mais cela n'a rien produit de spectaculaire. Même si ce n'était pas encourageant, nous avons continué à y croire. J'ai quand même eu peur de me retrouver avec le grille-pain le plus cher du monde ! Mais aujourd'hui, nous inaugurons une phase inédite. Grâce aux quatre pyramides enfin réunies, c'est une nouvelle ère qui s'ouvre. Cette date risque fort de marquer l'histoire. Pour la première fois, nous allons pouvoir utiliser cette installation au maximum de sa puissance et dans des conditions rigoureusement identiques à celles de l'expérience originale.

Ben écoutait tout en regardant autour de lui. Comme chaque fois qu'il découvrait un lieu qui mobilisait toutes ses facultés, il était incapable de parler. Non sans fierté, Kord continua son exposé.

— La salle de lumière – comme nous l'appelons – est filmée sous tous les angles par une vingtaine de caméras dont les captations nous parviennent sur le mur d'écrans derrière vous. Certains de ces appareils de prises de vues ont été développés spécifiquement pour ce programme et sont capables d'enregistrer plus de vingt mille images par seconde. Ils sont couplés à des capteurs qui couvrent le spectre complet de tous les types de mesures physiques possibles. Rien ne nous échappe. Quoi qu'il se produise, nous serons capables de l'observer dans des conditions optimales et de l'enregistrer pour mieux l'analyser ensuite.

Wheelan se tenait en retrait, moins enthousiasmé par l'annonce de ce grand jour que Ben ne l'aurait supposé.

Un objet attira l'attention d'Horwood. Sur une étagère, sous une petite cloche de verre posée parmi d'autres antiquités, se trouvait un cube de métal couvert de données géométriques, semblable à celui qu'il avait lui-même découvert.

Denker l'interpella :

— Vous ne savez plus où regarder, n'est-ce pas ? Je vous invite pourtant à jeter un œil par ici, car j'ai beaucoup mieux à vous montrer qu'un modèle réduit.

Il désigna une longue ouverture horizontale dans le mur, obturée par un volet métallique. À l'opérateur assis devant sa console de contrôle, il ordonna :

— Relevez les boucliers, ouvrez le toit. Commençons sans tarder, le soleil ne nous attendra pas.

Alors que le roulement sourd des moteurs faisait vibrer les épaisses parois de béton, Denker confia :

— Voilà des années que j'attends ce moment. Vous n'imaginez pas tout ce que cela représente

pour moi. Tellement d'espoirs pour notre futur...
N'est-il pas exaltant de nous dire que nous écrivons l'histoire de notre espèce ?

Ben se contenta de répondre :

— Renoncez tant qu'il en est encore temps. Ne jouez pas les apprentis sorciers.

Denker eut un sourire.

— D'aussi loin que je me souvienne, j'ai consacré mes jours et mes nuits à cet accomplissement. Toutes mes forces, chacune de mes pensées. Je n'aurai fait que cela dans ma vie. Me jugez-vous fou au point de ne m'être posé aucune question ? Croyez-vous que je n'ai jamais eu de doutes ? J'ai tout envisagé, tout projeté, échafaudant mille possibles et chaque fois, la lumière des anciens m'a sauvé de mes incertitudes. C'est vers elle que j'avance, m'éloignant des ténèbres. Je ne transgresse rien. Je ne trahis ni l'esprit des sages de Sumer, ni aucune loi naturelle. Je me contente de réveiller une force capable de rappeler à ceux qui l'oublient leur condition de simples mortels.

Le volet d'acier acheva de se relever, révélant la salle que le rayonnement solaire commençait à éclairer. Les écrans s'allumèrent. Kord s'avança vers la fente d'observation.

— Malgré mon opinion sur mon grand-père, je ne peux m'empêcher d'avoir une pensée émue pour lui et tous ceux qui n'ont pu que rêver ce que nous allons avoir le privilège de vivre. Nous poursuivons aujourd'hui une aventure entamée voilà plus de cinq millénaires. L'illumination des premiers savants s'apprête à reprendre vie.

Benjamin prit conscience du volume phénoménal de la salle aux miroirs. Il plissa les yeux, ébloui par la lumière. Soudain, entre les reflets aveuglants, il repéra une présence.

Quelqu'un se tenait debout au point de convergence des passerelles. La silhouette était celle d'un prêtre sumérien vêtu d'une longue robe de lin écru, le visage recouvert d'un masque doré incrusté d'émeraudes. Par-dessus sa tunique, l'individu portait une chasuble constituée de plaques d'or assemblées entre elles par des séries d'anneaux. La vision de cet accoutrement surgi du fond des âges dans l'environnement futuriste provoquait le vertige.

— Que fait cet homme dans l'enceinte ? réagit vivement Benjamin.

— Les procédures de verrouillage d'une salle aussi sécurisée sont lourdes et nous avons plusieurs échantillons à tester, répliqua Denker, impassible. Réinitialiser le site entre chaque essai prendrait trop de temps.

— Que va devenir ce pauvre bougre si la réaction se produit ?

— Son nom entrera dans l'histoire...

Horrifié, Ben prit conscience du sort auquel ce prêtre était promis. Il protesta :

— Comment pouvez-vous l'exposer avec un tel cynisme ? Vous savez pertinemment que ni cet or ni ces émeraudes ne le protégeront !

— Qu'en savez-vous ? Les conditions de l'expérience initiale doivent être scrupuleusement reproduites dans leurs moindres détails. Il est possible que l'or ou les pierres précieuses interfèrent avec ce rayonnement particulier d'une façon que nous ignorons. C'est par l'expérimentation que nous le découvrirons.

— En lui faisant courir un tel risque, vous ne valez pas mieux que les nazis qui considéraient leurs prisonniers comme des animaux de laboratoire.

— Si j'échoue, je pourrai toujours vendre ce que j'aurai appris aux Américains et travailler pour eux... Vous passez votre temps à donner des leçons. Renonceriez-vous à tous les médicaments qui sauvent d'innombrables vies pour épargner celle du cobaye ? Voyez plus grand que vos petites peurs.

Ben chercha un soutien auprès de Wheelan.

— Professeur, dites quelque chose ! Vous ne pouvez pas laisser faire ça... Vous prétendiez qu'à nous deux, nous pourrions l'empêcher de se fourvoyer.

Le vieil homme baissa la tête. Denker ajouta :

— Ce qui va suivre ne va sans doute pas vous plaire, monsieur Horwood, mais avant que vous ne perdiez vos nerfs, sachez que vous avez le moyen de l'empêcher.

— De quoi parlez-vous ?

Denker se tourna vers la console de contrôle et appuya sur le contact du micro. Il s'adressa à l'inconnu, toujours immobile dans la salle de lumière.

— Veuillez retirer votre masque.

Sa voix déformée résonna dans un écho inhumain. Avec les gestes lents d'un robot, le « prêtre » obéit, révélant son visage.

Ben crut que son cerveau allait exploser. À la croisée des miroirs se tenait Karen, digne, impassible, perdue. La mâchoire de Ben se crispa dans un rictus de douleur et de colère.

— Monsieur Horwood, je vais vous reposer ma question une dernière fois. Nous ne jouons plus. Réfléchissez bien à ce que vous allez me répondre.

— Ordure !

— Avez-vous la moindre information sur la nature réelle de la matière fissible qui a donné naissance au Premier Miracle ? Si oui, il est inutile d'imposer à miss Holt de rester dans ce qui deviendra à coup sûr une fournaise. Si non...

— Arrêtez, elle n'y est pour rien.

— Vous n'imaginez pas le nombre de gens « qui n'y sont pour rien » et qui doivent pourtant être impliqués au service de desseins qui les dépassent.

En voyant Karen ainsi vêtue, dans cette lumière aveuglante, Benjamin sentit sa raison vaciller. Le rêve qui, maintes fois, l'avait entraîné vers Ânkhti devenait réalité. La frontière entre ce qu'il ressentait et le souvenir de ses songes se brouillait. À travers la vitre, il crut voir Karen parler, mais il ne la comprenait pas. Au-dessus d'elle, ce n'étaient pas les ailes protectrices des dieux égyptiens qu'il voyait se déployer mais celles, noires et menaçantes, de l'aigle du Reich.

— Laissez-moi prendre sa place. Abou Simbel m'a livré un secret que je suis le seul à connaître. Si vous épargnez Karen, je fais le serment de vous servir. Grâce à moi, vous réussirez.

79

En s'engageant sur la passerelle surplombant les miroirs, Benjamin se mit à courir. Il prit Karen dans ses bras et la serra de toutes ses forces.

— Ce sont des barbares... Mais ne vous inquiétez pas, tout va s'arranger. Je vais prendre votre place.

— Hors de question.

— S'il vous plaît, pour une fois, ne discutez pas. Nous n'avons que quelques minutes.

Karen saisit le menton de son complice et l'obligea à la regarder dans les yeux.

— Benjamin, écoutez-moi. Une fois déjà, vous avez offert de vous sacrifier pour me sauver. Je ne l'oublierai jamais. Mais cette fois, c'est moi qui décide. Vos petits jeux puérils ne l'étaient peut-être pas tant que cela. La situation est simple : je n'ai qu'une seule seringue pour nous deux, et je choisis de vous sauver parce que vous êtes le plus utile à ce combat. Le cavalier doit vivre.

L'agent Holt faisait preuve d'un calme qui, paradoxalement, affolait l'historien.

— Vous saviez qu'ils vous destinaient à ce simulacre.

— Ils sont venus me chercher voilà deux jours, pendant que vous étiez avec le professeur.

— Pourquoi ne m'avez-vous rien dit ?

— Ils m'ont promis que si je collaborais, ils vous laisseraient la vie sauve.

— Leur parole ne vaut rien.

— Quel tact ! Vous pourriez au moins me laisser croire que pour une fois, ils la respecteront. De toute façon, j'étais condamnée.

— Karen, je vous en conjure, laissez-moi vous remplacer.

Elle lui sourit.

— J'adore vraiment quand vous me suppliez, mais inutile d'insister. C'est aussi bien ainsi.

— Et si je cassais tout, là, maintenant ? Je pourrais balancer ces satanées pyramides...

— Ne soyez pas stupide. Je les aperçois là-bas qui nous surveillent. Ils n'hésiteront pas. Il y aura deux morts au lieu d'un, et vous aurez seulement réussi à leur faire prendre un peu de retard. Je compte sur vous pour leur infliger bien plus que cela...

Elle lui parla encore. Il aurait voulu écouter ce qu'elle expliquait. Il savait à quel point c'était important. Pourtant, le sens lui échappait et il ne s'attachait qu'à l'émotion qu'engendrait le timbre vocal particulier de sa partenaire. Dans l'étrange atmosphère de cette salle, les paroles de la jeune femme se perdaient dans l'espace comme une mélopée sans écho. Malgré son fardeau, elle trouvait encore la force de le réconforter. Karen attira les paumes de Ben et les posa contre ses joues fraîches. Elle lui murmura :

— Je sais tout de vous, Benjamin Horwood. De votre poids de naissance au montant des amendes que vous devez encore au service des taxes. Vous êtes le garçon le plus étonnant que j'aie rencontré. Je crois que j'aurais bien aimé passer le reste de ma vie à vos côtés, pour ne manquer aucun de ces trucs stupides que vous faites au pire moment et qui me font tellement rire.

Benjamin sentit un frisson le parcourir.

— C'est la plus belle déclaration que l'on m'ait faite. La seule, d'ailleurs.

Il aurait dû lui dire ce qu'il éprouvait lui aussi, mais il en était incapable. Il ne put que se réfugier derrière son bouclier habituel.

— Vous ne seriez pas en train d'essayer de me séduire pour m'extorquer la recette du Christmas pudding de tante Jane ?

— Je fais moi-même un excellent crumble.

— Vous auriez sauté dans la Seine si je vous l'avais proposé ?

— Nous avons fait bien pire, vous et moi.

— Le beau gosse en photo sur votre bureau, pectoraux d'acier sur fond d'île paradisiaque, c'est votre petit ami ?

— Mon frère.

— La vie est injuste.

— Vous n'allez pas encore vous plaindre...

— Je ne sais rien de vous.

— S'il y avait une chance que je m'en sorte, je vous aurais invité à dîner et j'aurais répondu à toutes vos questions, même les plus indiscrètes.

— Sans rire ?

— Parole. Je vous dois bien ça étant donné ce que je sais de vous... Il y a tout de même un mystère que je n'ai pas réussi à élucider.

— Un seul ?

— Quel est donc le point commun entre une statue d'Aphrodite et un chien qui font du stop ?

— Êtes-vous sérieuse ? Je suis prêt à me damner pour vous sortir de là, et c'est tout ce que vous trouvez à me demander ?

— Vous préférez que je vous demande si vous m'aimez ?

— Le chien et Aphrodite vivent tous les deux les fesses à l'air. Cela étant dit, je peux sans problème avouer que je suis raide dingue de vous.

Ils échangèrent un regard. Doucement, elle posa sa main sur sa nuque, l'attira à elle et l'embrassa. Il n'osa pas l'étreindre. Elle était bien plus qu'une femme qu'il aimait. Elle était une reine.

Deux hommes se présentaient déjà à l'extrémité de la passerelle. Elle demanda son masque d'or et de pierreries. Elle s'en recouvrit elle-même le visage. Benjamin était bouleversé. Une dernière fois, il entrevit l'éclat de son regard. Il sentit les gardes l'empoigner. Il résista, mais ils l'entraînèrent de force. Il aurait voulu hurler sa rage, mais parvint à se contenir pour se montrer digne de celle dont on l'éloignait. Sur un point il avait eu tort : malgré ce qu'il avait expliqué à Karen, même ici, c'était encore elle qui le protégeait.

Les hommes de Denker le traînèrent hors de la salle de lumière. Lentement, les boucliers antiradiation s'abaissèrent et les portes blindées se fermèrent, aussi inexorablement que les blocs de pierre géants qui scellaient l'entrée des pyramides lorsque le sable des contrepoids achevait de s'écouler.

À l'instant où tous les mécanismes assurant l'étanchéité de l'enceinte se verrouillèrent, il n'y eut plus un bruit dans le laboratoire de contrôle. Pour Benjamin, ce silence était aussi insupportable qu'un cri et lui crevait les tympans.

Il se précipita devant le mur d'écrans tandis que Denker donnait ses instructions.

— Orientez les miroirs.

Dans un mouvement de vague circulaire, les panneaux réfléchissants prirent progressivement position, orientant le flux vers les cristaux. Toute la salle se mit à resplendir d'un éclat fabuleux qui inonda les écrans de lumière. La silhouette de Karen n'était plus qu'une ombre floue ondulant dans l'océan aveuglant. Benjamin ferma les paupières aussi fort qu'il le put. C'est alors que son cauchemar commença.

80

Au micro, Denker demanda :

— Veuillez déposer le premier échantillon.

Karen ouvrit la colonne du socle dressé au centre de la salle de lumière et en sortit un morceau de roche noire pailletée qu'elle déposa dans la coupelle placée au sommet. Avec ses gestes lents, sa longue robe et son masque, elle était pareille à un spectre flottant dans la lumière. Ben n'arrivait pas à accepter la réalité de ce qui se déroulait devant lui. De tout son être, il espérait que les forces bienveillantes qui l'avaient sauvé du tombeau égyptien allaient accomplir un autre miracle que celui que Denker attendait. Il pria pour que l'esprit d'Ânkhti existe et se manifeste à nouveau.

L'ingénieur en charge des mesures physiques annonça :

— Échantillon positionné.

Kord se tourna vers l'opérateur à la console.

— Alignez les pyramides.

L'homme enclencha une série de contacteurs et entra une séquence sur son clavier. Automatiquement, les plateaux supportant les antiques reliques de bronze pivotèrent pour orienter les cristaux face aux flux concentrés des miroirs. Lorsque la lumière traversa les sphères minérales, celles-ci se mirent à briller d'un éclat intense, et un puissant faisceau jaillit de chacune d'elles en direction de l'échantillon. Le phénomène avait un aspect surnaturel. Les quatre rayons convergeaient, dessinant une croix incandescente aux nuances orangées.

En voyant Karen cernée par ces traits plus vifs que des lasers, Ben crut perdre la raison. Bousculant Wheelan, il se jeta sur Denker. L'effet de surprise lui permit de lui asséner un violent coup de poing au maxillaire, mais les gardes réussirent à le maîtriser avant qu'il ait pu le saisir à la gorge comme il en avait l'intention.

À l'écran, l'échantillon commençait à rougeoyer. La mesure thermique révélait une élévation de température incroyablement rapide. En se recoiffant, Denker prit le temps de se tourner vers son agresseur.

— Pourquoi ce geste désespéré ? Comment osez-vous perturber ce que nous vivons ?

— Je vais vous tuer.

— Ma famille est habituée à ce genre de menace. Ça n'a jamais marché. Il existe deux sortes de mort, monsieur Horwood. Celle que nous subissons et celle que nous infligeons. Nous nous efforçons de repousser la première en contrôlant la seconde. Tâchez d'y penser.

Il revint aux écrans. L'échantillon désormais rouge vif était en train de fondre sans qu'aucune autre forme de réaction se produise. Les indicateurs de radiation restaient à zéro. Karen reculait sur la passerelle mais elle n'avait pas la moindre échappatoire.

L'un des ingénieurs annonça :

— Absence de fission. La matière entre en fusion mais ne présente aucun signe de déstabilisation des atomes.

Denker eut un mouvement d'agacement.

— Passons à l'échantillon suivant. Le soleil ne sera plus là longtemps.

L'homme à la console fit pivoter les supports pour rompre l'alignement des pyramides et interrompre les faisceaux. Denker ordonna à Karen de placer le réactif suivant sur le socle. Maintenu par ses deux geôliers, Horwood n'avait plus aucune latitude de mouvement. Observant la scène du fond de la salle, le professeur semblait anesthésié par les événements.

Lorsque les faisceaux bombardèrent la nouvelle cible, Benjamin eut la sensation d'assister à une épouvantable séance de roulette russe. Denker était décidé à tester tous les spécimens de matière possibles pour tenter le diable. Pour chaque essai, le même suspense, le même danger. Les supports des pyramides tournaient comme des barillets. À chaque nouvelle substance exposée, le risque que le coup parte augmentait.

81

Au beau milieu de la nuit, Benjamin déboula dans la bibliothèque. À cette heure-là, la baie vitrée donnant sur l'océan n'était qu'un rectangle obscur dans lequel se reflétait l'ancienne casemate. La violence avec laquelle il referma la porte trahissait sa colère.

À l'approche d'Horwood, le professeur Wheelan, qui travaillait déjà à la grande table, sembla se replier sur lui-même. Sans oser regarder Ben dans les yeux, il demanda :

— Comment va-t-elle ?

— Qu'est-ce que ça peut vous faire ?

— Ses brûlures ne sont pas trop graves ?

— Sans les nuages, l'autre malade aurait continué ses satanés essais jusqu'à ce qu'elle en meure. Vous n'avez même pas levé le petit doigt pour tenter de l'en empêcher.

— Je n'en suis pas fier, mais à mon âge, que vouliez-vous que je fasse ?

— S'il était arrivé malheur à Karen, je vous en aurais tenu pour responsable autant que l'autre dégénéré.

— Je n'y suis pour rien ! Je n'ai fait qu'obéir.

— La boucle est bouclée. Vous adoptez exactement la même ligne de défense que les nazis au procès de Nuremberg.

Piqué au vif, Wheelan s'insurgea :

— Benjamin, je vous interdis !

— Si vous croyez que j'en ai quelque chose à foutre...

— Qu'auriez-vous fait à ma place ?

— Je n'aurais pas bu les belles paroles d'un petit-fils de tyran, lui-même assassin et voleur. Je n'aurais pas impliqué deux de mes anciens élèves dans mes délires pour les manipuler. J'aurais retenu les leçons que j'enseignais si fièrement aux autres. Et nous n'en serions jamais arrivés là !

Le vieil universitaire accusa le coup.

— Vous pensez en savoir plus long que moi sur la vie ?

— Certainement pas, mais ce n'est pas de vous que j'apprendrai ce qu'il me reste à découvrir. Est-ce qu'au moins, vous avez enfin ouvert les yeux sur votre petit protégé ? Êtes-vous désormais lucide sur sa nature et ses intentions ? Pensez-vous sérieusement qu'il se montrera tout à coup d'un humanisme exemplaire lorsqu'il aura réussi à reconstituer l'expérience ? Bon sang, réveillez-vous ! Aucun miracle n'est capable d'en faire un type bien. C'est un meurtrier, peut-être même s'en est-il pris à M. Folker, votre soi-disant ami !

— Robert ?

— De qui d'autre aurait-il pu apprendre l'existence des symboles cachés dans les pages du *Splendor Solis* ? Je vous parie que son « ami chercheur » n'est qu'un mensonge de plus.

Wheelan était abattu.

— Mon Dieu... J'aurais tellement voulu éviter tout cela.

À ces mots, Benjamin bondit.

— Pardon ? Vous ne comptez quand même pas me faire le coup de l'impuissance après m'avoir servi l'arrogance ? Que sont devenues vos envolées lyriques ? Où sont ces « êtres d'exception » qui se battent pour le futur et le progrès ?

Tout à coup très agité, Horwood fonça jusqu'au vieil homme. Redoutant de se prendre un coup, Wheelan se protégea le visage de ses bras. Benjamin se contenta de lui tourner le poignet pour vérifier l'heure à sa montre.

— Il nous reste un peu moins de sept heures avant que le soleil ne soit à nouveau en position au-dessus des miroirs. Denker a été très clair. Si nous ne lui donnons rien de concret, il continuera ses tentatives en risquant la vie de Karen. Faites ce que vous voulez, moi je vais chercher.

— Vous croyez que je compte me tourner les pouces ? J'ai déjà commencé.

Il désigna une pile de documents.

— Je vous ai sorti tous les comptes rendus des fouilles. Il ne manque rien. Vous avez la liste de ce qui a été découvert et les conclusions. Vous trouverez aussi la totalité des relevés d'expériences et d'analyses.

— Si seulement j'avais une idée de ce que je cherche...

Déterminé malgré l'ampleur de la tâche, Benjamin s'assit face à Wheelan et attira les dossiers à lui. Il prit le premier et s'y plongea.

82

Le vent ne dort jamais. Toute la nuit, venu du nord, il avait soulevé les flots, et c'est une mer déchaînée que l'aube étouffée par la couche nuageuse éclairait d'une grisaille uniforme et blafarde. Les récifs résistaient aux assauts de l'océan, brisant les charges incessantes des vagues les unes après les autres. À l'échelle d'un instant, dans le fracas des embruns, les rocs remportaient d'éclatantes victoires, mais quiconque connaît le pouvoir du temps sait qu'à long terme, la constance infinie du plus modeste des clapots finit toujours par avoir raison de l'apparente éternité du granit. Au fil des siècles, chaque camp gagne un jour ou l'autre.

Dans la bibliothèque, la grande table disparaissait sous les feuilles annotées. Le plateau de bois sur lequel Hitler avait fomenté ses plans d'invasion allait peut-être enfin servir à quelque chose de constructif.

Parfaitement réveillé malgré sa nuit blanche, Benjamin souleva un dossier, puis un autre, à la recherche du compte rendu des fouilles menées en 1942 par les sbires du Reich sur la nécropole royale d'Ur. Il n'avait que faire de la valeur historique pourtant importante de ces archives.

Seuls lui importaient les indices qu'il pouvait en tirer. Lorsqu'il mit la main dessus, il feuilleta la liasse jaunie jusqu'à la liste des objets prélevés. Il parcourut les lignes... et en pointa une. Un petit sourire se dessina au coin de ses lèvres. Il se leva et, avec une ardeur renouvelée, chercha un autre inventaire qu'il avait consulté plus tôt. Il était épuisé, ses yeux le brûlaient, mais il n'avait ni l'envie ni le temps de ralentir. Plus que trois heures avant les prochaines expérimentations.

De l'autre côté de la table, tel un assiégé, Wheelan contenait tant bien que mal la marée de documents déployés sur toute la surface par son jeune homologue. Consciencieusement, il s'employait à relire ses notes, mais son regard glissait sur les mots sans que plus rien ne s'en détache. Les traits tirés et la conscience abîmée, il était tellement las qu'il passait désormais le plus clair de son temps à observer Benjamin qui, les sourcils froncés par la concentration, bondissait d'un dossier à l'autre.

— Vous avez trouvé quelque chose.

— Pas le temps de vous répondre.

— Ce n'était pas une question.

Ben releva la tête.

— Qu'est-ce qui vous fait dire ça ?

— Je suis peut-être un vieux fou, mais je ne suis pas encore sénile. Je sais reconnaître lorsqu'un de mes élèves a mis la main sur quelque chose.

— Je ne suis plus votre élève.

— Si vous me dites ce que vous cherchez, je peux vous aider.

— Vous faire confiance ? Vous plaisantez. Pour que vous alliez tout répéter à Denker ? Si j'arrive à confirmer mon hypothèse, j'aurai de quoi négocier avec lui, sans intermédiaire et sans état d'âme. S'il refuse d'épargner Karen, il n'aura rien…

Il nota une référence et reprit son tri.

— Benjamin, laissez-moi vous aider. Offrez-moi une chance de me racheter, au moins un peu.

— Pour quelle faute cherchez-vous l'absolution ? Parce que la liste est plutôt longue.

— Faites-moi confiance, au nom du passé.

Benjamin regarda à nouveau le vieil homme et, après l'avoir dévisagé un temps, lâcha :

— Au nom du passé… Vous êtes officiellement décédé dans un accident de la route mais pour moi, vous êtes réellement mort quand vous avez fermé les yeux devant les agissements abjects de Denker.

D'autant plus blessé par la remarque qu'il la savait juste, l'enseignant se leva et se dirigea droit vers le sarcophage égyptien exposé dans la pièce. Il glissa le bras derrière et plongea sa main dans une cache. Il en sortit un pistolet automatique. Benjamin se cambra.

— Que comptez-vous faire avec ça ? Vous suicider ?

— Sûrement pas. Vous me reprocheriez encore de me dérober comme un nazi…

Le professeur revint et déposa l'arme devant son ancien élève.

— Vous avez raison, Benjamin. Vous avez raison sur tout. J'ai été aveugle et lâche. J'ai tout gâché. Prenez cette arme. Tuez-moi si vous en avez envie. Vous n'aurez même pas à vous justifier ensuite puisque je suis déjà enterré. Je n'existe plus. Alors vengez-vous, mais avant, par pitié, donnez-moi une dernière chance d'être utile.

Benjamin ramassa l'arme et la considéra un moment.

— Vous voulez vraiment m'aider ?

— Dites simplement ce que je dois faire.

— Sortez-moi tous les inventaires des fouilles.

Wheelan s'attela aussitôt à la tâche.

— Qu'y cherchez-vous ?

— Un point commun dont je n'avais pas pris conscience jusque-là.

— Vous ne voulez pas être plus précis ?

Ben hésita, mais le regard du vieil homme acheva de le convaincre.

— Sur toutes les campagnes de fouilles, certains objets ont été étudiés et analysés alors que d'autres ont été considérés comme négligeables. D'une façon générale, seuls les artéfacts anciens créés par la main de l'homme ont suscité l'intérêt des chercheurs. Quelle que soit l'époque, qu'ils travaillent pour des gouvernements, des musées, des organismes de recherche ou pour Hitler et Himmler, tous les archéologues ont eu la même attitude.

— Qu'ont-ils oublié ?

— Ils ont négligé plusieurs éléments naturels, estimant sans doute que leur présence dans divers sanctuaires résultait d'une fascination primitive. Dans cet inventaire, on trouve des pépites d'or, des fragments de cuivre natif, des cristaux de quartz et de tourmaline, des géodes minérales, des concrétions, mais aussi des os et bien d'autres bizarreries. Tout le monde les a pris pour des curiosités naturelles ayant attiré l'attention des anciens mais ne présentant aucune valeur. Après avoir épuisé les autres pistes, je n'ai pas eu d'autre choix que de m'y intéresser. Et une récurrence surprenante m'est apparue. À ce stade, j'ai départagé les emplacements qui recelaient de vraies reliques du Premier Miracle, en les séparant d'autres qui pouvaient n'être que des monuments funéraires ou très indirectement liés. Entre vos archives et ce que j'ai appris durant l'enquête, j'ai isolé cinq sites. Dans les trois inventaires les concernant que j'ai pu vérifier, j'ai relevé un élément commun qui ne provient d'aucune civilisation. Un seul. J'en ai moi-même vu dans le tombeau d'Abou Simbel.

— De quoi s'agit-il ?

— Cela ne vient même pas de notre planète. Ce sont des météorites.

Wheelan se figea tant sa réflexion intérieure était intense.

— Votre raisonnement est loin d'être sot..., murmura-t-il.

— Aidez-moi à le vérifier. Il me manque les inventaires du *kofun* d'Osaka et celui de l'église d'York.

— Nous n'en avons pas besoin.

Au lieu de se plonger dans les archives, le professeur s'éloigna d'un pas volontaire. Horwood ramassa l'arme et la pointa sur lui.

— Si vous tentez de quitter cette pièce pour me trahir, je vous explose.

Wheelan ne répondit pas. Il poursuivit son chemin vers le secrétaire chargé de livres et en rapporta le carton à dessins, qu'il ouvrit. Il fit signe à Horwood de le rejoindre devant la page du *Splendor Solis* représentant le diable.

— Regardez : disséminés dans les enluminures de la bordure, alternant avec les pierres précieuses, il y a ce que j'ai d'abord pris pour des champignons ou des fleurs exotiques. Il pourrait parfaitement s'agir de météorites.

— Bon sang, tout semble coller !

Le professeur repartit cette fois vers l'escalier en colimaçon qui conduisait à la galerie supérieure.

— Où allez-vous ?

Le vieil universitaire gravit les marches, concentré, et fureta dans les étagères de ce musée secret. Il referma enfin la main sur un objet et redescendit. Lorsqu'il déplia ses doigts pour présenter son butin, Benjamin découvrit une pierre ronde et bosselée de la taille d'un petit œuf.

— Elle provient du *kofun* d'Osaka. Il y en avait également une à York, contenue dans une bourse en tissu tellement vieille qu'elle était décomposée. Comme mes collègues, j'ai pensé que ces boules tombées du ciel étaient là parce qu'elles étaient rares et étonnantes au regard des connaissances de l'époque.

Ben prit la pierre brune dans ses mains.

— Celle d'Abou Simbel était plus grosse. Comme vous, je n'ai pas deviné sa valeur et j'ai choisi de ne pas la remonter.

Wheelan contourna la table pour rejoindre sa chaise. Il fouilla dans la poche intérieure de sa veste suspendue au dossier et en tira le carnet de notes d'Hitler.

— En y réfléchissant, j'ai lu quelque chose qui pourrait avoir un rapport...

Avec des gestes fébriles, il feuilleta les pages et s'arrêta soudain.

— Nous y voilà. Mars 1942. Il écrit que dans un poème sumérien, l'un de ses archéologues détachés en expédition en Irak a relevé la mention d'une « pluie de larmes divines envoyées des cieux, plus précieuses que tous les biens des rois ». Il fait ensuite le lien avec le mystère alchimique car ces « larmes » sont décrites comme « plus dures que le métal » et ayant « le pouvoir de métamorphose ».

Les pièces du puzzle s'agençaient dans l'esprit d'Horwood. L'ensemble devenait cohérent. Wheelan saisit le bras de son ancien élève.

— Benjamin, j'ai une idée. Je crois que je peux neutraliser Denker. Mais pour cela, vous allez devoir m'obéir et me faire confiance une dernière fois.

83

En achevant de lire le passage écrit par son grand-père dans le carnet, Kord Denker sentit l'émotion monter en lui.

— Merci, professeur. Merci infiniment. Vous êtes l'instrument de la Providence. Il était écrit que nous trouverions la clé, et vous me l'apportez à point nommé. Nous voilà pour de bon aux portes d'un monde nouveau. Vous savez que je ne suis pas un ingrat. Je n'oublierai pas votre contribution.

L'universitaire répondit à voix basse :

— Cher Kord, l'honneur d'apporter mon modeste concours à votre œuvre vaut toutes les récompenses.

— Quand je pense que les réponses étaient sous nos yeux et que depuis tout ce temps, personne n'a su les lire ! L'heure n'était sans doute pas encore venue.

Wheelan jeta un œil aux alentours pour s'assurer que personne ne risquait d'entendre ce qu'il avait encore à confier.

— Je dois vous avouer une crainte.

— Vous n'avez plus à en avoir...

— Je me méfie d'Horwood. J'ai vu dans quel état d'esprit il a travaillé cette nuit. Il vous déteste.

— Je sais.

— Il est allé jusqu'à me menacer. Il n'attend qu'une occasion pour s'en prendre à vous et compromettre votre projet. Nous ne pouvons pas le laisser saboter votre réussite parce qu'il est incapable d'apprécier votre vision.

— Je vous rejoins tout à fait. Êtes-vous en train de me conseiller de le supprimer ?

— À vrai dire, je tirerais une satisfaction bien plus grande si vous le laissiez assister à votre triomphe. Quelle leçon pour ce freluquet ! Par contre, je vous conjure de ne pas lui permettre, à lui ou sa complice, de s'approcher de l'expérience.

— Ce ne sera plus nécessaire.

— Si vous le permettez, j'ai une idée à vous soumettre. Cette nuit, je n'ai pas seulement découvert la nature de la matière, j'ai aussi trouvé des témoignages qui attestent de l'efficacité des protections d'or et de pierres précieuses. Il est clairement stipulé dans des textes qui se recoupent que les prêtres équipés des plastrons et des masques ont survécu. Selon les mots mêmes des narrateurs, ils ont pu vieillir, auréolés de gloire.

— Comment est-ce possible ?

— La composition unique des particules émises sous le feu du bombardement solaire explique sans doute le phénomène. Cette matière fissible ne ressemble à aucune de celles existant sur notre planète. Cela justifie certainement ses caractéristiques physiques atypiques. Vous le répétez vous-même souvent à juste titre : il nous reste beaucoup à découvrir. Souvenez-vous que l'analyse des rayonnements reçus par le miroir d'Arrapha avait laissé perplexes vos plus brillants physiciens...

Denker était presque convaincu, mais Wheelan ne voulait prendre aucun risque. Pour balayer les derniers doutes de son interlocuteur, il joua sa carte maîtresse.

— À mon sens, l'expérience aurait encore plus de portée si vous occupiez vous-même la place des savants sumériens, fit-il avec toute la conviction dont il était capable. Vous êtes l'artisan de cette résurrection. N'abandonnez à personne la gloire de son aboutissement. Si vous m'autorisez cette audace, je sollicite le privilège d'être à vos côtés. Au regard de l'histoire, je serai ainsi le premier témoin de votre Premier Miracle.

L'idée d'accomplir le rituel par lui-même séduisit aussitôt Denker. En outre, que Wheelan veuille y assister le flattait tout en le rassurant, car sa présence garantissait qu'il ne courait aucun risque.

— Kord, tout sera filmé. En portant vous-même la météorite sur son autel de lumière, vous posez la première pierre d'un empire. Plus personne ne pourra vous contester la maîtrise de ce pouvoir.

Dans la salle de contrôle, alors que les ingénieurs achevaient les préparatifs, Ben et Karen étaient aux premières loges, encadrés par trois hommes qui ne cachaient plus leurs armes et avaient reçu l'ordre de les abattre au premier geste suspect. Ben soutenait la jeune femme, affaiblie par ses brûlures et les épreuves psychologiques qu'elle avait endurées. En rejoignant la salle de lumière, Denker était passé devant eux mais n'avait pas daigné leur adresser la parole. Son petit sourire ironique n'avait pas échappé à Benjamin.

Sur les écrans, Karen observait Kord et Wheelan, revêtus pour l'événement de la robe traditionnelle sur laquelle brillait leur chasuble d'or. Chacun d'eux tenait un masque à la main.

— Je leur laisse ma place sans hésiter..., grimaça-t-elle.

L'absence de réaction à sa remarque l'étonna. Elle regarda son complice.

— Qu'avez-vous ? Vous semblez ému.

Ben ne devait pas répondre. Il se contenta de la serrer un peu plus contre lui. Il ne pouvait pas lui expliquer ce que le professeur était en train d'accomplir. S'ils avaient vu juste concernant les météorites, le vieil homme signait sa perte en accompagnant Denker. Sans doute avait-il jugé son sacrifice nécessaire pour convaincre cet homme méfiant d'y aller en personne.

Ben dévisageait son ancien professeur. Il le voyait jouer la comédie, mais au-delà, l'universitaire dégageait autre chose. Une prestance, une conviction. Il semblait avoir retrouvé sa dignité. Il avait mobilisé son talent d'orateur hors pair et sa crédibilité au service de sa duperie. Cette fois, ce n'était pas Denker qui l'avait abusé par ses beaux discours, mais l'inverse. Juste retour des choses. Certains mensonges ont de la noblesse.

Un souvenir s'imposa à l'esprit de Ben. Il se revit en troisième année, lors d'une séance d'études comparées. Il était assis à côté de Fanny, et Wheelan faisait travailler leur groupe autour des pires décisions de l'histoire et de ce qui avait poussé leurs auteurs à les prendre. Hannibal déclenchant l'avalanche qui allait lui coûter la moitié de son armée et son rêve d'empire ; Moctezuma confondant un conquistador espagnol avec un dieu et lui ouvrant les portes de la cité que celui-ci venait piller ; Johan de Witt bradant ce qui allait devenir l'île de Manhattan pour lui préférer le commerce de la noix de muscade ; Lord Frederick North privant la Grande-Bretagne de ses colonies américaines pour avoir tenté de les voler ; la confiance placée dans la ligne Maginot française... Les exemples étaient légion. Au terme de l'atelier, tous avaient conclu que dans la quasi-totalité des cas, ceux qui avaient fait ces choix désastreux s'étaient soit surestimés, soit avaient décidé par pur orgueil.

À l'époque, par une ironie qui trouvait tout son sens à présent, Wheelan avait cité Hitler, refusant l'hypothèse d'un débarquement massif sur les côtes françaises pourtant annoncé par ses services de renseignement. Le Führer avait écarté ce scénario décrété impossible au prétexte que personne n'oserait se lancer dans une telle opération, surtout face à sa ligne d'artillerie couvrant la totalité du littoral normand. Wheelan connaissait assez les rouages de l'âme des conquérants pour les faire jouer à son avantage.

Sur les écrans, Denker paraissait fier de figurer si près du prodige, associant sans doute à la fois l'orgueil et la surestimation de lui-même. Le professeur tenait parfaitement son rôle. Horwood regretta de ne pas avoir pu lui dire adieu autrement que d'un regard.

L'opérateur à la console annonça au micro :

— Verrouillage de la salle de lumière.

Lentement, les boucliers et les épaisses portes antiradiation se mirent en place, confinant l'enceinte. Sur les écrans, tel un champion exultant après sa médaille d'or, Denker présenta la météorite aux caméras comme un trophée. Il la déposa sur le socle central et s'inclina devant en joignant les mains.

L'ingénieur ordonna la phase suivante :

— Orientation des miroirs.

Les panneaux réfléchissants s'ajustèrent pour capter au mieux la lumière et la canaliser. En voyant l'intensité d'éclairage s'élever considérablement sur les écrans, Karen eut un frisson et passa son bras autour de celui de Benjamin.

L'opérateur demanda au micro :

— Monsieur, pouvons-nous procéder ?

Denker répondit d'un hochement de tête sans aucune ambiguïté. Il enfila son masque antique ; Wheelan fit de même.

Les ingénieurs étaient rivés aux écrans de contrôle. L'opérateur enclencha la séquence et annonça :

— Alignement des pyramides.

Les reliques de bronze pivotèrent et s'illuminèrent. Les quatre rayons convergèrent sur la météorite. Quelques longues secondes s'écoulèrent sans que rien ne se passe.

Tout à coup, la caméra thermique réagit. La température se mit à grimper par paliers sans cesse plus marqués.

L'un des ingénieurs se précipita au micro :

— Monsieur, nous avons une réaction plus puissante que prévu, devons-nous interrompre ?

La météorite devint rouge, puis très vite, incandescente. Elle brillait de l'intérieur. Sur les écrans, on la vit soudain commencer à vibrer sur son socle. Elle paraissait presque vivante.

— Monsieur, le risque de fission est réel. Devons-nous stopper ?

Denker ne réagissait pas. Il demeurait immobile à quelques pas de la météorite qui les éclairait, lui et Wheelan, d'une lueur flamboyante. À travers la clarté qui brouillait la vue, Ben crut voir son professeur faire un signe de croix.

Dans la salle de contrôle, les appareils s'affolaient. Les ingénieurs, paniqués, hésitaient encore. L'un d'eux se rua enfin sur le module de rotation des pyramides pour les placer en position de sécurité et interrompre le flux, mais avant que Ben ait pu l'empêcher de l'atteindre, une incroyable lumière blanche emplit tous les écrans, débordant les capteurs et surpassant toutes les limites de mesure.

Dans un réflexe de sécurité, Ben entraîna Karen à terre et se coucha sur elle pour la protéger. Une puissante déflagration ébranla toute la structure, un choc sourd, plus violent qu'une énorme bombe, un tonnerre absolu qui fit trembler le sol et enfonça partiellement le volet blindé de la fente d'observation. Karen hurla.

— Refermez le toit ! s'époumona l'opérateur alors que les appareils en surtension disjonctaient les uns après les autres en projetant des gerbes d'étincelles.

Les écrans étaient hors service. Plus aucune image ne parvenait de l'intérieur de l'enceinte.

Alors que les sirènes d'alerte se déclenchaient, les occupants du poste de contrôle, hagards, étaient sous le choc. Aucune procédure ne prévoyait une telle violence. Face au désastre, les gardes ne demandèrent pas leur reste. Ils prirent la fuite pendant que les ingénieurs et l'opérateur tentaient de maîtriser plusieurs débuts d'incendie.

Le regard fixe, Karen semblait hermétique à cette fin du monde. Elle saignait du nez. Ben la souleva dans ses bras et quitta la salle aussi vite qu'il le put.

85

Dans le couloir des cellules, Ben et Karen s'arrêtèrent devant la seule dont la porte était fermée.

— L'agent venu livrer la pyramide est sûrement enfermé là-dedans, commenta Ben.

Karen reprit son souffle en chancelant. Voyant qu'elle ne réagissait pas, il insista :

— Pourquoi n'ouvrez-vous pas ce verrou ? Vous ne voulez pas le libérer ?

— Peux pas, répondit-elle d'une voix pâteuse. J'arrive à peine à tenir debout. Depuis l'explosion, mes oreilles sifflent et j'ai l'impression d'être saoule.

Le fait est que, mollement appuyée contre le mur, l'agent Holt en donnait l'apparence. Au loin, les sirènes d'alerte retentissaient toujours et dans la débâcle, on entendait le rotor de l'hélico.

— Alors dites-lui au moins quelque chose à travers la porte, que ce type sache que c'est nous. Je n'ai vraiment pas envie qu'il me saute à la gorge.

Elle glissa le long du mur et déclara avec une diction approximative :

— Ici l'agent Holt, on vient vous délivrer !

Puis à voix basse, elle ajouta :

— J'allais oublier, on a un code de reconnaissance...

Elle hurla :

— Tequila vermouth !

Aucune réponse. Horwood lâcha :

— Affligeant.

— C'est pas moi qu'ai choisi.

Horwood repoussa les verrous.

— C'est bizarre, s'étonna Karen, il aurait dû répondre « cul sec »...

À peine Ben avait-il déverrouillé la porte qu'elle s'ouvrit violemment, le projetant contre le mur d'en face. Un homme fit irruption, prêt à en découdre, armé d'un pied de lit dans chaque main. En voyant Ben affalé sur le sol, il s'arrêta net.

— Horwood ?

Benjamin écarquilla les yeux.

— West ?

Alloa l'aida à se relever et salua Holt.

— Excusez-moi pour la porte dans la tronche, mais ce sont de vrais fondus ici.

Karen éclata de rire comme une démente.

— Fondus, c'est le mot !

— Faites pas attention, elle n'est pas dans son état normal. On a eu des journées fatigantes ces derniers temps.

— C'était quoi, l'explosion de tout à l'heure ? Les troupes de Sa Gracieuse Majesté ont enfin débarqué ?

— Pas encore, mais elles ne devraient pas tarder. Un satellite aura forcément repéré la déflagration.

— Où sommes-nous ?

— Sur une île nazie, quelque part dans les Shetland.

West fit une drôle de tête. Horwood soupira :

— Je me doute que ça a l'air bizarre, mais c'est la vérité. On vous expliquera. Mais au fait, que fabriquez-vous là ? Est-ce vous qui leur avez livré la pyramide ?

— On était en vacances avec Fanny. Tout se passait à merveille, mais elle a voulu vous passer un coup de fil pour savoir comment avançaient vos recherches.

— On a fait des progrès à tout péter. Littéralement.

— Super. En attendant, elle a trouvé que le directeur donnait de vos nouvelles de façon trop évasive. Vous connaissez Fanny, elle a insisté au point qu'il a fini par lui lâcher que vous et Karen aviez disparu. Elle est devenue folle. Elle l'a cuisiné jusqu'à comprendre que vos ravisseurs menaçaient de vous exécuter si on ne leur remettait pas un machin sacré avec un cristal dedans.

— Boum ! ricana Karen, qui s'affaissait de plus en plus comme une ivrogne le long du mur.

Ben l'aida à s'asseoir par terre pendant que West continuait à raconter :

— Quand j'ai su que vous étiez en danger, j'ai proposé de rentrer pour vous aider. Après ce qu'on a vécu, je ne pouvais pas vous abandonner.

— C'est vraiment très gentil. Vous m'en voyez touché, mais vous n'auriez pas dû. Surtout avec le bébé.

— Quel bébé ?

— Le bébé qu'attend Fanny.

West fit à nouveau une drôle de tête, mais pas la même. En tirant sur la jambe du pantalon de Benjamin, Karen lui souffla à voix basse :

— Hey, je crois qu'il n'était pas au courant. Techniquement, ça s'appelle une gaffe.

West serra les poings.

— Comment savez-vous que ma femme est enceinte alors que je l'ignore ?

Ben sentit le poids de sa fatigue s'abattre d'un coup sur ses épaules.

— C'est une longue histoire.

— Aussi compliquée que celle de l'île nazie ?

— Pas tout à fait, n'exagérons rien.

West montait en pression à vue d'œil.

— Benjamin, d'homme à homme, c'est qui le père ?

— Je ne peux pas vous assurer à cent pour cent que c'est vous, mais je suis certain que ce n'est pas moi.

Karen tira à nouveau sur la jambe du pantalon de Ben.

— Il est beau et en plus il est baraqué. Il va vous flanquer une grosse raclée.

— Alloa, sur la tête d'Ânkhti, je vous jure que je n'y suis pour rien. Fanny m'a annoncé la nouvelle juste avant votre départ parce qu'elle ne savait pas quand on se reverrait. Elle tenait à vous en faire part pendant vos vacances, au calme.

West se détendit très légèrement.

— Qui est Ânkhti ?

— La jeune personne dans le sarcophage du tombeau.

— Vous pouvez jurer tout ce que vous voulez sur sa tête, elle ne risque plus grand-chose.

— C'est un point de vue, mais je vous promets que seuls les hasards d'emploi du temps sont responsables du fait que j'ai été averti avant vous de la grossesse de Fanny. Personne n'était au courant.

Comme une enfant à l'école, Karen leva un doigt.

— Moi j'étais au courant, et même avant elle.

Des ronflements venus de l'extérieur les interrompirent. Horwood et West tendirent l'oreille.

— On dirait des hélicos, se réjouit Benjamin.

— La cavalerie arrive, commenta Alloa.

Karen bascula en arrière en couinant d'une petite voix :

— Oh non ! Ils vont faire peur aux moutons !

West et Ben la soulevèrent chacun par un bras et l'emmenèrent vers la sortie. Vers la liberté.

86

Aux pieds de Benjamin, sous un soleil de plomb, la vieille ville d'Assouan déroulait le dédale de ses ruelles à l'ombre d'une multitude de petits bâtiments aux murs clairs. Cette fois, il n'avait pas oublié ses lunettes de soleil.

Même dans sa modernité, l'Égypte dégageait en tout ce parfum d'éternité. Sur la terrasse de sa chambre d'hôtel, Horwood savourait un calme dont il avait presque oublié qu'il fût possible.

Karen se glissa par la porte-fenêtre entrouverte pour le rejoindre. Elle déposa un baiser furtif sur ses lèvres.

— Quelles nouvelles de Jack ? demanda-t-il.

— Il grogne parce qu'il va falloir dédommager Walczac pour la pyramide qu'il ne reverra pas.

— Toujours à se plaindre. Et l'île ?

— Personne ne pourra pénétrer dans la chambre de lumière avant un bon moment. Les équipes ont récupéré les archives et les antiquités dont beaucoup avaient disparu depuis la guerre. Les autres services nous aident à faire la chasse aux derniers soldats de Denker qui courent encore.

— Tu ne lui as rien dit au sujet de Wheelan ?

— Pas un mot. Je fais ce que je veux des informations dont je dispose.

— Je pense qu'il a mérité qu'on oublie sa regrettable implication.

— Je ne vois même pas de quoi tu veux parler.

— Qu'il repose donc en paix.

Elle inclina la tête sur son épaule.

— Jack m'a demandé si tu voulais continuer à travailler avec nous. On forme une bonne équipe...

— Pourquoi pas ? Après ce que vous m'avez fait endurer, je risque de m'ennuyer dans les réserves du musée. Vont-ils nous permettre de poursuivre nos recherches sur Sumer ?

— Jack dit que ça le dépasse.

Karen s'étira.

— J'ai chaud, laisse-moi cinq minutes, je vais me rafraîchir.

— Prends ton temps, j'ai de la lecture...

Elle rentra. Ben s'installa confortablement dans une chaise longue en osier. Alors que l'eau de la douche commençait à couler, il sortit de sa poche le petit carnet noir frappé des initiales et l'observa un moment. Après l'évacuation du laboratoire, il l'avait retrouvé dans son blouson, sans doute glissé là par Wheelan en guise de cadeau d'adieu. Le signet marque-page était positionné à la fin.

À la suite du dernier paragraphe de la main d'Hitler, Ben eut la surprise de découvrir une autre écriture, mieux formée, bien plus familière, et dont l'encre foncée indiquait la nature récente.

Mon cher Benjamin,

Si vous lisez ces mots, c'est sans doute que vous aviez vu juste pour les météorites et que tout est rentré dans l'ordre. Je suis bien mort cette fois, et le secret du Premier Miracle est entre de bonnes mains puisque ce sont les vôtres. Désormais, il n'y a plus que vous pour connaître la clé de l'expérience.

Puisque mon heure est venue, je souhaite vous transmettre le seul héritage que mon demi-siècle d'études m'aura permis d'acquérir. L'histoire fut ma passion, mais au-delà des innombrables faits, dates et noms, je n'en retiens que quelques principes qui disent aussi ce que nous sommes.

Les hommes auront toujours besoin de se trouver des ennemis, quitte à se les inventer, pour se donner le beau rôle. Mais si le diable doit être combattu, ce qu'il dit n'est pas toujours faux. Méfiez-vous des prétendus chevaliers blancs. L'intégrité est une denrée rare. Ne vous fiez qu'à votre conscience. À mon humble avis, notre faculté à respecter cette ligne de conduite explique à elle seule nos victoires et nos échecs. Gardez toujours espoir en l'homme. Il n'est jamais meilleur que dans les pires situations. N'oubliez pas que les humains ont la remarquable faculté d'adhérer par eux-mêmes aux meilleures idées, mais que c'est en suivant un meneur qu'ils se perdent dans les plus mauvaises. Vous comme moi savons que les sombres idéaux des traîtres à l'humanité disparaissent avec eux. Dites à nos semblables que pendant qu'ils perdent leur temps devant des écrans, l'histoire continue à s'écrire, souvent à leurs frais. Je suis certain que vous saurez quoi faire de ces modestes réflexions.

Je ne sollicite aucun pardon pour mes fautes mais vis-à-vis de mes proches, j'aimerais vous demander l'immense faveur de ne rien leur en dire. Ils n'ont pas à souffrir de mes erreurs. Je vous le demande en souvenir du futur.

Je suis heureux de vous avoir vu grandir. J'ai eu l'honneur de vous remettre votre diplôme, mais c'est vous seul qui avez eu le courage de gagner vos galons d'homme. Que la sagesse des alchimistes et des vrais savants vous préserve.

Bien à vous,

Ronald W.

P-S : J'espère que ce bon vieux Folker va bien. Saluez-le pour moi, s'il vous plaît.

87

Une aube comme au premier jour, pure et silencieuse. La brise déjà tiède frôle la peau. Les oiseaux volent au ras des flots en criant. Au loin, la silhouette du grand temple domine. Ben se tient debout, sur la rive du lac Nasser.

Karen l'a laissé seul, elle l'attend plus loin. Ses cheveux sont détachés et elle porte une robe légère. Le vent en joue, elle s'en amuse tout en observant discrètement son compagnon. Elle sait à quel point l'instant est important pour lui.

Benjamin retire ses chaussures. Il avance dans l'eau. Elle est fraîche. Il respire vite mais s'efforce de reprendre un rythme apaisé. C'est à lui d'instaurer la sérénité.

Sous la surface, juste devant lui, tout au fond, se trouve le tombeau secret. Il ne se souvient plus de ce qu'était sa vie avant cette aventure. Comme s'il était vraiment né ici. Il revoit les fresques murales, les ailes et les soleils, tous les objets logés dans le sarcophage, la météorite... Il songe aussi à la solitude glacée de sa gardienne. Sa gorge se serre.

Lentement, il ouvre les mains et laisse échapper son offrande. Des pétales de lotus blanc tombent sur l'eau. Le souffle les disperse déjà, comme des felouques aux voiles immaculées sur le Nil. La fleur des pharaons, celle dont on faisait des guirlandes pour honorer les dieux. Symbole de la pureté du jour, s'ouvrant au lever du soleil et se refermant au crépuscule. Tout est dans la lumière.

Benjamin regarde les pétales s'éloigner sur les flots. Comme à chaque fois qu'une femme lui manque, il murmure :

— Je suis revenu pour toi. Repose en paix, Ânkhti. Ton secret est désormais le mien. Te voilà libre de retrouver tes ancêtres, relevée de ta mission. Merci de m'avoir sauvé. Merci pour Karen. Depuis mon retour, je ne rêve plus de toi, mais je ne t'oublierai jamais. À bientôt, dans ton monde ou le mien...

Il demeure immobile, recueilli. Un courant d'air l'enveloppe tout à coup, le vent semble l'enlacer puis disparaît, emportant avec lui les pétales comme une main invisible. Benjamin sourit. Il regagne la berge, pressé de retrouver Karen. Il marche vers elle, et ses pieds déchaussés se blessent sur les cailloux à chaque pas, lui donnant la démarche malhabile d'un enfant. Pour lui laisser tout le temps dont il a besoin, elle s'abstient d'aller à sa rencontre. Elle doit attendre qu'il vienne à elle.

Après avoir grogné et pesté contre l'inconfort du chemin, il l'embrasse.

— Encore en train de te plaindre.

— C'est une torture...

— De loin, ça donnait l'impression que tu avais bu.

— Tu ne t'es pas vue après l'explosion... West se fera un plaisir de te décrire.

Elle rit. Il finit par enfiler ses chaussures, respire à fond et demande :

— Que dirais-tu d'aller promener tes enfants au parc ?

Elle le regarde, interloquée.

— Ce serait sans doute très agréable, mais je n'ai pas d'enfants.

— Il y a peut-être une solution pour y remédier...

FIN

Et pour finir...

Merci de m'avoir suivi jusqu'à ces pages. Heureux de vous y retrouver. Même si le rideau tombe sur cette aventure-là, ce n'est pas encore la fin puisque le moment de notre rendez-vous dans les coulisses est venu. Je ne sais pas quelle heure il est chez vous mais là où je me trouve, c'est la pleine nuit.

Vous êtes très nombreux à me faire savoir à quel point vous appréciez ce chapitre en plus, caractéristique de mes livres. Vous n'imaginez pas combien cet espace est important. D'autant que cette fois, vous y rejoindre, au calme, constitue à mes yeux un bonheur particulier. Comme si l'on revenait ensemble d'une expédition mouvementée vers des savoirs et des paysages inédits qui m'auraient ouvert d'autres horizons. J'espère que vous avez passé un bon moment. Je n'ai pas d'autre ambition.

Cette histoire, je la porte depuis huit ans. Elle est née un petit matin de juillet 2008, sous un ciel gris ardoise, alors que j'escaladais une paroi rocheuse escarpée surplombant la mer froide, le long d'une côte perdue. Rien de vertigineux, mais bien assez impressionnant pour moi. Je courais après une image pour tenter de fixer une atmosphère précise.

Cueillir ce genre d'instant n'est jamais simple. Même si les miens n'étaient pas loin, j'étais seul, coincé entre l'eau et la roche. L'odorat réveillé, la vue débordée, l'ouïe aiguisée, cramponné à la roche brute dont mes doigts agrippaient la matière râpeuse, je cherchais l'angle. C'est alors que, comme souvent, la situation vous dépasse soudain. La soif de découvrir, l'énergie du lieu, le vent et l'eau salée se sont mélangés en moi pour donner naissance à une étincelle. Je me suis trouvé arraché au présent par une idée, presque foudroyé par une scène qui s'est imposée à mon esprit. Je l'ai littéralement sentie. Une sorte de coup de foudre qui vous fait bouillir la tête, immédiatement associé au désir de vous la raconter. Ce fut un moment extraordinaire. Je l'ignorais encore à cet instant-là, mais l'intrigue allait se construire lentement autour, jusqu'à la dépasser et la digérer – paradoxalement, la situation qui m'a donné envie d'écrire ce roman n'y figure pas. Dès lors, la conjonction formée dans mon imagination m'a littéralement obsédé. Je me suis lancé dans cette histoire, avec l'espoir de vous emmener sur des sujets et dans des endroits différents, en compagnie de gens ordinaires affrontant des situations qui ne le sont pas. Tant de choses me fascinent, tant de mystères dont notre époque accaparée par le commerce parle si peu. L'avenir du monde se joue souvent sur les réactions ou les décisions de gens comme vous et moi confrontés à des choix dont l'impact prend une ampleur inattendue. La vie nous entraîne toujours plus loin que ce que l'on a imaginé. Les photos que j'ai réalisées ce jour-là ne sont pas aussi extraordinaires que ce que j'espérais, mais j'ai ramené bien mieux : une idée qui n'aurait jamais pu naître ailleurs.

Mes livres ne parlent finalement que d'individus qui se rencontrent dans l'épreuve et apprennent à s'accepter en aimant. Le plus souvent, ils le font dans un décor quotidien, face à ces péripéties que nous connaissons tous un jour ou l'autre. Mais cette fois, j'ai souhaité les placer face à d'autres enjeux. On pense souvent que pour être à la hauteur des rendez-vous de l'histoire, il faut être prédestiné, formé, ou extrêmement doué. C'est une erreur. Chacun peut se trouver un jour désigné comme le porteur du destin de ses semblables. Notre mémoire collective nous le rappelle à chaque drame, à chaque catastrophe, mais aussi à chaque victoire, à chaque espoir et à chaque découverte. N'abandonnons pas les grandes décisions à ceux qui tentent de nous faire croire – avec plus ou moins de talent ! – qu'ils sont plus compétents que nous pour les prendre. La conscience de notre espèce habite en chacun de nous. Ne laissons personne décider contre nos meilleures valeurs et s'approprier notre futur. C'est souvent ce que mes personnages découvrent, aussi bien dans leur vie de tous les jours que face à des échéances plus conséquentes. Même un roman sans prétention peut reposer sur des sentiments essentiels.

Je pensais écrire ce livre après *Demain j'arrête !*, mais vous m'avez plébiscité en comédie et je n'ai pas voulu perturber notre relation naissante. Alors il m'a fallu attendre, patienter en gardant pour moi-même cette envie de galoper dans ce récit-là. Avec le recul, ce fut une chance, un vrai mieux, car durant ces années, non seulement vous m'avez offert ce lien exceptionnel que je savoure chaque jour, mais j'ai aussi appris à donner une autre profondeur aux personnages en me libérant du carcan des genres. C'est ainsi qu'entre deux comédies, ce roman m'a permis de conjuguer tout ce que j'aime écrire et vivre.

Pour mener à bien l'écriture de ce *Premier Miracle*, j'ai effectué énormément de recherches, de voyages et rencontré des experts. C'est un aspect du travail que j'apprécie énormément parce qu'il me permet de côtoyer des passionnés et d'apprendre à leur contact. C'est un immense privilège. Pour nourrir mon texte, je me suis plongé dans de l'eau encore plus froide que celle qui m'avait inspiré, mais aussi dans des archives de toutes sortes. Plus j'avançais dans l'intrigue, plus j'étais troublé par la façon dont les éléments réels se combinaient avec ce que j'avais imaginé. À chaque étape, j'aspirais de plus en plus à partager mon enthousiasme avec vous.

Mais avant de vous en parler, je souhaite vous conter une histoire autour de l'histoire, qui vous concerne de très près…

Tout au long des années écoulées, j'ai reçu énormément de courrier de votre part. Vous m'avez spontanément écrit des lettres, vous m'avez envoyé des cartes postales pour que je puisse décorer les murs de mon antre. J'ai reçu de tout, du spectaculaire, du poétique, du bouleversant, vous m'avez fait rire, vous m'avez impressionné. Chacun de vos envois m'a ému, j'ai mis des mois à tout lire. J'en ai reçu tellement que je n'ai pas pu tout mettre en place ! L'année dernière, vous m'avez à nouveau massivement écrit pour le concours, et ce sont au total des dizaines de milliers de cartes qui me sont parvenues. Chaque message représente un élan, un signe de vous, avec votre écriture, vos mots qui vous font exister dans ma vie et me touchent. Ces gestes envers moi sont sacrés, ils sont un peu mon premier miracle ! Je n'en tire aucune fierté, seulement du bonheur et une motivation supplémentaire à donner tout ce que je peux de mieux.

La question de savoir ce que j'allais faire de tous ces courriers s'est alors posée – ça m'apprendra à vous lancer des défis, vous m'avez blindé mon garage ! Il n'était pas question de me débarrasser de vos cartes. J'ai donc cherché la solution afin de leur assurer un avenir digne de ce qu'elles représentent à mes yeux et respectueux de votre attention à mon égard. Qu'était-il envisageable de faire de ces nombreux sacs postaux remplis grâce à vous ?

C'est un soir, dans le train qui me ramenait de Londres, après des recherches techniques, que j'ai trouvé la solution qui m'a tout de suite emballé.

Votre place est dans ma vie. Vous le savez, mes livres n'existent que pour vous et par vous, alors j'ai le plaisir de vous annoncer que pour la première fois au monde, grâce à l'appui de mes éditeurs qui m'ont suivi dans cette idée un poil déraisonnable, vos mots sont dans les miens. Le livre que vous tenez entre les mains est imprimé sur un papier recyclé qui contient la totalité de vos envois. Vous êtes physiquement dans ces pages. Vos petits mots constituent, au sens propre, une partie de la matière dont ce livre est fait. Personne n'avait jamais réalisé cela auparavant. J'aime l'idée que vos écrits se mélangent à ce que j'imagine pour vous. À mon sens, cet aspect symbolise fidèlement la relation que nous entretenons. Les minuscules petits points que vous pouvez distinguer dans les pages proviennent de toutes les régions de France, du monde, et peut-être de chez vous. Étant donné la complexité de l'opération, seul le premier tirage de mon livre bénéficie de cette particularité, jusqu'à épuisement. Ce n'est peut-être qu'un détail, mais il est pour moi essentiel et riche de sens. Pour avoir permis cet exploit discret, je veux ici remercier mon éditrice, Anna Pavlowitch, véritable alliée dans ce projet, mais aussi MM. Antoine Gallimard et Gilles Haéri, qui ont soutenu et rendu possible cette opération hors norme. Merci beaucoup aussi à Yves Lhommée, sans l'expertise technique et humaine duquel nous n'aurions pas réussi. Grâce à vous, mes modestes livres prennent une autre dimension. Nous ne sommes pas dans le recyclage, nous sommes dans l'affection !

Avant d'entrer dans le vif du sujet et de vous en dire davantage, j'ai deux faveurs à vous demander : si vous n'avez pas encore lu l'histoire, n'allez pas plus loin. Je vous en conjure, ne découvrez les pages qui suivent qu'après avoir traversé mon roman. J'ose vous faire cette demande uniquement afin de préserver votre plaisir.

Si par contre vous sortez tout juste de l'aventure et que vous en avez envie, je vous souhaite la bienvenue dans cette section qui vous est réservée. Mais j'ai du coup ma seconde demande à vous soumettre : pour garantir la surprise et la qualité de lecture de celles et ceux qui pourraient être tentés de se lancer dans l'histoire, je vous prie de ne rien révéler de l'intrigue ou de ses rebondissements. Merci de permettre à chacun une découverte aussi complète que sereine. L'aventure de Karen et Ben sera notre secret, partagé avec ceux qui auront fait le chemin. Je vous remercie de votre compréhension et de votre appui à ce sujet. Ma requête ne vise qu'à protéger ceux qui me donnent ma chance.

Puisque nous voilà entre complices, je peux vous en dire plus à propos de l'intrigue. Je vous l'annonçais plus haut, concocter cette histoire m'a demandé beaucoup de documentation, et j'ai eu l'occasion d'accumuler des données historiques qui m'ont à la fois passionné et fasciné. Je souhaite ici vous livrer quelques clés. Si mon histoire a produit en vous l'effet espéré, vous vous demandez sans doute ce qui est vrai et ce qui relève de l'imaginaire. La part de réalité est bien plus importante qu'on pourrait le croire. À titre d'exemple, les éléments figurant dans les passages et notes en italique du professeur Wheelan sont rigoureusement authentiques, sauf deux qui sont des extrapolations. Quelques faits parmi beaucoup : l'église d'York existe, et elle correspond précisément aux caractéristiques décrites, protégée par une ceinture de maisons qui la dissimule de la rue, privée d'électricité malgré le progrès, et réellement équipée d'une trappe dans son incroyable décor. Le *kofun* d'Osaka est aussi fascinant que l'histoire le présente. L'accès en est effectivement interdit et son dôme s'est véritablement effondré en 1872. Le temple d'Abou Simbel a bel et bien été déplacé dans une incroyable opération de sauvetage conformément à ce qu'explique Ben, et sa structure initiale est immergée exactement là où je la situe. Les découvertes archéologiques mentionnées sont intégralement basées sur des faits réels et avérés, que ce soit au Mexique, en Irlande ou en Égypte. Au chapitre historique, Rudolf Hess a bien effectué un vol secret jusqu'en Écosse et s'est effectivement écrasé dans les circonstances mentionnées. Les campagnes de fouilles du Reich, notamment au Moyen-Orient, continuent d'attiser la curiosité des spécialistes sans qu'aucune conclusion satisfaisante concernant leurs résultats ne puisse être établie. La version officielle de la mort d'Hitler racontée dans mon récit résulte du croisement des sources les plus fiables disponibles à ce jour émanant des Alliés, des Russes et de ses proches ayant écrit leurs mémoires. Les trois U-Boote allemands, U-296, U-396 et U-398, ont bien disparu aux dates spécifiées et ce qu'ils sont devenus reste un mystère encore aujourd'hui.

Sur un autre plan, il faut aussi mentionner l'exceptionnel intérêt du *Splendor Solis*, sur lequel j'ai eu la chance de pouvoir travailler. Ce manuscrit est absolument fascinant et je me suis senti devant ses pages comme Ben et Karen. Il est une énigme à lui seul et ses illustrations passionnent de nombreux universitaires qui tentent toujours d'en déchiffrer les possibles sens cachés.

Je pourrais vous parler des heures de tout ce que j'ai appris d'historique et d'archéologique à propos de Sumer, des fouilles nazies ou de l'Égypte, mais j'ai mieux à vous proposer. Sur mon site, vous pouvez découvrir un volet qui vous est réservé, un onglet dans lequel vous pourrez entrer après avoir répondu à une simple question dont la réponse se cache dans mon roman. Vous aurez alors accès à un contenu spécialement conçu afin de vous présenter quelques documents iconographiques qui, je l'espère, prolongeront l'aventure et vous donneront le goût d'en apprendre davantage. Pour les plus volontaires d'entre vous, à la fin de ce livre, j'ai préparé une bibliographie sélective d'ouvrages de référence qui vous permettra d'approcher les différents aspects de l'histoire avec plus de profondeur.

Chaque jour, dans tout ce que je fais, je tente de vous surprendre et de vous émouvoir tout en vous faisant sourire. Je suis comme un gamin qui dessine pour dire qu'il aime, ou comme un artisan qui accomplit pour créer modestement ce qu'il ne trouve pas ailleurs. Au service de votre imagination et de vos émotions, je me sens à ma place. C'est la première vie dont je me souviens, et j'apprends le métier. Je découvre tout ce qui fait la réalité de cette « industrie », mais pour être tout à fait honnête, à mes yeux, l'essentiel n'est pas là. Je reste fidèle à la première impulsion qui m'a poussé à écrire. Pourquoi suis-je là ? Quelle est mon utilité ? Qui me donne le courage de me lever à 3 h 00 du matin ? Qui arrive à me convaincre de quitter les miens pour partir sur les routes ? La réponse est simple : vous.

Ce que j'aime, c'est vous raconter des histoires. Ce n'est pas un job, ce n'est pas une p****n d'aventure, c'est ma raison d'être. Puiser dans la vie pour essayer de provoquer des sentiments qui peut-être, vous emmèneront plus loin ou plus haut. Je ne sais pas si j'y parviens, j'ignore même si j'en suis capable, mais je vous jure que j'essaie de toutes mes forces. J'ai la prétention des innocents.

Il y aura bien des esprits retors ou médiocres pour me taxer de démagogie ou de clientélisme... Les pauvres. Le succès que vous m'avez offert ne m'a pas transformé, je n'ai pas changé d'éditeur pour l'argent, le fait d'être en haut ou en bas des classements m'indiffère totalement. J'abandonne bien volontiers l'ego pour ne garder que le plaisir, l'envie et la puissance que vos regards m'apportent. Au contact de ce que vous m'offrez, je façonne une hygiène de vie de plus en plus convaincue. Vous faites évoluer mon approche de l'existence vers ce qui peut se résumer ainsi : si ce n'est pas émouvant, cela ne peut servir qu'à rire.

Je réfléchis chaque jour à la manière de mieux vous recevoir en dédicaces. Je prends le maximum de temps pour répondre à vos messages. Aucun n'est banal, aucun n'est anodin. Seule la limite temporelle m'empêche de vous répondre à chaque fois. J'espère que vous me pardonnez. N'oubliez jamais que l'énergie dont vous me nourrissez alimente tous mes projets. Mes idées sont une réponse à ce que vous me tendez. J'aime ce qui nous arrive, nos rencontres. J'aime vous faire l'effet que vous me décrivez. Chaque jour, vous me racontez que vous venez juste de me découvrir, qu'un proche vient de m'offrir à vous. Vous me confiez qu'à l'hôpital, dans la peine, dans le stress ou plus simplement dans le quotidien, je vous ai distraits. Vous m'associez à ce que vous vivez de plus fort, aussi bien dans le bonheur que dans la douleur. Vous me parlez de façon plus proche que si nous étions des amis. En fait, cette comparaison ne convient pas tout à fait : vous me parlez parce que vous avez quelque chose d'important à me dire. Je n'aurais pas rêvé mieux. Mes histoires ne sont peut-être que le prétexte à nos rencontres.

Dans le cadre de notre relation, ce livre est aussi un vrai test. Je vais vous confier mon rêve. Vous pouvez le rendre possible si vous jugez que je le mérite – ce n'est pas de la flatterie, c'est une réalité. J'ai envie de vous emmener dans des histoires variées, de genres et d'univers différents, d'être celui à qui vous ferez peut-être confiance pour le suivre dans tous les registres possibles. Accepterez-vous de me prendre la main les yeux fermés pour que je vous emmène ? Nous partirons dans des élans, pas dans des calculs ou des plans marketing. Nous nous embarquerons dans des histoires et pas dans des produits. Vous pouvez compter sur moi pour ne pas vous proposer un livre auquel je ne crois pas. En changeant d'éditeur, j'aurais pu jouer la sécurité et vous offrir la comédie prévue pour l'année prochaine. Mais j'ai changé pour prendre des risques, pour faire mon boulot du mieux que je peux, pour ne plus me perdre en combats inutiles contre ceux avec qui j'étais supposé faire équipe. Alors n'allez pas croire que je change de style, n'allez pas croire que je me suis fait racheter, ne doutez jamais de mon engagement. Vous me faites le cadeau de la liberté, je vous dois l'intégrité.

Je remercie sincèrement ceux qui m'ont soutenu par le passé. Beaucoup me manquent, mais je sais que nous nous retrouverons. Je remercie Anna Pavlowitch de m'avoir accueilli à ma demande. Travailler avec toi, bénéficier de ton exigence alliée à cette écoute humaine est une chance. Merci aux équipes de Flammarion de me donner les moyens de cette nouvelle aventure. Ma petite expérience me permet d'apprécier au plus haut point la relation de confiance et d'échange avec Gilles Haéri. Merci aux équipes de Bruno Caillet et de Christophe Martel sur le terrain. Joli hasard, j'ai aussi le plaisir de retrouver le talent de François Durkheim et son regard. Les mêmes, un peu plus loin, un peu plus libres. J'embrasse fidèlement Céline Thoulouze et Thierry Diaz. Je n'oublie aucun de ceux et de celles à qui je dois tout le positif que j'ai pu vivre auparavant. Merci aussi aux libraires qui me soutiennent et me propagent. Pour cette fois, je ne vais pas citer mes proches, que les plus fidèles d'entre vous connaissent déjà. Ils sont ma raison et mon moyen.

Je suis heureux de conclure avec celles et ceux pour qui j'écris. Ce livre, comme ma vie, est plus que jamais entre vos mains. Je n'échangerais ma place avec personne.

Je vous donne rendez-vous en octobre prochain, pour une nouvelle comédie. Son titre : *Une fois dans ma vie*. Je suis certain que cette expression trouve en vous un écho aussi fort qu'en moi. Un mélange d'enjeu et d'espoir… Je suis impatient de partager avec vous tout ce qu'elle recèle. Mais chaque chose en son temps. En attendant, si vous le voulez bien, ne changeons rien.

Où que vous soyez, quelle que soit l'heure, je vous embrasse.

Votre bien dévoué,

Gilles

www.gilles-legardinier.com

Gilles Legardinier
BP 70007
95122 Ermont Cedex
France

Bibliographie sélective

Ces ouvrages passionnants m'ont permis d'approfondir la documentation nécessaire. Si cela vous tente...

L'histoire commence à Sumer de Samuel Noah Kramer, Flammarion, collection Champs Histoire, Paris, 2015.

La Mésopotamie de Georges Roux, Éditions du Seuil, collection Points Histoire, Paris, 1995.

Il était une fois la Mésopotamie de Jean Bottéro et Marie-Joseph Stève, Gallimard, collection Découvertes Archéologie, Paris, 2015.

The Standard of Ur de Sarah Collins, Object in Focus, The British Museum, Londres.

Mesopotamia de Julian Reade, The British Museum, Londres, 8ᵉ éd., 2015.

The Cyrus Cylinder and Ancient Persia : A New Beginning for the Middle East de John Curtis, The British Museum, Londres, rééd. 2013.

Splendor Solis, Harley MS. 3469, commentaires par Thomas Hofmeier, Peter Kidd, Jörg Völlnagel, M. Moleiro Editor, Barcelone, 2011.

L'Alchimie de Serge Hutin, Presses universitaires de France, collection Que sais-je ?, Paris, 12ᵉ éd., 2013.

Lux in Arcana : The Vatican Secret Archives Reveal Itself, Capitoline Museums, Palombi Editori, Rome, 2012.

Le Dossier Hitler – le dossier secret commandé par Staline, présenté par Henrik Eberle et Matthias Uhl, Presses de la Cité, Paris, 2006.

Dans le bunker de Hitler de Bernd Freytag von Loringhoven, François d'Alançon, Perrin, collection Tempus, Paris, 2006.

Hitler's Last Day Minute by Minute de Jonathan Mayo et Emma Craigie, Short Books, 2015.

Deceiving Hitler : Double Cross and Deception in World War II de Terry Crowdy, Osprey Publishing, Oxford, 2008.

12 ans auprès d'Hitler, 1933-1945. La secrétaire privée d'Hitler témoigne, Page après Page, collection Histoire, Paris, 2004.

J'étais garde du corps d'Hitler, 1940-1945, témoignage de Rochus Misch recueilli par Nicolas Bourcier, Le Cherche Midi, collection Documents, Paris, 2006.

Histoire année après année. Encyclopédie visuelle des événements qui ont marqué le monde, Flammarion, Paris, 2012.

Timelines of Science : The Ultimate Visual Guide to the Discoveries that Shaped the World, Smithsonian, DK, 2013.

Sciences année après année. Encyclopédie visuelle des découvertes qui ont marqué le monde, Flammarion, Paris, 2014.

Génies par hasard. Ces petites (et grandes) découvertes qui ont changé le monde de Richard Gaughan, Dunod, Paris, 2013.

The Scottish Islands, de Hamish Haswell-Smith, Canongate, 2015.

The Salvage of the Abu Simbel Temples, VBB Vattenbyggnadsbyrån, Concluding Report, Stockholm, 1976.

The World Saves Abu Simbel, Chr. Desroches-Noblecourt et Georg Gerster, A.F. Koska, Vienne-Berlin, 1968.

Le Courrier de l'Unesco, numéro 10, Organisation des Nations unies pour l'éducation, la science et la culture, octobre 1961.

Encyclopædia Universalis, Corpus, sous la direction d'Élisabeth Graf et Jack Mayorkas, Encyclopædia Universalis, Paris, 2011.

National Archives (United Kingdom), Records of the Ministry of Defence, Records of Special Operations Executive, Kew, Richmond, Surrey.

11870

Composition
NORD COMPO

Achevé d'imprimer en Espagne
par CPI books IBERICA
le 16 juillet 2017.

Dépôt légal : juillet 2017.
EAN 9782290137352
OTP L21EPLN002118N001

ÉDITIONS J'AI LU
87, quai Panhard-et-Levassor, 75013 Paris

Diffusion France et étranger : Flammarion